SV

Ernst Bloch
Briefe
1903-1975
Erster Band

Herausgegeben von Karola Bloch,
Jan Robert Bloch, Anne Frommann,
Hanna Gekle, Inge Jens,
Martin Korol, Inka Mülder,
Arno Münster, Uwe Opolka
und Burghart Schmidt
Gesamtredaktion: Uwe Opolka

Suhrkamp Verlag

Erste Auflage 1985
© dieser Ausgabe Suhrkamp Verlag Frankfurt am Main 1985
Alle Rechte vorbehalten
Druck: MZ-Verlagsdruckerei GmbH, Memmingen
Printed in Germany

CIP-Kurztitelaufnahme der Deutschen Bibliothek
Bloch, Ernst:
Briefe: 1903-1975 / Ernst Bloch. Hrsg. von
Karola Bloch ... Gesamtred.: Uwe Opolka. –
Frankfurt am Main: Suhrkamp
ISBN 3-518-57713-1
NE: Bloch, Ernst: [Sammlung]; Bloch, Karola [Hrsg.]
Bd. 1. – 1. Aufl. – 1985

Inhalt des ersten Bandes

Karola Bloch
Zu dieser Ausgabe

Ein überraschender Fund noch zu Lebzeiten von Ernst Bloch gab die erste Anregung zur Herausgabe seiner Korrespondenz. Mitte der siebziger Jahre tauchte im Safe einer Heidelberger Bank ein Koffer auf, der dort seit Jahrzehnten unbeachtet gelegen hatte. Er stammte aus dem Besitz von Georg Lukács und enthielt neben einigen Manuskripten und vielen Briefen auch etwa hundert Jugendbriefe Blochs an den Freund. Lukács hatte den Koffer vermutlich einfach vergessen, als er 1917 Heidelberg verließ, um – mit Unterbrechungen – wieder in seiner Geburtsstadt Budapest zu leben. Die wiedergefundenen Briefe gelangten dann ins Lukács-Archiv in Budapest, in die Obhut von Lukács' Stiefsohn und Nachlaßverwalter Ferenc Jánossy, der eine Kopie der Originale nach Tübingen schickte. Bloch beabsichtigte zunächst, einen Teil dieser Briefe in *Tendenz-Latenz-Utopie*, dem Supplementband zur Gesamtausgabe seiner Werke, aufzunehmen, gab dieses Vorhaben jedoch bald auf; in erster Linie wohl deshalb, weil er die Schwierigkeiten bei der Kommentierung dieser Briefe für unüberwindbar hielt. Ein weiterer gewichtiger Grund dürfte in der Zurückhaltung – um nicht zu sagen: Abneigung – liegen, die er zeitlebens gegen Autobiographisches hegte. Für ihn zählte einzig das Werk, nicht die Lebensumstände des Menschen hinter diesem Werk. Eine Verfügung, seine Briefe nicht zu drucken, hat er jedoch niemals erlassen.

Daher entschloß ich mich nach dem Tode von Bloch, in Zusammenarbeit mit einigen seiner Freunde und Schüler, seine Korrespondenz herauszugeben. Wesentliche Gesichtspunkte, die mich dazu bewogen, möchte ich kurz nennen. Bloch schrieb seine Briefe spontan, fast immer ohne ein vorbereitendes Konzept, selten strich oder änderte er den Text. Seine Briefe zeigen in weit höherem Maß als seine durchgearbeiteten, zur Veröffentlichung bestimmten Texte seine Fähigkeiten als Gesprächspartner, die seine Freunde und Schüler so an ihm schätzten, seine Direktheit, seinen Witz und seinen entwaffnenden Charme, seine zuweilen auch polemischen Züge. Vielleicht vermitteln diese Briefe eine Ahnung davon, wie er sich im privaten Kreis gab.

Daneben soll diese Briefedition weite Abschnitte seiner Biographie und die Entstehungsgeschichte seiner Werke überhaupt erst erschließen und für weitere Forschungen zugänglich machen. Auch einige umlaufende Ungenauigkeiten und Irrtümer sollen korrigiert werden. Schließlich verstehe ich diesen Band als Beitrag zur Erforschung der Philosophie- und Literaturgeschichte dieses Jahrhunderts, nicht zuletzt zur Geschichte der Emigranten aus Hitler-Deutschland.

Vorliegender Band enthält – mit Ausnahme von zwei Korrespondenzen, von denen noch die Rede sein wird, und mit Ausnahme einiger mehr oder weniger belangloser Briefe vor allem aus der Zeit nach dem Zweiten Weltkrieg – alles, was von Blochs Privatkorrespondenz bis heute wieder aufgefunden werden konnte. Den Grundstock bilden die erwähnten Jugendbriefe an Lukács, für deren Überlassung ich Ferenc Jánossy und dem Budapester Lukács-Archiv danken möchte. Zwei der Adressaten, Joachim Schumacher und Adolph Lowe, waren zu Beginn der Editionsarbeiten noch am Leben und stellten großzügig die Originalbriefe Blochs zur Verfügung. Ihnen beiden sei hier besonders herzlich gedankt. Leider konnte Joachim Schumacher die Fertigstellung der Ausgabe nicht mehr erleben. Er starb am 8. September 1984. Auch andere Privatpersonen und öffentliche Institutionen haben rasch und zuvorkommend nicht nur die Einwilligung zur Veröffentlichung der in ihrem Besitz befindlichen Dokumente gegeben, sondern auch die Editionsarbeiten, wo es notwendig war, hilfreich unterstützt. Dankbar seien hier nur genannt: Frau Monica Huchel (Staufen im Breisgau), die die Briefe an ihren Mann Peter Huchel, und Frau Lotte Klemperer (Zollikon/Schweiz), die die Briefe an ihren Vater zur Verfügung stellten. Rolf Tiedemann (Frankfurt/M.) überließ den Herausgebern die Briefe an Walter Benjamin und Theodor W. Adorno, das Horkheimer-Archiv in der Stadt- und Universitätsbibliothek Frankfurt/M. die Briefe von und an Max Horkheimer. Die Briefe von und an Siegfried Kracauer stammen aus dem Deutschen Literaturarchiv Marbach, die Briefe an Thomas Mann aus dem Thomas-Mann-Archiv in Zürich, die Briefe an Klaus Mann aus dem Klaus-Mann-Archiv (Handschriftenabteilung der Stadtbibliothek München), die Briefe an Hermann Broch aus dem Broch-Archiv der Yale University Library (New Haven, Conn., USA), die Briefe an Wilhelm Muehlon und Annette Kolb aus dem Institut für Zeitgeschichte (München). Weiter stellten zur Verfügung: den Brief an Max Scheler die Bayerische Staatsbibliothek (München), und den Brief an Paul Tillich die Universitätsbibliothek Marburg. Allen hier genannten – und auch den ungenannten – Personen und Institutionen sei der beste Dank gesagt. Dank gebührt auch Siegfried Unseld, der einer Veröffentlichung dieser Briefe im Suhrkamp Verlag spontan zustimmte.

Ganz besonders herzlich möchte ich auch den Mitherausgebern dieses Bandes danken. Sie haben mit außerordentlichem Engagement und großer sachlicher Kompetenz ihre oft nicht einfache Aufgabe bewältigt.

Wie schon angedeutet, fehlen zwei wichtige Korrespondenzen in diesem Band. Zum einen die zumindest teilweise erhalten gebliebene Korrespondenz Blochs mit Margarete Susman. Nach freundlicher Mitteilung von Manfred Schlösser wurde der Susman-Nachlaß nur zufällig gerettet und befindet sich wegen seiner wechselvollen Schicksale gegenwärtig in einem Zustand, der eine Publikation dieser Korrespondenz erst in einiger Zeit zulassen wird.

Am Rande sei hier erwähnt, daß sich zahlreiche auf Bloch beziehende Dokumente wahrscheinlich noch in der DDR befinden. Bei unserer Übersiedlung in die Bundesrepublik 1961 mußten Bloch und ich sämtliche Briefe, Fotografien und andere persönliche Dokumente aus der Emigrationszeit und den Jahren in der DDR in Leipzig zurücklassen. Alle Versuche, über offizielle DDR-Stellen diese Materialien zurückzubekommen, waren erfolglos. Mir wurde gesagt, sie seien verbrannt worden – was ich aber nicht glauben kann. Daher möchte ich hier den dringenden Appell an die zuständigen Behörden der DDR richten, mir und einer interessierten Öffentlichkeit diese Materialien nicht länger vorzuenthalten!

Anders liegt die Sache bei der zweiten wichtigen Korrespondenz, die nicht in diesem Band Aufnahme fand, dem Briefwechsel zwischen Arnold Metzger und Ernst Bloch. Seit 1942 bis zu Metzgers Tod im Jahre 1974 verband beide eine enge menschliche und philosophische Beziehung. Durch eine Reihe unglücklicher Umstände hat sich die seit Jahren geplante Herausgabe dieses Briefwechsels sehr verzögert. Er soll jedoch in nächster Zukunft unter dem Titel

Wir arbeiten im gleichen Bergwerk als gesonderter Band im Suhrkamp Verlag erscheinen.

Wie ich hoffe, wird der vorliegende Band eine Signalwirkung
haben, die zur Entdeckung weiterer Briefe führt. Wer Kenntnis
davon hat, wo sich weitere Briefe und Dokumente befinden, die das
Leben und das Werk Ernst Blochs betreffen, den bitte ich, sich mit
mir oder dem Suhrkamp Verlag in Verbindung zu setzen und gegebenenfalls Kopien oder Abschriften der Originale zur Verfügung
zu stellen. Möglicherweise kann dann in absehbarer Zeit ein weiterer Briefband erscheinen, der die deutlich sichtbaren Lücken der
vorliegenden Bände schließt.

Abschließend möchte ich noch einige Bemerkungen zu den Lebensumständen machen, unter denen die vorliegenden Briefe entstanden. Wie ich glaube, spricht aus vielen von ihnen Ernst Blochs
wirkliches Wesen, seine Spontaneität, seine Warmherzigkeit, seine
Fähigkeit, echte Freundschaft zu bezeugen, was ihm schon früh die
Achtung und Liebe seiner Gesprächspartner, später auch seiner
Studenten einbrachte. In seiner Jugend – in der Zeit, als ich ihn noch
nicht kannte – mag er anders gewesen sein: Besessen von seiner Philosophie, überzeugt von seiner Mission gegenüber der Menschheit,
muß er oft ungeduldig und aufbrausend gewesen sein, beherrschte
seine Umgebung mit seinen Ideen und stieß manches Mal auf persönliche Ablehnung.

Einen Großteil seines Lebens hatte Bloch mit materiellen Nöten zu
kämpfen. Notgedrungen beziehen sich daher zahlreiche Briefe auf
dieses leidige Thema. Nach dem Ende seines Studiums besserten
sich seine pekuniären Umstände nur für eine kurze Zeit, in den Jahren 1913 bis 1914, als seine erste Frau, Else von Stritzky, aus Riga
Geld von ihrem reichen Vater bekam.

Nach Ausbruch des Ersten Weltkrieges versiegte die »russische
Quelle«, und in der Schweizer Emigration 1917 bis 1919 herrschte
bitteres Elend: Oft war nicht einmal genug Geld für die elementaren
Lebensmittel da, wie die Briefe an Johann Wilhelm Muehlon belegen. Diese Armut beschrieb Bloch auch in dem »Gedenkbuch für
Else Bloch-von Stritzky« von 1921, Jahrzehnte später in *Tendenz-
Latenz-Utopie* veröffentlicht: Die kranke Else bewohnte in Thun
ein unbeheizbares Dachzimmer, in dem nur ein Bett und ein Nacht-
tisch Platz fanden. 1919 gingen Else und Ernst zurück nach

Deutschland und kamen schließlich nach München, wo Else am 2. Januar 1921 starb. All dieses Unglück konnte aber der Liebe zwischen den beiden nichts anhaben, und es hat niemals Blochs philosophische Schöpferkraft gemindert: In diesen Jahren schrieb er *Geist der Utopie* und *Thomas Münzer*, die 1918 und 1921 erschienen.

Nach Elses Tod übersiedelte Bloch nach Berlin. Seinen Lebensunterhalt bestritt er durch Zuschüsse seines Verlegers Paul Cassirer und durch Aufsätze in Zeitungen und Zeitschriften. In die zwanziger Jahre fallen auch seine Reise nach Nordafrika und seine Italienaufenthalte, vornehmlich in Positano, südlich von Neapel. Mit dem Bruder seines Ludwigshafener Schulkameraden und lebenslangen Freundes Max Hirschler, einem tüchtigen Geschäftsmann, fuhr er Ende der zwanziger Jahre nach Riga. Dort gelang es Bloch, einen größeren Geldbetrag aus dem Erbe der Familie von Stritzky zu retten, der ihm bis zur Emigration 1933 den Lebensunterhalt sicherte. Inzwischen lebte ich bereits mit ihm zusammen. Unsere gemeinsame Emigration führte uns nach Stationen in der Schweiz, in Wien, Paris und Prag 1938 in die Vereinigten Staaten. In Europa konnte Bloch durch seine Mitarbeit an Zeitschriften noch etwas Geld verdienen – die Briefe an Schumacher, Kracauer und Klaus Mann belegen dies. Da er aber das Englische niemals wirklich beherrschen lernte, fiel in den Vereinigten Staaten auch diese Einnahmequelle aus. Trotz intensiver Bemühungen, unter anderem von Otto Klemperer, Paul Tillich, Adolph Lowe und Hermann Broch, konnte er in der amerikanischen Emigration kein einziges Buch in einem englischsprachigen Verlag publizieren.

Trotz dieser äußeren Mißerfolge schrieb Bloch gerade in diesen schwierigen Jahren sein Hauptwerk *Das Prinzip Hoffnung*. Obwohl die Oxford University Press zunächst für das Buch Interesse zeigte – es sollte *Dreams of a Better Life* heißen –, schlug auch dieses Unternehmen fehl. Abgesehen von einigen wenigen Stipendien für Bloch hatte daher ich für den Lebensunterhalt unserer kleinen Familie – 1937, noch in Prag, war unser Sohn Jan Robert geboren worden – zu sorgen.

Angesichts dieser Misere fiel es uns nicht schwer, 1949 die Vereinigten Staaten zu verlassen, als Bloch den Ruf auf eine Professur für Philosophie an der Universität Leipzig erhielt. Die Briefe aus den ersten Leipziger Jahren sind im Ton weit optimistischer als die aus der Emigrationszeit. Wir lebten zum ersten Mal in gesicherten Verhältnissen; als Leiter des Instituts für Philosophie genoß Bloch Ansehen bei Kollegen und Studenten und international wachsende Anerkennung als Philosoph. Er hoffte, die DDR, der »erste Arbeiter- und Bauernstaat auf deutschem Boden«, werde sich in nicht allzuferner Zukunft zu einem wahrhaft sozialistischen Gemeinwesen entwickeln. Die Enttäuschung an den Entwicklungen in der DDR, die er auch offen zum Ausdruck brachte, setzte in der Zeit des Ungarn-Aufstandes 1956 ein. Anfang 1957 wurde er zwangsemeritiert und von den SED-Machthabern öffentlich herabgesetzt. In den folgenden vier Jahren des erzwungenen Rücktritts arbeitete er unermüdlich weiter an seinem Werk. Bei einem Urlaub in Oberbayern wurden wir am 13. August 1961 vom Bau der Berliner Mauer überrascht und entschlossen uns daraufhin, nicht mehr in die DDR zurückzukehren. An der Universität Tübingen erhielt Ernst seine letzte Wirkungsstätte. Bis zu seinem Tode am 4. August 1977 führte er Lehrveranstaltungen durch und arbeitete an seinem Werk. Ihm war es nicht nur vergönnt, eine große Zahl von Schülern und Freunden um sich zu versammeln und einen noch wachsenden Ruhm zu erfahren. Er durfte auch noch die Erfüllung eines jahrzehntealten Wunsches erleben, den Abschluß der sechzehnbändigen Ausgabe seiner *Gesammelten Schriften*.

Uwe Opolka
Editionsprinzipien

Eine der wichtigsten Entscheidungen der Herausgeber betraf die Anordnung der Briefe. Da es sehr wohl möglich, ja wahrscheinlich ist, daß noch weitere Briefe Blochs auftauchen werden (Karola Bloch hat in ihrem Vorwort bereits einiges dazu ausgeführt), entschlossen sich die Herausgeber zu einer chronologischen Anordnung nach Briefpartnern. Für die Stellung eines Briefwechsels im Band ist also jeweils das Datum des frühesten Briefes maßgebend. Alternativ hätte sich eine chronologische Anordnung nach Briefen angeboten, was den Vorteil gehabt hätte, daß Briefe an verschiedene Adressaten mit aufeinander bezugnehmenden Inhalten nahe beisammen stehen. Sollten jedoch weitere Briefwechsel und Einzelbriefe gefunden werden und sollte ein weiterer Band mit Briefen Blochs erscheinen können, dann hat das von den Herausgebern gewählte Anordnungsprinzip einen erkennbaren Vorteil: Es ermöglicht eine problemlose Einordnung weiterer Texte. Im übrigen wird in den Anmerkungen immer dann auf andere Briefe verwiesen, wenn inhaltliche Parallelen oder Bezüge bestehen.

Alle Briefe Blochs kommen ungekürzt zum Abdruck. Gegenbriefe, die ohnehin nur in kleiner Zahl erhalten blieben – die Briefe der meisten Partner müssen als verloren gelten –, wurden nach ihrem sachlichen Gewicht in Auswahl aufgenommen und entsprechend der chronologischen Abfolge eingeordnet.

Blochs vom heutigen Gebrauch kaum abweichende Orthographie und Interpunktion wurden behutsam angepaßt, der Lautstand aber beibehalten. Orts- und Personennamen wurden auch dann belassen, wenn Bloch verschiedene Schreibweisen verwendet. Offensichtliche Schreibversehen wurden stillschweigend korrigiert, signifikante Fehler indes stehengelassen, mit einem [sic!] versehen und gegebenenfalls angemerkt.

Kursiver Druck entspricht einer einfachen Unterstreichung in der Vorlage, gesperrt kursiver einer doppelten. Die Absätze der Originalbriefe sind genau eingehalten.

Zusätze der Herausgeber stehen in eckigen Klammern. Unleserli-

che Passagen sind ebenfalls in eckige Klammern gesetzt, gestrichene
Passagen, soweit leserlich und von inhaltlichem Interesse, sind angemerkt.
Großes Gewicht legten die Herausgeber auf eine sorgfältige und
ausführliche Kommentierung der Briefe. Eigennamen, Anspielungen und Zitate wurden – soweit möglich – erläutert und entschlüs-
selt. In wenigen Fällen wurden in die Anmerkungen auch für Bloch
bedeutsame Dokumente aufgenommen. Fremdsprachliche Zitate
wurden in den Anmerkungen übersetzt. Um den Anmerkungsapparat nicht allzusehr aufzublähen, sind Personen nur einmal in
jedem Briefwechsel, bei ihrer ersten Nennung, angemerkt. Über
das Personenregister am Ende des Bandes sind sie leicht aufzufinden. Verweise in den Anmerkungen haben die Form: Vgl. Anm. X,
Brief Nr. Y an Z. Verweise ohne Angabe des Adressaten beziehen
sich auf Briefe an denselben Adressaten. Es wird innerhalb des Bandes teils vor-, teils zurückverwiesen.
Die in den einzelnen Briefwechseln verwendeten Abkürzungen und
Siglen stehen jeweils am Ende der Vorbemerkungen. Der jeweilige
Briefpartner Blochs wird in den Anmerkungen mit seinen Initialen
abgekürzt. Ernst Bloch erscheint in allen Anmerkungen als E. B.
Durchgängig abgekürzt verweisen die Herausgeber auch auf die
Gesamtausgabe der Schriften Blochs, die zwischen 1959 und 1978
im Suhrkamp Verlag Frankfurt/M. erschienen sind. Nach dem
Kürzel ist jeweils der Bandtitel genannt:

GA Bd. 1   *Spuren*
GA Bd. 2   *Thomas Münzer als Theologe der Revolution*
GA Bd. 3   *Geist der Utopie.* Bearbeitete Neuauflage der zweiten
            Fassung von 1923
GA Bd. 4   *Erbschaft dieser Zeit.* Erweiterte Ausgabe
GA Bd. 5   *Das Prinzip Hoffnung.* In fünf Teilen. 2 Bände
GA Bd. 6   *Naturrecht und menschliche Würde*
GA Bd. 7   *Das Materialismusproblem, seine Geschichte und Sub-
            stanz*
GA Bd. 8   *Subjekt – Objekt.* Erläuterungen zu Hegel
GA Bd. 9   *Literarische Aufsätze*
GA Bd. 10   *Philosophische Aufsätze zur objektiven Phantasie*
GA Bd. 11   *Politische Messungen, Pestzeit, Vormärz*

Brief an Ernst Mach 1903

Herausgegeben
und mit Anmerkungen versehen
von Burghart Schmidt

Vorbemerkung

Ernst Mach (1838-1916), österreichischer Physiker und Philosoph, lehrte Mathematik und Physik an den Universitäten in Graz und in Prag, dann Philosophie an der Universität in Wien (1895-1901). Er ist der Begründer des Empiriokritizismus. Lenin schrieb seine wichtigste philosophische Schrift gegen diese Richtung: *Materialismus und Empiriokritizismus*. Darin erfaßte er Ernst Mach als den exaktwissenschaftlich versiertesten Erneuerer eines extrem subjektiven Idealismus, wenn dieser auch auf Sinnlichkeit beruht. Nicht bloß für solche politische Seite, wie sie Lenin vertrat, galt Mach als subjektiver Idealist und Phänomenalist; es ist das übliche Verständnis seiner Lehre. Doch die Intersubjektivität des Wissenschaftlichen sowie der Pragmatismus der Denkökonomie machen bei ihm Grenzen des subjektiv Idealistischen aus, ebenso sein Stoffbegriff, der im folgenden Brief Blochs an ihn zur Sprache kommt. Ja, wie aus Blochs Brief gerade erspürbar, läßt sich ein kritischer Zusammenhang denken zwischen dem empirischen Phänomenalismus Machs und dem konstruktiven Phänomenalismus Edmund Husserls. Machs Phänomenalismus kennt wegen des reduktiven statt deduktiven Charakters der Empirie seine Grenzen.

Ludwigshafen a[m] Rh[ein], den 1.8.[19]03

Sehr geehrter Herr Professor!
In der Hoffnung, daß Sie mir nicht zürnen, wenn ich Sie wiederum belästige, erlaube ich mir, auf einige Punkte Ihres liebenswürdigen Schreibens zu entgegnen.[1]
Es war nicht im entferntesten meine Absicht gewesen, die Bedeutung des Körper- u[nd] Stoffbegriffes im empirischen, naturwissenschaftlichen Gebiet zu leugnen. Er wurde von den empirischen Wissenschaften als unauflösliches Residuum der Reduktion, gleichsam als Verdampfungsrückstand zurückgelassen. Der Stoffbegriff ist also vom empirischen, d.h. vorläufigen Standpunkt durchaus klar als konstante, sichere Größe.[2] Aber vom philosophischen, d.h. kritischen Gesichtspunkt aus erscheint er mir nichtssagend und

widerspruchsvoll bis zur Unmöglichkeit. Wo die Naturwissenschaft
mit dem Körperbegriff als letztem, selbstverständlichen Resultat
ihrer Reduktion rechnet, da erst sieht die Philosophie ihr tiefstes
Problem.[3] Der Stoffbegriff, die Materie als Untergrund aller
Erscheinungen, kann nur psychologisch überwunden werden.[4] Die
Psychologie ist dazu berufen, die historische Philosophie in demselben Sinne als wissenschaftliche Erfüllung abzulösen[5], wie die Astrologie von der Astronomie, die Alchemie von der Chemie abgelöst
wurde. Sie ist als kritische Analyse der Erkenntnisakte, als kritische
analytische Prüfung der empirischen letzten Begriffe, dazu
bestimmt, das Erbe der Philosophie zu übernehmen.[6] Als Leitmotiv
dieser kritischen Arbeit habe ich den »Satz der Phänomenalität«
(principium phaenomenalitatis) bezeichnet. In diesem königlichen
Satze ist die gesamte Philosophie als kritische Wissenschaft kompri-
miert; alles übrige ist Auslegung und Vertiefung. Er lautet in seiner
kürzesten Formulierung: »Esse = percipi.« Die Welt ist durch und
durch Vorstellung, Erscheinung, intellektuelles Phänomen.[7] Eine
extrapsychische Existenz ist buchstäblich sinnlos. Die Wirklichkeit
ist Anschaulichkeit; wir kommen niemals aus dem Zirkel der opti-
schen, akustischen, thermischen, taktilen usw. Empfindungen heraus.[8] Der Stoffbegriff aber, dieses empirisch unauflösliche Residuum, ist vom psychologischen Gesichtspunkt aus nichts anderes als
der relativ stabile Komplex dieser Empfindungen.[9] Mit dem Satz der
Phän[omenalität] ist der ganze Körperbegriff kritisch überwunden;
wer ihn in seiner Tiefe u[nd] Bedeutung begriffen hat, der kann
mit Recht auf seine philosophischen Studien stolz sein, ihm fallen
sozusagen die Schuppen von den Augen. Ich möchte den Satz der
Phän[omenalität] (in Parallele zur goldenen Regel der Mechanik) als
»goldene Regel der Philosophie« bezeichnen.[10] Dieses Prinzip hat
tatsächlich in der Philosophie (u[nd] Psychologie) dieselbe Bedeutung wie der Satz von der Erhaltung der Energie in den Naturwissenschaften. Ja, ich möchte fast sagen, daß die Intensität des Bewußtseins vom Satze der Phän[omenalität] zugleich ein Gradmesser für
die philosophische Bildung ist.[11] Neu ist der Satz übrigens keineswegs, Jahrhunderte haben daran gearbeitet, Platon u[nd] Berkeley,
Kant u[nd] Schopenhauer grüßen herüber.[12]
Ihre Meinung, verehrter Herr Professor, über die Auffassung der
Psychologie als kritische Wissenschaft, als wissenschaftliche Erfül-

lung der historischen Philosophie würde mir von hohem Werte sein. Auch über die Bedeutung des Satzes der Phänomenalität u[nd] die Möglichkeit seiner *experimentellen* (psychologischen) Vertiefung bitte ich Sie, ein Urteil abzugeben.[13] Ich hoffe, daß Ihr Gesundheitszustand gestattet, mir möglichst bald eine Antwort zukommen zu lassen.

Mit vorzüglicher Hochachtung!

Ernst Bloch

Adresse: Ludwigshafen a[m] Rh[ein], Kaiser Wilhelmstraße 11.

1 Das vorangegangene Schreiben E. B.s ist so wenig auffindbar wie E. M.s Antwort darauf, auf die E. B. hier anspielt, und auch nicht die Antwort auf diesen Brief.
2 E. M. muß in dem vorangegangenen Antwortschreiben E. B. mitgeteilt haben, daß seine Kritik der Empirie trotz allen Ausgangs von den menschlichen Empfindungen als Basis des Erkennens (daher der Name »Empiriokritizismus« für E. M.s theoretische Grundhaltung) Materie in gewissem Sinn anerkennt, nämlich als Begriff für das Auftreten von konstanten Verhältnissen zwischen Empfindungen, deren Konstanz nicht aus Empfindungen selber herzuleiten wäre (vgl. E. M. *Analyse der Empfindungen und das Verhältnis des Physischen zum Psychischen*, 1886, 2. Auflage, Jena 1900, S. 265). Eine solche reduktionelle Grenzbegrifflichkeit der Materie will E. B. also für den induktiven, das heißt zurückführenden, nicht ableitenden Charakter der Empirie durchaus anerkennen in Hinblick auf die Naturwissenschaften.
3 Man könnte die von E. B. hier ins Auge gefaßte Problematik etwa daran auftun, daß E. M. mit seiner Begründung der Konstanten in Empfindungsverhältnissen durch die Grenzbegrifflichkeit der Materie trotz Lenins Vorhalt (vgl. W. I. Lenin, *Materialismus und Empiriokritizismus*, Berlin, 8. Auflage 1967, S. 139f.) ganz entgegen Fichte argumentiert, der eher die Konstanz logischer Zusammenhänge dem erkennenden Subjekt zuordnete und die brutale Faktizität von Sinnesdaten dem Schein eines undurchdringlichen Außen, was Fichte später die Behauptung seiner Nähe zum Positivismus eintrug. Noch stärker geht es also darum, daß das, was in einer bestimmten wissenschaftlichen Perspektivität zulässiger Bezugspunkt jenseits jeder Hinterfragbarkeit ist, in einer anderen wissenschaftlichen Perspektive gerade zum äußersten Befragungsgegenstand wird.
4 Es ist natürlich erstaunlich, hier allerdings nicht erläuterbar, sondern nur notierbar, wie ein späterer historischer Materialist als Achtzehnjähriger mit der Psychologisierung des Erkenntnisproblems begann, der sich E. M. durch das Elementarisieren der Empfindungen fernhielt. Allerdings wird daraus einleuchtend, daß E. B. sich in seiner ersten längeren wissenschaftlichen Arbeit, seiner Doktoratsdissertation von 1908, einer Diskussion der erkenntnistheoretischen Lage widmete, und ebenso einleuchtend wird sein bleibender Einsatz in der Situationalität der Subjektivität, die sich erst zu den materialistischen Bestimmtheiten ausführen muß. Desgleichen geht ein Verweigern jeder Art von naivem Materialismus an.

5 E.B. meint hier die das Philosophieren des 19. Jahrhunderts bestimmende Histo-
risierung des kantischen Erkenntnis-Apriori, die von Fichtes Produktionsgesichts-
punkt gegen Kants Funktionsgesichtspunkt des Erkennens im Wirken Fichtes auf
die romantische Haltung angestoßen wurde, bei Schelling und Hegel kulminierte
und dann in Derivaten bis über Dilthey hinaus immer aufs neue sich behauptete,
ohne unbedingt Neuhegelianismus sein zu müssen. E.B. bezieht in der Sentenz
besonders Stellung gegen das deutsche Interesse an einer Historik, die das Geistes-
wissenschaftliche gegen das Naturwissenschaftliche zu begründen versuchte und
gewiß mit dem deutschen Elend deutscher Nationbildung zu tun hatte samt ihrem
Beschwörungspathos der verstockten Vergangenheit.

6 E.B. möchte eben wohl die Psychologisierung des Erkenntnisproblems, um einen
kritischen und doch erfahrungsgeladenen Zugang dazu zu gewinnen gegen die historischen Fetischisierungen oder Autorisationen des Erkennens, eine Unmittelbarkeit
des Vermittlungsansatzes gegen die von ihm gehaßten Verpflichtungen auf eine ver-
fügte Gebildetheit. Das näherte ihn später Ansätzen des amerikanischen Pragmatismus besonders bei James und bewirkte sein vorgängiges Einverständnis mit Benjamins Angriff auf den Kontinuitätswahn im Bildungsbegriff. – Sicher belegt das
Interesse dieses Briefs an einer psychologischen Behandlung des Erkennens, daß
E.B. nicht so, wie in mancher Erinnerung festgehalten, aus bloßer Verlegenheit
einige Studien- und Promotionszeit nach Würzburg ging, wo es ja die experimentell
laborierende Psychologenschule gab.

7 Der hier von E.B. ins Zentrum gerückte Satz der Phänomenalität in der Formulierung des *esse = percipi* stammt von George Berkeley, dem englischen Theologen und
Philosophen (1684-1753) und wurde von Arthur Schopenhauer mit Berufung auf
Berkeley übersetzt in die Sentenz, Welt sei Vorstellung (*Die Welt als Wille und Vorstellung*, Bd. I, hg. von Arthur Hübscher, Wiesbaden 1961, S. 4), obwohl die wörtli-
che Bedeutung lauten muß: Sein ist gleich Wahrgenommenwerden. Genaugenom-
men heißt Phänomenalität allerdings das Erscheinen; Erscheinen läßt einen darüber
im Unsicheren, ob es sich um ein Wahrnehmen von etwas handelt oder um ein
anschaulich phantasierendes Vorstellen. Es zeigt der Brief des frühen E.B. durch
sein Insistieren auf der Phänomenalität stärkste Beeinflussung von Schopenhauer
her, die ihn in allem Späteren nie hat ganz verlassen können. Und es hätte hier eine
derartige Übereinstimmung mit E.M. bestehen müssen, unterstellt man das übliche
Verständnis des Machismus, ob bei Lenin oder in heutigen Lexika der Philosophie,
als hätte E.B. bloß Eulen nach Athen getragen. Aber E.M. hat sich stets gegen eine
Verwechslung mit Berkeley gewehrt und muß das im vorangegangenen Antwortschreiben an E.B. auf dessen ersten Brief an ihn erklärt haben durch Berufung auf die
konstanten Verhältnisse zwischen Empfindungen, denen er offensichtlich die
Grenzbegrifflichkeit der Materie zuordnete. Extrem subjektiver Idealismus, wenn
basierend in der Sinnlichkeit, wie man ihn E.M. aus den verschiedensten Richtungen
unterstellte, könnte ja in der Tat nur reden vom Vorbeiwechseln unvergleichlicher
Empfindungsmannigfaltigkeit. Das wollte E.M. wohl vermeiden im Namen wissenschaftlicher Objektivität.

8 An die Stelle der Psychologisierung des Erkenntnisproblems rückt also die mehr
erkenntnistheoretisch gefärbte Anschaulichkeit, was den *sehr* frühen E.B. zu der

Sentenz geleitet hatte, das Ding an sich sei die objektive Phantasie (vgl. dazu E.B., *Spuren*. GA Bd. 1, S. 71). Auf jeden Fall trieb E.B. diese erkenntnistheoretische Wende vom Psychologisieren des Erkennens zur Anschaulichkeit auf ein ganz starkes Interesse hin an Husserls Phänomenologie im Sinn der spontanen Logifizierung von Anschaulichem (vgl. die Briefe an Georg Lukács in diesem Band). Wobei allerdings festzuhalten ist, daß E.M. die phänomenale Anschaulichkeit für die positive Basis des Erkennens nahm, während Husserl darin ein transzendentales Aktwesen der Anschaulichkeitsintentionalität ergriff. E.B. hat solches, der Brief belegt es, als Mangel im Machismus gespürt. Das Husserlsche stünde hingegen in Übereinstimmung mit E.B.s Jungenssentenz vom Ding an sich als der objektiven Phantasie.

9 Hier hätte E.B. in der Tat Eulen nach Athen tragend E.M. erreicht, würde er das Residuum nicht verächtlich behandelt als Einklammerbares.

10 E.B. meint als goldene Regel der Mechanik den gleich folgenden Satz von der Erhaltung der Energie, obwohl der keinesfalls eigentlich mechanisch ist, sondern aus der Thermodynamik heraussprang. Rein mechanisch reflektiert er sich bloß in der energetischen Gleichwertigkeit von Ursache und Wirkung.

11 Damit berührt E.B. das Husserlsche einer Aktintentionalität des Anschaulichen, das der Machschen faktizitiven Gegebenheit des Empfindsamen widerspricht.

12 Schopenhauer, Kant und Berkeley verstehen sich in bezug auf den Satz der Phänomenalität aus den bisherigen Erläuterungen von selbst. Bleibt Platon. E.B. meint dessen σῴζειν τὰ φηνόμενα, das Retten der Erscheinungen. Darunter verstand Platon nicht die vorliegende erscheinende Wirklichkeit, sondern die Anschaulichkeit, die Bildhaftigkeit des darin intentional Abstrakten, wieder eine Berührung dieses Briefs mit Husserls Phänomenologie, als hätte sie E.B. schon in ihren ersten Äußerungen zur Kenntnis genommen.

13 Daß hier E.B. auf die mögliche Experimentalität eines psychologischen Behandelns des Erkenntnisproblems eingeht, verweist zwar auf sein späteres Interesse an der Würzburger Psychologenschule, würde ihn aber der Machschen Ansicht von letzter undurchdringlicher Grenzbeschreibbarkeit ausliefern, die der mit dem Sinn der Rede vom Stoff abdeckt, Verlegenheit des wenn auch experimentell Empirischen. Dem galt Hegels Hohn gegenüber Kant, den E.B. offensichtlich zur Zeit des Briefs noch nicht durchdacht hatte: Mindestens sei ja der Verstand dann schließlich ein Ding an sich, wenn er, der Verstand, alle Welt konstituiert in ihrer Ordnung, also, könnte man sagen, eine Materie.

Briefwechsel
Georg Lukács – Ernst Bloch 1910-1971

*Herausgegeben
und mit Anmerkungen versehen
von Arno Münster
in Zusammenarbeit mit Hanna Gekle*

Vorbemerkung

Die Briefe stammen allesamt aus dem Lukács-Archiv Budapest, das eine maschinenschriftliche Übertragung der handschriftlichen Briefe anfertigen ließ; Handschrift und maschinenschriftliche Übertragung standen in der Regel beide zur Verfügung; in den wenigen Fällen, in denen eine Kontrolle durch das Original nicht möglich war, wurde dies vermerkt. In ihrer überwiegenden Mehrzahl (103 Briefe von 117) fallen die Briefe in die Zeit von 1910 bis 1917, setzen dann erst wieder 1949 ein, als Bloch aus den USA nach Leipzig zurückgekehrt war; zwei Briefe am Schluß stammen von Lukács selber. Einige wenige Briefe Blochs wurden veröffentlicht in: *Georg Lukács – Briefwechsel 1902-1917*, herausgegeben von Éva Karáda und Éva Fekete, Stuttgart 1982; dies wurde jeweils angemerkt. Das Lukács-Archiv Budapest hat als sein viertes Heft in Ungarn eine Broschüre mit allen Briefen Blochs herausgebracht unter dem Titel: *Ernst Bloch und Georg Lukács–Dokumente–Zum 100. Geburtstag*, szerkesztette és a jegyzeteket írta Mesterházi Miklós és Mezei György. Diese Ausgabe zählt 133 Briefe, teils aus Gründen anderer Numerierung, teils weil auch einige Telegramme und vor allem die Briefe von Karola Bloch an Georg Lukács aufgenommen wurden. Auf die Aufnahme der letzteren wurde hier verzichtet, weil sie keinerlei sachlich-philosophischen Gehalt bergen, vielmehr um rein organisatorische Fragen kreisen, vor allem um die von Georg Lukács eingeleitete Kampagne zur Rettung von Angela Davis. Die ungarische Herausgabe enthält keinen einzigen Brief von Bloch mehr; soweit erhalten, kommen sie hier vollständig zum Abdruck. Der Informationsgehalt aller bisherigen Ausgaben samt ihren Anmerkungen wurde eingearbeitet. Aus Gründen der Vereinfachung ist im folgenden immer von »den ungarischen Herausgebern« die Rede, wenn es sich um die von M. Miklós und M. György herausgebrachten »Dokumente« handelt; die Hinweise auf den Band *Georg Lukács – Briefe 1902-1917* sind bibliographisch genau angegeben. Diese detaillierte Übertragung und Kommentierung wurde auch deshalb gewählt, weil manche Wörter schon heute nicht mehr zu entziffern sind, manche wenigstens unsicher bleiben und gewisse Anspielungen künftig wohl vollends unauflösbar werden. Solche

Art der Offenlegung versucht, das, was wir heute noch über dieses
kostbare Dokument einer Freundschaft und eines entstehenden
Werks wissen, so genau wie möglich zu konservieren, um so eine
Grundlage zu gewinnen, die sich von der Vergänglichkeit der Originale unabhängig machen kann.

Nr. 1   [Briefkopf:] Original Wiener Café »Prinz Ludwig«
                      Ludwigshafen a[m] Rh[ein], den 22. April 1910

Lieber Herr Doktor von Lukács, Sie werden erstaunt sein, daß Sie
aus dieser für Sie so entlegenen Gegend und so spät erst von mir
hören. Ihr Manuskript[1] hat auf mich einen außergewöhnlichen Eindruck gemacht; vor allem deshalb, weil hier mit einem Mal das
Ästhetentum als das ästhetische ›Problem des Solipsismus[2] erscheint und Beer-Hoffmann[3], überhaupt alle literaturgeschichtli-
chen Reflexionen nur als Vorwand für eine von hier aus ebenfalls zu
gewinnende Metaphysik erscheinen. Ich möchte Sie bitten, mich
noch etwas mehr von Ihren Arbeiten über das ästhetisch eingespon-
nene Subjekt und seine Ausbrüche und Befreiungen in der künstlerischen oder theoretischen Objektivität wissen zu lassen: es ist eine
Frage, in der alle großen Gedanken konvergieren müssen, und ich
hoffe, Ihnen mit dem zweiten Kapitel meines Buchs[4] (der Titel ist
übrigens geändert) Revanche zu geben, es geht ausschließlich über
das so sehr seltsame Problem der Objektivität[5] und umspannt darin
alle überhaupt möglichen Problemstellungen.
Bis Anfang Mai bleibe ich noch hier und bin dann die Sommermo-
nate über in Berlin; es wäre sehr schön, wenn wir uns dort treffen
könnten. Sie werden jetzt wohl mit Ihrem Schlegelbuch[6] beschäftigt
sein, dessen Plan mich so begeistert, daß ich ab und zu selbst mit
dilettantischen Gedanken dabei bin, den vernichtenden Glanz dieser berühmtesten Literaturepoche zu dämpfen. Sonst stecke ich
nach wie vor in meiner metaphysischen Arbeit, vor allem über das
Bewußtsein, über die Natur als Enklave der Geschichte und die
historische Funktion der Zeit.[7]
Mit den herzlichsten Wünschen und auf ein Wiedersehen!

Ihr sehr ergebener Ernst Bloch

L[udwigs]hafen am Rhein, Kaiserwilhelmstraße 11

1 Gemeint ist G. L.s Essay »Der Augenblick und die Formen: Richard Beer-Hof-mann«. Dieser Essay wurde von G.L. wenig später in dem Sammelband *Die Seele und die Formen / Essays* im Verlag Egon Fleischel & Co, Berlin 1911, veröffentlicht.

2 Im Original fehlt das Anführungszeichen am Schluß. Inhaltlich spielt E. B. hier auf die These von G. L. an, die Tragödie der Ästheten bei Beer-Hofmann sei es, daß sie durch eine absolute Kluft vom Anderen und von der Welt getrennt sind; deshalb spricht G. L. von ihrem »bis zu einer Naivität gesteigerten Raffinement des Solipsismus« (a. a. O., S. 158); der Andere ist so weit weg, daß man nicht einmal ungerecht gegen ihn sein kann. G. L.s Denken kreist daher um die Augenblicke, in denen die solipsistische Welt der Traumgebilde springt und ein Stück Wirklichkeit eintreten könnte. Daher E. B.s Hinweis auf die künstlerische oder theoretische Objektivität.

3 Richard Beer-Hofmann, (Wien 1866-1945 New York); Freund von H. v. Hofmannsthal und A. Schnitzler. Sein späteres Werk lebt aus dem geistigen Erbe des Alten Testaments und einem hohen jüdischen Selbstbewußtsein. Er emigrierte 1938. Frühwerke: *Novellen* (1893); *Der Tod Georges* (1900); *Der Graf von Charolois* (1904, Tragödie); *Schlaflied für Mirjam* (1919, Gedichte); Teile einer David-Trilogie: *Jaákobs Traum* (Vorspiel 1918). E. B. schreibt Beer-Hofmann im übrigen mit doppeltem f.

4 Das erste Buch, das E. B. veröffentlichte, war *Geist der Utopie* (1918). Darauf kann sich diese Ankündigung jedoch nicht beziehen. Zu E. B.s damaligen System-entwürfen vgl. die Briefe Nr. 8, 9, 12, 18 und 103. E. B. plante damals eine mehrbän-dige »Summe der axiomatischen Philosophie«.

5 Dies ist ein Hinweis auf die späteren Angaben E. B.s, er sei in jungen Jahren sehr objektiv orientiert gewesen. Seine Arbeit an *Geist der Utopie*, vor allem die »Gestalt der unkonstruierbaren Frage«, scheint E. B. selber als Richtungsänderung ins mehr Subjektive erfahren zu haben, vgl. Brief Nr. 92.

6 Dieses Projekt hat G. L. nicht verwirklicht. Vgl. dazu: *Georg-Lukács-Briefwech-sel 1902-1917*, herausgegeben von Éva Karádi und Éva Fekete, Stuttgart 1982, Briefe Nr. 39 und 56.

7 Es ist nicht mehr rekonstruierbar, worauf sich diese Angaben genau beziehen. Die von E. B. hinterlassenen Manuskripte, die heute in der Universitätsbibliothek Tübingen aufbewahrt werden, enthalten als zeitlich frühestes Dokument einen Systementwurf von 1923.

Nr. 2 [Postkarte]
28. Aug[ust]¹

Verzeihen Sie, lieber Herr Doktor, wenn ich so spät und so kurz auf Ihren Brief antworte. Ihre Bücher² habe ich soeben abgeschickt (außer Worringer³, den Sie mir wohl noch für einige Zeit überlassen); sonst bin ich in der definitiven Abreise aus Berlin begriffen. Wien und so ähnlich ging sehr gut aus.⁴ Auch mit der Arbeit geht es gut; wenn nur die Mühe und die Notizenfülle nicht wäre. Soviel ich übersehen kann, ist alles untergebracht, und die Architektur meines Systems⁵ ist trotzdem ganz rein geblieben.

Bald mehr! Ihr Ernst Bloch

1 Die Karte trägt keine Jahreszahl, der Poststempel ist nicht zu entziffern. Aufgrund der Anrede mit »Sie« ist die Zuordnung jedoch eindeutig: Die Karte muß vor dem Brief Nr. 3 vom 3.2.1911 geschrieben worden sein, d.h. also am 28.8.1910.
2 Um welche Bücher es sich hier handelte, war nicht mehr zu ermitteln.
3 Worringer, Wilhelm (1881–1965). Berühmt geworden ist sein Buch von 1908: *Abstraktion und Einfühlung. Ein Beitrag zur Stilpsychologie*. Worringer weist die normative Kunstauffassung seiner Zeit in ihre Grenzen und deutet statt dessen mit formpsychologischen Kategorien auf geistesgeschichtlicher Grundlage die Dualität von Abstraktion und Einfühlung als Grundspannung der Kunstgeschichte: Der Einfühlungsdrang des Künstlers sucht die Schönheit des Organischen und bejaht die diesseitige Welt. Der Abstraktionsdrang dagegen entspricht der großen inneren Beunruhigung des Menschen durch die Erscheinung der Außenwelt; er sucht seine Erfüllung im lebensverneinenden Anorganischen, im Kristallinischen und aller abstrakten Gesetzmäßigkeit und Notwendigkeit. Diese Anschauungen sind für E.B. von großer Bedeutung geworden; im *Geist der Utopie*, zweite Auflage von 1923, spricht E.B. von »Worringers glücklichen und beziehungsreichen Darstellungen«. Im »*Prinzip Hoffnung*« findet sich Worringers Name zwar nicht mehr im Namensverzeichnis; die aus dem *Geist der Utopie* übernommene Theorie der ägyptischen und gotischen Kunst (vgl. *Das Prinzip Hoffnung*, GA Bd. 5, S. 844 ff.: »Ägypten oder die Utopie Todeskristall, Gotik oder die Utopie Lebensraum«) weist jedoch klar auf Worringer zurück. Vgl. auch Brief Nr. 21, Anm. 10, wo E.B. G.L. auf die »*Formprobleme der Gotik*« aufmerksam macht; da dieses Buch Worringers erst 1911 erschien, kann E.B. sich *hier* nur auf *Abstraktion und Einfühlung* beziehen.
4 Es konnte nicht geklärt werden, worauf sich diese Anspielung bezieht.
5 Eine ausführliche Darstellung des von E.B. geplanten Systems findet sich in den Briefen Nr. 8, 9, 18: vgl. auch Brief Nr. 1, Anm. 7. Ebenso: Brief Nr. 103 vom 19.2.1917. Hier spricht E.B., nach Beendigung von *Geist der Utopie*, von der siebenbändigen Summe, »die er jetzt endlich der Reihe nach zu schreiben gedenke«.

Nr. 3   Dresden, Hotel Bristol.
                          [Datum des Poststempels:] 3. 2. 1911

Mein lieber Freund, ich bin jetzt in einem schönen mittelstädtischen Kaffee [sic!], am Ende dieses bereits entschiedenen Abends. Sie[1] lebt in einer schönen Wohnung, sieht ganz gut aus, aber mit den Spuren eines Alters im Gesicht, das auch gut wäre, wenn man es zusammen hätte kommen sehen; angezogen wie eine Künstlerin, was ihr schlecht steht (Samt hell, grau mit ungarischen Stickereien auf die Brust genäht); ungarischer Typus, tatsächlich mit deutscher Intelligenz, disputiert schlecht, so schlecht fraulich (alles im reinen Gegensatz zur Bendemann[2]): wir sprachen beim Abendessen (reich und geschmackvoll), d. h. ich schimpfte darüber, daß alle Menschen über Dialekte und Sprachen sprechen, ohne daß es ihnen einfällt, vor welch großem, gefährlichen und problematischen Gebiet sie stehen (Volksstamm und seine Seele und sein Dialekt; vergleichende Sprachwissenschaft und Logik)[3], offenbar eine sehr gute Lockung, sein Wesen zu zeigen: sie reagierte verstimmt wie eine Tochter auf dem Ball, die ein pedantischer Oberlehrer unterhält (obwohl ich die Sache sehr lebendig und interessant anpackte trotz aller strengen und philosophisch verantwortlichen Form). Dann zeigte sie Briefe an ihren Vater von Wagner und Brahms; Emma[4] wurde wegen irgendeiner Sache (natürlich hat sie auch sonst alles gleich bemerkt) tief traurig und ging lautlos schlafen. Später – sie spendet auch Cognak und Zigarren) [sic] wurde es besser: sie ist ein seltsam glücklicher, in sich geschlossener und vollendeter Mensch und von hier aus wußte sie den Philosophen zu ertragen und zu begreifen; wir sprachen sogar über sehr persönliche Dinge und am Schluß erzählte ich ihr von dem Unglück und der geringen Endgültigkeit meiner erotischen Begegnungen. Dann kam noch der gehende Mensch, die Treppe und die in sich geschlossenen Etagen. Sie ist mindestens 35 Jahre. Wir schieden in guter Stimmung und sie[5] lud mich in einer selbstverständlichen und fast legendarischbegrifflichen Weise für morgen Mittag und so fort zum Wiedersehen ein. Du siehst trotzdem: dies ist es nicht, vielleicht eine gute Freundin zu mir[6] und eine Vertraute zu *der* Marie.[7]

Leb wohl, mein herrlicher Kollege. Ich komme etwas mit dem Lektorenrausch darüber hinweg.   Ernst

1 Es war nicht mehr zu klären, um wen es sich hier handelt. Emma Ritoók (siehe Anm. 4) erwähnt jedoch in ihrem Roman *Die Abenteuerer des Geistes*, sie habe E. B. eine wohlhabende Freundin vorgestellt, weil sie von seinem Wunsch nach einer vorteilhaften Heirat wußte.

2 Bendemann, Margarete von (geb. Susman, 1874-1966), studierte Philosophie unter anderem bei Th. Lipps und G. Simmel, war Mitarbeiterin der *Frankfurter Zeitung*, emigrierte 1933 nach Zürich, wo sie dem Kreis um den Theologen L. Ragaz nahestand. In ihren Essays geht es um die Deutung der Frauenliebe, um das Verhältnis der Menschen zum christlichen Gott und um die Stellung des modernen Judentums in einer christlichen Umwelt; ihre reimlose Gedankenlyrik wird zwischen Neuromantik und Expressionismus angesiedelt. – In ihren Erinnerungen mit dem Titel *Ich habe viele Leben gelebt*, Stuttgart 1964, gibt sie eine einfühlsame Schilderung E. B.s und ihrer Beziehung zu ihm (S. 79ff., 86ff.). Zu den Höhen und Tiefen der Beziehung E. B.s zu ihr vgl. die Briefe Nr. 9 (Anm. 15), 10, 13, 14, 20, 43, 44, 45 und 46. E. B. söhnte sich nach einem heftigen Streit mit ihr aus und widmete ihr sein Buch *Thomas Münzer als Theologe der Revolution* (GA Bd. 2).

3 Vgl. dazu E. B.s spätere Darstellung in *Experimentum Mundi* (GA Bd. 15, S. 32ff.). – Dieses Alterswerk geht auf E. B.s systematisch-objektive Anfänge, die sich in diesem Briefwechsel deutlich widerspiegeln, zurück. Wenn auch ein direkter Bezug bis in die Jahre 1910ff. nicht mehr hergestellt werden kann, so ergibt doch ein Studium des Nachlasses, daß ein großer Teil der Manuskripte zu *Experimentum Mundi* älter ist als die Manuskripte zu den anderen Büchern E. B.s.

4 Emma Ritoók (1868-1945), Schriftstellerin, Philosophin. Sie besuchte in Berlin die Seminare von Simmel und war eine Zeitlang näher mit E. B. befreundet; im April 1913 besuchte er mit E. Ritoók zusammen G. L. in Florenz. Als die persönliche Beziehung zu E. B. abgekühlt war, wurde sie auch von G. L. gemieden, so auch, als E. B. im September 1917 in Budapest (vgl. Briefe Nr. 38 und 39) bei G. L. zu Besuch war. – Emma Ritoók, die mehrere Werke von G. L. ins Ungarische übersetzte, schrieb deswegen an G. L. (vgl. *Georg-Lukács-Briefwechsel 1902-1917*, herausgegeben von Éva Karádi und Éva Fekete, Stuttgart 1982, v. a. S. 306–309). Hier kritisiert sie E. B.s »Auftakeln der Begriffe oder Ideen mit theologischen Formeln« (a. a. O., S. 307), spricht von seiner »kosmologische[n] Poesie« (a. a. O., S. 307) und schreibt, ihre persönliche Beziehung zu E. B. betreffend: »daran, daß die Welt blöd alogisch ist, hat niemand Schuld, auch Bloch nicht daran, daß er menschlich den glücklosen Beruf hat, ins Leben aller, in das er eintritt, Schaden, Zwist, Mißverständnis und Negation zu bringen, und das um so mehr, je länger seine Genialität diese Tatsache verhüllt. Meine Meinung über sein ethisches Wesen, das sich in ihm während seines Bonner Aufenthaltes voll entfaltete, ließ ich ihn nicht nur fühlen, sondern sagte sie ihm auch; das lindert nur, daß ich ihn nicht für einen schlechten Menschen, sondern bloß für einen mit kranker Ethik halte.« (a. a. O., S. 307; zu E. B.s Bonner Aufenthalt vgl. Brief Nr. 8, Anm. 1). –

Auch mit ihr scheint eine Aussöhnung stattgefunden zu haben, vgl. Brief Nr. 92 vom 16. August 1916, wo E. B. die Meinung »der Ritoók« zitiert, daß die unkonstruierbare Frage aus dem *Geist der Utopie* nicht so »unausgearbeitet« bleiben sollte. – Nach Budapest zurückgekehrt, besuchte Emma den Sonntagszirkel von G. L., geriet

aber 1918/19 infolge ihrer politischen Einstellung in Gegensatz zu ihren ehemaligen Freunden und veröffentlichte Anfang der zwanziger Jahre ein kritisches, gegen E. B. und G. L. gerichtetes Buch mit dem Titel *Abenteurer des Geistes*.
5 »sie« zwischen den Zeilen eingefügt.
6 »zu mir« zwischen den Zeilen eingefügt.
7 »der« im Original unterstrichen. Wer »die Marie« ist, konnte nicht geklärt werden; in Brief Nr. 4, Anm. 1 taucht sie als »Pechmarie« auf.

Nr. 4 [Postkarte]
[Poststempel:] Dresden
Hotel Bristol 9. II. [19]11

Lieber Georg, die Adresse der Bendemann (Margarete von) ist Lens sur Pierre (Schweiz), Hotel Bellami. Heute abend geht Emma weg; ich bleibe (obwohl die Pechmarie[1] sich ganz als Dorfgans und harmonische Wachtelprinzessin entpuppte) noch bis morgen hier. Heute abend kommt mein halber Freund Dorn[2] aus München. Eine großartige und grundlegende Deutung und Durchführung der Apriorität[3] im übrigen zu verzeichnen. – Ich habe Kahn[4] wegen eines Briefschemas für Klinckhardt[5] und Siebeck[6] gebeten (Simmel[7] schrieb, wie immer, unzuverlässig).
Von Herzen! Ernst.
a viazont[8]   D[as] i[st] Auf Wiedersehen!
Café Central. E.

1 Vgl. Brief Nr. 3, Anm. 7.
2 Hanns Dorn (geb. 1878); Dr. oec. publ., seit 1906 Privatdozent an der Technischen Hochschule München, seit 1911 hier Professor. Er war von 1915-1918 als Referent der Abteilung für Handel und Gewerbe beim Generalgouverneur in Belgien tätig. Herausgeber unter anderem der Zeitschrift für politische Bildung *Der Staatsbürger* (1910-1915); er redigierte auch die Monatsschrift *Frauen-Zukunft* (1910-1911) mit G. v. Lieber und Meta Hammerschlag.
3 Zu E. B.s damaligen Systementwürfen einer axiomatischen Philosophie vgl. v. a. die Briefe Nr. 8, 9, 18 und 103.
4 Harry Kahn (1883-1970), Schriftsteller, um 1910 Lektor im Fleischel Verlag, wo er die redaktionelle Arbeit an G. L.s Essayband *Die Seele und die Formen* versah. Er schrieb Gedichte, Erzählungen und Dramen, später machte er auch Übersetzungen. Werke: *Opfer* (1914), *Der Ring* (1916), *Die Meerfastnacht* (1956).
5 E. B. meint wohl den Verleger Julius Klinkhardt in Leipzig.

6 Gemeint ist wohl Paul Siebeck, Verleger in Tübingen, heute J.C. Mohr-
Verlag.
7 Georg Simmel (1858–1918), Philosoph und Soziologie. Seit 1900 Professor in
Berlin, ab 1914 in Straßburg. In seinem philosophischen Denken ging er von einer vom
biologischen Evolutionismus (H. Spencer, Ch. Darwin) und vom Pragmatismus
beeinflußten Kritik der Metapyhsik aus. Werttheoretische und transzendentallogi-
sche Untersuchungen (Kritik der ›historischen‹ Vernunft) brachten ihn in die Nähe
der südwestdeutschen Schule des Neukantianismus. In seiner Spätphase vollzog er die
Wende zu einer lebensphilosophisch orientierten Metaphysik (H. Bergson). In des-
kriptiver Durchleuchtung der Realdialektik des Seienden versuchte er das spekulative
Grundprinzip des Lebens zu konstruieren, dessen Hauptbestimmung die Transzen-
denz ist: In seiner steten Evolution erweist sich Leben als »Mehr-Leben«, in der
Verwirklichung der ihm innewohnenden Tendenz zur objektiven Gestaltung in den
Formen des Geistes und der Kultur zugleich auch als »Mehr-als-Leben«. In kritischer
Auseinandersetzung mit dem ethischen Rationalismus Kants gelangte Simmel in der
Ethik durch die Ablösung des Begriffes der objektiven Notwendigkeit von dem der
Allgemeingültigkeit zu einer Normativität des »Individuellen Gesetzes«, die als endo-
gene Pflicht und objektive Form der individuellen Persönlichkeit die Verbindlichkeit
eines allgemeinen Gesetzes besitzt. – Simmels soziologische Darstellungen über das
soziale Handeln im Zusammenhang mit kultursystematischen Erkenntnissen wirkten
auf die struktur-funktionale Theorie (T. Parsons), sein Wertskeptizismus auf die
Wissenssoziologie. – Simmel, ein sehr geistreicher und witziger Mann, zog in Berlin
die jungen Intellektuellen an; in seinen Seminaren hat E.B. denn auch M. v. Bendemann, Emma Ritoók und G.L. kennengelernt. Simmel schätzte sowohl E.B. wie
G.L. sehr und unterstützte sie. Vgl. bei E.B. »Weisen des ›Vielleicht‹ bei Simmel«
(1958) in GA Bd. 10, S. 57ff.
8 Rätoromanischer Gruß; im Deutschen: »Auf Wiedersehen«. Der ganze Nachsatz,
unterschrieben mit »E« stammt nicht von der Hand E.B.s, sondern von Emma Ritoók.

Nr. 5   [Postkarte]
L[udwigs]hafen a[m] Rh[ein]: 12. Febr[uar 1911]
Lisztstraße 166 II.

Lieber Georg, ich bin für acht bis zehn Tage hierhergefahren, auf
dem Weg nach Bonn. (Der Rosenkavalier[1] ist für Strauss übrigens
ein Skandal!). Das mit den älteren Frauen[2] sagte ich und kann ich
jetzt sagen als Weg der Erziehung; ich glaube selbst jetzt (wo ich
wegen meines eigenen vorrückenden Alters nicht mehr so streng
nach oben, aus Notwehr gegen die gleichaltrigen Gänse schauen
muß) für ein junges Mädchen würdig zu sein.

Einen sehr guten Florenzer Frühling![3] Von Bonn werde ich gleich schreiben. Wäre es nur die vorletzte oder auch letzte Station. –

Dein Ernst

1 Die Uraufführung von Richard Strauss' (1864-1949) »Komödie für Musik« hatte am 26. 1. 1911 an der Dresdner Hofoper stattgefunden. Es ist nicht ganz klar, worauf sich E. B.s Bemerkung »Skandal« bezieht: auf die Aufführung oder aber auf das Werk selbst. Die Aufführung hatte großen Erfolg, könnte ihm jedoch dennoch nicht gefallen haben; zehn Tage später (vgl. Brief Nr. 6) spricht E. B. davon, daß er »selig den Klavierauszug durchspiele«, jedoch könnte er in der Zwischenzeit seine Meinung über das Werk geändert haben.
2 Vgl. dazu Brief Nr. 3.
3 G. L. weilte im Frühjahr und Sommer 1911 in Florenz.

Nr. 6   [Briefkopf:] Original Wiener Café »Prinz Ludwig«[1]
             Ludwigshafen a[m] Rh[ein], den 22. 2. 1911

Mein lieber Georg, Du gestattest, daß ich Dich erst mit einigen persönlichen Dingen belästige. Ich spiele hier die Rolle des Haussohns mit anstrengenden und gleichwohl sehr geringen Erfolgen. Überall eine unabsehbare Leere – der Sehnsucht so gut wie des Intellekts. Ich bin nur so stark auf die Frau, meine Frau eingestellt, daß ich fast die Wichtigkeit des Werks aus den Augen verliere oder wenigstens nicht bedrückt bin, daß ich so wenig arbeite: hier steht doch alles fest, sicher, streng hieratisch und das dahinter zurückbleibende äußere Dasein hat vorläufig die Mühen der Kultivierung viel notwendiger. Vorgestern und gestern verbrachte ich z[um] B[eispiel] den Tag in Schwermut, weil ich gelesen habe, daß der Mannheimer Hofkapellmeister (ein Mann, der nur wenige Jahre älter als ich ist) in Moskau und Petersburg Konzerte gibt: er hat eine sehr schöne Frau (die natürlich mitgeht) und dieses so sehr viel größere Leben! Dazu hörte ich von meinem Onkel (einem unzuverlässigen Menschen, aber reichen und genialen Kaufmann und Fabrikanten) eine merkwürdige Geschichte: von einem neunzehnjährigen Fräulein Else Giesser, sehr vornehme jüdische Familie in Mannheim (mit ihm nahe geschäftliche Verbindung, aber die Alten (schon in den sechziger Jahren) [sic!] sind außerhalb jedes Geschäftsbetriebs);

Mutter mit Lipps[2] verwandt, Vater ein Herr, außerdem Quartett-
abende im Haus; das Mädchen hübsch, schwarz, schlank, »klug«,
dazu mindestens eine Million Mitgift, später drei weitere Millionen
Mark zu erwarten. Aber weder seine Frau noch der Onkel selbst
haben den geringsten gesellschaftlichen Verkehr; ich könnte das
Mädchen also nur sehen, wenn ich mal zufällig in meines Onkels
Fabrik bin, der alte Herr zufällig auch da ist und er zufällig von
seiner Tochter abgeholt wird. Darum besteht der Zirkel: ich müßte
sie (dazu noch in Mannheim, das ist nicht der Ort[3], wo meine erotische Klassik blühen kann) zuerst auf eine umständliche zeitrau-
bende, smokinghafte Weise kennen lernen, bevor ich weiß, ob ich
sie überhaupt kennen lernen will. Außerdem will ich doch nach
Bonn.[4] Ich muß mit meinem Onkel nochmal sprechen, wie sich
dieser geschäftliche Teil erledigen ließe. Herrgott, und die ganze
erlösende Handlung des Rosenkavaliers[5] (ich spiele jetzt selig den
Klavierauszug durch) dauert nur vom Morgen bis zum Abend!
Kannst Du etwas raten?

Aber jetzt zu dem Wichtigeren. Du wirst Dein Manuskript[6] wohl
brauchen. Ich war sehr erfreut, wie gut das Deutsch darin geraten
ist, etwas voll von Ellipsen, aber das schadet nichts und der großartige, so echte und warm und vornehm zeremoniöse Schluß, wo
das von der Sehnsucht und dem Essay und dem System der Ästhetik[7] steht. Platon als Essayist[8] hat mich natürlich überrascht und es
scheint sehr über die Sphäre der bildenden Kunst und Literatur
hinauszugreifen (die Du doch als eigentliches Interessengebiet des
Essays erklärst), wenn hier, allerdings das *ganze breite* Leben des
Sokrates als Vorwand erklärt wird, um den Essay zur *Philosophie*
zu machen. Ich habe versucht, Deine Gedanken außer in die
Ästhetik, wo ich sie als versucherischen Teil des modalen Begriffs
vollkommen akzeptieren muß, auch in die Ethik, Dogmatik und
Axiomatik hineinzubringen und weiß noch nicht, wie weit dies
mit den hier spezifischen Vorwänden (Staatsmann, Staat usw.)
gehen wird. Ich bin übrigens die Paradoxie Deiner großartigen
Begabung während dieses Manuskripts nicht los geworden: so
ganz bis zur Unreinheit in den Impressionen breit zu sein und
dann so scharf und streng im Stil und in der Form zu werden. Du
gräbst den Impressionisten[9] (vielleicht so wie ich den Theosophen[10] in der Dogmatik) auf perfide Art das Wasser ab, indem Du

ihre Sache, also das Problem, so gut wie sie und besser machst und
doch eigentlich erst da anfängst, wo sie und ihre Sache bereits erledigt ist [sic!]. –
Ich bleibe noch bis 1. März hier und würde mich freuen, in dieser
Zeit noch etwas von Dir zu hören. Ich wollte, Du wärest da, und
wir könnten die Nacht durch über Dein Manuskript und das Leben
und seine Form und die Form reden.

Dein Dich herzlich grüßender
Ernst

Emma[11] und ich haben unsere Freundschaft übrigens jetzt endgültig
in der schönsten Weise geschlossen.

1 Über dem Briefkopf steht im Original, offensichtlich nach Beendigung des Briefes
hinzugefügt:»Darf ich das Manuskript Frau von Bendemann schicken?« Gemeint ist
die Arbeit von G. L.,»Über Wesen und Form des Essay: Ein Brief an Leo Popper«
(1910), der später G. L.s Essayband *Die Seele und die Formen* (1911) einleiten sollte
(vgl. Anm. 6).
2 Theodor Lipps (1851-1914), Professor für Philosophie in Bonn, Breslau und
München. Er gründete seine Philosophie auf die unmittelbare psychische Erfahrung;
die Psychologie ist demnach die Grundwissenschaft der Logik, Ethik und Ästhetik.
Später vollzog Lipps eine Wendung in Richtung auf die Phänomenologie E. Husserls; als Ästhetiker betonte er die Rolle der ›Einfühlung‹. Lipps war E. B.s Lehrer in
dessen Münchner Studienjahren von 1905/06; E. B. widmete Lipps einen Nachruf
(vgl. Brief Nr. 104). Vgl. dazu: *Philosophische Aufsätze*, GA Bd. 10, S. 53 ff.:
»Nachruf auf Theodor Lipps (1914)«.
3 Im Original steht nach »Ort« ein Komma, das E. B. dann durchgestrichen hat.
Was E. B.s Beziehung zur Stadt Mannheim überhaupt anbetrifft: vgl. *Erbschaft dieser Zeit*, GA Bd. 4; S. 205–212:»Ludwigshafen-Mannheim«.
4 Zu E. B.s Aufenthalt in Bonn vgl. Brief 3, Anm. 1.
5 Vgl. Brief Nr. 8, Anm. 1.
6 Vgl. oben, Anm. 1. Aus den folgenden Anspielungen geht eindeutig hervor, daß
es sich um »Über Wesen und Form des Essay« handeln muß. Den folgenden Seiten-
angaben liegt die Ausgabe zugrunde: G. L., *Die Seele und die Formen*, Neuwied und
Berlin 1971, S. 7-31.
7 A. a. O., S. 29.
8 A. a. O., S. 24 ff.
9 Dies könnte eine Anspielung auf die Literaturkritiker Wilde und Kerr sein, die
G. L. zu Beginn des Essays erwähnt (a. a. O., S. 7). Es könnte sich jedoch auch auf
Simmel beziehen, den G. L. in seinem Nachruf einen Philosophen des Impressionis-
mus nennt. Vgl. dazu G. L., Georg Simmel (Nachruf 1918), in *Buch des Dankes an
Georg Simmel*, herausgegeben von Gassen und M. Landmann, Berlin: Duncker &
Humblot 1958, S. 171–176.

10 Dies ist wohl eine Anspielung auf Rudolf Steiner, dessen Anhänger sich erst 1913
als »Anthroposophie« von der Theosophischen Gesellschaft emanzipierten. Steiners
Werk war nicht ohne Einfluß auf den jungen E. B., der eine Zeitlang Husserl und
Steiner verbinden wollte (vgl. Brief Nr. 105). Später wurde E. B.s Einstellung zu
Steiner immer kritischer.
11 Zu Emma vgl. Brief Nr. 3, Anm. 4. Der ganze Nachsatz steht im Original am
linken oberen Rand der letzten Seite des Briefes.

Nr. 7   [Postkarte]
                                                     22.2.[19]11

Lieber Georg, ich will Dir nur schnell schreiben, daß ich die ganze
Sache[1] fallen lasse, weil sie von vielen schlechteren Juden miß-
braucht wird und dieser Mißbrauch die Regel ist, und nicht weil an
sich bei der erstmaligen berauschenden Bekanntschaft damit (daß es
vielleicht auch so geht) etwas dagegen zu sagen wäre.

                                                     Von Herzen! Ernst

1 Worauf sich dies bezieht, konnte nicht geklärt werden. Die erste Ausgabe von
Geist der Utopie hat jedoch einen später nicht mehr aufgenommenen Teil, der mit
diesen Andeutungen in Zusammenhang stehen könnte: »Symbol: Die Juden« (GA
Bd. 16, S. 319-332).

Nr. 8   [Postkarte]
        [Datum des Poststempels:] Bonn 24. 4. [19]11

Lieber Georg, ich freute mich sehr mit Deiner Karte. Hier war die
Zeit mit einem sehr wilden Leben[1] und merkwürdigerweise mit
weiteren, sehr glücklichen systematischen Ausarbeitungen und
Zusammenführungen erfüllt. Aber ich werde in einigen Tagen doch
abreisen und ins Isartal ziehen.[2] Die Bendemann wird mir einige
gute Anschlüsse in München auch und vor allem der Frau wegen
verschaffen. Sie ist von Deinem Essay[3] aufs Höchste entzückt und
hat vor allem richtig und fraulich tief die Herbigkeit Deines Stils
gefühlt (aber stilistisch noch nicht genug gleichmäßig).[4] Er[5] nannte
die Arbeit klassisch und las sie immer und immer wieder, um sich zu
ihrem Geist zu erziehen. Du wirst ihr eine sehr große Freude

machen, wenn Du schreibst. (Zürich II, Stockerstraße 25). Im
System manches verändert: fast nicht mehr nach Dingen, sondern
nach dem Zug des Geistes disponiert: aktuelles (Lebensweisheit),
geschichtsphilosophisches (incl[usive] der trägeren, prähistorisch
schließenden, d[as] h[eißt], naturphilos[ophischen] Geschichtsphilos[ophie] (problematischer Gang der Substanz)⁶ und *vor allem*
normatives Kapitel = Der Herr und der Befehl Gottes oder das
axiomatische Sein der Substanz, also geschichtsphilos[ophische]
Vollendung mit reinem Zuhörer, reinem Künstler, *reinem* Ästhetiker und: davon aber wird Dir »Die Errettung und das Reich des
künstlerischen Sinns als Ästhetik der Idee«⁷ gewidmet werden.

Dein Ernst

1 Dies ist wohl eine Anspielung auf Emma Ritoók, die mit E.B. in Bonn war; vgl.
Brief Nr. 3, Anm. 4.
2 In der Tat lebte E.B. vom Frühjahr 1911 bis zu seiner ersten Emigration 1917 in
die Schweiz in Garmisch (-Partenkirchen) und Grünwald, unterbrochen von mehr
oder weniger langen Aufenthalten in Heidelberg (Max-Weber-Kreis, G.L.).
3 Gemeint: »Über Wesen und Form des Essays – Brief an Leo Popper«, vgl. Brief
Nr. 6, Anm. 6.
4 Das in Klammern Eingefügte steht im Original zwischen den Zeilen.
5 Hier handelt es sich entweder um ein Versehen E.B.s, daß er »sie« meinte oder
aber um den Mann von Margarete, Eduard v. Bendemann, Maler und Kunsthistoriker.
6 Das in Klammern Eingefügte steht im Original zwischen den Zeilen.
7 Hier die erste Angabe von E.B. zu seinem damaligen Systementwurf einer mehrbändigen »Summe der axiomatischen Philosophie«. Vgl. dazu vor allem die Briefe
Nr. 9, 12, 18 und 24 sowie Brief Nr. 103.

Nr. 9   Baierbrunn b[ei] München, 12.7.[1911]

Lieber Georg, ich war tief ergriffen von all dem Seltsamen und
jenem Seltsamsten des Schlusses, dem diese Frau und mit ihr Du
ausgesetzt ist. Hast Du von ihr vorher etwas über den Selbstmord¹
erfahren? Oder kennst Du sonst die Motive? Bitte schreibe mir
etwas darüber, wenn Du mich für würdig hältst, es zu wissen: auch
das Vorproduktive geht mich an Dir etwas an, und außerdem ist
dies alles so stark, daß ich den Motor der schicksalsmäßigen Dre-

hung², auch für Dich außer allem Erleben der zusehenswerten
Objektivität arbeiten sehe. Wie geht es Deinem Buch³; es müßte
doch der Zeit nach längst erschienen sein: ich habe wieder mit großer Freude Deinen herben und strengen Aufsatz über die Tragödie⁴
durchgelesen – aber nicht ohne Bedenken. Das Leben ist ein korre-
lativer Begriff zur Ruhe und richtenden Form des Geistes, der wie
Du richtig sagst⁵ (allerdings nicht als Überwindung des Platonismus; Du so wenig wie ich können diese sogenannte Überwinderei,
eitle, oberflächliche, versimmelte Revoluzzerei an außer⁶zeitlich
geratenen und ewigen Philosophemen wünschen. Wenn Du hier
von Zieglers⁷ Buch beeinflußt bist, so kann alles nur den Sinn
haben, daß wir für⁸ die nur in der erlebten, und nicht in der gedachten, utopisch konstruktiven Erfahrung vorkommenden Dinge und
aufständigen, wenngleich doch am Ende rechtgläubig alliierten
Individuen ein eigenes halb irrationales Prinzip aufsuchen, das als
bitteres⁹, zusammenziehendes, vereinsamendes Prinzip neben dem
süßen, versammelnden, versöhnenden Prinzip, der gütigen, obersten Idee im τόπος νοητός¹⁰ vorkommt. Das gibt besonders historisch, wo Napoleon, Goethe oder Hegel trotz aller Einzelheit, doch
als kategoriales Beziehungssystem vorkommen, seltsame, vielleicht
übergehende, vielleicht tragisch sprunghafte Vermittlungen zwischen der Bewirkung und der Folge, zwischem dem Objekt und der
Idee, zwischen dem kausalen und dem logischen Grund, zwischen
Teufel und Gott, zwischen dem einzelnen induzierbaren und dem
gesammelten deduzierbaren Sein (oder hier Bestand) des Geistes,
zwischen Fall und ableitbarer, beweisbarer Besonderung aus dem
Allgemeinen) – der, wie Du richtig sagst, ohne höchst getriebenes
Einzelne nur das formlos Allgemeine bleiben würde. (Geburt –
Wachstum; das Sterben und das Verklären in der Liebe, Tod – Auferstehung: dies ist tragisch und doch, trotz der schneidenden
Grenze übergehend = eucharistisch)¹¹. Aber dann muß der farbige
Kampf der Bewegung, ihre ganze unentschiedene Problematik auch
dramatisch rein gemacht werden: und zwar so, daß der Zuhörer
nicht aus dem trüben, ungereinigten, unvollendeten Zeug des
Lebens seine Spannung zu dem starren, mosaikartig ineinander
gelegten, räumlichen und ewigen Dasein der Tragödie holt, sondern nichts zu tun übrig bleibt und die Zeit ihre dichterisch
geschichtsphilosophische Vertiefung auch poetisch findet vor und

in dem Triumpf der Ruhe und Ewigkeit. Man soll vor dem Bergson-schen[12] Pathos nicht die Augen zumachen und es vor dem Gericht der Form ignorieren, sondern es bis zu seinem Umschlag durchden-ken: das Gericht gilt überhaupt nur für die nochmals zurechtge-stellte Geschichte, und was Du meinem Verständnis nach mit Gericht meinst: die Stellung und Konstruktion zur Ewigkeit, sollte Befehl heißen und ist die modale Methode zur Substanz. Aber dies ist kein Geschehen der Substanz: Du zitierst selbst Suso[13]; nur das Leben geschieht, und es ist *fähig* zu seiner gesch[ichts]philos[ophi-schen] Reinheit, ohne das Ankommen gibt es kein Ziel und das Letzte kann nur unbewegt geben und *bedeuten* als Ruhe und gesammelter Bestand des Gottes. Darum muß auch nach dem Jüng-sten Gericht der geschichtsphilosophische Genuß seines Wesens die Beschäftigung Gottes ausmachen, ohne den er überhaupt nicht als letzte Wahrheit bestehen könnte. Darum setze ich auch eine glän-zend ablaufende Geschichtsphilosophie vor den freilich letzten, stillstehenden, bewahrenden Gewinn meiner ethischen, ästhet-ischen, dogmatischen und eschatologischen Metaphysik. Ich bin bei Dir wohl vor dem Verdacht sicher, ein Liebhaber des Lebens zu sein; aber ich möchte es zu dem Teufel als reinem Prinzip hinführen (der Hintern des Teufels ist die Unruhe), wie die Form zu Gott als ihrem Prinzip hinzuführen ist (die Langweile ist der Hintern Got-tes): ich möchte das nunc und das hic nicht nur ungereinigt in die Kategorien als den minder oder mehr spärlichen oder zusichkom-menden Funktionen meiner und der göttlichen Intellektualität ein-bauen. –

Du wirst von Emma über das schmähliche Ende gehört haben, das die Bendemann gefunden hat.[14] Ich werde Dir nächstens die Doku-mente schicken. Sie verdient es nicht, und Du brauchst Dich nicht auch zu verschwenden: also bitte schreibe ihr oder vielmehr dieser ziemlich gewöhnlichen, spießbürgerlichen, von dem Wissen um Güte und Größe nur angeschienenen Mimikry und ihrer molkigen Phraseologie keinen Brief. Seit gestern das Neue: daß ich von Sim-mel einen kurzen Brief bekam, daß er in diese Angelegenheit doku-mentarische Einsicht genommen habe und leider mit dem Erfolg: daß er nicht den Wunsch hat, die persönlichen Beziehungen zu mir fortzusetzen. Nicht wahr: dieses klatschende alte Weibstum, das sich auch seinerseits zum Sprecher und Verabschieder Machen[15], ist

dieses Menschen würdig: das zusehends wieder sachlich werdende[16] Verhältnis hat also jetzt zum Glück seinen äußeren und
auch sachlich ausreichenden Abschluß erhalten. Ich habe ihm zwar
jetzt meine anderen Briefe zugeschickt, die ihm – wenn er nicht vor
lauter Unterrocksdunst ganz den Verstand verloren hat – die Augen
über den Fall öffnen werden (es ekelt mich, überhaupt über diese
Lappalie zu sprechen): aber selbst dann, wenn er sich korrigiert,
gedenke ich den jetzt fixierten persönlichen und methodischen
Abstand zu diesem an Einfällen reichen, an Liebe, Treue, Verantwortung und Substanz armen Mann zu halten. Praktisch? Was hat
er mir bisher geholfen? Da habe ich auf Külpe[17] noch mehr Vertrauen. Im übrigen schreibe ich mein Werk.

Hier habe ich eine junge, kluge Bildhauerin[18] aus den Ostseeprovin-
zen kennen gelernt. Sie liebt mich, ich achte sie menschlich und
künstlerisch sehr hoch. Sie ist auch gebildet genug, um mich intel-
lektuell auf weite Strecken hin zu verstehen, ich habe ihr in der
letzten Woche aus meinen jetzt ad hoc gesammelten Notizen zur
Preisaufgabe der Kantgesellschaft: welches die seit Herbart und
Hegel wirklich erreichten »Fortschritte« der deutschen Metaphysik
seien[19] – ein, mein erstes ganz zusammenhängendes Kolleg[20] gelesen. Sie ist reich. Ich nehme von ihr (unter ihrer eigenen, leiden-
schaftlich vorgebrachten Ablehnung jeder gegenseitigen erotischen
Verpflichtung) die Zinsen eines ihr jetzt durch einen Häuserverkauf
zugefallenen Kapitals an (ungefähr hundert Rubel im Monat), die
mir die L'[udwigs]hafener Unabhängigkeit verschaffen, ohne mir
eine andere Abhängigkeit zu verschaffen (denn sie ist allein schon
körperlich nicht zur Ehe tauglich, eine vor kurzem vollzogene
Gebärmutteroperation) als die selbstgewählte Freundschaft. Ich
sage es nur Emma und Dir; alle anderen Menschen, vor allem meine
Eltern (damit ist ihr Drängen zur Habilitation[21] beseitigt) haben
anzunehmen, daß ich eine kleine Arbeit für Dorn und seine Zeitschriften und Herausgebungen (Lektor) mache, die mir die ökonomische Ruhe zu meiner Arbeit gibt. Ich werde vom 1. Oktober ab
wahrscheinlich dauernd nach Partenkirchen[22] ziehen und dort
Preisaufgabe (letzter Teil aus a.) und System[23], so es mein Gott will,
beenden. Ich soll Dir übrigens von Gabriele von Lieber[24] und Dorn
das lebhafteste Bedauern über das »Versehen« übermitteln, mit dem
sie damals Dein Manuskript[25] zurückschickten: sie bitten Dich um

gütige Entschuldigung und um gelegentliche Einsendung desselben oder eines anderen, gerade bereitliegenden und in den Rahmen der Festschrift[26] passenden Manuskripts.

Ich wünsche Dir, mein lieber Georg, daß Du Dich recht bald erholst, wenigstens soweit etwas in der organischen Provinz korrigierbar ist. Kannst Du nicht über München nach Florenz fahren?

Ich werde jetzt Emma das dritte Kapitel, die wirtschaftliche, staatliche, künstl[erische], religiöse und theoretische Geschichtsphilosophie widmen, das paßt sehr gut; das vierte oder erste axiomatische Kapitel: die Rechts- und Moralphilosophie, die ich Simmel widmen wollte, ist jetzt frei geworden; aber Du bekommst die Ästhetik[27], die ganz großartig gereift ist.

Bitte gib an Herbert[28] meine herzlichsten Grüße weiter. Dir stets mit Liebe zugetan.

Ernst

1 E.B. meint den Selbstmord von Irma Seidler (1883-1911). Irma, Malerin von Beruf, war die Jugendliebe von G.L. und inspirierte seine Essays von *Die Seele und die Formen*. Nachdem G.L. sich nicht entscheiden konnte, ob er dem »Ruf des Lebens«, der Liebe, folgen dürfe oder ob er sich dem Werk opfern müsse, setzte Irma der Ungewißheit ein Ende und heiratete einen Malerkollegen; die Ehe wurde nicht glücklich, und Irma schied am 18. Mai 1911 freiwillig aus dem Leben. – Ihrem Andenken widmete G.L. den Essayband: *Die Seele und die Formen* (1911). Vgl. auch Brief Nr. 11, Anm. 2, sowie Agnes Heller u.a., *Die Seele und das Leben*, Frankfurt/M. 1977, S. 54-99.

2 »Drehung« zwischen den Zeilen eingefügt.

3 E.B. meint wohl *Die Seele und die Formen*, das Ende 1911 erschien, vgl. Brief Nr. 20.

4 Gemeint ist G.L.s Essay »Metaphysik der Tragödie: Paul Ernst«, aufgenommen in *Die Seele und die Formen* (1911). E.B.s »Bedenken« sind genauer nachzulesen in: *Geist der Utopie* GA Bd. 3, S. 274 ff.

5 »sagst« zwischen den Zeilen eingefügt.

6 »außer« zwischen den Zeilen eingefügt.

7 Gemeint ist vermutlich das Buch von Leopold Ziegler, *Metaphysik des Tragischen* von 1902. Leopold Ziegler (1881-1958) war Philosoph und Schüler von A. Drews. Er ging von der Philosophie Ed. v. Hartmanns aus, bildete die Idee einer Religion jenseits der Gottesfragen aus und suchte die Lehren des Buddhismus in diesem Sinn zu verwerten. Später wandte er sich stärker der christlichen Tradition zu; er verstand diese als Gestalt einer allgemein-menschlichen »integralen Überlieferung«. Unter dem Einfluß von Jakob Boehme, Franz von Baader und Sören Kierkegaard erscheint als Zentrum seines Werkes eine spekulative Metaphysik des »allgemeinen Menschen«. E.B. und G.L. scheinen – von den sachlichen Übereinstimmungen abgese-

hen – auch persönlich recht gut mit Ziegler bekannt gewesen zu sein (vgl. Brief Nr. 32, Anm. 1). G. L. veröffentlichte 1911 in der ungarischen Zeitschrift *A Szellem* eine kleine Arbeit mit dem Titel »Leopold Ziegler«, a. a. O., S. 255–256. Da in der gleichen Nummer in der Übersetzung von E. Ritoók ein Kapitel von Zieglers 1905 erschienenem Werk *Der abendländische Rationalismus und der Eros* abgedruckt wurde, vermuten die ungarischen Herausgeber, daß es sich um dieses Werk Zieglers handelt.

8 »für« zwischen den Zeilen eingefügt.

9 Im Original durchgestrichen steht: »herbes«.

10 Griech. Begriff für: Ort des Denkens.

11 Das in Klammern Stehende ist im Original zwischen mehrere Zeilen eingefügt; vor »Verklären in der Liebe« steht im Original durchgestrichen »Auferstehen«.

12 Anspielung auf Henri Bergson (1849-1941), französischer Philosoph polnisch-englischer Herkunft; erhielt 1927 den Nobelpreis für Literatur. Im Zentrum des Denkens von Bergson steht die Zeit, wobei er – gegen deren mechanistische und deterministische Auffassungen – die subjektiv erfahrene Zeit als einen unaufhaltsam fließenden Wechsel von Phänomenen interpretiert, bei dem es sich weder um eine Abfolge diskreter Zustände noch um eine ausgedehnte Größe handelt. – Seine indeterministische vitalistisch-intuitionistische Philosophie übte auf Philosophie und weite Kreise der nachnaturalistischen Literatur Frankreichs (z. B. den Existentialismus) und über diese Grenze hinaus, großen Einfluß aus. Für E. B.s Philosophie war Bergson von nicht zu unterschätzender Bedeutung; vgl. dazu Brief Nr. 10, wo er schreibt, zusammen mit Bergson komme ihm »die Leistung der Allianz der Axiomatik« zu; vgl. auch E. B.s Ausführungen zu Bergson in *Durch die Wüste* (Berlin 1923, S. 91 ff.) sowie vor allem *Das Prinzip Hoffnung*. GA Bd. 5, S. 231 f. und 339 f.

13 Suso: latinisierte Form von Heinrich Seuse, geboren in Konstanz oder Überlingen 1295 oder 1300, gestorben 1366 in Ulm; deutscher Mystiker. Schüler Meister Eckharts, Kontakte bestanden auch zu Johannes Tauler. Die ungarischen Bearbeiter der Briefe scheinen dieses Suso-Zitat von G. L. zu kennen: »Wie kann man Bildloses gebilden und Weisloses beweisen.« (a. a. O., S. 327).

14 Was der Grund für E. B.s plötzlichen Zorn auf Frau v. Bendemann war, läßt sich nicht mehr eindeutig rekonstruieren. Jedenfalls bezog der Zorn sich zugleich auch auf Simmel, vgl. Brief Nr. 10, Anm. 26. Was die Beziehung zwischen E. B. und Frau v. Bendemann insgesamt angeht, vgl. Brief Nr. 3, Anm. 2.

15 »machen« wurde von E. B. in ein großes M verbessert.

16 Im Original steht durchgestrichen nach »zusehends« »sinkende«. Statt dessen fügte E. B. die Formulierung: »und wieder sachlich werdende« zwischen den Zeilen ein, wobei er das »und« wieder durchstrich.

17 Oswald Külpe (1862-1915), Philosoph und Psychologe; er wurde 1894 Professor in Würzburg, 1909 in Bonn, 1912 in München. Er begründete die Würzburger Schule der Denkpsychologie, der K. Bühler und O. Selz angehörten, und vertrat erkenntnistheoretisch einen kritischen Realismus. Er gehörte zu E. B.s Lehrern in seinen Würzburger Jahren 1907/08.

18 Gemeint ist Else von Stritzky, E. B.s spätere erste Frau, geboren am 17. 8. 1883 in Riga, gestorben am 2. 1. 1921.

19 Es handelt sich um das Dritte Preisausschreiben der Kantgesellschaft mit dem
Titel: »Welches sind die wirklichen Fortschritte, die die Metaphysik seit Hegels und
Herbarts Zeiten gemacht hat?« Die Ablieferungsfrist der Manuskripte lief bis zum
22. April 1914; der erste Preis war mit 1500 Mark, der zweite mit 1000 Mark dotiert.
20 Diese Notizen und Vorarbeiten sind verschollen.
21 E.B. hat sich wenig später doch noch um eine Habilitation bemüht; vgl. die
Briefe Nr. 27, 28, 29, 30 und 31.
22 Vgl. Brief Nr. 8, Anm. 2.
23 Der bisher genaueste Plan, E.B.s damalige systematisch-philosophische Arbeit
und Planung betreffend, findet sich in Brief Nr. 8, vgl. dazu auch Anm. 7.
24 Mitarbeiterin von H. Dorn, die ihm zusammen mit Meta Hammerschlag bei der
Redaktion der Monatsschrift *Frauen-Zukunft* (1910-1911) half.
25 Um welches Manuskript von G.L. es sich hier genau handelt, war nicht mehr
herauszufinden. Zu seinen damaligen Publikationen vgl. die »Chronologische
Bibliographie der Werke von G.L. bearbeitet von Jürgen Hartmann«, in: *Festschrift
zum achtzigsten Geburtstag von G.L.*, herausgegeben von Frank Benseler, Neuwied
und Berlin 1965.
26 Um welche Festschrift es sich hier handelt, konnte nicht mehr festgestellt werden. Von einem Beitrag G.L.s in einer Festschrift im Jahr 1911/12 ist nichts bekannt.
27 Dies hatte E.B. schon früher versprochen. Vgl. Brief Nr. 8, Schluß; vgl. dann
auch Anm. Nr. 7 desselben Briefes.
28 Mit »Herbert« ist durchgehend gemeint: Bela Balázs (1884-1949), ungarischer
Dichter, Erzähler, später Filmästhetiker. Balázs schrieb die Libretti für Bartóks
Oper *Herzog Blaubarts Burg* und sein Ballett *Der holzgeschnitzte Prinz*. G.L. hielt
ihn für einen der bedeutendsten zeitgenössischen ungarischen Lyriker.

Nr. 10

München, 19.7.[19]11

Mein lieber Georg,
ich freue mich sehr auf unser gemeinsames München, auf Dein Herausbringen aus Stimmungen und Täuschungen über Wirklichkeit
und Wert[1]. Was kann auch noch privat-historisch und sozial-histo-
risch die Verwirklichung, ihr sinnloses Abbrechen oder wieder
Aufleuchten aus launischer Gnade für den in uns Richtern
bewußten Wert beweisen? Lies einmal in der Hegelschen Enzyklopädie[2] den 250. Paragraphen über die Ohnmacht der Natur, die
begrifflichen Ordnungen stets nur in Abstraktheit zu halten; dasselbe gilt doch auch noch für die Historie, das geringe Entge-
genkommen ihrer vorgearbeiteten Objektivität, eine schwache
Verwirklichung, die auch die elohim[3], die logoi, die Formen des
Geistes noch in schwacher logischer Objektivität erhält, so sehr

auch wenigstens die organischen und historischen Bewegungen zu uns als Menschen, als Psychologie, Medialität, Moralität heraufspielen. Dieses schreckliche Nebeneinander (nur in den größten Schicksalen ab und zu Bündnis) von nunc et hic und quale[4]: bloß abstumpfend oder trübend, nicht recht offen aufständisch ((und leidvolles Versinken, *nicht* Abbrechen von begonnenem Sinn))[5] und dadurch (da die Unruhe am stärksten die Ruhe sucht) alliiert – ist eines der schwierigsten Probleme[6] in dem mich jetzt beschäftigenden Übergang der erlebten und gedachten Transzendenz zum Inhalt und System der Kategorien als der führenden Namen und versammelnden Paradiese Gottes. ((bedeuten im System der Philosophie die einzeln getrübten oder individuell funktionierenden, hier[7] im Sein und im Bestand realen Universalien[8].))[9] Übrigens: wie sehr ist gerade darin Hegel mißverstanden worden; wenn etwa Simmel und sogar Windelband[10] sagen, der berühmte Anfang der Logik sei das Zeichen dafür, daß Hegel[11] zwar die einzelnen Inhalte nicht deduziere, aber dafür auch gleich dem Nichts als das erste Sein in logischem Betracht setze: als ob die Inhalte und das Sein identisch wären und als ob nicht gerade aus dem Widerspruch des zugleich Nichts und Sein das Werden entstände, und zwar zunächst gerade als Außersich. So ist es freilich leicht trotz des dunkelnden Grundes und trotz des bei ihm begriffenen Bacchusmysteriums (lies einmal über seine Stellung zur Theosophie S. XXIX in der Vorrede zur zweiten Auflage der Enzyklopädie[12] im Außer-Sich (der rasende und irre Derwischtanz des natürlichen Geistes ist doch darin deutlich ausgesagt), (wie aus Platon so) aus Hegel den leidlosen Panlogiker zu machen. ((Ich wüßte eine schöne Preisfrage: warum sollen bei Hegel die Kategorien der Logik wieder in der Geschichte der Philosophie hervordringen? Damit wäre die Beziehung des Nichts = Sein als des allerersten Zustands vor dem weiter entwickelten, wenngleich noch vorweltlichen Plan zur Welt – zum Fürsich des absoluten Geistes in immanenter Kritik gelöst: Man könnte auch sagen, warum soll das ante rem universaliarum = der Plan des Universums im letzten post rem universaliarum[13] (aber konstitutiv), im ausgeführten Geist des Universums wiederkehren?)).[14] Daß Nichts = Sein ist, bedeutet die leere Ruhe des vorweltlichen Gottes, der sich zerreißt, zerstückelt, in der Enge und Einfaßlichkeit der Vielheit geht, um sich erst zu offenbaren – aber wie beim zerstückelten

Dionysos bleibt das Herz erhalten und die Fähigkeit zu realen Universalien, zur Heimkehr und Fürsichsein[15], das dann erst gleich dem All ist als Bestand und geschichtsphilosophischer Besitz (ohne den er das leblose Einsame[16] wäre, aber jetzt hat er Zeugen und Zierraten, wodurch erst seine Herrlichkeit entbricht) und Genuß seiner Absolutheit. Im Außersich ist freilich nur von ferne und abstrakt zu sprechen, erst im geschichtlichen Fürsich gibt es etwas wie individuell konkrete Abstraktheit. Du siehst, daß bei ihm so wenig wie bei Platon oder Aristoteles (Kennst Du übrigens Proklos, den großen Proklos?)[17] von einer abwesenden Unruhe der Einzelheit zu sprechen ist: platonisch ist der trennende und doch verbindende Raum (noch etwas zu logisch), bei Aristoteles das δυνάμει ὄν[18], der unentschiedene Stoff des Vermögens[19] in Gott als der bewegenden Ewigkeit ihr Prinzip (ungefähr Deine platonische »Erfüllung« zwischen Einzelheit und Idee). Verzeihe diesen Exkurs; aber ich möchte so gerne auch in Deinen Augen den Eindruck verwischen, als ob es bei Hegel nur auf die Totalität der Formen ankäme: selbst in dem Christentum als absoluter Religion oder dem Hegelianismus als absoluter Philosophie hat er den utopischen Weg bis zur Orthodoxie nur scheinbar unterschlagen: »bis hierher ist der Geist gekommen«; es ist – wenn man seine christliche Idee (wo *nichts* verloren gegangen ist) ansieht – keineswegs nur das Jahr 1820, sondern die im Jahre 1820 über alle Zeit bis zu dem großen letzten Sprung in das Jenseits der Zeit (in Gehirn-Seele, Mensch-Kaiser, Form-Geist organisch, historisch und ästhetisch schon angedeutet[20]) geleistete utopisch-absolute Ewigkeit. ((Auch in Deiner Lehre von den Formen des ästhetischen Geistes scheint es mir sehr wichtig, daß die lang eigentümliche Erlebnislogik (außer der Gedankenlogik) in allem ihrem Irrsinn, der doch nicht nur ein Nicht des Sinns ist, nicht ohne alle begriffliche Reinheit bleibt. Kennst Du übrigens das beste existierende neuthomistische Buch: Willmann[21] (Professor in Prag)[22] Geschichte des Idealismus? Ich empfehle es Dir)). Also ich freue mich auf das Herausbringen aus Deinem [...][23]lichen Zustand; bitte komme noch früher als im Herbst: wir können dann hier im August zusammen sein, während ich September nach L[udwigs]hafen muß und der heitere Oktober in Salzburg sich doch zu lange für Seele und Geist hinauszieht. Wir wollen dann einmal gemeinsam die neuplatonische Philosophie studieren. Alle müssen durch die Geschichte der Philosophie hindurch: und es ist nur ein Unterschied, wie weit sich einer in sie zu verlieren getrauen darf, um auf der anderen Seite wieder herauszukommen. Schwache Philosophen haben dafür einen feinen Sinn und ein genaues Maß: sie sind wie Simmel genießerisch oder wie Windelband zu gelehrt oder wie Cohen[24] zu einseitig, und kantisch tief, und erlangen deshalb auch das Gefühl und Zeichen ihrer anch'io pittore[25] nur wenig gekräftigt und belehrt auf der anderen Seite wieder. So entsteht daraus bestenfalls Simmelsche beunruhigende und beglückende Anregung oder Cohensche halbgeniale Kapellmeistermusik. Ich glaube, wir zwei können uns ganz hinein getrauen und trotzdem oder dadurch als große Summisten der Axiomatik wieder hervorkommen.

Persönlich: ich finde, Du hast recht und danke Dir für Deine Hilfe zur Selbstbestimmung.[26] Nur bei Simmel nicht ganz: falls[27] ihm, dem Menschen ohne Güte und ohne führende Leidenschaft für die Norm, dem bloßen Anreger und Spintisierer der Moralphilosophie, meine Ethik[28] gewidmet wird, so ist das außerhalb der Reihe der übrigen Widmungen, wenn Du bedenkst, daß *Dir* die Ästhetik gewidmet wird und Bergson, aber auch mir unter dem Namen: die Leistung der Allianz[29] der Axiomatik zukommt. Ich will mit der Widmung nicht bekehren (das geht an das andere Publikum[30]), sondern[31] einen Freund und bewunderten Herrn des gleichen Geistes begrüßen, müßte aber einen Fichte haben, um ihm die moralische Sozial- und Staatsphilosophie zu geben. Darum will ich auf den größeren Ethiker warten. Nur darin hast Du recht, daß es keine[32] persönlichen Gründe haben darf: aber die werden gerade bei der Ethik sachlich und der Simmel, wie ich ihn jetzt kenne (hier schließt sich doch ein langer Ring von gemeinsamen Einsichten zusammen), ist nicht würdig zum Empfang eines der ernsthaftesten und strengsten Bücher meiner Philosophie. – Zu dem anderen danke ich Dir, daß Du das innerlich Schöne und Wahrhaftige dieses Verhältnisses anerkennst, das durch die Ungebundenheit (die ich so wie Du verachte) diskreditiert wird und erst im öffentlichen, allen sichtbarem Scheinen zur Äußerung ihrer Tiefe kommen könnte. Aber, da Du meinen Wunsch zur sozialen Festigkeit der Ehe kennst – es müssen doch besondere Gründe für einen solchen vorehelichen Entschluß da sein – außer der ((nicht genug intensiven))[33] Liebe, auf die es ja

fast am wenigsten beim Eingehen der Ehe ankommt. Else von
Stritzky ist nicht nur schwer unterleibsleidend (was nie ganz erlö-
schen wird, da beide Ovarien bis auf einen kleinen Rest exstirpiert
sind), sondern allem Anschein nach phthisisch[34] disponiert, so daß
die ökonomische und noologische Angemessenheit auf die teuf-
lischste Art durchkreuzt ist. Ich habe im letzten Brief einen Galgenhumor aus dem gemacht, was eigentlich Verzweiflung über dieses
elende erotische Schicksal sein sollte. Wie meinst Du: ist die untere
Liebesform der Mitgift auch *dann* noch etwas – nicht zwischen ihr
als Dirne, aber zwischen mir als Zuhälter? Ich bin trotz aller Bedenken und trotz aller Einsicht, daß Du selbst bei der geringsten Ver-
schiebung des Falls recht hättest, halb unentschieden und gebe vieles Deinem Rat anheim.

Die Logoshefte[35] habe ich Düssel[36] in Bonn gegeben, der sie mir
trotz vierfacher Bitte noch nicht zurückgeschickt hat. Hoffentlich
kann ich sie Dir bald zuschicken. Bisher habe ich (da sie in [der]
Münchner Staatsbibliothek zum Binden gegeben sind) noch keine
weiteren Nummern gesehen. Darf ich wissen, wann und was ungefähr Du der Bendemann geschrieben hast? Es ist wohl zufällig, daß
Simmel nicht geantwortet hat. Du kommst bald zur dokumentarischen Einsicht.

Grüße Emma, es geht ihr nicht gut: wenn sie krank ist, hat sie merk-
würdigerweise etwas von einer trostlos Sterbenden an sich. Alles
Gesunde und Strenge und wieder die alte gute Innenarchitektur der
Seele!
Else von Stritzky ist nach Franzensbad abgereist.[37]

Dein Ernst

1 Aus einem Treffen von E. B. und G. L. in München im Sommer 1911 ist nichts
geworden; vgl. dazu Brief Nr. 14.
2 G. W. F. Hegel, *Enzyklopädie der philosophischen Wissenschaften in Grundrissen*,
II. Teil: *Die Naturphilosophie*, in: *Werke in zwanzig Bänden*, Bd. 9, Frankfurt/M.,
1970, S. 34 ff.
3 Hebr.: *elohim*. Geläufige Bezeichnung für Gott im Alten Testament. Von dieser
Grundform ist *elohim* ein numerischer Plural für »Götter« oder ein Abstraktplural
(eigentlich ›Gottheit‹) zur Bezeichnung eines Gottes, vor allem des Gottes Israels.
4 Lat. wörtlich: jetzt und hier und wie-beschaffen.
5 Das in Doppelklammern Eingefügte steht im Original zwischen den Zeilen,
beginnend über »und dadurch«.

6 »Probleme« zwischen den Zeilen eingefügt.

7 Nach »hier« steht im Original durchgestrichen: »nicht nur«.

8 Der Universalienstreit war der zentrale Streit in der Philosophie des Mittelalters; er trennte die Anhänger des Nominalismus, in deren Interpretation die Allgemeinbegriffe nur Zeichen bzw. Wörter, das heißt allgemeine, abstrakte Zusammenfassungen des allein wirklich existierenden Einzelnen waren, streng von den Anhängern des Realismus, in deren Augen die allgemeinen Kategorien eine dem Einzelnen präexistente wahre Wirklichkeit darstellen. – E.B. hat sich hier für eine realistische Lesart entschieden.

9 Das in Doppelklammern Eingefügte steht im Original zwischen mehreren Zeilen, ohne daß der Zusammenhang genau auszumachen wäre. Die Einfügung beginnt über dem Satzteil »der führenden Namen und versammelnden Paradiese Gottes«.

10 Wilhelm Windelband (1848-1915), Philosoph, Schüler R.H. Lotzes, war Professor in Zürich, Freiburg und seit 1903 in Heidelberg. Gemeinsam mit Heinrich Rickert gilt Windelband als Begründer der Südwestdeutschen Schule des Neukantianismus. In der Geschichtsschreibung der Philosophie entwickelte er die problemgeschichtliche Methode. Grundlage seiner einflußreichen Wissenschaftslehre war die Unterscheidung von Natur- und Geisteswissenschaften als »nomothetische« (gesetzgebende) und »idiographische« (individualisierend-beschreibende) Wissenschaften. E.B. hatte früh, schon 1902/03, mit ihm Kontakt; er schätzte ein Leben lang dessen Lehrbücher zur Geschichte der Philosophie.

11 Vgl. G.W.F. Hegel, *Wissenschaft der Logik*, »Erstes Buch: Die Lehre vom Sein, Erstes Kapitel: Sein«, in: *Werke in zwanzig Bänden*, Band 5, Frankfurt/M. 1969, S. 82 ff.

12 G.W.F. Hegel, *Enzyklopädie der philosophischen Wissenschaften im Grundrisse* (1830) – Vorrede zur zweiten Ausgabe (1827). In: ders., *Werke in 20 Bänden*, Band 8, v.a. S. 23 ff. Was E.B.s Kritik an der These vom »leidlosen Panlogiker« anbelangt, so kann er sich auf folgende Formulierung Hegels stützen: »Die kontrakte, auf das Herz sich punktualisierende Religiosität muß dessen Zerknirschung und Zermürbung zum wesentlichen Momente seiner Wiedergeburt machen [...]« (a.a.O., S. 25).

13 Lat. wörtlich: vor der Sache der Universalien – nach der Sache der Universalien. Gemeint ist: das *ante rem* (-Sein) der Universalien bzw. das *post rem* (-Sein) der Universalien; vgl. Anm. 8.

14 Das in Doppelklammern Stehende wurde nachträglich eingefügt und rund um den Briefrand geschrieben.

15 Grammatisch richtig müßte es heißen: »zur Heimkehr und zum Fürsichsein«.

16 Anspielung auf Hegels letzten Satz aus der *Phänomenologie des Geistes*: »beide zusammen, die begriffne Geschichte, bilden die Erinnerung und die Schädelstätte des absoluten Geistes, die Wirklichkeit, Wahrheit und Gewißheit seines Throns, ohne den er der leblose Einsame wäre [...]«. (G.W.F. Hegel, *Phänomenologie des Geistes*, in: *Werke in 20 Bänden*, Frankfurt/M. 1969, S. 591.

17 Proklos von Konstantinopel (410-485) gilt als der Hauptvertreter der athenischen Schule des Neuplatonismus.

18 Dieser Begriff wird später in der E.B.schen Philosophie eine zentrale Rolle spie-

len; E. B. übersetzt ihn jedoch etwas anders als »*das In-Möglichkeit-Seiende*, also der – bei Aristoteles freilich noch passive – *Schoß der Fruchtbarkeit, dem auf unerschöpfte Weise alle Weltgestalten* entsteigen« (Hervorhebungen E. B.), in: *Das Prinzip Hoffnung*; GA Bd. 5, S. 238.

19 Im Original folgt durchgestrichen: »Möglichkeit als Vermöglichkeit«.

20 Die Klammer beginnt im Original mit den von E. B. durchgestrichenen Worten: »physisch-psychisch, dann«.

21 Otto Willmann, *Geschichte des Idealismus*, 3 Bde., 1894-1897. Willmann (1839-1920) war von 1872-1903 Professor in Prag; er war Philosoph und Pädagoge. Philosophisch im aristotelisch-thomistischen Denken verwurzelt, verband er in seiner Pädagogik unterrichtsmethodische Gedanken von J. F. Herbart mit sozialen und geschichtlichen Bezügen und gab ihr eine philosophisch-religiöse Fundierung, bei der das katholisch-theologische Moment bestimmend hervortrat. Willmann hat die katholische Pädagogik und Lehrerschaft nachhaltig beeinflußt. Vgl. Brief Nr. 16, Anm. 6 und 7.

22 Die Klammer steht im Original am Briefrand, mit einem Pfeil auf Willmann bezogen.

23 Im Original durchgestrichen »Dein«; es folgt ein schwer leserliches Wort, eventuell: meister[-lichen]; die ungarischen Herausgeber lesen: uneigentlichen.

24 Hermann Cohen (1842-1918), Philosoph. Von 1876-1912 Professor in Marburg, dann an der »Lehranstalt für die Wissenschaft des Judentums« in Berlin; Cohen war ein Schüler F. A. Langes und gründete zusammen mit P. Natorp die Marburger Schule des Neukantianismus. Er suchte Kants Lehre zu einem logischen Systemidealismus weiterzubilden, indem er vor allem den Dualismus von Anschauung und Denken, von Erscheinung und »Ding an sich« beseitigte. Das »reine Denken« erzeugt danach die Gegenstände der Erkenntnis, insbesondere die der Mathematik und Naturwissenschaft. In seiner Ethik beschrieb Cohen die transzendentalen Prinzipien des »reinen Wollens«, die Maßstab sind für die gesollte Selbstversittlichung der empirischen Individuen in den sozialen Organisationsformen, etwa in der Gestalt des Staates. Die politische Philosophie seines »ethischen Sozialismus« hatte großen Einfluß auf die deutsche Sozialdemokratie. In der Ästhetik gab er eine Systematik der Verwirklichungsbedingungen des »reinen Fühlens«. Später entwickelte er eine streng rationale Religionsphilosophie, gestützt auf das alttestamentarische Judentum. Werke: *System der Philosophie, 1. Logik der reinen Erkenntnis* (1902); *2. Ethik des reinen Willens* (1904); *3. Ästhetik des reinen Gefühls* (2 Bde., 1912).

25 Ital.: auch ich bin ein Maler; angeblich Ausruf Corregios (1494-1534) vor dem Bild der heiligen Cäcilia von Raffael. »und Zeichen« ist zwischen den Zeilen eingefügt.

26 Anspielung auf E. B.s Zerwürfnis mit Margarete von Bendemann; vgl. dazu Brief Nr. 3, Anm. 2. Der Band des Lukács-Archivs *E. B. und G. L. – Dokumente – Zum 100. Geburtstag* enthält auch die Briefe von M. Susman (Bendemann), aber auch aus diesen war der wirkliche Anlaß für das Zerwürfnis letztlich nicht mehr erkennbar. Frau v. Bendemann schreibt jedenfalls an G. L. nur, sie habe von E. B. später erfahren, »daß ein persönliches, einzelnes Erlebnis« dem »Abbau« ihrer Freundschaft zugrunde lag (Brief vom 26. August 1912).

27 »falls« zwischen den Zeilen eingefügt; im Original steht durchgestrichen: »armen«.

28 Vgl. Brief Nr. 9 am Schluß, wo E.B. schreibt, daß er Simmel jetzt nicht mehr wie geplant »die Rechts- und Moralphilosophie« widmen wolle.

29 Schwer leserliches Wort, dem Sinn nach erschlossen.

30 Die Klammer steht im Original und zwischen den Zeilen.

31 Im Original folgt durchgestrichen: »als«.

32 Im Original ist dies das letzte Wort der Seite 9 des Briefes, der insgesamt 12 Seiten hat; darunter an der Seite steht links der Gruß: »Dein Ernst«.

33 Das in Klammern Stehende wurde im Original zwischen den Zeilen eingefügt.

34 Im Original steht durchgestrichen: »physisch«, darüber steht »phtisisch«, wohl abgeleitet von Phthise, dem griech. Wort für Schwindsucht, auch gebraucht für die chronisch ansteckende Lungentuberkulose; E.B. meint das Wort wohl eher im übertragenen Sinn eines allgemeinen Kräftezerfalls. Wenn im folgenden immer wieder die Rede von Elses Gesundheitszustand sein wird, hoffnungsvolle Besserungen im Wechsel mit beängstigenden Verschlechterungen des Befindens stehen, so bewahrheitete sich doch auf Dauer diese von E.B. hier wiedergegebene Diagnose. Nach Jahren des Leidens starb Else von Stritzky im Jahr 1921.

35 *Logos. Internationale Zeitschrift für Philosophie und Kultur,* herausgegeben von Richard Kroner und Georg Mehlis. Vgl. Brief Nr. 13, Anm. 14 an Klaus Mann.

36 Konrad K. Düssel, später Redakteur am *Neuen Stuttgarter Tagblatt,* vgl. Brief Nr. 100. Im »Gedenkbuch für Else Bloch-von-Stritzky« porträtiert E.B. seine Beziehung zu Düssel folgendermaßen: »Ich hatte überhaupt keinen Vater, kurze Zeit stand ich, in meinen ersten Semestern einem klugen, prachtvollen Mann, Konrad K. Düssel, zehn Jahre ungefähr älter als ich, mit der Liebe und Pietät des Sohnes nahe, dann schwand auch dieses, und nur gute, aber fruchtlose Erinnerung blieb zurück« (*Tendenz-Latenz-Utopie,* Ergänzungsband zur GA, S. 25).

37 Der Nachsatz steht am linken oberen Rand, quer zum Übrigen.

Nr. 11   [Postkarte]
                                         Grünwald/Oberbayern,
                                              10.8.[1911]

Lieber Georg, ich finde Du kannst diesen Essay[1] bald [?] drucken lassen. Er ist unpersönlich genug und zeigt außerdem (wenn man das Biografische[2] nicht kennt) die Form einer der sachlichen Ausführung zuliebe unternommenen Kombination. Sehr gefreut hat mich das über das Chaos[3] als dem nur in Ethik möglichen Adiaphoron[4] und über dies, daß die Dissonanz begrifflich gedreht und objektiviert wird. Noch nicht ganz klar geworden ist mir die lebendige Funktion der Güte[5]; ich weiß noch nicht und will nochmals daraufhin studieren, wie Du den rein privat- und sozialmoralischen Kreis von dem rein religiösen Kreis[6] dieses letzthin führenden, vollkommen außerpsychologischen und moralischen Motivs abgrenzst.

Gar nicht einverstanden bin ich mit Deinem Brief. Ich bin weder praktisch noch (was bei unserer Kaste ohne weiteres in der Verlängerungslinie liegen muß) moralphilos[ophisch] damit einverstanden. Ich habe übrigens einen gereinigteren Stil in dieser Angelegenheit gefunden. Darüber bald mehr! Man soll nur im Wesentlichen zu ihrer eigenen Stärkung und Vertiefung die Apriorität zuhause sein lassen. – Ich gebe Dir betreffs Hegel recht, wenn wir nicht (wie ich meinte[7]) immanente, sondern die allein uns erlaubte, ihm gegenüber noch anzuwendende transzendente Kritik vornehmen. Bald mehr!

Dein Ernst[8]

1 Nach den im folgenden angegebenen Stellen muß es sich um den Essay von G. L. handeln: »Reichtum, Chaos und Form: Ein Zwiegespräch über Lawrence Sterne«, in: *Die Seele und die Formen* (1911); Neuwied und Berlin 1971, S. 179-217. Dieser Aufsatz scheint großen Eindruck auf E. B. gemacht zu haben, denn er schreibt später (vgl. Brief Nr. 55 und Anm. 6) selbst einen Essay über Don Quixote, ein Thema, das G. L. in diesen Aufsatz aufnimmt (a. a. O., S. 186f.), ja, er wollte zunächst sogar wie G. L. in Dialogform schreiben, gab dies dann aber bald auf. Es könnte sich theoretisch jedoch auch um den Essay »Über die Armut am Geiste« in: *Neue Blätter* II/5-6, 1912, S. 67-92, handeln. Der dezidierte Hinweis von E. B. auf das »Chaos« (vgl. Anm. 3) macht dies jedoch eher unwahrscheinlich; dafür spricht das »Biographische« (Anm. 2) eher für die »Armut am Geiste«. Zur Kontrolle werden im folgenden jeweils die möglichen Stellen auch von »Die Armut am Geiste« angegeben. Die ungarischen Herausgeber der Briefe plädieren für »Die Armut am Geiste«.

2 Der Essay schildert die geistige Anstrengung von zwei jungen Männern um ein Mädchen, für das wohl Irma Seidler (vgl. Brief Nr. 9, Anm. 1) das Vorbild abgab. – Der nicht erhörte, aber argumentationsstärkere Joachim dürfte eine literarische Stilisierung von G. L. selbst sein. – »Die Armut am Geiste«, geschrieben aus der Betroffenheit über den Tod Irma Seidlers (vgl. Brief Nr. 9, Anm. 1) ist der Form nach distanzierter gehalten: Eine Frau berichtet von einem Gespräch mit einem Freund, der sich anklagt, weil er die Zeichen des sich ankündigenden Selbstmords seiner Freundin nicht verstanden hatte; im Namen einer Theorie der Güte verurteilt er sich und bringt sich schließlich gleichfalls um.

3 Vermutlich Anspielung auf eine Stelle gegen Ende von »Reichtum, Chaos und Form«, wo G. L. sich gegen die Möglichkeit einer »Ethik der Augenblicke« wendet und statt dessen die Fülle des Lebens, die sonst in Zufälligkeit und Chaos versänke, in Ordnung und Gesetzesmäßigkeit integrieren will (a. a. O., S. 212). In »Die Armut

am Geiste« wird das Chaos nur peripher berührt: Die Ethik »ist die erste, die primitivste Erhebung des Menschen aus dem Chaos des gewöhnlichen Lebens« (a. a. O., S. 75); und: »Doch alles Klare kann nur dadurch entstehen, daß es aus diesem Chaos gewaltsam herausgehoben wird ...« (a. a. O., S. 83).

4 Griech.: Nichtunterschiedenes. Zwischen sittlichen Grenzwerten (gut und böse) liegende belanglose Dinge oder Haltungen; Gleichgültiges; sittliche oder kultische Handlungen ohne heilsgeschichtliche Bedeutung.

5 Vermutlich Anspielung auf »die große ursprüngliche Güte uncle Tobys', dessen Güte vom Leben und von den Menschen nichts weiß«: »Reichtum, Chaos und Form« (a. a. O., S. 189), die aber aus »der Nacht des Einander-nicht-verstehen-Könnens« (a. a. O., S. 189) auf eine nicht ganz geklärte Weise herausführen soll. – Die Theorie der Güte ist indes das Hauptthema von »Die Armut am Geiste«.

6 G. L. spricht in: »Reichtum, Chaos und Form« sowohl vom »Spiel als Gottesdienst« (a. a. O., S. 202) wie auch vom »Gottesdienst des Lebens« (a. a. O., S. 211) und huldigt einer pantheistischen Weltanschauung.

7 Vgl. Brief Nr. 10.

8 Bei dieser Karte stand nur die Rückseite des Originals als Kontrolle zur Verfügung; der restliche Text folgt der maschinenschriftlichen Übertragung des Lukács-Archivs Budapest.

Nr. 12   [Postkarte]
                                                    Grünwald, 26. 8. [19]11

Lieber Georg, heute bekam ich endlich von Düssel, der persönlich sehr wesentlich an dem Fall interessiert sein mußte, die Briefe zwischen der B[endemann][1] und mir zurück, und ich beeile mich, Dir diese in ihrer Aktualität für mich schon erloschenen elegisch-pathetischen Armseligkeiten und meine Verschwendungen daran zu schicken. Gestern kam ich von einer dreitägigen Kletterpartie zurück, die ich in den Bergen von Mittenwald unternommen habe – ein körperlicher Auftrieb zum Licht und zu einer ringsum seltsam vibrierenden und zerklüfteten Ewigkeit, den ich stärker als bisher kultivieren will. Vielleicht hat Dir Emma [Ritoók] schon erzählt, daß ich Else von Stritzky todkrank angetroffen habe, so daß Deine allzu einfache Alternative: weiter quälende und dazu noch problematische L[udwigs]hafener Abhängigkeit oder Ehe empirisch korrigiert wird.[2] Du wirst mir selbst zugeben, daß das Eine weder weiter bestehen kann noch die andere eigentlichere und tiefere Abhängigkeit unter diesen Umständen gerade aus Gründen der gesegneten Abhängigkeit eintreten darf. Was würdest Du zu dem

völlig unpersönlichen Weg sagen: mir zwanzigtausend Mark auf
einen Schuldschein zu leihen, ohne genaueren Termin, aber
bestimmt zurückzuzahlen aus meinem späteren elterlichen Vermögen? Es scheint mir die beste Form zu sein und nicht in die Zonen
einer feinsinnigen und dankbaren Liebe und ihren Traum [?] einzu-
spielen. Kennst Du Försters[3] Buch: »Autorität und Freiheit«
(Kempten und München 1911)? Ich empfehle es Dir angelegentlich.
Solche Bücher zeigen mit einer schon rein historisch feststellbaren
Genauigkeit an, daß wir (was schon seit Maistre[4], Saint-Simon[5],
Marx-Comte[6], Hegel zu fühlen war) in der ausgehenden Neuzeit
und vor[7] ihrem Umschlag zu einem erneuerten, diesmal protestantisch vertieften Mittelalter[8] und Katholizismus stehen. Dazu brauche ich zur breiten Lenksamkeit vor allem die Sozialdemokratie[9],
um Innonenz III. und Thomas von Aquin, und der verborgene
Papst und der streng kirchlich universale Philosoph in Einem zu
werden und zu sein.[10] In treuer Freundschaft!

Dein Ernst

---

1 Vgl. die Briefe Nr. 9, Anm. 15, Nr. 14, Anm. 26, sowie – was E. B.s Beziehung zu
Frau von Bendemann insgesamt betrifft – Nr. 3, Anm. 2.

2 Vgl. Brief Nr. 10.

3 Friedrich Wilhelm Förster (1869–1966), Pädagoge, Professor in Zürich, Wien,
München; Übersiedlung nach New York. Sein Werk *Autorität und Freiheit* erschien
1911 in Kempten. Förster legte 1920 nach politischen Auseinandersetzungen seine
Professur nieder, um ungehindert für seinen ethischen Pazifismus zu wirken.

4 Joseph Marie Comte de Maistre (1753–1821), Staatsphilosoph. Er war ein Hauptvertreter des Royalismus und politischen Klerikalismus und versuchte, den Absolutismus und die feudale Gesellschaftsordnung zu rechtfertigen. Die Verfassung der
katholischen Kirche mit ihrer Hinordnung auf den päpstlichen Primat galt ihm als
Vorbild jeder Staatsverfassung.

5 Claude Henri de Rouvroy Saint-Simon (1760-1825) hatte großen Einfluß auf die
Entwicklung der Soziologie, den Sozialismus, die Idee eines vereinten Europas und
den Pazifismus. Er analysierte den Industrialisierungsprozeß, um daraus die Konse-
quenzen für die gesellschaftliche Ordnung zu ziehen (»savoir pour prévoir pour
prévenir«). Die wissenschaftliche und wirtschaftliche Elite galten für ihn als die
Hauptstützen der Gesellschaft; innerhalb dieser unterschied er zwei Klassen: die
Tätigen – Arbeitgeber und Arbeitnehmer – und die Müßigen – Adel und Militär. Die
Führung der Gesellschaft sollte der arbeitenden Elite, besonders den Bankiers, überlassen werden; ihr obliege es, Arbeit für alle zu schaffen und den zu errichtenden
Wohlstand »der zahlreichsten und ärmsten Klasse« zugute kommen zu lassen. Mit
technokratischen Mitteln sollte die von ihm scharf kritisierte Ausbeutung überwun-

den werden, deren Grund er im bestehenden Eigentumsrecht erkannte. Doch sollte
das Privateigentum nicht abgeschafft, sondern nur beschränkt und besser genützt
werden. – Saint-Simons Gedanken wurden erst nach seinem Tode systematisch
zusammengefaßt und dabei zum Teil abgewandelt und erweitert im Saint-Simonis-
mus, der ersten französischen Sozialistenschule.

6 Auguste Comte (1798-1857), Sekretär Saint-Simons von 1817-1822. Comte gilt als
Begründer der Soziologie, die er als Bestandteil der wissenschaftlichen Philosophie –
als »positive Philosophie« – betrachtete. Diese hat – nach seinem berühmten Drei-
Stadien-Gesetz – die bisherige theologische und metaphysische Weltdeutung abzulösen und das positive oder endgültige »Dritte Zeitalter der industriellen Gesellschaft« zu bestimmen.

7 »vor« zwischen den Zeilen eingefügt.

8 Zwischen »vertieften« und »Mittelalter« steht im Original durchgestrichen: »rea-
listischen«.

9 Das Wort ist im Original nach »Sozialdemo-« getrennt; alles weitere steht auf
Seite 1 der Karte, kopfüber über die Anrede geschrieben.

10 Vgl. dazu Brief Nr. 10, wo E. B. sich und G. L. »große Summisten der Axiomatik« nennt. Aus dem Zusammenhang wird klar, daß E. B.s Vorstellung von Revolution zu dieser Zeit im Wunsch nach der Wiederkehr dessen gipfelte, was bei Hegel
mit substantieller Sittlichkeit gemeint ist, vertieft durch die in der Neuzeit geformte
sittliche Individualität; daher die Rede vom bevorstehenden »Umschlag zu einem
erneuerten, diesmal protestantisch vertieften Mittelalter und Katholizismus«. Ganz
hat E. B. den Ordo-Gedanken nie aufgegeben; sein Bestehen auf der Veräußerli-
chung des Innerlichen in der Subjekt-Objekt-Identität bzw. seine Rede von »Heimat« belegen dies ebensosehr wie sein entelechetischer Materiebegriff.

Nr. 13   [Postkarte]
                                                           31.8.[19]11

Lieber Georg, ich bitte Dich – wenn es nicht zu spät ist –, mit der
Antwort an M. v. B.[1] noch zu warten, bis mein Brief in den allernächsten Tagen bei Dir eingetroffen ist.

                                        Mit herzlichen
                                        Grüßen!
                                        Ernst

1 Gemeint ist Margarete von Bendemann. Offensichtlich hatte G. L. an sie schreiben wollen, wohl um das Zerwürfnis zwischen ihr und E. B. zu klären und zu mildern. Da Simmel auf Frau von Bendemanns Seite mit in diesen Streit verwickelt war,
mußte sich auch G. L. als geförderter Schüler Simmels betroffen fühlen. Vgl. dazu
die Briefe Nr. 9, Anm. 14 und Nr. 10, Anm. 26 sowie Brief Nr. 3, Anm. 2.

Nr. 14   31.8.[19]11

Mein lieber Georg, ich finde nicht, daß ich dann, wenn ich zur zei-
chenfreien Güte gelangt wäre, die Absicht und die Lust hätte, die
B[endemann] oder unser Verhältnis zu retten. Du überschätzt sie
gewaltig, wenn Du das Ästhetentum (das überdies nur bei Männern
vorkommen kann), die Sucht, jedes Butterbrot vis-a-vis der
Unendlichkeit zu stellen, und das Unvermögen, eine Fülle beweg-
ter Adiaphora[1] zuzulassen (da der Zar noch weit und der Himmel
nicht hoch empirisch einbeziehend[2], und überwindungsreich genug
sein kann), als ihr Merkmal und Wesen angibst. Sie ist einfach eine
bornierte, milde und doch in allen Fragen der Bewegung phari-
säisch rohe deutsche Hausfrau des schlimmsten Stils, aufgeputzt
und angeschienen von Güte und Größe, eine mich lange täuschende
Mimikry und Karikatur der reinen, viel verzeihenden Frau (mit
dem praktischen Sinn für alles noch[3] Adiaphoron: sie kann ihn sich
auf weite Strecken hin erlauben, da ihr angeborener Adel und ihr
rezeptives Genie für das zuletzt Wesentliche und Apriorische doch
unvertrübbar ist); und es ist das Beste, sie aus jeder Erinnerung und
Diskussion auszulöschen und sie den beiden ästhetisierenden
Schwätzern Gr.[4] und S.[5] und ihrer eigenen molkigen Phraseologie
weiter zu überlassen. Ich verstehe mit dem besten Willen nicht, wie
du bei[6] dieser Frau nach meinen Briefen (wo doch höchstens einmal
und dies im ersten Brief ein Ausdruck – der von den zehn Mark – zu
schroff geformt war und den habe ich doch später auf sein rechtes
Maß und seinen Sinn zurückgeführt) ein Beleidigtsein verstehen
willst: daraus, daß sie mit Deinem früheren Ich zu der Sekte der
Ästheten gehören soll. Georg, es ist doch ganz ausgeschlossen, daß
Du irgend ein Stadium Deines Wesens in *der* Gesellschaft siehst!
nur bei Simmel wäre der Vergleich und die überwundene Verwandtschaft zuzulassen. Du weißt, daß ich [heute][7] sowohl den
Pfuscher mit der bloßen Betriebsamkeit und dem bloßen[8] Bluff des
Resultats als auch den Oberlehrer und Ästheten, (Pharisäer, Phili-
ster und gänzlich ungeschichtlicher Mensch des Stillstands, der
bloß zeitlichen, ungütigen, hemmenden, bestenfalls reaktionären
Regel)[9] (in Deinem Sinn) als Karikaturen des geschichtlichen und
des normativen Menschen und Forschers (etwa Bergsons und mir
als dem Summisten[10]) etabliert habe. Hier wäre Simmel als beides,

als Betriebsamkeit und als bloß bildhaft billig erworbener Schluß zu
fassen, und er hätte seine Stelle sowohl bei den Karikaturen als auch
in voller Unreinheit beider Prinzipien bei den Forschern, etwa vor
dem rein theoretisch (nicht karikaturistisch als Oberlehrer und
Ästhet, sondern objektiv als Pfaffe) faßbaren Cohen zu finden.
Hier stimmen wir überein, und wir müssen die Bergsoniade in uns
haben, wenn wir mit Güte und ohne billige Absolutheit (eben aus
aufsparender[11] Ehrfurcht vor der Absolutheit) die Lukácziade und
Blochiade[12] leisten wollen. Aber in diese Gedankengänge nur nicht
die B[endemann] hereinziehen! Die Frauen haben auf die anderen
Klassen Anspruch: auf die Zigeunerin oder die Hausfrau (aber das
sind keine Karikaturen, (höchstens karikaturistische Formungen
der Dame)[13] ihnen entsprachen keine Urbilder, sondern beides ist
unbedingt zu verachten und zu verwerfen): und auf die Dame mit
Haltung (und gütiger Religiosität)[14]: als die[15] Nachsicht für die trei-
bende, experimentierende, aussichtsreiche männliche Teufelei und
den lehrreichen inneren Kompaß für die Erlösung und Göttlich-
keit. Vielleicht[16] war Deine Freundin[17] auf dem Weg zu dieser
Lebensform: ich kenne es nur als Postulat und Idee. Ich kann nach
wie vor Deiner Auslegung des Platonismus und Hegelianismus
nicht zustimmen; in beiden, vor allem im Neuplatonismus, ist die
gefährliche Vereinzelung sehr stark begrifflich kultiviert, und die
Verbindung von Augustin und Platon als Prinzip ist nicht nur in des
Abälard[18] und Thomas[19] nominalistisch und universalistisch ver-
schlungenen Systemen, sondern (bei genügend immanenter und
nicht – wenngleich mit apriorischem Recht – sachlich überschlagen-
der und transzendenter[20] Kritik) auch bei Hegel deutlich zur
Besprechung und annähernden Lösung gebracht. Wir können freilich nicht protestantisch genug werden, um recht katholisch und
dann gotisch zu sein.[21]
Praktisch noch Eines: es ist mir gefühlsmäßig sympathischer, von
einer Frau Geld zu fordern; zumal wenn sie so vieles von meinem
Leben wußte wie die B[endemann] und sich – nach Düssels Ausdruck – bei mir ebenso gut um jeden abgesprungenen Hosenknopf
wie um meine Philosophie bekümmerte. Hier ist keine fehlende
Menschenkenntnis, sondern einfach die blitzschnelle Entschleie-
rung der Mimikry[22], wodurch ich jetzt freilich für andere Fälle
genug Menschenkenntnis erworben habe. Aber ich danke Dir für

Dein liebes Anerbieten und bin überzeugt, daß Du seine Benutzung in der ihr gebührenden Peripherie halten wirst.

Jetzt will ich aber aufhören zu schimpfen oder zu rangieren. Nur dies noch: bitte schreibe der B[endemann] nicht so, als ob es ihr nur an Nachsicht und der so sehr esoterischen Güte gefehlt hätte; das würde ganz ernstlich weder[23] sie noch ich verdienen. Außerdem scheint es mir das beste zu sein, wenn wir vom Simmel-Kreis menschlich wie begrifflich so weit wie möglich abrücken. – Warum bleibst Du immer noch in Budapest, unter den alten Erinnerungen? Warum kommst Du nicht nach München? oder vielmehr, warum bist Du nicht gekommen? denn jetzt kann ich nur noch kurze Zeit hier bleiben: aber sicher werde ich im Winter auf vierzehn Tage zu Dir nach Florenz kommen. Ich möchte so gerne mit allen meinen Kräften Dein Freund sein und immer mehr und tiefer werden. Bitte laß' mir noch auf kurze Zeit dein Manuskript[24]: ich habe den Rand mit Notizen bedeckt, die ich erst herausradieren und eintragen muß. Ich möchte gerne mit Dir darüber reden. Den Baalschem[25] kenne ich immer noch nicht; aber nächstens will ich einmal das Alte Testament auf seine Theosophie[26] durchsehen – allein schon Jakobs Traum von der Himmelsleiter – welch tiefe Andeutung der sich in unserem Kopf, in unserer Lehre von den Kategorien[27] spiegelnden, erträumenden, reiner, schärfer erdenkenden Begriffsordnung der Elohim[28], der Universalien[29] des heimkehrenden Gottes und der ganzen, alles nunc et hic et quid et quale[30] bedingenden, tragenden, begründenden Ideenpyramide! Wie geht es Deinen Arbeiten zu Plotin?[31]

Von Herzen!

Dein Ernst

Wie geht es Leo Popper[32]?

1 Griech. wörtlich: Nichtunterschiedenes; vgl. Brief Nr. 11, Anm. 4.

2 »empirisch einbeziehend« zwischen den Zeilen eingefügt.

3 »noch« im Original zwischen den Zeilen eingefügt.

4 »Gr.« meint Bernhard Groethuysen (1880-1946), mit dem M.v. Bendemann befreundet war (vgl. dies., *Ich habe viele Leben gelebt.* Stuttgart 1964, S. 59f.) Groethuysen war 1931-1933 Professor für Philosophie in Berlin und lebte später in Paris. Er war ein Schüler W. Diltheys und wendete die Methoden der verstehenden Psychologie und Geistesgeschichtsforschung auf das Thema der *Entstehung der bürgerlichen Welt- und Lebensausdeutung in Frankreich* 2 Bde., 1927 und 1930) an.

Seine Philosophische Anthropologie (1928) versucht die Erkenntnisaufgaben der Existenzphilosophie und der im historisch-soziologischen Sinn objektivierenden Anthropologie zu differenzieren.

5 S. = Georg Simmel.

6 »bei« zwischen den Zeilen eingefügt.

7 Schwer leserliches Wort.

8 »bloßen« zwischen den Zeilen eingefügt.

9 Das in Klammern Eingefügte steht im Original zwischen mehrere Zeilen eingefügt; die folgende, auch im Original vorhandene Klammer »in Deinem Sinn« ist im Original direkt nach »Ästheten« eingefügt.

10 E.B. nennt sich »den Summisten der Axiomatik« (vgl. Brief Nr. 10) oder intendiert gar »der verborgene Papst und der streng kirchlich universale Philosoph in Einem« zu werden (vgl. Brief Nr. 12, Schluß und Anm. 10, sowie Anm. 19 unten).

11 Im Original ist »auf« bei »aufsparender« zwischen den Zeilen eingefügt.

12 Vor »Blochiade« ist im Original ein unleserliches Wort durchgestrichen.

13 Das in Klammern Eingefügte steht im Original zwischen den Zeilen eingefügt.

14 Die Klammer ist im Original kühn zwischen den Zeilen eingefügt: »und gütiger« steht über der 1. Zeile, »Religiosität« eine weitere Zeile darüber.

15 »die« zwischen den Zeilen eingefügt.

16 Im Original steht durchgestrichen vor »Vielleicht«: »Dazu«.

17 E.B. meint Irma Seidler, die kurze Zeit davor sich das Leben genommen hatte; vgl. Brief Nr. 9, Anm. 1.

18 Petrus Abaelardus (1079-1142), frz. Theologe und Philosoph. Er gilt als richtungsweisender Hauptvertreter der Frühscholastik vor allem auf den Gebieten der Logik, Erkenntnistheorie und einer philosophisch fundierten Theologie. Im Universalienstreit (vgl. Brief Nr. 10, Anm. 8) vertritt er u.a. gegen Bernhard von Clairvaux eine zwischen Realismus und Nominalismus vermittelnde Position. Danach sind die Universalien als Übereinstimmung »in den Dingen« (*in rebus*) zwar existent, doch nur von Menschen erfundene Wörter; andererseits sind sie in Abgrenzung gegen Extrempositionen des Nominalismus aber auch nicht nur willkürliche Festsetzung menschlicher Rede, sondern werden – ihre Norm in der »Natur der Dinge« habend – im Denken durch Abstraktionen (*post res*) konstituiert, wobei Abälard ihre Zurückführung auf die Existenz als Begriffe (*conceptus mentis*) im göttlichen Geist, also »vor den Dingen« (*ante res*) absichert. – Abälard hat die wissenschaftliche Methodologie durch Einführung des methodischen Zweifels erweitert und zählt als Vertreter eines rationalen Subjektivismus zu den bedeutendsten Theoretikern des Mittelalters. Berühmt wurde er nicht zuletzt wegen seiner unglücklichen Liebe zu Heloïse, deren Oheim ihn entmannen ließ; diese Liebe hat in seiner *Historia calamitatum mearum* (1133-1136) unter Beifügung eines wohl fingierten Briefwechsels literarische Gestalt gewonnen. – Noch in hohem Alter hat E.B. sich mit Abälard auseinandergesetzt; vgl. dazu *Zwischenwelten in der Philosophiegeschichte*, GA Bd. 12, S. 76ff.

19 Thomas von Aquin (1225/26-1274), scholastischer Theologe und Philosoph. Thomas entwickelte, die von seinem Lehrer Albertus Magnus begonnene Hinwen-

dung zum Aristotelismus weiterführend, eine globale Synthese von Glauben und Wissen in einem System axiomatisch-spekulativer Theologie. Seinen Niederschlag fand dies in seinem Hauptwerk *Summa theologiae* (entstanden 1266-1273), das als Hauptwerk der Scholastik überhaupt gilt. Theologie ist für Thomas streng rational aufgebaute Wissenschaft im aristotelischen Sinn, das heißt, ein nach bestimmten Prinzipien geordnetes System von Wahrheiten, die in einen lückenlosen Begründungszusammenhang gestellt bzw. auf die ihnen zugrundeliegenden Wahrheiten zurückgeführt werden; sie ist also Deduktion aus ersten Prinzipien. Grundlegend für die Synthese und das System sind philosophisch das universale Schema der augustinisch-neuplatonischen Hierarchie (alles kommt von Gott, alles geht zu Gott zurück) und die Dynamik der aristotelischen Teleologie, die – ursprünglich auf den Bereich der Immanenz beschränkt – über diesen hinaus auf die Transzendenz erweitert wird, und zwar mit den zentralen Kategorien Akt und Potenz. Erkenntnistheoretisch vertritt Thomas einen gemäßigten Realismus: Das Allgemeine, also das geistig Reale und somit ontologisch Primäre, dessen Individuationsprinzip die Materie ist, kann nicht unmittelbar, sondern nur über die Abstraktion aus der Erfahrungserkenntnis erkannt werden. – Durch die Heiligsprechung von Thomas sowie seine Erhebung zum Kirchenlehrer wurde die Wirkung seiner Lehre auch institutionell abgesichert.

Ganz offensichtlich orientiert sich E.B. in dieser Zeit an Werk und Wirkung von Thomas: Er intendiert eine Axiomatik (vgl. Brief Nr. 8 und 9) und nennt sich – deutlich genug – den »Summisten der Axiomatik« (vgl. Brief Nr. 10 sowie oben Anm. 10).

20 Hier beendete E.B. die Klammer ein erstes Mal; er wiederholte die Klammer an richtiger Stelle, ohne indes die erste zu tilgen.

21 Vgl. den Brief Nr. 12, Anm. 10.

22 Griech.: Nachahmung; ursprünglich Schutztracht wehrloser Tiere, die in Körpergestalt und Färbung wehrhafte oder anders geschützte Tiere »nachahmen«; übertragen auch für: Schutzfärbung, Anpassung.

23 Im Original steht durchgestrichen »weiter«.

24 E.B. meint wohl: »Von der Armut am Geiste«; vgl. Brief Nr. 11, Anm. 1 und 2.

25 E.B. meint wohl das Buch von Martin Buber, *Die Legende des Baalschem (1907)*. Der historische Baal-Schem (1700-1760) gilt als Begründer des Chassidismus. Hauptgegenstand seiner Lehre ist die Vorstellung vom Einssein Gottes mit seiner Schöpfung und der jedem Wesen innewohnenden Gottesherrlichkeit. Nicht durch Askese, sondern durch freudigen Dienst an Gott gelangt der Mensch zum Einssein mit ihm; Inbrunst und Extase in Gebet und Tanz sind dabei wichtige Elemente. – Im deutschsprachigen Raum ist diese Lehre vor allem durch Martin Buber (1878-1965) bekannt geworden, der seit 1905 der westlichen Welt den ostjüdischen Chassidismus durch seine starke sprachliche Gestaltungskraft erschließen konnte.

26 Griech.: Gottesweisheit.

27 Im Original folgt durchgestrichen: vermutlich »auch«.

28 Vgl. Brief Nr. 10, Anm. 3.

29 Vgl. Brief Nr. 10, Anm. 8.

30 Lat.: jetzt und hier und was und wie – vgl. auch Brief Nr. 10 bei Anm. 4.
31 Plotin, griech. Philosoph; geb. in Lykopolis (Ägypten) um 205, gestorben in Kampanien 270. Plotin trat in seinem 40. Lebensjahr als Lehrer der Philosophie in Rom auf. Sein Schüler Porphyrius beschrieb sein Leben und ordnete seine 54 Schulvorträge in 6 *Enneaden*. Plotins Philosophie ist eine selbständige Erneuerung der platonischen Philosophie, vermehrt durch aristotelische, stoische und gnostische Elemente. Alles Seiende geht nach ihm durch *Emanation* aus dem *Einen* wie aus der Licht ausstrahlenden Sonne hervor; das Eine steht als erste Hypostase noch über der Weltvernunft. Diese, der Ort der Ideen, ist die zweite und die Weltseele die dritte Hypostase. Darunter beginnt das Schlechte, das dadurch ist, daß sich das vom Einen Ausstrahlende gleichsam im Nichtseienden, der Materie, spiegelt. Die dadurch entstehende Körperwelt ist die vierte und die Materie die fünfte Hypostase. Die Emanation bedeutet keine Minderung des Einen, so daß auch die Hypostasen das Eine nicht zerreißen, sondern es selbst, je in ihrer Weise, immer noch sind. Diese fünfstufige Welt ist die Bühne, auf der das Drama der Einzelseele spielt, die, in die Körperwelt gefallen, vor der Entscheidung steht, der Körperlichkeit und dem Schlechten gänzlich zu verfallen oder sich zurückzuwenden (griech.: *epistrophe*) und nach oben bis zum Einen aufzusteigen. Die höchste Form des Aufstiegs wäre die *Exstase*, in der das einzelne sich im Einen verliert und sich so, aus der Entfremdung heimkehrend, in seinem eigentlichen Selbst wiederfindet. – Plotin hatte im folgenden großen Einfluß, und sei es auch nur mittelbar, durch den von ihm geformten Neuplatonismus. – G.L.s Arbeiten über Plotin dürften im Umkreis seiner frühen platonischen Haltung, die seine Essays von *Die Seele und die Formen* kennzeichnet, anzusiedeln sein; sie scheinen nicht bis zu einer eigenständigen Publikation gediehen zu sein. Vgl. »Chronologische Bibliographie der Werke von Georg Lukács, bearbeitet von Jürgen Hartmann«, in: *Festschrift zum achtzigsten Geburtstag von Georg Lukács*, herausgegeben von Frank Benseler, Neuwied und Berlin 1965, S. 625-696.
32 Leo Popper (1886-1911) war in jenen Jahren der engste Freund von G.L. und todkrank. Er war Maler, Bildhauer, Essayist und galt als genialischer junger Mann. 1910 war ein Buch von ihm über Pieter Brueghel d. Ä. erschienen, 1911 folgte *Die Bildhauerei, Rodin und Maillot*. Leo Popper starb am 23. Oktober 1911. Vgl. Brief Nr. 18, Anm. 3.

Nr. 15 [Postkarte]
München, 6.9.[19]11

Lieber Georg, ich bin heute abend aus Salzburg zurückgekommen, das ich residentiae meae electionis causa[1] studiert habe. Ich glaube nicht, daß ich unter diesen groben, sich giftig, verbittert ausgeschlossen fühlenden, ewig rassetheoretischen Deutsch-Österreichern leben kann. Außerdem die Stadt zuviel Theater. Jetzt denke ich an Passau. Was bindet Dich in Florenz? Könntest Du

nicht auch in einer kleinen bayrischen Stadt mit jener Kultur leben?
Könnte ich in Florenz leben?

Ernst

1 Lat.: wegen der Wahl meines Wohnsitzes.

Nr. 16   [Postkarte]
[Datum des Poststempels:] 11.9.[19]11
Stuttgart, Hotel [...][1]

Lieber Georg, ich bin für acht Tage in Hegels Geburtsstadt; warum
darüber werde ich Dir von L[udwigs]hafen aus schreiben. Ich bitte
Dich – aber Dein letzter Brief ist dafür und[2] sehr mittelbar bedin-
gend als Erleichterung des gesellschaftlichen Weges; es ist gewiß ein
Adiaphoron und jede sonst vielleicht bei Anderen und in anderen
Fällen angewendete Kategorie wird in[3] dem Zusammenhang Deines
und meines Wesens depossediert –, ich bitte Dich um eine möglichst rasche Zusendung von 70 Mark. Ich werde hier in der sehr
liebenswürdig gehandhabten und sehr reich ausgestatteten Landes-
bibliothek arbeiten. Ich werde hier auch wegen Ernst Harms[4] nach-
sehen. Kennst Du von Chesterton[5] die »Orthodoxie«? ((Willmann:
Geschichte des Idealismus[6])) Ich möchte sehr gerne etwas über
Deine Stellung zum καθολιζισμος[7] wissen und zu all der Mischung
von ärmlichem Kitsch, schlechter Bekennerschaft, Festhalten[8] am
Unwesentlichen, mangelnde Führung im Wesentlichen und doch
der ganzen Großartigkeit und metaphysischen Vertiefung seiner
Organisation und Idee. Ich erinnere mich dunkel Deiner Zustim-
mung (nicht als Konvertit, sondern als Konsequenz) im vorigen
Sommer im Café des Westens.

Ernst

1 Der Name der Hotels ist unleserlich.
2 »dafür und« ist zwischen den Zeilen eingefügt. Im Original folgt durchgestrichen:
»hier«; es hieße dann »dafür und hier sehr mittelbar ...«.
3 Im Original steht durchgestrichen: »bei«.
4 E.B. meint wohl: Joachim Friedrich Simon Harms (1816-1880), Professor für
Philosophie zuerst in Kiel und ab 1867 in Berlin. Harms gehört zu den Philosophen
des 19. Jahrhunderts, die einerseits die Ansprüche der metaphysischen Vernunft in

der Nachfolge der großen idealistischen Systeme weiter behaupteten, andererseits jedoch die Anerkennung des Eigenrechtes der positiven Wissenschaften und des Prinzips der Erfahrung zu verbinden suchten.

5 Gilbert Keith Chesterton (1874-1936), englischer Schriftsteller. Er gilt als katholischer Widerpart G.B. Shaws, schrieb Balladen, Kriminalromane und Trinklieder. Berühmt wurde er mit seinem phantastischen Roman *The man who was Thursday* (1907). Schon vor seinem Übertritt zum Katholizismus 1922 vertrat er eine katholische Weltanschauung, wie er sie im Mittelalter verwirklicht glaubte. Das Buch, das E.B. hier erwähnt, *Orthodoxy*, war 1908 in englisch und 1909 in deutscher Übersetzung erschienen. E.B. schätzte Chesterton ganz außerordentlich; er bezieht sich vor allem auf *Don Quixotes Wiederkehr* und *Der unsterbliche Mensch*, vgl. *Das Prinzip Hoffnung*. GA Bd. 5, S. 1220 und 1392.

6 Angabe in Doppelklammern zwischen die Zeilen geschrieben. Zu Willmann vgl. Brief Nr. 10, Anm. 21.

7 Griech.: Katholizismus.

8 Dieses Wort ist in der Mitte getrennt; alles Folgende hat E.B. auf die erste Seite der Postkarte quer zum ursprünglichen Text und zum Teil darüber geschrieben, daher ist der Text schwer lesbar.

Nr. 17   [Postkarte]
                                    L[udwigs]hafen a[m] Rh[ein], 6. 10.[19]11
                                                            Lisztstrasse 166

Lieber Georg, ich bin hier und bleibe noch vierzehn Tage, bevor ich endgültig nach Garmisch in die Einsamkeit ziehe, um dort endlich a (das Leben in der aktuellen Ordnung) und b (Das Denken der Wissenschaft und Philos[ophie] als Logik des Systems[1]) zu beenden. Ich komme viel mit Burschell[2] zusammen, dem sich mit unter meinem metaphysischen Einfluß ein interessant [...][3] und geformtes Drama: »Der Sterbende« gestaltet. Grüße Herbert [B. Balázs] vielmals von mir und schreibe bald Deinem treuen

                                                                        Ernst

Wie sehr bin ich mit der gegenwärtigen deutschen Politik unzufrieden![4]

1 Zu E.B.s damaligen Systementwürfen vgl. v.a. Brief Nr. 8 und Nr. 9; auch Brief Nr. 12 und Anm. 10 sowie Brief Nr. 18 und Nr. 103.

2 Friedrich Burschell (1889-1969), ein Jugendfreund von E.B., war Literaturhistoriker und Essayist; er arbeitete bei der Zeitschrift *Die Argonauten* mit, ebenso bei der

Neuen Weltbühne und dem *Wort*. Bekannt wurde vor allem seine Arbeit *Schiller*
(Hamburg 1968). Vgl. den Brief Nr. 15, Anm. 3 an Klaus Mann.
3 Unleserliches Wort; die ungarischen Herausgeber der Briefe plädieren für: »be-
lebtes«.
4 Der Nachtrag steht, typisch für E.B., ganz oben auf der ersten Seite der Karte,
quer zum übrigen Text und in ihn hineingeschrieben.

Nr. 18   [Ludwigshafen, Ende Oktober 1911][1]
                                                                Dienstagabend

Mein lieber Georg, ich finde, soeben heimgekommen von einem
Konzert zu Liszts äußerst problematischem Gedächtnis[2], Deinen
Brief vor und freue mich, trotz der leis beunruhigenden Tonart, mit
der Du das grauenvolle Verschwinden zweier Menschen[3] aus Deinem und dem Leben[4] tragisch, paulinisch-eucharistisch für Dein
Werk machst, der reinen Luft und Deines reinen Reichs. Gewiß ist
Deine Erkrankung nur vorübergehend; ich habe einen klugen Arzt
nach ihren Symptomen und ihrem Charakter gefragt und beides
paßte so wenig zu Deiner Seele, daß hier kaum eine Bresche zu
schlagen ist. Wenn jemand, dann mußt Du der Meister der spirituellen Therapie sein. Wie innig wünschte[5] ich für Dich eine Frau, die
Dich etwas mehr dumme Gesundheit, das Nachlassen des allzu
panlogischen Konstruierens, das dumpf *seiende*, traurige und
glückliche Mitleben vor allem des körperlichen, des privat und politisch[6] sozialen Prozesses lehrte[7]; nicht nur das Sehen, das aktuell so
sehr und mit Bewußtsein unerlaubt abschwächende Umarbeiten zu
bloßen Bildern, um nur noch asketisch, plotinisch[8] vorzukommen,
ganz am spitzen Ende der aktuellen Lebensweihe: aber ohne daß bis
jetzt in der Entsagung die großen Genußklassen, Gesundheitsklas-
sen, die vollen, segnenden Umarmungen der Ekstase eingetreten
wären. Du sollst Dich auch als Leib fühlen und im sozialen Stil
fühlen, zumindest von mir als vielfach überlegener, führender, feiner, lebendiger, warmer, gütiger Mensch geliebt und verehrt: was
lebendig schenkende Tugend ist und durch das kältere und in das[9]
vieles überspringende Schenken einsamer Ekstase und ihres durch
sie allein doch nicht genügend gespeisten Werks nicht ersetzt werden kann. Bitte gib von Dir nichts auf; Krankheit, menschliches
Unglück im Sozialen braucht homogene Heilmittel und soll nicht

dadurch ins Positive verkehrt werden, daß man es in den Gang einer ihnen fremden und viel zu erhaben gespannten Positivität einstellt. Auch die Gesundheit und das Liebes- und Freundschaftssakrament sind Gestalten in der Theogonie; es sind *andere* Leiden, für die er als Christus und νόησις νοήσεως[10] und οὐσία[11] und letztes ἕν[12] erschienen ist.

Würdest Du Lust haben, im Heidelberger Akademischen Verein für Dramatik[13] ((dessen Vorsitzender, ein junger, sehr kluger Verleger[14] (er wünscht sehr etwas von Dir in seinem jungen, nicht schlechten Verlag zu drucken) Dich hoch schätzt)) einen Vortrag zu halten? Loerke[15], Kyser[16], Hauptmann[17] und Simmel haben oder werden dort reden [sic!]. Dann wärest Du auch endlich einmal in meiner Gegend. Ich habe mich jetzt, nachdem es mir sachlich erlaubt ist, entschlossen, den Ruhm und den Druck meiner Philosophie sukzessive zu inszenieren; also (denn die einmalige Monumentalität war erdrückend) in einem Jahr (etwa) in einem Band die Vorrede über die ganze Breite der Aktualität, dann den Einleitenden Teil: die Logik und Erkenntnistheorie (beides in verschiedener Weise ein Schattenriß und ein Vorspiel, das ferne Bild und der Plan einer ungeheuren Stadt); dann in einem weiteren Band das Erste Buch: die anorg[anische] Natur in der Summe der axiom[atischen] Philos[ophie]; das zweite Buch: Die organische Natur in der Summe der axiom[atischen] Philosophie; in einem weiteren Band das Dritte Buch: die Geschichte i[n] d[er] S[umme] d[er] a[xiomatischen] Phil[osophie]; in einem weiteren Band das vierte Buch: Die Ethik i. d. S. d. a. Philos.; in einem letzten Band: das Fünfte, Sechste und Siebente Buch: Ästhetik, Dogmatik, letzte Logik und Axiomatik i. d. S. d. a. Philosophie. Also fünf Bände mit Vorrede, Einleitendem Teil, überleitendem Teil (vor VII) und fünf Büchern, bei denen die genaueren, alten, langen Titel links oben und der einfache Titel (aber stets »in der« usw.) groß in der Mitte gedruckt ist.[18] Georg, ich versichere Dich, alle Menschen, in Rußland und bei uns im Westen, werden sich wie an der Hand genommen fühlen, sie werden weinen müssen und erschüttert und in der großen bindenden Idee erlöst sein; und nicht nur einmal, wie man schwach vor Tannhäuser und Wagners heiliger Kunst erschauert, sondern in allen Stunden; und das Irren hört auf, alles wird von einer warmen und zuletzt glühenden Klarheit erfüllt; es kommt eine große Lei-

besgesundheit und eine gesicherte Technik und gebundene Staats-
idee und eine große Architektur und Dramatik, und alle können
wieder dienen und beten, und alle werden die Stärke meines Glaubens gelehrt und sind bis in die kleinsten Stunden des Alltags einge-
hüllt und geborgen in der neuen Kindlichkeit und Jugend des
Mythos und dem neuen Mittelalter und dem neuen Wiedersehen
mit der Ewigkeit. Ich bin der Paraklet und die Menschen, denen ich
gesandt bin, werden in sich den heimkehrenden Gott erleben und
verstehen.

Hast Du schon einmal (ich arbeite jetzt gerade in der Logik daran)
über den Unterschied der beiden Sätze: »das weiße Papier« und
»das Papier hat (μετέχει[19]) eine weiße Farbe«? [sic!] Und daß
optisch rein die weiße Farbe, dagegen technisch-soziologisch (wie-
dergekehrte praktische Einordnung) wieder das Papier zum Sub-
stantiv wird; während die empfindungs-, gefühlsmäßigen gedankli-
chen Merkmale und Attribute vor allem religiös so überschäumen,
daß es keinen widerstehenden Teufel, sondern ganz eigentlich und
zuletzt nur einen Widersacher und keinen liebenden, weisen Gott,
sondern: Gott ist die Liebe und der Geist. [sic!] Auch musikalisch
wird das schwebende Adjektiv in[20]: »der schöne Klang« absolut
und zur »klingenden Schönheit«; sogar das Akustische wird über-
schäumt: Linie: – aktuell-praktisch zusammengegriffenes Ding;
dagegen physikalisch, auch biologisch emanzipierte Attribute: zu
neuen Merkmalen nicht eines Dings, sondern einer math[ema-
tisch]-physikalischen Gleichheit oder einer logisch-biologischen
Gattung usw.; das Weitere ist mit aller Veränderung, Drehung und
Wiederkehr noch aus meiner Logik zu lesen. Ich wollte Dich nur
auf das auch ästhetisch sehr interessante Problem des verschiedenen
Interesses: praktisch, akustisch und instrumentell, oder szenisch an
bedeutenden Typen; dagegen ästhetisch = der klingenden Abstraktheit, an den Typen der Bedeutung und Exemplaren ihrer
bedeutungsvollen Ideen aufmerksam machen: Es sind lauter Vorgänge der ersten Zusammenfassung, der zweiten Kündigung und
zweiten Bindung, also Wege der Formbildung.

Ich bitte Dich übrigens nochmals dringend den Förster: Freiheit
und Autorität[21] zu kaufen. Er sieht scharf und lehrt schärfer zu
sehen. Übrigens auch die lustige Düpierung der liberalen Theologen durch Bonns[22] und Drews[23] ist interessant: wie sehr werden

Jatho[24] und Traub[25] hier um ihr bloßes Gemüt betrogen und ihnen der Gedanke und das bindende Dogma zugeschmuggelt. (so werden endlich unsere Stürmer und Dränger, und ihre [...?]liche Dummheit und der warm gezuckerte Urin ihrer Spießbürgerlehre unschädlich gemacht. Wie ekelhaft diese Tröpfe von der Mystik und Dogmatik abfeilschen.)[26] Er hat doch gute Schüler: unser geliebter Herr von Hartmann![27] Leb wohl und sei innig gegrüßt!

Dein Ernst

1 Der Brief trägt kein Datum. Aus dem folgenden ist jedoch zu entnehmen, daß er einmal kurz nach Liszts 100. Geburtstag am 22. Oktober 1911 sowie zweitens nach dem Tod von Leo Popper am 23. Oktober 1911 geschrieben sein muß; da zu erwarten ist, daß E.B. prompt auf diese Unglücksnachricht reagiert hat, kann der Brief mit ziemlicher Sicherheit auf Ende Oktober 1911 datiert werden.

2 Es handelt sich um den 100. Geburtstags von Franz Liszt, der am 22. Oktober 1811 geboren wurde. »äußerst problematischen« ist zwischen den Zeilen eingefügt.

3 Außer Irma Seidler, die sich am 18. Mai 1911 das Leben nahm (vgl. Brief Nr. 9, Anm. 1), verlor G.L. am 23. Oktober 1911 seinen besten Freund Leo Popper nach mehrjähriger Behandlung in verschiedenen Lungensanatorien, vgl. Brief Nr. 14, Anm. 32.

4 E.B. meint wohl: »aus Deinem Leben und dem Leben überhaupt«.

5 Im Original folgt durchgestrichen: »Dich«.

6 Im Original steht, die letzten beiden Buchstaben durchgestrichen: »politischen«.

7 »lehrte« im Original zwischen den Zeilen eingefügt.

8 Vgl. Brief Nr. 14, Anm. 31.

9 »das« zwischen den Zeilen eingefügt.

10 Vgl. Aristoteles, *Metaphysik*, 1074 b 33 ff., 1075 a 10.

11 Griech.: Wesen.

12 Griech.: das Eine.

13 Hier ist wohl der Plan eines Heidelberger Dichteralmanachs entsprungen, die spätere Zeitschrift *Die Argonauten*, vgl. Brief Nr. 21, Anm. 12. Es handelt sich wohl um den Hebbelverein, wo G.L. im Mai 1912 eine Vorlesung hielt.

14 Gemeint ist der spätere Verleger der *Argonauten*: Richard Weißbach, vgl. Brief Nr. 20, Anm. 3 und vor allem Brief Nr. 21, Anm. 12.

15 Sehr wahrscheinlich handelt es sich um Oskar Loerke (1884-1941), Schriftsteller. Loerke war ab 1914 Dramaturg eines Theaterverlags, ab 1917 Lektor im S. Fischer Verlag, ab 1927 Senator und ständiger Sekretär in der Sektion der Dichtkunst der Preußischen Akademie der Künste. Er schrieb von kosmischem Naturgefühl geprägte Lyrik, nach 1933 düstere Zeitgedichte, außerdem Essays und Reden.

16 Hans Kyser (1882-1940), begann als Journalist und wurde später Direktor des von ihm ins Leben gerufenen Schutzverbandes Deutscher Schriftsteller und Verlagsdirektor bei S. Fischer. Er war Lyriker, Erzähler, Dramatiker, Autor von Hörspielen und Drehbüchern.

17 Gerhart Hauptmann (1862-1946), bekannt vor allem wegen seinen frühen Dramen, die dem Naturalismus auf der deutschen Bühne zum Durchbruch verhalfen, indem sie den Stil des Naturalismus zum eigenen Ausdrucksmittel entwickelten.
18 Zu E.B.s damaligen Systementwürfen vgl. Brief Nr. 8, 9, 12 und v.a. 103.
19 Griech. μετέχειν: bei Platon das Teilhaben der sinnlichen Dinge an den Ideen. – Im folgenden stand kein Original zur Kontrolle mehr zur Verfügung. Der Text enthält mehrere grammatisch schwierige bzw. unverständliche Sätze; die Lesart teils der maschinenschriftlichen Übertragung des Lukács-Archivs, teils den ungarischen Herausgebern dieser Briefe – je nach Plausibilität.
20 Nach Angabe der ungarischen Herausgeber ist »in« zwischen den Zeilen eingefügt.
21 Vgl. Brief Nr. 12, Anm. 3.
22 Nicht ermittelt.
23 Arthur Drews (1865-1935); Professor für Philosophie in Karlsruhe. Drews entwickelte eine stark von Eduard v. Hartmann beeinflußte pantheistische Metaphysik und vertrat einen konkreten Monismus. Unter dem Einfluß des theologischen Radikalismus bestritt er in *Die Christusmythe* (1909/11) die historische Existenz Jesu.
24 Dies die Lesart der ungarischen Herausgeber. Nicht nachweisbar.
25 Friedrich Traub, Professor für Theologie in Tübingen. Werke: *Sittliche Weltordnung* (1892); *Theologie und Philosophie* (1910); *Rudolf Steiner als Philosoph und Theosoph* (1919); *Glaube und Geschichte* (1926).
26 Nach Angabe der ungarischen Herausgeber steht das in Klammern Eingefügte im Original zwischen den Zeilen.
27 Eduard von Hartmann (1842-1906), Philosoph und Privatgelehrter. Stark von Schelling, Schopenhauer und Hegel beeinflußt, versuchte Hartmann, die Welt aus dem Unbewußten zu erklären, das er als ungeschiedenen Geistwillen interpretierte, der im Weltprozeß zu sich selber kommt und sich als Geist und Idee selbst erkennt. Hartmann versuchte, den damaligen Stand der Naturwissenschaften zu integrieren. Er gilt als Begründer des Vitalismus und vertrat als erster erkenntnistheoretisch einen kritischen Realismus. Ein gegen die Illusion des Glücksstrebens gerichteter Pessimismus führte ihn – ähnlich wie Schopenhauer – in die Nähe des Buddhismus. Sein Grundsatz: »Realsein ist durch den Weltgrund Gewolltsein, nicht Gedachtsein.« – Hartmann hatte großen Einfluß auf E.B.; vgl. »Eduard von Hartmanns Weltprozeß«, GA Bd. 10, S. 197-203.

Nr. 19   [Postkarte][1]
                                                        Garmisch, Haus Erdmann
                                                          [November 1911[2]]

Lieber Georg, ich habe schon dreimal (mit etwas ungenügender Adresse) an Dich geschrieben. Bitte sage mir wenigstens kurz, wie es Dir geht und ob Du etwas arbeiten kannst.

Hier ist es sehr still und schön zum Philosophieren. Vielleicht zieht
auch ein Glück herauf. Es geht auch sehr schnell mit der Arbeit
vorwärts.

                                                              Dein Ernst

Bereits zwei Spaziergänge mit Frau Richard Strauss³; gestern zum
Abendessen eingeladen. Beides *entsetzlich*!! Er ist im Haag.

1 Es handelt sich um eine Postkarte mit dem Bild der Knorrhütte gegen Hochwan-
ner (Zugspitze).
2 Ohne Datum; der Ankunftsstempel aus Florenz, wo sich G.L. zu der Zeit aufhielt, trägt das Datum vom 27.11.1911.
3 Vgl. Brief Nr. 36, Anm. 6.

Nr. 20   Garmisch, Haus Erdmann, Höllentalstraße
                                                    [Dezember 1911¹]

Mein lieber Georg, ich schrieb Dir schon von Ludwigshafen aus
eine Karte, dann von München und von hier einen Kartenbrief, alles
unter der Adresse Via dei Robbia (ohne Nummer und Pension);
aber es ist trotzdem eine Schlamperei sondergleichen, daß Du nichts
bekommen hast. Soviel ich weiß, schrieb ich weniges, was sich jetzt
noch und unbedingt zu wiederholen lohnt; nur die Frage, ob es Dir
nicht angenehm wäre, aus dem schlechten Florentiner Winter und
dem ekelhaften Kriegerland² herauszukommen und etwa hierher
nach Garmisch in Stille und reine Luft und Alpenlandschaft zu ziehen. Sicher hat Dir auch der Weißbach³ (so heißt er, glaube ich) aus
Heidelberg geschrieben; auch Burschell, der es mir selbst mitgeteilt
hat und sich wundert, daß Du nicht antwortest. Er will jetzt in
Philosophie promovieren, und Ehrenberg⁴, ein Esel von einem
Heidelberger Privatdozenten, gab ihm (angeblich mit Windelbands
Übereinstimmung) das ungeheure Thema: der Mythos in Schellings
Ästhetik. Ich riet Burschell so scharf und begründend als möglich
davon ab und riet ihm, die seltsame Geschichtsphilosophie in
Hegels Ästhetik (ein den Quellen als den immanenten und transzendenten Gedanken nach begrenztes und beschlossenes Problem)
zu untersuchen, auch in Beziehung zu seiner politischen Ge-
schichtsphilosophie: wenn Hegel⁵ die Architektur eine ägyptische

oder die[6] Poesie eine germanische Kunst nennt[7], sodaß also ägyp-
tisch usw. kein geschichtlicher Begriff, sondern ein davon nur seltsam induzierter ästhetischer Begriff wird. Er hat noch nicht geantwortet. Aber die Bendemann (ich wandte mich an sie, um Burschell
durch Simon[8] eine Stelle an der Frkftr. Ztg. [Frankfurter Zeitung][9]
zu verschaffen: es mußte sie ehren, daß ich sie[10] außerhalb des Geldes und für einen anderen nochmals in Anspruch nahm) hat
geschrieben: sie hätte alle Schuldfrage gestrichen und alles bloß auf
die allzugroße Verschiedenheit zweier Naturen geschoben, sodaß
sie an mich (und trotz des Abschiedsbriefs) mit der herzlichsten
Erinnerung dächte (oder vielmehr an das in unserer Freundschaft,
was wertvoll war und ewig bleibt), ohne bei ihrem schweren Rhythmus ein Wiederanknüpfen statt der Erinnerung fertig zu bringen.
Das habe ich ihr auch gar nicht geraten und ihr jetzt für diesen
Schluß gedankt. Habeat[11] aber mein Fluch und Haß auf Simmel!
Also dieser Düssel (dem ich den Logos geliehen habe)[12] reagiert auf
mindestens ein Dutzend Karten nicht. Brauchst Du die Hefte sehr
notwendig? Vielleicht ist es das Beste, selbst an Karl K. Düssel,
Bonn, Brückenstraße zu schreiben; verzeihe mir, daß ich Dir diese
Mühe mache. Bald geht auch »Die Armut am Geiste«[13] ab. Ich
freute mich sehr über Dein Buch[14]: Der Einband ist sehr schön, mit
dem Papier bin ich weniger zufrieden, aber der Druck ist gut und
die Reihenfolge ist ganz wie ein Aufeinander von reinen und
bedeutsamen Akkorden, wie von Merulo[15] ein altes Präludium. Ich
werde Dir ausführlich schreiben. Ich gab das Buch einer sehr feinsinnigen Frau[16] mit kristallnem Verstand, einer Professorin der eng-
l[ischen] Philologie an einem New-Yorker College (sie hat viel über
Shakespeares letzte Dramen und englischem Protestantismus gearbeitet)[17], die sehr ergriffen ist von Deiner völlig internationalen
Schreibweise, mehr[18] englisch als deutsch, von den Bildern und den
großen (ihr natürlich allzu metaphysisch) zusammenfassenden Sätzen. Sie wird das Buch einem jungen, wie sie sagt: überbegabten
New-Yorker Philosophen[19] geben, damit er es in einer englischen
philos[ophischen] Zeitschrift bespricht. Ich arbeite hier viel an dem
aktuellen Teil (also dem Essay in der Summe d[er] axiom[atischen]
Philos[ophie][20]), dessen Notizen ebenso wie die der Logik bald fertig sein werden. – Mit Liebe und Dank!

Ernst

1 Der Brief trägt kein Datum, dem Zusammenhang nach muß er jedoch mit ziemlicher Sicherheit im Dezember 1911 geschrieben worden sein.

2 E.B. meint wohl den italienisch-türkischen Krieg, der entstanden war, nachdem die Italiener 1911 Tripolis und Cyrenaica annektiert hatten, und in dessen Verlauf sie auch Rhodos und die Inseln des Dodekanes besetzten.

3 Der Verleger Richard Weißbach, in dessen Verlag später *Die Argonauten* erschienen, siehe Brief Nr. 18, Anm. 14, und Brief Nr. 21, Anm. 12.

4 Hans Ehrenberg war seit 1910 Privatdozent für Philosophie in Heidelberg und seit 1918 dort Professor. Werke: *Kritik der Psychologie als Wissenschaft* (1910); *Geschichte der Menschheit unserer Zeit* (1911); *Parteiung der Philosophie* (1911); *Heimkehr des Ketzers* (1920).

5 »Hegel« über der Zeile verbessert; im Original steht durchgestrichen: »er«.

6 Im Original steht wörtlich »der die«, da »der« jedoch keinen Sinn macht, wurde das Wort weggelassen.

7 Im Original steht durchgestrichen: »ist«.

8 E.B. meint Heinrich Simon, mit dem M.v. Bendemann eng befreundet war (vgl. dies., *Ich habe viele Leben gelebt*; Stuttgart 1964, S. 58, 68f. und 74f.). Simon war Chefredakteur der *Frankfurter Zeitung* (vgl. Brief Nr. 2, Anm. 14 an Siegfried Kracauer).

9 Die *Frankfurter Zeitung* (*F.Z.*) war jahrzehntelang eine auch im Ausland angesehene deutsche Tageszeitung mit großem Feuilleton, Handels- und Börsenteil. Die *F.Z.*, 1856 als *Frankfurter Handelszeitung* von L. Sonnemann gegründet, seit 1866 *F.Z.*, entwickelte sich zum Hauptorgan der Demokratie Südwestdeutschlands und kämpfte gegen die Vormachtstellung Preußens. Nach 1870 trug ihr die Stellungnahme gegen das Sozialistengesetz und das neue Preßgesetz die Gegnerschaft Bismarcks ein. Nach 1933 galt sie lange als Hort eines getarnten Widerstandes, blieb aber wegen ihrer Auslandsbedeutung zugelassen. 1943 mußte sie auf persönliche Anordnung Hitlers ihr Erscheinen einstellen. Nach 1945 setzten ihre Redakteure in der Zeitschrift *Die Gegenwart* (1945-1958) und in der *Stuttgarter Deutsche Zeitung und Wirtschafts-Zeitung* (1946-1964), dann in der *Frankfurter Allgemeinen Zeitung* die Tradition der alten *F.Z.* fort.

10 »sie« zwischen den Zeilen eingefügt. Was die Beziehung zu E.B. und den Streit mit Frau v. Bendemann angeht, vgl. v.a. Brief Nr. 3, Anm. 2; Nr. 9, Anm. 15; Nr. 10, Anm. 26; sowie die Briefe Nr. 13, 14, 20, 36 und 43.

11 Lat.: er möge haben. Der Streit mit Frau v. Bendemann war zugleich einer mit Simmel, dessen Schüler G.L., Frau v. Bendemann und E.B. gleichzeitig waren. Vgl. die Briefe Nr. 9, Anm. 14 und Nr. 10, Anm. 26, sowie Nr. 20, 43, 44, 45 und 46.

12 Vgl. Brief Nr. 10, Anm. 35 und 36.

13 Vgl. Brief Nr. 11, Anm. 1.

14 Gemeint ist: *Die Seele und die Formen*, Berlin 1911.

15 Claudio Merulo (1533-1604), Organist von S. Marco in Venedig.

16 Im Original steht vor »Frau« durchgestrichen: »Tochter«. Um wen es sich hier gehandelt haben mag, war nicht mehr zu ermitteln.

17 Das in Klammern Gesetzte steht im Original zwischen den Zeilen, beginnend über dem Wort »englisch«.

18 Im Original steht durchgestrichen vor »mehr«: »der«.
19 Wen E.B. hier meinen könnte, war nicht mehr herauszubekommen. Von einer
   englischen Besprechung von *Die Seele und die Formen* ist nichts bekannt. – E.B.
   hatte zuerst »übergabten« geschrieben, das verbessernde »be« dann zwischen der
   Zeile eingefügt.
20 Zu E.B.s damaligen Systementwürfen vgl. v.a. die Briefe Nr. 8, 9, 18 und 103.

Nr. 21   [keine Ortsangabe, eventuell Garmisch]
                                                     31.12.[19]11

Mein lieber Freund! weißt Du noch den letzten Silvesterabend, als
Du über die Dissonanz in der Malerei sprachst? Mir ist dieser letzte
Tag immer sehr schwer zu bewältigen gewesen, bei meinem ausge-
prägt historischen Denktypus. Für Dich hat dieses Jahr wenig
Schönes[1] gebracht, und man muß schon frivol sein und Seiten über-
schlagen, um schneller ans Ende zu kommen, wenn man in Deinem
Buch[2] für Dich den absolut lösenden Trostgesang hören will. Allerdings: in Deiner großartigen Fähigkeit, nur auf das Letzte, Stärkste,
Herbste und Reinste in Dir zu hören, scheint mir die Angst des
neuen Jahres, ich meine die geringe Vitalität, wenig zu besagen; was
kann es anderes bedeuten: dieses sich subjektiv, eudämonistisch
nicht Rentieren der Arbeit, als neue Hingebung an Dein Dämo-
nion[3]; und ist es nicht der Ehrgeiz und Titel der Größten gewesen,
Sekretär seiner Selbst[4] zu sein? Bist Du nicht gerade dazu begnadet,
die seltsame und vorbildliche, tröstende Heilkraft dieses leidenden
und so abstrakt siegreichen Typus zu gestalten? Du trägst jetzt noch
manche Krankheitszüge dieses Typus; aber es gibt auch reine
Gesundheit, und ich sehe sie in der feinen, durchaus nicht unlebendi-
gen, aber verhaltenen und strengen Vornehmheit Deiner Gedan-
kenführung so deutlich strahlen. Ich wünsche Dir und dem, was
sich »weit weg von Dir« zuträgt, ein glücklicheres und noch reiche-
res Jahr.
Mir geht es heute schlecht, Tage voll von Selbstvorwürfen, bettel-
arm an einem mich ganz befreienden (ich fühle so viele überschüs-
sige Kräfte) und formenden Lebensstil und trotz der fehlenden großen Welt doch nicht genug der einsamen Arbeit hingegeben: aber
ich fühle, daß es in den nächsten Monaten mit der Arbeit an der
konstruktiven Welt[5] besser werden wird. Wie mag es dem Artille-

rieleutnant Napoleon zu Mut gewesen sein? wußte er, ehe[6] er seine
Soldaten hatte und die Revolution dazu, etwas von dem erst korre-
lativ wirklichen Kaisertum? Jetzt sitze ich eigentlich der praktischen (kirchlichen)[7] wie der philosophischen Führung nach[8] noch
im[9] Kreis der Don Quichotterie, der halben, keimenden, geplanten,
noch nicht in Macht und Werk bewährten Herrschaft. – Kennst Du
Worringers: »Formprobleme der Gotik«[10]? Darin steht manches
Feine über den gotischen Stil als nordischer Klassik und (wie ich
meine) das Barock als der neuzeitlich verweltlichten Abschlagszah-
lung einer neuen nordischen Klassik und jetzt architektonisch wie
philosophisch erscheinenden absoluten gotischen Klassik. Es schadet nichts, daß der architektonische Weg dazu sich in den vorbereitenden Bahnen der byzantinischen und[11] romanischen Form
bewegt. Auch ich glaube und hoffe auf die Variabilität der historischen Formbegriffe, aber gotisch darf dann nur eine tiefere Färbung
des Klassizismus sein: so wie Schiller weniger klassisch als Goethe
oder Hegel ist. Ich beschäftige mich jetzt viel über [sic!] die Beziehungen zwischen der christlichen Geschichtsphilos[ophie] und der
Astrologie. Burschell will übrigens einen Heidelberger Dichteral-
manach[12] herausgeben (darin sehr gute Leute); vielleicht werde ich
einen Schlußartikel über Tragödie und Gnadendrama[13] schreiben.
Hier wird die absolute Gotik anfangen klassisch zu erscheinen.
Übrigens weiß ich vieles von einem jetzt fünfzehnjährigen Mädchen, das ich mir (noch zwei bis drei Jahre Arbeit und Vollendung)
zur Braut ausersehen möchte. Ein frohes Wiedersehen im Frühling!

Dein Ernst

1 E.B. spielt hier darauf an, daß G.L. im Jahr 1911 zwei der ihm liebsten Menschen
verlor: Irma Seidler (vgl. Brief Nr. 9, Anm. 1) und Leo Popper (vgl. Brief Nr. 18,
Anm. 3 und Brief Nr. 14, Anm. 32).
2 Der Essayband von G.L. *Die Seele und die Formen* (1911).
3 Anspielung auf Sokrates. Nach Platon ist damit eine auf göttliche Eingebung
zurückzuführende innere Stimme gemeint, ein göttliches Zeichen, das Sokrates
davon abhält, Unzweckmäßiges oder Ungerechtes, kurz: der Gottheit nicht Wohl-
gefälliges zu tun, die ihm aber niemals positiv zu etwas rät.
Vgl. Platon: z.B. *Apologie* 31c4-32a3; 40a4-c3; *Eutyphr.* 3b1-c5; *Euthyd.* 272e1
bis 4; *Resp.* IV, 496c3-5; *Theait.* 151a2-5; *Phaidr.* 242b8-c3.
4 Ironische Anspielung auf Hegel, wonach die Philosophen gehalten sind, die
»Kabinettsordres« des Weltgeistes »gleich im Original« mitzuschreiben. Vgl.

G. W. F. Hegel, *Vorlesungen über die Geschichte der Philosophie*, Bd. II, in: *Werke in zwanzig Bänden*, Bd. 19, Frankfurt/M. 1971, S. 489.
5 Zu E. B.s damaligen Systemplänen vgl. die Briefe Nr. 8, 9, 18 und Nr. 103. Er intendierte damals eine Konstruktion der Welt nach axiomatischen Prinzipien.
6 Im Original steht durchgestrichen »ohne daß«.
7 »kirchlich« zwischen den Zeilen eingefügt.
8 Im Original folgt durchgestrichen: »eig.«.
9 Im Original folgt durchgestrichen: »der«.
10 Worringers *Formprobleme der Gotik* waren 1911, kurz vor diesem Brief erschienen. Schon sein erstes Buch *Abstraktion und Einfühlung* von 1908 hatte großen Einfluß auf E. B.; vgl. dazu Brief Nr. 2, Anm. 3.
11 Im Original folgt durchgestrichen: »gotischen«.
12 Die Zeitschrift: *Die Argonauten - Eine Monatsschrift*. Nicht Burschell, sondern der Lyriker und Essayist Ernst Blaß (1890-1939) hat diese Zeitschrift dann herausgegeben. Sie erschien 1914-1921 in Heidelberg im Verlag von Richard Weißbach. E. B. veröffentlichte dort folgende drei Aufsätze: Bd. II, S. 10 ff.: »Die Negerplastik«; Bd. II, S. 105 ff.: »Über Don Quixote und das abstrakte Apriori«; Bd. II, S. 176 ff.: »Über motorisch-mystische Intention in der Erkenntnis«.
13 Diesen Plan hat E. B. rasch fallen lassen; vgl. Brief Nr. 23.

Nr. 22   [Briefkarte]
                                                                       Sonntag[1]
                                     [Datum des Poststempels:] 8. 1. [19]12

Lieber Georg, es ist überflüssig, daß ich es schreibe: wenn Du nicht willst oder kannst oder wenn Du gewollt und gekonnt hast, wird es weder für Dich noch für mich etwas besonders Entschuldbares oder Bedankbares bedeuten. Also (um dem durchaus nicht klappenden Stritzky-Übereinkommen[2] ein Ende zu machen) kannst Du nicht Deinem Vater sagen, nicht nur wer ich bin, sondern was hier ja allein ausschlaggebend sein soll: daß mein elterliches Vermögen groß genug ist, um jederzeit (wenn es gewünscht wird) jene Summe zurückzahlen zu lassen mit Zinsen, um die ich Deinen Vater bitte. Von meinen Eltern ist die Hergabe von Kapital nicht zu erhoffen: also bin ich gezwungen, Deinen Vater um zehntausend Mark mit Deckung durch dieses Kapital anzugehen. Es wird mir schwer, Dir das zu schreiben; aber nochmal: wenn es nicht ganz leicht gehen sollte, gib Dir nicht zuviel Mühe und vor allem fühle Dich nicht in einer unangenehmen Lage, wenn Du mir einfach Nein schreibst. Deine helfende Güte wirkt[3] auch so und steht fest.

                                                                          Ernst

1 Die Karte trägt kein Datum; der Poststempel ermöglichte jedoch die Datierung
auf den 8.1.1912.
2 E.B. hatte erwogen, von Else v. Stritzky 20000 Mark zu leihen, vgl. Brief Nr. 12
bei Anm. 2, und Brief Nr. 10 gegen Ende.
3 Alles folgende ist quer zum übrigen Text und teils in ihn hinein an den rechten
Kartenrand geschrieben.

Nr. 23   [Postkarte]
[Datum des Poststempels:] Garmisch 19.1.[19]12

Lieber Georg, ich danke Dir sehr für Deine rasche Mitteilung.
Dann muß es auch so gehen.[1] – Übrigens dies: daß ich für den Heidelberger Almanach nicht über das Gnadendrama[2] schreibe, sondern: »Über den Kritiker, Kommentator, Essayisten und Ästhetiker«[3] und beim Abschnitt »Essayisten« Gelegenheit nehme, Dein
Buch[4] methodisch und prinzipiell zu besprechen. Ich hoffe, Du
wirst damit zufrieden sein. Alle Notizen dazu geordnet; heute zu
schreiben angefangen. Bald ein Brief.

Ernst

1 E.B. hatte vorgeschlagen, der Vater von G.L., Direktor der Englisch-Ungari-
schen Bank in Budapest, möge ihm 10000 Mark leihen auf sein ihm zustehendes
Erbe; vgl. Brief Nr. 22.
2 Vgl. Brief Nr. 21 bei Anm. 13.
3 Ein Aufsatz von E.B. mit diesem Titel ist nie in den *Argonauten* erschienen. Vgl.
Brief Nr. 21 bei Anm. 12.
4 Die 1911 erschienene Essaysammlung von G.L., *Die Seele und die Formen.*

Nr. 24   [Postkarte]
8.2.[Poststempel:]1912

Lieber Georg, ich kam leider nicht dazu, Dir früher auf Deinen
Brief und Aufsatz[1] zu antworten. Mit dem Grundsatz Deiner
geschichtlichen Disposition einverstanden, aber nicht mit der Lehre
von der deutschen Diskontinuität. Bei den Franzosen herrscht meines Erachtens die schale und deshalb immer wieder durchbrochene

Form: wie willst Du das Bürgerpack, den großen Adel², Voltaire und dann wieder Saint Martin³ und die Traditionalisten, ich meine nicht je im Einzelnen, sondern aus dem Ganzen des französischen⁴ Geistes deduzieren? Dagegen in der deutschen Geschichte scheint mir das Leben der tiefsten Form immer nur äußerlich unterbrochen zu sein, und es ist zu beachten, wie sicher es seit dem furchtbaren Ruin des 30jährigen Krieges wieder auf den Hohenstaufen, auf Wolfram⁵ und Hegel bestand⁶. – Das Unterbrechen ist hier keine innere Notwendigkeit, wohl aber das wieder Einspielen in Gotik als die deutsche Verbindung von Abenteuer und absoluter Form. – Meine Arbeit wird auf 200 Seiten kommen, umfangreicherer Titel: »Der Gang in ein gebundenes Zeitalter⁷ der moralischen und philosophischen Klassik«⁸ Bald ein Brief. –

Dein Ernst

1 Wahrscheinlich handelt es sich um den Aufsatz »Die romanische Gefahr«, den G.L. im *Pester Lloyd* 58 (Dezember 1911), 305, S. 39-41, veröffentlicht hatte. – Dieser Brief E.B.s ist schon abgedruckt worden in: *Georg Lukács Briefwechsel 1902-1917*, herausgegeben von Éva Karádi und Éva Fekete, Stuttgart 1982, S. 281f. Die Autorinnen, wohl verführt durch E.B.s Formulierung »Brief und Aufsatz«, dechiffrieren dies als Hinweis auf: »Von der Armut am Geiste. Ein Gespräch und ein Brief«. In: *Neue Blätter* II (1912), S. 5-6 und S. 67-92. Der Kontext des Briefes spricht jedoch eher gegen diese Annahme.
2 Zwischen den Zeilen eingefügt.
3 Louis Claude Saint Martin (1743-1803), französischer Theosoph. Er war zunächst Offizier, trat dann in Beziehung zur Freimaurerei und Kabbalistik und lernte die Schriften Swedenborgs und Böhmes kennen. Er wirkte stark auf die Romantik, besonders auf Franz von Baader und über diesen auf Schelling. Nach ihm wurden seit 1774 die Martinisten, eine den Freimaurerlogen ähnliche Gemeinschaft, benannt.
4 Im Original steht: »frz.«.
5 Wolfram von Eschenbach (vermutlich 1170-1220) gilt neben Gottfried von Straßburg und Hartmann von Aue als der bedeutendste Vertreter der mittelhochdeutschen Epik.
6 Hier taucht wiederum E.B.s damalige Vorstellung von einer durch den Protestantismus vertieften Wiederkehr des Mittelalters auf. Vgl. Brief Nr. 12, Schluß und Anm. 10.
7 Alles folgende wurde quer zum übrigen an den Rand und in den Text hineingeschrieben.
8 Zu E.B.s damaligen Systementwürfen vgl. vor allem die Briefe Nr. 8, 9, 18 und 103.

Nr. 25   [Postkarte]
[Datum des Poststempels:] Ludwigshafen, 11. Mai [19]12

Also lieber Georg, das ist mehr als schade und für mich eine sehr
starke Enttäuschung. Ich muß nun eilig laufen und die beiden Bil-
lets, die ich für Dich genommen habe, abbestellen. Ganz abgesehen
davon, daß Du Mannheim von seiner selten erreichten glanzvoll-
sten Seite gesehen hättest, aber Du wirst nie wieder *so* Mahler hören
können, wie er heute und morgen gespielt wird und ich weiß sehr
genau, daß Du ihn nötig hast. Jetzt ist freilich alles zu spät. Es müssen schon fabelhafte Gewichte sein, um eine Wiener Balancierung
dagegen zu gestalten. Ja, Du hast eine schöne Wohnung in Heidelberg, zwei Zimmer mit Balkon auf schönen Garten, Landhaus-
straße 31. Ich muß jetzt also noch bis Montag hier bleiben. Nicht
sehr angenehm.[1] Gereizt, verstimmt, mit dem empörenden Gefühl
des Ausgeschlossenseins. Der Sinsheimer[2], dieser Drecksskerl! Ich
habe noch keine Wohnung gefunden.

                                                      Herzlich! Ernst

1 E.B. hat dieses Wort nach »ange...« getrennt. Alles folgende steht auf der ersten
Seite der Postkarte quer zum anderen und in es hineingeschrieben.
2 Um wen es sich hier handelt, ist nicht mehr sicher zu klären. In der von Alexander
von Bernus herausgegebenen Zeitschrift *Das Reich* hat jedenfalls ein Hermann Sinsheimer mehrere Beiträge veröffentlicht. Zu dieser Zeitschrift, in der auch E.B. gerne
veröffentlicht hätte, muß G.L. Beziehungen gehabt haben; vgl. dazu die Briefe
Nr. 95 und 96.

Nr. 26   [Postkarte]
[Datum des Poststempels:] Nürnberg 7.6.[19]12

Lieber Djoury, es sieht ungeheuer (trotz der protest[antischen]
Schändung) in dieser Kirche[1] aus. Zwar die Altäre sind mit Nummern dekoriert, damit sie protest[antisch] bleiben und nicht aus
dem Museumswert transzendieren – aber es nützt nichts, weil die
Gotik[2] nicht totzuschlagen ist. Bedenke: Kam denn der Turmbau
zu Babel zustand? Nein, aber die Arche Noah und der[3] Dom. Großer Einwand gegen die irdische Ästhetik.
Gruß: Else von Stritzky[4]   Ernst

1 Da auf der Vorderseite dieser Postkarte sich die Abbildung des »Englischen Gru-
ßes« von Veit Stoss befindet, kann nur die Lorenzkirche in Nürnberg gemeint sein.
2 Zu E.B.s damaliger Vorliebe für das Mittelalter und die Gotik vgl. v. a. Brief Nr.
12 und Nr. 24, sowie seine Hinweise auf Worringer.
3 Alles folgende steht quer zum anderen und teils in den Text hineingeschrieben am
linken Rand der Karte.
4 Zusatz von Frau von Stritzkys Hand.

Nr. 27   [Postkarte]
                                     Garmisch, 10. 6.[1]

Liebster Djoury, hoffentlich ist alles gut gegangen bei Weber.[2] Hier
Wertheimers[3], wie mir scheint, trotzdem ganz gute Antwort. Im
schlimmsten Fall ist mir bis zur Gründung die Habilitation[4] sicher
(dafür wäre sogar ein Testat beizubringen): sonst wird wohl alles (in
dieser schulbubenhaften Stilistik) anders zu verstehen sein. (Was
bei)[5] dem Wertheimer geht, wird auch bei mir geht [sic!] und Vater
Külpe wird dies alles wohl besser wissen. Vielleicht veranlaßt Du
das Schützenhaus, mir den *Schlüssel* zu schicken, da ich wohl nachts
ankomme (Donnerstag oder Freitag). Lebe herzlich wohl!

                                     Dein Mitbruder Ernst[6]

1 Die Karte ist ohne Jahresangabe; das Datum des Poststempels ist nicht mehr entzifferbar. Da es jedoch um E.B.s Pläne geht, sich zu habilitieren, und da dieses
Thema nur im Sommer 1912 aktuell war, ist sie eindeutig auf dieses Jahr zu datieren.
2 Max Weber (1864-1920), Sozialökonom, Soziologe und Kulturphilosoph. Er
lehrte mit Unterbrechungen von 1897 bis 1919 in Heidelberg. Weber entwickelte
eine Synthese von theoretischer und historischer Methode der Sozialwissenschaften
in Gestalt der idealtypischen Begriffsform. Die von ihm begründete Religionssozio-
logie (v. a.: *Die protestantische Ethik und der Geist des Kapitalismus* 1920) setzt sich
zum Ziel, an Stelle monokausaler Geschichtskonstruktionen das konkrete Verhältnis der spirituellen zu den materiellen Bestandteilen des Geschichts- und Sozialpro-
zesses empirisch aufzuhellen. Weber vertrat den Standpunkt strenger Wertungsfrei-
heit der empirischen Kulturwissenschaften bei Anerkennung der Unentbehrlichkeit
der theoretischen Wertbeziehung für Erkenntnisziel und Stoffauswahl, wollte dagegen die weltanschauliche Wertung der objektiv ermittelten Tatsachen den außerwis-
senschaftlichen Bereichen vorbehalten. – Weber zog zusammen mit seiner Frau
Marianne durch seinen Sonntagszirkel viele Heidelberger Gelehrte an. Er war unter
anderem mit G.L. freundschaftlich verbunden; aber auch E.B. besuchte den Max-

Weber-Kreis. Max Weber schätzte die Ästhetik von G.L. Vgl. dazu: Marianne
Weber, *Max Weber – ein Lebensbild*, Tübingen 1926, S. 173 (Max Weber an G.L.),
sowie Brief Nr. 92 Schluß und Anm. 35 sowie Nr. 93.
3 Max Wertheimer (1880-1943), Psychologe und seit 1918 Professor in Berlin, seit
1929 in Frankfurt und seit 1933 in New York. Wertheimer ist einer der Gründer der
Berliner Schule der Gestaltpsychologie.
4 Zu E.B.s Plänen sich zu habilitieren vgl. die Briefe Nr. 28, 29, 30, 31 und 34.
5 Im Original völlig unleserlich.
6 Der Gruß steht am rechten Rand von unten nach oben geschrieben.

Nr. 28   [Postkarte]
Hotel Deutscher Kaiserhof
17.6.
[Datum des Poststempels:] Frankfurt (Main) 17.6.[19]12

Lieber Djoury, bis jetzt alles[1] gut, sowohl Sch.[2] als C.[3] getroffen
und vorgestellt. Erst morgen entscheidend nach Besuch. Pracht-
volle Autostraßen, glanzvolle Stadt. W.[4] ein anständiger Mensch.
Das Menschenwürdigste freilich war Dr. Köhler[5]; ich halte ihn (der
das Bonner Exterieur und meine Manieren hat) für eine Verwandlung des wirklichen Köhler.[6] Sonst kühler, anständiger, vornehmer
Ton, hinreißender Bau der Universität.
Wahrscheinlich komme ich erst Mittwoch oder Donnerstag.

Ernst

1 Aus den folgenden Briefen geht hervor, daß E.B. damals versuchte, sich zu habilitieren; dies wohl in erster Linie aus finanziellen Gründen. Daraus lassen sich Regeln
für die Dechiffrierung der folgenden, nur mit dem Anfangsbuchstaben gekennzeich-
neten Namen angeben: es muß sich um Personen handeln, die im Bereich von Philosophie und Psychologie arbeiteten und zu dieser Zeit bereits Einfluß an der Universität Frankfurt/M. hatten.
2 Gemeint ist nicht Max Scheler, der erst ab 1919 Professor in Köln war. Eine positive Bestimmung des Namens war nicht möglich.
3 Da im Brief Nr. 29 bei Anm. 6 Cornelius erwähnt wird, handelt es sich wohl auch
hier um Hans Cornelius (1863-1947), Philosoph und seit 1910 Professor in Frankfurt. Cornelius, anfangs Chemiker, entwickelte eine psychologisch und sensuali-
stisch orientierte Erkenntnislehre, die er in die Tradition Kants stellte, aber kritisch
vom damaligen Neukantianismus abgrenzte. Er wirkte außerdem als Ethiker,
Ästhetiker und Kunstpädagoge.
4 Es könnte sich um Max Wundt (1879-1963) handeln, Philosoph, seit 1918 Profes-

sor in Marburg, seit 1920 in Jena und seit 1929 in Tübingen. Wundts Hauptarbeiten liegen auf philosophiegeschichtlichem Gebiet. Außer durch seine Standarddarstellungen zur Philosophie des 17. und 18. Jahrhunderts trat er durch seine einflußreiche Interpretation des Kantischen Kritizismus hervor, den er in Gegenstellung zum Neukantianismus primär als Neufundierung einer Metaphysik versteht. Leider war nicht zu eruieren, wo sich Max Wundt 1912 aufhielt. Er ist der Sohn von Wilhelm Wundt, den E. B. in seine Habilitationspläne einbezog; vgl. Brief Nr. 35, Anm. 1.
5 Wolfgang Köhler (1887-1967) emigrierte 1935 in die USA. Köhler gilt als einer der Gründer der Berliner Schule der Denkpsychologie. Daß es sich um W. Köhler handelt, erhärtet sich durch dessen Bekanntschaft mit Stumpf (vgl. Brief Nr. 29, Anm. 7); er gab zu Ehren Stumpfs die *Kant-Studien* 33 (1928) heraus.
6 Gemeint ist: Bernhard Köhler, Journalist, Autor in den *Argonauten* und Jugendfreund von E. B. In den *Spuren* (GA Bd. 1, S. 162 ff.) hat E. B. dem Tao-Freund eine Geschichte gewidmet: »Das Haus des Tages«.

Nr. 29   Bonn, den 23. 6. [1912][1]

Lieber Djoury, also heute bei Külpe gewesen: Zuerst morgens, wo er diktierte; dann mittags wieder eine Stunde. Ein merkwürdiger Fall. Er hat jetzt drei Tröpfe habilitiert[2], die seit zwei Jahren geduldig darauf warteten – Pauly[3], Selz[4], Behn[5] –, nach Köhlers vertrauenerweckendem Urteil anständige Nichtigkeiten. Von mir kein Wort. Zuerst schimpfte er auf das »unanständige Verhalten« des Cornelius[6], dann gab er die Reihe der Universitäten an, die er durchgedacht hat – von Bern, Zürich, Prag bis hinauf zu Münster. Dann aber kam das Erstaunliche: Berlin! Er hat sowieso dieser Tage Stumpf[7] zu schreiben und wird ihm und Erdmann[8] (mit denen er vortrefflich und oft[9] verpflichtend steht) *ausdrücklich*, was er im Frankfurter Fall[10] nicht getan hat, von mir und meiner Habilitation schreiben. Er rät mir, in acht Tagen (wofern er von Berlin keinen Wink dagegen bekommt) zu diesen und zu dem gutgesinnten, nicht besonders einflußreichen Riehl[11] zu[12] fahren und Erdmann die Arbeit über Pufendorf[13] vor[zu]schlagen. Sollte man glauben, daß mich Külpe diese Fahrt umsonst tun läßt? Ich werde doch dritter Klasse hinfahren und hoffentlich, hoffentlich erster Klasse zurück. Ich will nicht hurrah schreien: aber es wäre doch ein unerhört großes Glück! Külpe schien bekümmert: »Was fangen wir nur mit Ihnen an, Herr Dr. Bloch? Sie sind ja ein so selbständiger Kopf und ein Systematiker ersten Ranges, Sie werden schon Ihren Weg

machen«. – »Jawohl, aber hoffentlich offiziell nicht in der Drews'-
schen[14] Linie.« – »Na, in Berlin ist das ja ausgeschlossen, und zuviel
Dozenten können dort ja überhaupt nicht sein.« Händedruck,
Überreichung einer Külpischen neu erschienenen Schrift über
Denkpsychologie[15], Schluß. Zu [Bernhard] Köhler gegangen (er
hat[16] seit vier Monaten ein liebes kleines Mädel bei sich), Kaffee
getrunken, morgen bei dem Paar zum Mittagessen. Wie froh bin
ich, nicht in dem erstickend heißen Bonn sein zu müssen. Etage
oder ganze Villa im Tiergarten. Glanzvolle Doppelseitigkeit: Simmel – Erdmann, wenn es nur ginge!
Und bei Dir? Kein Telegramm? Übermorgen werde ich wohl zum
Abendessen kommen, vielleicht schon morgen. Bis jetzt noch nicht
den Touristen Düssel gesehen. Ich bringe von [Bernhard] Köhler
ein schönes Saubuch: »Venus in Indien«[17] mit.

Dein höchst zufriedener Ernst

1 Briefkopf: »Hotel Rheinischer Hof«. Der Brief hat keine Jahresangabe im Original; er ist jedoch aufgrund seines Inhalts (E.B.s Bemühen um eine Habilitation)
eindeutig auf 1912 zu datieren).
2 Hier ein deutlicher Hinweis auf den Zweck der damaligen Reisen E.B.s; (vgl.
Brief Nr. 28, 30, 31, 32, 34.
3 E.B. meint vermutlich Richard Pauli, der seit 1913 Privatdozent für Psychologie
in München und seit 1920 dort Professor war. Werke: *Physiologische Optik* (1918);
Über psychische Gesetzmäßigkeit (1920).
4 Otto Selz (geb. 1881) wurde 1912 Privatdozent in Bonn und war ein Schüler von
Külpe. 1921 wurde er ordentl. Professor in Bonn, 1923 in Mannheim. Er gilt als einer
der Begründer der Denkpsychologie. Werke: *Über die Gesetze des geordneten
Denkverlaufs* (1913); *Zur Psychologie des produktiven Denkens und des Irrtums*
(1922); *Oswald Spengler und die intuitive Methode in der Geschichtsforschung*
(1922); *Über die Persönlichkeitstypen und die Methoden ihrer Bestimmung* (1924).
5 Es handelt sich mit ziemlicher Sicherheit um Siegfried Behm (geb. 1884). Behm
wurde 1908 in Heidelberg promoviert, 1913 Privatdozent für Philosophie und experimentelle Psychologie, 1922 Professor in Bonn. Werke: *Der Deutsche Rhythmus
und sein eigenes Gesetz* (1912); Herausgabe von Külpes *Grundlagen der Ästhetik*
(1921); *Die Wahrheit im Wandel der Weltanschauung* (1924); *Sein und Sollen* (1927).
6 Vgl. Brief Nr. 28, Anm. 3.
7 Carl Stumpf (1848–1936), Philosoph, Psychologe und Musikforscher. Er war von
1894–1921 Professor in Berlin. Seine Forschungsleistung als Psychologe liegt in der
empirisch-psychologischen Erhellung der musikalischen Phänomene. Neben
grundlegenden Werken zum Gefühl und zur Raumvorstellung schrieb Stumpf Studien zu Logik und Erkenntnistheorie, wobei die von ihm vollzogene Trennung von

Erscheinung und Funktion für die Phänomenologie E. Husserls von Bedeutung wurde. Auf philosophiegeschichtlichem Gebiet förderte er die Spinozaforschung. Er ist der Begründer des Psychologischen Instituts Berlin sowie des Phonogramm-Archivs.

8 Benno Erdmann (1851-1921), Philosoph und Psychologe, seit 1909 Professor in Berlin. Er förderte die Kantforschung und schrieb Beiträge zur Psychologie des Phantasie-, Vorstellungs- und Denklebens.

9 Schwer entzifferbares Wort; es könnte auch »sehr« heißen.

10 Vgl. Brief Nr. 28, wo E.B. seine Bemühungen schildert, in Frankfurt/M. Fürsprecher für seine Habilitation zu gewinnen.

11 Alois Riehl (1844-1924) war von 1905 bis 1919 Professor für Philosophie in Berlin. Als Neukantianer suchte er die Erkenntniskritik Kants in realistischem Sinn fortzubilden.

12 Im Original folgt durchgestrichen: »tragen«,

13 Samuel Pufendorf (1632-1694), Jurist und Historiker. Er erhielt 1661 den ersten deutschen Lehrstuhl für Naturrecht in Heidelberg, 1670 in Lund, 1677 wurde er schwedischer Historiograph und Staatssekretär in Stockholm, 1688 brandenburgischer Historiograph und Geheimer Rat in Berlin. Auf der Grundlage der herrschenden rationalistischen Naturrechtsauffassungen entwickelte er das im aufgeklärten Absolutismus führende System der Staatslehre und des Vernunftrechts, in Fortsetzung der Lehren des Grotius, ausgehend von den Prinzipien der ursprünglichen Hilflosigkeit (*imbellicitas*) und des damit verbundenen Geselligkeitsbedürfnisses (*socialitas*) des mit freiem Willen begabten Menschen. Er verschmolz die humanistischen Ideale der Menschenwürde und Freiheit mit den neuen Lebensgesetzen des Staates, der Staatsräson und der Souveränität in einer Recht und Moral streng trennenden Pflichtenlehre und einem naturrechtlich begründeten Völkerrecht. Die unter dem Namen Severinus de Mozambano veröffentlichte Schrift *De statu imperii germanici* (1667) zeigte die Irregularität der Reichsverfassung nach den Maßstäben des modernen Staates, wonach das Reich, staatsrechtlich betrachtet, einem Monstrum vergleichbar sei. Die Lehren Pufendorfs gewannen in Deutschland beherrschenden Rang – besonders sein Hauptwerk *De iure naturae et gentium* (1672) – der bis Kant fortdauerte: sie beeinflußten außerdem die Theoretiker der amerikanischen Unabhängigkeit. – Von einer Arbeit E.B.s über Pufendorf aus frühen Jahren ist nichts bekannt. Später jedoch hat er Eingang in sein Werk gefunden; vgl. v.a.: *Naturrecht und menschliche Würde* (GA Bd. 6, S. 65f., 95, 233, 331f. und 336).

14 Vgl. Brief Nr. 18, Anm. 23.

15 Külpe veröffentlichte ein großes Werk in drei Bänden mit dem Titel *Die Realisierung*, dessen erster Teil 1912 erschien. Bei der von E.B. erwähnten »Külpische[n] neu erschienene[n] Schrift« könnte es sich daher um dieses Buch handeln. Dies ist um so wahrscheinlicher, als sich ein anderes Werk Külpes aus dem Jahre 1912 nicht nachweisen ließ.

16 Im Text steht durchgestrichen: »wohnt«.

17 Nicht ermittelt.

Nr. 30   [Postkarte]
                                                          Berlin, 6. 7. 1912
                                              [Briefkopf:] Hotel Magdeburg

Lieber Djoury, noch unentschieden; gestern Erdmann zuerst
gesprochen: nicht aussichtslos, aber nicht sicher. ((er ging gleich
medias in res, sympathischer, ernsthafter, objektiver Typus))[1] Ich
war in schlechter geistiger Verfassung, was aber nichts zu schaden
schien, zumal da ich sofort meine Dissertation[2] zusandte. Erst
Montag (schrecklich!) [hat] Stumpf Zeit. Auf dem all meine Hoffnung steht. Dann vermutlich auch Riehl. E[rdmann] sagte: »Suchen
Sie sich von uns drei den heraus, der am besten zu der Sache steht,
und halten Sie sich an ihn.« Hoffentlich Stumpf, und dann mit Erdmann eine doch triumphierende Synthesis veranstaltet[3]. Aber[4] es
bleibt noch alles unsicher, und bei Dir? Kein Telegramm? Heute
der Rassel[5] geschrieben. Zweimal vergebens telephoniert. Auch
Paul Ernst[6] geschrieben.

                                                                    Ernst

1 Die Doppelklammer steht im Original zwischen den Zeilen.
2 Die Dissertation mit dem Titel: »Kritische Erörterungen über Rickert und das
Problem der modernen Erkenntnistheorie«; in Auszügen wieder abgedruckt in:
Tendenz-Latenz-Utopie, Ergänzungsband zur GA, S. 55-107.
3 Der Satz ist weder grammatisch noch inhaltlich ganz korrekt. Die zu veranstal-
tende »triumphierende Synthesis« ist wohl eine verkürzte Wiederaufnahme von
Brief Nr. 29, wo E. B. von einer »glanzvolle(n) Doppelseitigkeit Simmel-Erdmann«
träumt.
4 Alles folgende hat E. B. auf die erste Seite der Karte quer zum ursprünglichen Text
und teilweise darüber geschrieben.
5 Schwer leserliches Wort; es könnte »Rassel« heißen und Frau von Bendemann
meinen, die sehr gute Kontakte vor allem zu Simmel hatte und um deren Wiederein-
lenken sich E. B. bemühen mußte, wenn er Simmel gewinnen wollte. Zum Streit
E. B. – Bendemann, der immer zugleich Simmel einschloß, vgl. die Briefe Nr. 3,
Anm. 2; Nr. 9, Anm. 15; Nr. 10, Anm. 26; Nr. 13, 14, 20, 43, 44, 45 und 46.
6 Paul Ernst (1866-1933), Schriftsteller. Er bekannte sich in seinen Anfängen unter
dem Einfluß von Arno Holz zum Naturalismus und zu sozialrevolutionären Ideen
und teilte mit Tolstoj die geringe Einschätzung der Kunst. Unter dem Eindruck einer
Italienreise trat er dann für Freiheit und Selbstverantwortung der Person ein und
betonte die Abhängigkeit der Kunst von sittlichen Werten. Erst im Konfliktbereich
der Sittlichkeit sei Platz für das Tragische und damit für große Kunst. Auf der
Grundlage solcher Überzeugungen wurde Ernst ein Hauptvertreter der deutschen

Neuklassik; seine Dramen sind stark von der Idee her aufgebaut, während seine Erzählungen episches Talent verraten. Von Bedeutung sind seine Beiträge zur Kritik und seine poetologischen Aufsätze. Ernst hatte großen Einfluß auf G. L.; vgl. dazu dessen Aufsatz »Metaphysik der Tragödie« in: *Die Seele und die Formen*, Berlin 1911, S. 218-250. E.B.s Kritik findet sich im *Geist der Utopie* (1923), GA Bd. 3, S. 274 und 276.

Nr. 31   Göttingen, den 9. Juli 1912
                                        [Briefkopf:] Gebhards Hotel

Lieber Djoury, nur schnell diesen Gruß und Glückwunsch zu dieser höchst glücklichen Wendung.[1] Mich sehr über das alte Buch[2] gefreut. Mündlich mehr über Berlin, vor allem über Riehl, den genauen Kenner und Spezialisten meiner Dissertation.[3] Dagegen Stumpf, ein schäbiger, mit einem ganz polackisch verknasterten Bart versehener grober Dorfschullehrer, Erdmann undurchsichtig, sachlich. Das ganze nicht schlecht; es würde wahrscheinlich gelingen, aber ich will erst noch hier bei Husserl[4] einen Besuch machen und außerdem noch einmal nach Freiburg gehen. Ich habe auch für die Frau[5] zu sorgen, und weder Göttingen (ein ganz kurioser Ort) noch Berlin scheinen dafür ganz zu stimmen. Übrigens ein überraschendes Wort von Riehl, als ich ihm von den neun Bänden[6] erzählte: »Wirklich, Herr Doktor, Sie sind ein ganz mittelalterlicher Kopf.« Was dann kam, war dumm und handelte von Schopenhauers Philosophie.[7]
Bitte schicke mir *telegraphisch* 20[8] Mark. Wie meinst Du: könnte ein Budapester Mädchen[9] ohne rasende Entsagung hier leben, wo jedes Haus mit Tafeln aus einer ihr höchst gleichgültigen Einzelwissenschaft prunkt und sicher auch das großartige Leben des Geistes nach Herbartscher Art »beschwingt und vertieft« ist? Ich glaube nicht. Also doch nur Freiburg oder[10] Berlin. – Ich werde *Donnerstag früh* vor Deiner Wohnung pfeifen.

                                                        Ernst

1 Es konnte nicht eruiert werden, was E.B. hier meint; vermutlich handelt es sich jedoch um G.L.s Habilitationsversuch.
2 Um welches Buch es sich hier handeln könnte, war nicht mehr zu ermitteln.
3 Vgl. Brief Nr. 29 und Anm. 11.

4 Edmund Husserl (1859-1938), Philosoph, wurde 1906 Professor in Göttingen,
1916 in Freiburg. Auf F. Brentano zurückgehend, wandte er sich gegen den Psycho-
logismus in der Logik durch die Aufweisung streng apriorisch gewonnener Gesetze.
Mit dem schon in den *Logischen Untersuchungen* (1900/01), sodann besonders in
den *Ideen zu einer reinen Phänomenologie und phänomenologischen Philosophie*
(1913ff.) entwickelten Vorgehen schuf er eine analytische und zugleich intuitive
Wissenschaft von dem, was im Bewußtsein an gültigen Strukturen aufweisbar ist.
Diese Phänomenologie sei »eine rein deskriptive, das Feld des transzendental reinen
Bewußtseins in der puren Intuition durchforschende Disziplin«. Ihre Methode
beginne mit der eidetischen und phänomenologischen Reduktion, d.h. der Aus-
klammerung aller empirischen oder subjektiven Wirklichkeitsbestandteile (*epoché*).
Mit seiner subtilen Durchforschung des Bewußtseins-Apriori hat Husserl bedeuten-
den Einfluß auf die Philosophie in Deutschland (M. Scheler, M. Heidegger) und
Frankreich (M. Merleau-Ponty), sowie auf Kunst-, Literatur- und Sozialwissen-
schaften ausgeübt. Er faßte sie als eine völlige Neubegründung der Philosophie auf.
Sie entwickelte sich schnell in Richtung auf einen transzendentalen Idealismus:
Wesensnotwendig sei ein Objekt auf ein Subjekt bezogen; die Realität verliere ihre
Eigenständigkeit vor dem ›reinen Bewußtsein‹. In seinen Vorlesungen der zwanziger
Jahre baute er auf der streng philosophisch gemeinten Theorie eine eidetische oder
phänomenologische Psychologie auf, die er als Grundlage der empirischen Psycho-
logie betrachtete.

5 Es ist nicht klar, wie das gemeint sein könnte; gelegentlich drückt E.B. sich so aus,
wenn er meint, daß er noch keine Frau hat. Vgl. unten Anm. 9. Die Sorge könnte sich
jedoch eventuell auch auf Else von Stritzky beziehen; vgl. Brief Nr. 33, Anm. 2.

6 E.B. plante damals eine mehrbändige »Summe der axiomatischen Philosophie«;
dazu v.a. die Briefe Nr. 8, 9, 18 und 103.

7 Schwer leserliches Wort im Original; könnte auch »Oligographie« heißen.

8 E.B. schrieb ursprünglich: »ebenfalls 20,- Mark«, verbesserte sich, strich durch
und schrieb die korrigierte Fassung schließlich nochmals über die Zeile.

9 Entweder handelt es sich hier um eine Traumfrau von E.B., die er nur vom
Hörensagen oder vom Sehen kannte – was zu dieser Zeit nicht selten bei E.B. vorkommt und wofür die Formulierung »Mädchen« spricht. Dabei hoffte er wohl auf
die Vermittlung durch die Ungarin Emma Ritoók; vgl. Brief Nr. 3, Anm. 1 und 4.

10 Das folgende wurde an den rechten Rand von unten nach oben geschrieben; die
Unterschrift steht kopfüber oben links.

Nr. 32   [Postkarte]
[Datum des Poststempels:] 15.7.[19]12
Freiburg i[m] B[reisgau], Hotel Römischer Kaiser

Lieber Djoury, bitte sei so gut und schreibe mir den Plan der Zieg-
lerschen[1] Wohnung auf. Ich gedenke noch Montag über Dienstag
hier zu bleiben, dann zu Ziegler und dann erst nach Heidelberg.
Bitte schicke mir auch (Schreibtisch oben Schublade rechts) noch
eine oder zwei meiner Visitenkarten. Vielleicht mache ich Dienstag
auch Joel[2] einen sich rein (d. h. intendiert rein) sachlich abspielen-
den Besuch. Es war schön bei Baumgarten[3], ein wohltuender
Mensch. Aber jetzt zu spät. Ich hätte ihn 1905 kennen lernen sollen.

Dein Ernst

1 Vgl. Brief Nr. 9, Anm. 7.
2 Karl Joël (1864-1934), Philosoph und Professor in Basel. 1912 war sein wohl wich-
tigstes Werk erschienen: *Seele und Welt: Versuch einer organischen Auffassung.* – Im
Original ist Joël mit Umlaut geschrieben.
3 Franz Baumgarten (1880-1927), Kulturhistoriker und Literaturwissenschaftler.
Er war ein Freund von G. L. und schrieb unter anderem eine Monographie über
C. F. Meyer.

Nr. 33   [Postkarte][1]
[Datum des Poststempels:] München, 27.7.[19]12
Abs[ender]: Dr. Bloch, Garmisch, Haus Erdmann.

Lieber Djoury, da wir[2] vergaßen, unsere Adresse zu sagen, dieser
absonderliche Umweg. Bei Geiger[3] und Pfänder[4] gewesen: hier
geht alles so drunter und drüber, daß nichts Schlimmes und nichts
Gutes zu sagen ist. Aber das Leipziger Semester dauert bis 18.
August. Ich werde auf Pfänders Rat selber an Lamprecht[5] und Volkelt[6] wegen eines Besuchs schreiben. Dann das letzte Sausen von
Garmisch nach Leipzig.[7] – Emma einen unerhört rohen und »idea-
len« Brief über Zalai[8] geschrieben. Entsprechende Antwort.
Grüße Deine Schwester.[9] Mehr von Leipzig aus.

Ernst

Übrigens Bramary[10], der famose Fragesteller über den Grund des
sittlichen Sollens, ist hier Dozent geworden in dieser Sache.[11]

1 Die Postkarte, ursprünglich nach »Heidelberg, Helmholtz-Straße« adressiert,
wurde von fremder Hand nach »Scheveningen, Holland« umadressiert. Von E.B.s
Hand steht der Vermerk: »Bitte nachsenden«.

2 Das »wir« bezieht sich in der zweiten Person wohl auf Else von Stritzky, vgl. Brief
Nr. 35 vom 4.8.1912, wo »Else die Karte an die Bahn gebracht« hat.

3 Moritz Geiger (1880-1937), Philosoph und ab 1915 Professor in München, 1923-
1933 in Göttingen. Geiger war Anhänger der phänomenologischen Schule E. Husserls und schloß sich enger dem Münchner Kreis um A. Pfänder an. Seine Untersuchungen befassen sich mit den Gegenstandsgebieten der Psychologie (besonders
Studien über das Unbewußte), der Ästhetik, der Mathematik und Wissenschaftstheo-
rie. Die späteren Schriften schlagen mit ihrer strikten Unterscheidung zwischen wissenschaftlicher und existentieller Welteinstellung eine Brücke zur Existenzphilosophie, besonders zu K. Jaspers.

4 Alexander Pfänder (1870-1941) war seit 1908 Professor für Philosophie in München. Er gehörte zuerst der Schule von Th. Lipps an und wandte sich dann der
Phänomenologie E. Husserls zu.

5 Karl Lamprecht (1856-1915), Historiker und Geschichtsphilosoph, war seit 1891
Professor in Leipzig – daher E.B.s Hinweis auf die Dauer des Leipziger Semesters; er
wollte wohl schreiben, wenn Lamprecht nicht mehr vom Lehrbetrieb gefangenge-
nommen sein würde. Lamprecht hatte sich früh wirtschafts- und kulturgeschichtli-
chen Fragen zugewandt. Er strebte an, die Geschichtswissenschaft zu einer Art von
Rechtswissenschaft zu erheben, indem er – unter dem Einfluß W. Wundts – in ihr
gesetzmäßige, sozialpsychologische Kräfte sah. In seinem Werk *Die kulturhistorische
Methode* (1900) begründete er eine Art der Geschichtsschreibung, die durch die Ver-
arbeitung und Zusammenschau der verschiedenen Kulturgebiete einer Epoche den
»Geist eines Zeitalters« zu beschreiben suchte: Von der Urzeit bis zur Gegenwart sei
jeweils ein Zeitraum bestimmt worden durch die symbolische, die typische, die kon-
ventionelle, die individualistische, die subjektivistische und die impressionistische
Seelenhaltung. Diese Geschichtsdarstellung entfachte einen scharfen Methodenstreit
unter den Historikern.

6 Johannes Volkelt (1848-1930), seit 1894 Professor für Philosophie in Leipzig, stand
anfänglich unter dem Einfluß des Spätromantik und des Deutschen Idealismus; später
verband er einen kritischen Realismus mit einer Metaphysik der inneren Erfahrung.

7 Im Rahmen seiner Bemühungen um eine Habilitation hatte E.B. bereits mehrere
Reisen unternommen: nach Frankfurt (vgl. Brief Nr. 28), nach Bonn (vgl. Brief
Nr. 29), nach Berlin (vgl. Brief Nr. 30), nach Göttingen (vgl. Brief Nr. 31) und nach
Freiburg (vgl. Brief Nr. 32).

8 Béla Zalai (1883-1915), als Opfer des Ersten Weltkriegs jung verstorbener ungarischer Philosoph. Mitarbeiter an der als »ungarischer Logos« geplanten philosophischen Zeitschrift *A Szellem*. Zalai arbeitete an einer Theorie der philosophischen
Systeme. Seine Schriften erschienen in ungarischen und deutschen philosophischen

Zeitschriften. Obwohl sein Werk unvollendet bleiben mußte, hatte es großen Einfluß auf Karl Mannheim, Arnold Hauser, Béla Fogarasi und Sándor Varjas.
9 G.L. hatte eine jüngere Schwester mit Namen Maria, genannt Mici.
10 Der Name ist schwer entzifferbar; die ungarischen Herausgeber lesen:
»Brunswig«.
11 Der gesamte Nachtrag steht am linken Rand, quer zum übrigen und teilweise in
es hineingeschrieben; die letzten drei Wörter sind nicht sicher zu entziffern; die
ungarischen Herausgeber plädieren für: »mit dieser Sache«.

Nr. 34   [Postkarte]
                                              Leipzig 3.8.[19]12
                        Absender: Dr. Ernst Bloch, *Garmisch* (Oberbayern)
                                              Haus Erdmann[1]

Lieber Djoury, ich schicke die Karte auf gut Glück. Vorgestern bei
Eucken[2] in Jena, gestern[3] bei Lamprecht, einem braven und ansehn-
lichen Altvater, heute bei Volkelt wieder in Jena, hier weder
schlecht noch gut. Volkelt war perplex vor Staunen und Verständnislosigkeit. Aber er will meine Dissertation[4] ansehen. Dann wird
er mir schreiben. Übrigens gesehen, daß gar nichts besser wäre,
wenn ich mit dem fertigen Manuskript käme. Diese Denker sind so
überbürdet, daß sie es gar nicht lesen wollen und – wie Volkelt – den
nach dem Wetzlarer Kammergericht[5] schmeckenden[6] Weg durch
die Fakultät vorschlagen. Jetzt habe ich alles getan mit Vorstellen,
Reisen und Reden, was möglich ist. Es ist mir kein Vorwurf mehr
zu machen, wenn es nirgends geht, auch zuletzt nicht in Würzburg
oder doch in Bonn, ziehe ich nach Weimar. In zwei Gründen [sic!]
wieder nach München und Garmisch.[7]

1 Der Absender steht am Schluß der Karte, wohl als Hinweis für die weitere Post;
die Karte selbst stammt aus Leipzig, wo E.B. aber offensichtlich nicht lang blieb.
2 Rudolf Eucken (1846-1926), Professor für Philosophie in Basel (1871) und seit
1874 in Jena; er erhielt 1908 den Nobelpreis für Literatur. Der als Lehrer gefeierte
Eucken vertrat einen sozial-ethisch verstandenen, auf »gemeinsames substantielles
Wirken« gerichteten »schöpferischen Aktivismus«; er bekämpfte den einseitigen
Intellektualismus. Maß des Erkennens sei der Gehalt des geistigen Lebens, den Euk-
ken zu erfassen bemüht war. Er nennt seine Methode noologisch und stellt sie der
unpersönlichen naturwissenschaftlichen Methode gegenüber. Es gelte, die Seele der
Menschen aus den Ketten einer dem Technischen verfallenen Scheinkultur zu
befreien. Er bemühte sich zeitlebens um die geistige Zusammenarbeit der Völker.

3 »gestern« steht zwischen den Zeilen eingefügt. Das ursprünglich von E.B. korrigierte Wort ist schwer zu lesen – eventuell »heute«; E.B. hat den Schluß wieder quer
in den ursprünglichen Text hineingeschrieben.
4 Vgl. Brief Nr. 30, Anm. 2.
5 Das Wort ist nach »Kam« getrennt; alles folgende steht auf der ersten Seite der
Karte, am linken unteren Rand beginnend quer zum übrigen und weit in es hineingeschrieben.
6 Schwer leserliches Wort, da das »ch« mehrfach verbessert wurde.
7 Der Gruß fehlt wohl aus Platzmangel.

Nr. 35   [Postkarte]
                                      [Datum des Poststempels:] 4.8.[19]12
                                                                     München

Lieber Djoury, soeben aus Leipzig angekommen, von Else Deine
Karte an die Bahn gebracht. Es tut mir leid, daß Du die von heute
bekommen hast, die Deinen Befürchtungen scheinbar recht gibt.
Also, es wäre gänzlich falsch gewesen, nur Lamprecht zu besuchen.
Dagegen: ich sagte Volkelt, daß sich Lamprecht für meine
geschichtsphilos[ophische] Arbeit interessiere, worauf er ihn selber
sofort als Dezernent vorschlug außer sich und Wundt.[1] Außerdem
sieht Volkelt meine Dissertation[2] durch und wird mir dann über
seinen Wunsch zur Habilitierung in der nächsten Woche nach Garmisch schreiben. Mit Lamprecht hatte[3] ich kein Wort über die Sache
mit Erfolg reden können. Ich hoffe, daß Du mit dieser Wendung
zufrieden bist.
Bald mehr.   Dein Ernst

1 Wilhelm Wundt (1832-1920), Philosoph und Psychologe. Wundt war seit 1875
Professor der Philosophie in Leipzig, wo er das erste Institut für experimentelle
Psychologie gründete. Er faßte die verstreuten Ansätze empirischer psychologischer
Forschung zusammen, bestimmte den Umfang und die Begriffsbildung der neuen
Psychologie und gab mit umfassendem Wissen einen neuen Gesamtentwurf. Er
rückte das Willens- und Gefühlsleben in den Vordergrund und versuchte in Nachfolge H. Spencers die Philosophie der Geistesgeschichte auf psychologische Grundlagen zu stellen. Auch Logik, Ethik und induktive Metaphysik suchte er von der
Psychologie her zu durchleuchten. Die Soziologie bezog er ebenfalls in die Psychologie mit ein. Mit dem Prinzip der »schöpferischen Synthese« überschritt er selber
die Grenzen seiner grundsätzlich analytischen Begriffsbildung, eröffnete aber gerade
damit zahlreiche neue Perspektiven.

2 Vgl. Brief Nr. 30, Anm. 2.
3 Schwer leserlich; es könnte auch »hätte« heißen. Im Indikativ steht nun strenggenommen eine falsche Zeitform.

Nr. 36   [Postkarte]
                                              Garmisch, Haus Erdmann.
                                                   [August 1912]¹

Liebster Djoury, ich hoffe sehr, daß Du unterdessen Lust zur
Arbeit gefunden hast. Mir geht es hier gut. Viel Regenwetter und
dadurch am alten Schreibtisch und der alten Lampe des Winters
Stimmung zum Manuskript. Von Schwarz² einen sehr anständig
gesonnenen Brief erhalten. Herr Spranger³ (ich weiß nicht, ob ich
Dir schon von diesem bedenklichen Licht erzählt habe) wird jetzt,
nachdem er vor einigen Monaten zum Schein als Extraord[inarius]
berufen worden ist, mit seinen 30 arbeitsreichen Jahren Ordinarius.
Ich kann mich nicht entsinnen, etwas Streberischeres und Dümme-
res als seine Berliner geschichtsphilos[ophische] Doktorarbeit⁴
gelesen zu haben. Aber Schwarz schreibt offenbar aus persönlicher
Kenntnis freundlich von ihm, hielt ihn für sehr intelligent und
glaubt, daß seine Stimme von Nutzen ist. Es ist wundervoll, auf
welche Leute es ankommt. Außerdem hat Külpe geschrieben. Mit
den drei Kerlen steht es doch etwas anders und für Külpe besser. Er
sagt, daß Stumpf und Erdmann meine Sache (offenbar mein Manuskript) gewissenhaft prüfen. Also bleibt doch auch Berlin. Ich spiele
viel Klavier, vor allem das großartige Mahlersche Lied von der
Erde.⁵ Wieder mit Paulinchen⁶ eine halbe Stunde spazieren gegangen und über den Dreck auf den Garmischer Straßen geredet.

                                                       Dein Ernst

1 Die Karte ist ohne Datum, auch der Poststempel ist nicht mehr zu entziffern. Da
es immer noch um E. B.s Pläne zur Habilitation geht, ist sie jedoch ziemlich sicher
auf August 1912 zu datieren.
2 Andreas Schwarz (1886-1953), Jurist. Er wurde 1912 Privatdozent in Leipzig,
1920 Extraordinarius, später Ordinarius in Zürich für Römisches Recht. Schwarz
war ein alter Bekannter von G. L. seit ihren gemeinsamen Tagen an der Budapester
juristischen Fakultät.

3 Eduard Spranger (1882-1963), Philosoph, Pädagoge, Kulturpädagoge und Bildungspolitiker. Spranger wurde 1911 Professor in Leipzig, 1920 in Berlin und 1946 in Tübingen. Als Schüler von W. Dilthey war er Vertreter eines erneuerten Humanismus und Idealismus. Im Mittelpunkt seiner kulturtheoretischen Bemühungen steht die Arbeit einer philosophischen Grundlegung der Geisteswissenschaften, die er im Anschluß an Dilthey unter Ausbildung einer eigenen geisteswissenschaftlichen Psychologie betrieb (*Lebensformen*, 1914). Zentral ist hierbei die Methode des Verstehens.
4 Eduard Spranger, *Die Grundlagen der Geschichtswissenschaft.* (Berlin 1905).
5 Der damalige Eindruck von diesem Werk ist ein bleibender gewesen; vgl. dazu *Geist der Utopie* (GA Bd. 3, S. 58, 89, 92, 165) und vor allem *Das Prinzip Hoffnung*, GA Bd. 5, S. 1284.
6 Gemeint ist wohl Pauline de Ahna, die Frau von Richard Strauss; vgl. Brief Nr. 19.

Nr. 37   Garmisch, 20. August [1912][1]

Mein lieber Djoury, verzeihe, wenn ich so lang nicht geschrieben habe, aber ich arbeite so viel mit der Feder (gestern habe ich 20 Seiten Quartformat geschrieben), daß mir diese Form des Verkehrs wenig lag. Es scheint ja nicht allzu glänzend mit Deiner Stimmung bestellt zu sein, und besonders der Kontrast des männlichen Verkehrs ist etwas groß. Ich bin davon wenigstens verschont, selbst die dummen Weiber[2] hier im Haus, bei denen ich ab und zu Tee trinke und die durch sorgende Art ihre Minderwertigkeit vergessen machen, kann ich nicht als Kontrast zu Heidelberg empfinden. An Else ab und zu große Freude gehabt (heute besuche ich sie auf zwei Tage in Lermoos, das eine Autostunde von hier liegt), auch an ihrem Vater, mit dem ich leider wenig über ihren und meinen Fall reden konnte, dem ich selbstverständlich jetzt auch nichts über die unmögliche Heirat[3] schreiben kann (er sieht es offenbar selbst) und dem ich nur einen Vorschlag machen will, daß er Else Geld gibt, um sich mit einer Freundin zusammen[4] eine größere Wohnung in München mit einem Dienstmädchen und einem Atelier zu mieten. Höre: es ist unumgänglich notwendig, an einer Stelle in meiner jetzigen logischen Arbeit[5] den Gegensatz von immanenter und transzendenter Ästhetik[6] zu berühren. Wie soll ich es machen, Deinen Namen und Dein Programm zu nennen? Hast Du irgendwo etwas gedruckt, das als Grundlage gelten könnte? Oder wann kann Deine Naturschönheit[7] im Druck erscheinen?

Hier schicke ich Dir die zwei letzten Briefe der seltsamen Olga.[8] Ich
bekomme übrigens von Frau Erdmann[9] hier im Haus ein schönes
Geschenk. Sie besitzt (da ein Freund von ihr einen kleinen Balken
aus Kants Haus bei dessen Abbruch kaufte) ein Brett aus diesem
Balken, von dem ich ein Teil bekomme und das ich unmerklich an
eine Seite meines kommenden großen Schreibarschs einfügen lasse.
Heute von der Bendemann ein Brief, daß sie gerade jetzt so gern mit
mir mündlich gesprochen hätte. Ich errate ihre Bestürzung, ihr
Selbstgericht und eine durchgreifende Revidierung nach Deinem
Brief.[10] Hat sie Dir geantwortet? Schöne Stunden mit Dorn verlebt,
mit dem mich seltsamerweise eine immer größere Herzlichkeit verbindet. Er hat einen Ruf als Ordinarius nach Braunschweig abgelehnt. Hoffentlich wird er bald Minister.
Ja, Djoury, lieber, wenn Du über Nürnberg fährst, wo sollen wir
uns treffen? Erst in Wien? Ich hätte es sehr gern früher. Grüße
Deine Schwester.[11]

Dein Ernst

1 Der Brief trägt keine Jahreszahl. Er kann jedoch aus mehreren Gründen auf 1912
datiert werden: G.L.s schlechte Stimmung, von der auch in Brief Nr. 36 die Rede ist,
E.B.s Aufenthalt im Hause Erdmann, seine Erwähnung der »dummen Weiber« (vgl.
Brief Nr. 36 bei Anm. 6) und E.B.s damalige Beziehung zu Else, die »unmögliche
Heirat« und das Geldproblem sind deutliche Indizien.
2 Vgl. Brief Nr. 36 bei Anm. 6.
3 Unmöglich schien E.B. die Heirat wegen Elses schlechtem Gesundheitszustand;
vgl. Brief Nr. 10, Anm. 34.
4 »zusammen« zwischen den Zeilen eingefügt.
5 E.B. plante damals eine mehrbändige »Summe der axiomatischen Philosophie«,
die im »Einleitenden Teil« mit einer Logik beginnen sollte; vgl. Brief Nr. 18, außerdem die Briefe Nr. 8 und 9 sowie Brief Nr. 103.
6 Die »mehrbändige Summe« sollte einen Teil zur »Ästhetik« enthalten, den E.B.
G.L. widmen wollte. Vgl. Brief Nr. 8. Es könnte sich hier jedoch schon um die
Vorarbeiten zu dem in Brief Nr. 63 erwähnten Manuskript »Die Schönheit des
Gedankens« handeln.
7 Es gibt keine veröffentlichte eigenständige Arbeit von G.L. über Naturschönheit.
Es muß sich um eine Arbeit im Umkreis von G.L.s *Heidelberger Philosophie der
Kunst* (1912-1914) handeln; vgl. G.L., *Werke*, Bd. 16, Darmstadt und Neuwied
1974. Hier grenzt sich G.L. vom Begriff der Naturschönheit ab.
8 Es ist nicht eindeutig zu klären, um wen es sich hier handelt. Es könnte jedoch
gemeint sein: Olga Maté, Fotografin und Frau von Béla Zalai, die beide gute Freunde
von G.L. waren.

9 Die Wirtin, bei der E.B. in Garmisch regelmäßig wohnte; viele Briefe haben im
Briefkopf: »Haus Erdmann«.
10 G.L. hatte offensichtlich in dem Streit zwischen E.B. und M.v.Bendemann ein-
gegriffen, der ihn indirekt – über Simmel – auch betreffen mußte. Vgl. zu diesem
Streit die Briefe Nr. 9, Anm. 15; Nr. 10, Anm. 26, Nr. 13, 14, 20, 43, 44, 45, 46.
11 Maria, genannt Mici, die jüngere Schwester von G.L.; vgl. Brief Nr. 33, Anm. 9.

Nr. 38   [Postkarte]
                    [Datum des Poststempels:] Garmisch 5.9.[19]12

Lieber Djoury, also ich werde voraussichtlich heute (Donnerstag)
in acht Tagen in B[udapest] sein. Wenn Du so gut sein willst, ein
Zimmer mit Schreibtisch, stille Lage, 40-50 Kronen. Ich bringe
etwas Schönes mit. Manches entscheidend in der Anordnung des
Systems[1] verändert, vor allem in Naturphilosophie.

                                                    Von ganzem Herzen!
                                                    Ernst

1 Zu E.B.s damaligen Systementwürfen vgl. die Briefe Nr. 8, 9 und 18 sowie Brief
Nr. 103.

Nr. 39   Garmisch, den 3. Oktober [19]12[1]

Lieber Djoury, ich sitze wieder an meinem alten Mittagstisch in der
so sehr vertrauten niedrigen bäurischen Wirtsstube, aß mit Patrio-
tismus das deutsche Essen und habe dazu den »Loisach-Boten« und
die »Neuesten Nachrichten« gelesen. Hast Du Dich nicht allzu sehr
nervös engagiert? Ich bin froh, aus Pest[2] weg zu sein und nicht mehr
an diesem so bodenlos langweiligen Mittagstisch zu sitzen, der
mehr eine verlängerte Schlafstube war und dem man wirklich nicht
die doppelte Anwesenheit der Philosophie anmerkte. Noch selten
habe ich mich so enteignet gefühlt, und der zu mir so gänzlich
beziehungslose Schluß war wirklich keine Überraschung und ganz
homogen. Ich hoffe, daß Du damit nicht Deine Eltern und Dich als
Mitglied einer Familie betroffen fühlst: diese Dir fremden Menschen sind so meiner freien Meinung preisgegeben, wie die Figu-

ren in Ludwigshafen Deiner Meinung und jeder Kritik preisgegeben sind. Das Großbürgerliche ist wahrhaftig nur eine peinliche
Unterstreichung der Frechheit, Demutlosigkeit, Dummheit und
liberalen Minderwertigkeit.
Ich telegraphierte früh morgens von München an die Bendemann,
blieb einen Tag in einem Hotel und erhielt von dem Bendemann die
Antwort, daß »seine Frau« erholungshalber verreist sei. Also fuhr
ich hierher, fand mein ganzes Zimmer unverändert, habe gleich
wieder den Schreibtisch armiert und will sehen, ob ich mein klein
geschriebenes Ich[3], dem es trübe geht, etwas anästhesieren kann.
Ich hoffe, in vierzehn Tagen nach Zürich fahren zu können. Willst
Du nicht von München aus auf Deiner Durchreise einmal hierher
kommen? Bitte,[4] lieber Djoury, sieh zu, ob Du nicht vielleicht ein
Bild von dieser Gertrud[5] bekommen kannst oder sie vielleicht selbst
noch in der Zwischenzeit sehen kannst. Heute wäre der Donnerstag, und ich möchte doch irgendetwas von ihr wissen, eine anschau-
liche Vorstellung haben, wenn ich auch froh bin, nicht aus diesen
Kreisen herausgeheiratet zu haben, was aller Wahrscheinlichkeit
nach bedeutet hätte, in diese Kreise hineingeheiratet zu haben.
Ich bin froh, wieder in meiner Heimat zu sein.

Dein Ernst

1 Der Briefkopf trägt die Aufschrift: »Hotel Post – Garmisch«.
2 Pest = Budapest. E.B. hatte G.L. in dessen Heimatstadt besucht, und zwar in der
zweiten Hälfte des September 1912.
3 E.B. meint sein empirisches Ich in Abgrenzung von seinem groß zu schreibenden
Philosophen-Ich.
4 Alles folgende wurde von E.B. auf die erste Seite des Briefes geschrieben, beginnend am linken unteren Rand quer zum ursprünglichen Text, teils in ihn hineingeschrieben, teils der freie Platz über dem Briefbeginn benutzt.
5 Rein theoretisch könnte es sich um Gertrud Borstieber (1882-1963) handeln, die
G.L. seit seinen Jugendjahren kannte und mit der er ab 1920 bis zu ihrem Tode
zusammenlebte. Gertrud brachte zwei Söhne aus erster Ehe in die Ehe mit G.L., die
sie zusammen mit einer gemeinsamen Tochter aufzogen.

Nr. 40   [Postkarte]
15. Oktober
[Datum des Poststempels:] Garmisch 16. 10. [19]12

Lieber Djoury, es hat mir sehr leid getan, daß Du Garmisch nicht
gesehen hast. Ich habe jetzt nichts als Lehrbücher der Entwick-
lungsgesch[ichte], der Botanik und Zoologie (auch leben alle Notizen aus der Else. [...]¹ – Zeit wieder auf.)² um mich liegen (aus der
Münchner Bibliothek) und bin jetzt schon ein besserer Kenner ihrer
Probleme, als alle diese kleinen Papas je erreichten. Es ist wirklich
ein maßlos merkwürdiges Gebiet. Hast Du z.B. gewußt, daß die
Zellpaarung, also die Liebe, mit der Fortpflanzung rein organisch
gar nichts zu tun hat? Und entwicklungsgeschichtl[ich] alles so voll
wunderbarer Hierarchie. – Es ist nur so traurig, daß keine Frau
diese meine ganz neue und ungewohnte Arbeit miterleben³ kann.
Soeben lasse ich mir einen Katalog über Schreibmaschinen schik-
ken. Denn ich will jeden Abschnitt gleich abschreiben.

Schreibe bald. Dein Ernst

Ich komme bald nach Heidelberg.⁴

1 Schwer entzifferbares Wort; eventuell »Heilige«; die ungarischen Herausgeber
lesen: »alte Philos.-Zeit«, vermutlich Hinweis auf Tona Gehnert, vgl. Brief Nr. 60,
Anm. 3, Nr. 70 bei Anm. 22 und Nr. 91, Anm. 8.
2 Das in Klammern Eingefügte steht im Original zwischen den Zeilen.
3 Alles folgende steht auf der Vorderseite der Karte, quer auf den Rand sowie zwischen Datum und Briefbeginn.
4 Dies steht auf der Rückseite, beginnend am linken unteren Rand nach oben rechts
geschrieben.

Nr. 41   [Postkarte]
[Garmisch], 20. 10. [19]12

Lieber Djoury, ich werde Mittwoch abend 6.42ʰ in Heidelberg
sein. Sollte ich nicht mit diesem¹ Zug kommen, so werde ich vorher
telegraphieren. Ich hoffe, daß Luise² (der ich geschrieben habe)

Wohnung frei hat. Ein zweiter Brief von der wichtigen Mama. Viel
Besseres über die contessa-Vorrede[3] bereits auf der Schreibma-
schine (25 S.) abgeschrieben, alle Notizen zur Biologie fertig, dazu
bereits sehr Wesentliches geschrieben. Viel zu erzählen. Du wirst
mir Genaueres über den Goldenen Schnitt[4] sagen!

Dein Ernst[5]

1 Die Worte »nicht mit diesem« sind im Original über der Zeile als Korrektur eingefügt; darunter steht durchgestrichen: »schon Dienstag«.
2 Gemeint ist: Marie-Luise Gothein (1863-1931), mit G.L. befreundete Autorin
einer *Geschichte der Gartenkunst*, Jena 1914; G.L. rezensierte dieses Werk 1915 in
der Nummer 39 des *Archivs für Sozialwissenschaft und Sozialpolitik*. Sie war mit
Eberhard Gothein verheiratet, der als Professor für Kultur- und Wirtschaftshistorie
in Heidelberg wirkte.
3 Es war nicht mehr zu klären, was E.B. hier meint.
4 Der Goldene Schnitt (bei J. Kepler: Göttliche Teilung) wurde schon von Euklid
behandelt (*Die Elemente*, 2. Buch, S. 11): »Eine gegebene Strecke ist so zu teilen, daß
das Rechteck aus der ganzen Strecke und dem einen Abschnitt dem Quadrat über
dem anderen Abschnitt gleich ist.« Das ist gleichbedeutend mit der heutigen Definition: Ist eine Strecke AB durch einen Punkt E so geteilt, daß der größere Abschnitt
AE die mittlere Proportionale zu der ganzen Strecke AB und dem kleineren
Abschnitt BE ist, so heißt die Strecke *stetig* oder nach dem *Goldenen Schnitt geteilt*.
Das Verhältnis der Maßzahlen des kleineren und des größeren Abschnitts wird ein-
geschachtelt durch die rationalen Zahlen der Folge 1/2, 2/3, 3/5, 5/8, 8/13 …
Die Anwendung des Goldenen Schnitts als Maßverhältnis bei Kunstwerken bezog
sich auf antike Architektur und die italienische Renaissance.
5 Der Gruß steht am oberen Rand, kopfüber zum anderen von rechts nach links
geschrieben.

Nr. 42   [Postkarte]
München, 24. 10. [19]12

Mein lieber Djoury, jetzt schon wieder eine Verspätung: ich werde
morgen Freitag erst 11.10^h ankommen. Ich bin für morgen mit
Dorn noch zu einem Physiker von der techn[ischen] Hochschule
eingeladen, der an einem großen Werk über die Keplersche Naturphilos[ophie] arbeitet. Er möchte mich und ich ausnahmsweise
auch ihn kennenlernen.

Dein Ernst

Nr. 43   [Briefkopf:] Original Wiener Café »Prinz Ludwig«
                  Ludwigshafen a[m] Rh[ein], den 30. 10. [19]12

Lieber Djoury, ich schicke Dir hier den heute morgen erhaltenen
Brief der Bendemann[1], der mir an demutloser Phrasenhaftigkeit,
Unkräftigkeit und intellektueller Frechheit das Stärkste und Frauen-
möglichste zu enthalten scheint. Ich habe ihr nur kurz darauf geantwortet, daß es darauf nichts zu antworten gibt, wenn sie nicht jetzt
ein persönliches Zusammenkommen, selbstverständlich nicht in
Rüschlikon[2], möglich macht. Das sind Menschen!
Leider habe ich den Voßler[3] vergessen einzupacken. Aber ich lasse
ihn direkt von Garmisch aus an Dich schicken. Ich kann erst Donnerstag kommen. Ich lebe im tiefsten Dunkel. Jetzt werde ich noch
einmal nach Frankfurt zur Meta Hammerschlag[4] fahren, um sie nach
einem Mädchen zu fragen. Wenn das nicht geht – denn die Möglichkeit, die Keyserling[5] kennen zu lernen, scheint aus zu sein, heirate ich
im Dezember Else.[6] Nachdem sie jetzt gesünder geworden ist, ist es
durchaus nicht das, was ich schon vorher hätte haben können (denn
bisher war es wirklich ärztlich unmöglich), und etwas anderes als die
ultima ratio.

                                                        Dein Ernst

---

1 Zu E. B.s Auseinandersetzung mit ihr vgl. die Briefe Nr. 9, Anm. 15; Nr. 10, Anm.
26; Nr. 13, 14, 20, 44, 45 und 46.
2 Rüschlikon am Zürichsee war der Ort, wo Frau von Bendemann damals wohnte.
E. B. hat seine Ankündigung nicht wahr gemacht; er besuchte sie in Rüschlikon. Vgl.
Brief Nr. 45, Anm. 1.
3 Karl Voßler (1872-1949), Romanist und 1911-1937 sowie 1945-1947 Professor in
München. Voßler hat in Zusammenarbeit und in Auseinandersetzung mit B. Croce
die Sprach- und Literaturwissenschaft durch idealistische und ästhetische Betrachtung der Sprache auf dem Gebiet der Romanistik aus der positivistischen Betrach-
tungsweise herausgeführt und durch Verbindung mit Philosophie und Kultur-
geschichte verfeinert. Aus seiner Feder stammen meisterlich geformte Werke über
Dichter und Dichtungen, besonders aus der spanischen, französischen und italienischen Literatur; auch deutsche Übersetzungen (Dante). – Welches Werk genau E. B.
hier meint, kann nicht mehr sicher erschlossen werden. Folgende Werke Voßlers
waren bis 1912 erschienen: *Das deutsche Madrigal* (1898); *Italienische Literaturgeschichte* (1902); *Positivismus und Idealismus in der Sprachwissenschaft* (1904); *Sprache
als Schöpfung und Entwicklung* (1905); *Die göttliche Komödie*, 2 Bde. (1907-1910).
4 Meta Hammerschlag redigierte zusammen mit G. v. Lieber und Hanns Dorn die
Monatsschrift *Frauen-Zukunft* (1910/11); vgl. Brief Nr. 44.

5 E.B. könnte eine Tochter von Graf Eduard von Keyserling (1855-1918) meinen.
6 Zu Else von Stritzkys Gesundheitszustand vgl. Brief Nr. 10, Anm. 34.

Nr. 44

[Postkarte]

[Poststempel: Ludwigshafen – vermutlich Anfang Nov. 1912]

Lieber Djoury, wenn ich noch nicht gekommen bin, so hat das in einer so tiefgehenden lethargischen Niedergeschlagenheit seinen Grund, daß ich dagegen nicht ankämpfen konnte. Ich unterhalte die Oberlehrerleute und einmal auch einen ganzen Nachmittag das Kaffeekränzchen meiner Mutter mit munteren Reden und Klavier. Dazu kam, daß ich die ganze Zeit (gestern, ärztlich geredet) die drohende Gewißheit einer Infektion hatte. Heute besser und weniger wahrscheinlich. Es kam mir als Symptom vor, daß alles aus ist. Wenig Trost im Werk, ich bin zu sehr schon an diesen Trost gewöhnt. – Was Du meinst, verstehe ich nicht; es ist doch zu sehr sichtbar, wie sehr der B[endemann][1] jede Liebe fehlt. Sie läßt doch eine Beleidigung und roheste Verständnislosigkeit nach der anderen folgen. Ich werde vermutlich am Dienstag mit ihr in Basel zusammenkommen. Die Antwort[2] von Hammerschlag – Dorn muß in H[eidelberg] liegen. Ich komme wahrscheinlich morgen Samstag Mittag. Aber warte nicht auf mich.

Dein Ernst

1 G.L. versuchte offenbar, den Streit zwischen E.B. und Frau v. Bendemann zu mildern. Zu deren stürmischer Beziehung vgl. Brief Nr. 43, Anm. 1.
2 Vgl. Brief Nr. 43, wo E.B. ankündigt, er wolle Meta Hammerschlag »nach einem Mädchen (...) fragen«; mit der »Antwort«, auf die E.B. wartet, kann schwerlich etwas anderes gemeint sein.

Nr. 45   [Postkarte]
Rüschlikon b[ei] Zürich, Hotel Beauvoir, 10.2.
[Poststempel:] 10.2.[19]13

Lieber Djoury, diesen Gruß mit der Frage, ob Du nicht (oder ob,
nach einigen Zeilen, die Du vorher schreibst) ich nicht (es ist mir
nur ein stilistisches Problem) an Beer-Hoffmann [sic!] dies schreiben kann, weswegen ich nach Wien fahren möchte. Es ist hier nicht
allzu hinreißend[1].

Ernst

1 Offensichtlich hat E.B. entgegen seiner Ankündigung (vgl. Brief Nr. 43, Anm. 2)
Frau v. Bendemann zu Hause besucht. Ungemütlich war es dort nur wegen »Momis
Krankheit« (vgl. Brief Nr. 46, Anm. 1); die beiden Streitenden söhnten sich
aus.

Nr. 46   [Postkarte]
Garmisch, Haus Erdmann. 18.2.[19]13

Mein lieber Djoury, ich habe gleich an Schwarz geschrieben, selbstverständlich ist es ein Brief wert. Bitte schicke mir gleich das Diktat!
Ich habe der Bendemann ((es ist dort wegen Momis[1] Krankheit sehr
ungemütlich, aber alles[2] zwischen uns ist gut und glanzvoll, viel
besser als je (natürlich, sonst müßte es ja wieder aufhören) hergestellt))[3] manches von Dir und Deinem Werk erzählt, was sie in eine,
wie es scheint, fruchtbare und ernste Demut versetzte. Sie sagte
etwas sehr Schönes und Tiefes über Deine Essays, was ich Dir bald
mündlich erzählen werde. Da hast Du recht mit Gundolf.[4] Aber
mein Glückwunsch zu Paris.[5]
Bald mehr! In Liebe und Verehrung! Dein Ernst

1 Es handelt sich um den einzigen Sohn Erich von M. v. Bendemann. Offensichtlich
hatte E.B. sie – gegen seine Ankündigung, vgl. Brief Nr. 43, Anm. 2 – doch zu
Hause besucht.
2 Zwischen E.B. und Frau v. Bendemann hatte es einen ziemlich heftigen Streit
gegeben. Vgl. dazu die Briefe Nr. 3, Anm. 2; Nr. 9, Anm. 15; Nr. 10, Anm. 26;
Nr. 13, 14, 20, 43 und 44.

3 Im Original stehen zwei einfache Klammern.

4 Friedrich Gundolf (1880-1931). Seit 1899 veröffentlichte er Dichtungen in den von Stefan George (vgl. die Briefe an Klaus Mann, Brief Nr. 3, Anm. 4) herausgegeben *Blättern für die Kunst*; er war seit 1911 Dozent, seit 1920 Professor für Literaturgeschichte in Heidelberg. Seine auf Georges Geschichts- und Kunsttheorie beruhenden geisteswissenschaftlichen Arbeiten verbanden künstlerische und wissenschaftliche Darstellung. Er war der Auffassung, daß der Künstler und sein Werk eine Einheit bilden und daß sich an großen Künstlern, die als Symbolgestalten zu verstehen seien, objektive ästhetische Beurteilungskriterien gewinnen ließen. E. B. und G. L. wurden mit Gundolf über den Max-Weber-Kreis bekannt.

5 Nicht ermittelt.

Nr. 47   [Briefkopf:] Grand Hotel Leinfelder
                                            [Poststempel:] München, 20. 2. [19]13

Mein lieber Djoury, was ich Dir dieses Mal zu schreiben habe, ist so maßlos glücklich, daß ich mich gewaltsam zu ruhigen und diskursiven Worten zwingen muß. Also Else ist angekommen: sie fühlt sich völlig gesund, sieht unermeßlich viel besser aus als je, ich war heute Vormittag bei ihrem Arzt, er hatte sie gestern untersucht und sieht keine Gefahr[1] mehr. Also all dieser Umweg war zu ihrer Heilung und zu meiner menschlichen Läuterung notwendig oder vielmehr: man kann ihn notwendig machen (und dem stumpfsinnigen Pfuscher Jehovah die längste, abtrünnigste Judennase drehen), damit ich diese Else, diesen guten, edlen, vornehmen Menschen, erkenne. Ich habe ihr alles erzählt, was war; sie hat alles verstanden und mir vergeben (es wird noch eine Zeit dauern, bis ich es mir auch tun kann) und weint vor Glück. Und dieses edle Blut: ich habe heute erfahren, daß sie ein aus dem 15. Jahrhundert stammendes Erbbegräbnis in der Danziger Marienkirche haben, das seit vier Generationen aufgegeben war und daß die Stritzkys nächstens das russische Diplom auf ihren alten Freiherrntitel erhalten werden. Dazu die andere, mir gemäßere Linie von Hugo Grotius.[2] Das mit der Baronin war mir ganz unbekannt. Else spricht wenig davon, weil sie an sich schon eine vornehme Type ist, aber ich bin etwas à la Hans im Glück, ein Arrivierter und ein Ästhet, darum freut es mich. Ich bräuchte es freilich nicht gleich zu schreiben. Aber ich bin so maßlos glücklich, Du mein lieber, großer, genialer Djoury.

Allerdings werden wir zuerst wohl kaum mehr als 30000[3] Mark
haben, aber Else weiß genau, daß sie nach dem Tod ihres Vaters
über eine Million besitzen wird. Ich wünsche aber[4] dem großartigen
Mann, ihrem Vater, diesen Tod durchaus nicht.

Bitte sage dies alles gleich der Base[5]. Ich will keine Duplikate schreiben. Wir wohnen hier (wir haben auch schon viele Möbel, alte Stiche aus der Familie)[6], wir haben heute morgen schon unsere schönen, schmalen, mattgoldenen Ringe gekauft, bleiben solange in
Garmisch, bis alles Soziale erledigt ist (ungefähr drei Wochen) und
fahre[n] dann über Würzburg nach Heidelberg, wo wir wohnen
werden. (»Ich bitte Sie, mir Ihre Tochter zur Frau zu geben«, werde
ich an ihren Vater schreiben, das ist ein aus der Jungenzeit stammender Satz.)[7] Ich kann mir eine reizvollere, aber keine Frau denken, die besser zu mir paßt. (sie hat eine weniger schöne Nase als
ich.)[8] Wenn sie nur ganz gesund wird und bleibt! (Sie soll es maßlos
gut haben.)[9] Jetzt spielt das Bier bei Hegel[10] wie bei mir[11] in die
Philosophie herein. Übrigens Dorn hat einen lustigen Plan[12] mit
Nürnberg, davon werde ich Dir erzählen. Vor einigen Tagen habe
ich Baumgarten telephonisch begrüßt; aber er hatte vormittags
keine Zeit und ich reiste nachmittags ab. Wir redeten aber trotzdem
sehr warm. Jetzt wird das ewige Werk in ungeahnter Form aufblühen. (Was habe ich nicht alles in vier Wochen erlebt! Es singt unaufhörlich in mir.)[13]

Dein Ernst

am Sonntag noch Tannhäuser, dann Garmisch[14]
Bitte sage auch Einiges der Tante Thatagata[15]; es fällt mir schwer,
ihr zu schreiben. Obwohl sie mir einen sehr warmen Brief nach
Rüschlikon[16] geschrieben hat.

---

1 Frau von Stritzky war sehr krank, so daß eine Heirat E.B. lange Zeit unmöglich
schien. Vgl. dazu v.a. Brief Nr. 10, Anm. 34.
2 Hugo Grotius (1583-1645), Jurist, Staatsmann und Historiker. 1607 wurde er
Generalanwalt der Provinz Holland und 1613 Ratspensionär von Rotterdam und
Mitglied der Generalstaaten. 1619 im Zusammenhang mit dem Remonstrantenstreit
zu lebenslanger Haft verurteilt, floh er nach Frankreich, 1643 wurde er schwedischer
Gesandter in Paris. Grotius begründete das Völkerrecht als eine selbständige Wissenschaft der positiven, die Staaten bindenden Rechtssätze. Er entwickelte es als
einen Teil der alle Staaten und Menschen umfassenden Rechtsordnung, die ihren

Grund im *appetitus socialis* (Vergesellschaftungstrieb) der Menschen hat und inhaltlich durch das *dictatum rectae rationis* (die Vorschrift rechten Vernunftgebrauchs) bestimmt wird. Das Hauptwerk, auf dem die fortdauernde Bedeutung von Grotius beruht, ist: *De iure belli ac paxis* (Über das Recht des Krieges und des Friedens) 1625. Dies ist wieder einmal ein Hinweis auf die große Kontinuität, die E.B.s Schaffen kennzeichnet; Grotius ist auch für den reifen E.B., der sich zum Marxismus bekannte, von Bedeutung geblieben. Vgl. dazu *Naturrecht und menschliche Würde*, GA Bd. 6, v.a. Kap. 9, S. 63 ff.

3 Die Zahl ist schwer entzifferbar, es kann sich um 10.000, 20.000, 30.000 oder auch 40.000 Mark handeln.

4 »aber« zwischen den Zeilen eingefügt.

5 Emma Lederer (1897-1933), ungarische Historikerin. Sie befaßte sich zunächst mit wirtschaftshistorischen Fragen, gehört zu den ersten Vertretern der marxistischen Geschichtsschreibung in Ungarn und wurde Professorin für mittelalterliche Geschichte. Sie war die Schwester von Irma Seidler (vgl. Brief Nr. 9, Anm. 1) und wählte wie diese den Freitod. Sie war verheiratet mit Emil Lederer (1882-1939), Volkswirtschaftler und ab 1920 Professor in Heidelberg, 1931-1933 in Berlin. Er emigrierte nach den USA, wo er seit 1933 Professor an der New School of Social Research in New York war. Lederer befaßte sich besonders mit konjunkturtheoretischen Untersuchungen der Lehre von K. Marx. Er war der Herausgeber des *Archivs für Sozialwissenschaft und Sozialpolitik* und seit 1911 Privatdozent in Heidelberg. G.L. war mit den Lederers noch aus Budapest bekannt. Sie nahmen ihn auch in Heidelberg liebevoll auf und machten ihn mit vielen namhaften Persönlichkeiten des Heidelberger Geisteslebens bekannt. E.B. dürfte über die Vermittlung durch G.L. in diesen Kreis Zutritt gefunden haben. Im Frühjahr 1917 gelang E.B. die Ausreise aus dem vom Krieg gezeichneten Deutschland nach Bern mit Hilfe eines Auftrags des *Archivs für Sozialwissenschaft* zur Fertigstellung einer Untersuchung über »Politische Programme und Utopien in der Schweiz« (1918) – Zu der Trübung, die diese Beziehung erfahren hat, vgl. die Briefe Nr. 93 und 102.

6 Das in Klammern Eingefügte steht im Original zwischen den Zeilen.

7 Das in Klammern Eingefügte steht im Original zwischen den Zeilen, beginnend über »Garmisch« und sich insgesamt über vier Zeilen erstreckend.

8 Das in Klammern Eingefügte steht im Original zwischen den Zeilen, beginnend über »reizvollere«.

9 Das in Klammern Eingefügte steht im Original zwischen den Zeilen.

10 In Hegels Briefen ist häufig von Wein und Bier die Rede.

11 Else von Stritzky war die Tochter eines vermögenden Großbrauereibesitzers aus Riga. Vgl. auch Brief Nr. 48, Anm. 1 und Brief Nr. 50 bei Anm. 5.

12 Worum es sich hier gehandelt haben mag, war nicht mehr zu klären.

13 Das in Klammern Eingefügte steht im Original zwischen den Zeilen.

14 Dieser erste Zusatz wurde an den unteren Rand der letzten Seite des Briefes geschrieben. Vermutlich stammt der Brief aus München, weil E.B. in Bayreuth Wagner hören wollte, wie er auch später (nach 1949) jedes Jahr zu den Wagner-Festspielen fuhr. Zu E.B.s späterer Auseinandersetzung mit Wagner vgl. »Paradoxa und Pastorale bei Wagner« und »Über Beckmessers Preislied-Text« (beides in: *Lite-*

rarische Aufsätze. GA Bd. 9), sowie »Rettung Wagners durch surrealistische Kolportage« (in: *Erbschaft dieser Zeit*, GA Bd. 4, S. 372ff.). – Wagner spielt jedoch schon im *Geist der Utopie* eine bedeutende Rolle (vgl. GA Bd. 16, S. 130ff. und GA Bd. 3, S. 97ff.).

15 Es handelt sich wohl (vgl. Brief Nr. 65, Anm. 7) um E.B.s Heidelberger Wirtin und Nachbarin, der dieser ironische Kosename beigelegt wurde. »Thatagata« ist die Bewährung der Gebetskraft in der buddhistischen Religion.

16 Der zweite Nachsatz steht auf der ersten Seite des Briefes, quer zum anderen neben den Briefkopf geschrieben.

Nr. 48   [Postkarte]
23.2.
[Poststempel:] München, 23.2.[19]13

Mein lieber Djoury, leider muß ich Dir mitteilen, daß der Export[1] nach Wladiwostock wegen der neu erwachten japanischen und vor allem amerikanischen Konkurrenz etwas zurückgegangen ist. Dagegen ein neues Absatzgebiet im malaiischen Archipel (wo die Piraten[2] ihre Stinkbomben werfen) erschlossen. Wir haben 80 Fuhrleute in der Brauerei und füllen (natürlich außer den Fässern, deren Zahl ich nicht kenne) täglich 350000 Flaschen ab. Jetzt auch Unterhandlung wegen Bremer und Hamburger Versand, sodaß wir in Heidelberg unser eigenes Bier trinken können. Und doch Wiener Küche, dazu noch viele Besonderheiten aus der russischen Küche, besonders Vorspeisen und Gebackenes. Else wird sich ein kleines Atelier[3] einrichten und weiter Mathematik studieren. Also zwei Sachen, die gar nicht in mein Ressort gehören. Vielleicht kannst Du ihr etwas helfen. Es kommt hier nur auf[4] das Wissen an, wie man ein Werk macht, und nicht auf Ergebnisse. Um so besser, wenn sie noch ein Weiteres kann. In inniger Freundschaft und Dankbarkeit.

Dein Ernst[5]

1 Gemeint ist der Export von Bier aus der Großbrauerei der Stritzkys in Riga. Vgl. Brief Nr. 47, Anm. 11 und Brief Nr. 50, Anm. 5.
2 Es ist nicht eindeutig zu klären, was E.B. hier meint. Jedenfalls hatten ab 1909 die Briten ihr Kolonialgebiet auf der malaiischen Halbinsel arrondiert. Als Folge der durch die Kolonialmacht energisch vorangetriebenen wirtschaftlichen Umwälzungen entstand in Indonesien wie auch in den anderen Staaten Südostasiens eine einhei-

mische bürgerliche, nationalistisch gesinnte Gesellschaftsschicht. Mit der Gründung einer »Islamischen Vereinigung« im Jahre 1912 wurde der Nationalismus in Indonesien zu einer Massenbewegung. Bei den von E. B. erwähnten »Piraten« dürfte es sich um gegen die Engländer kämpfende nationalistisch gesonnene Indonesier handeln.
3 Else von Stritzky war von Beruf Bildhauerin.
4 Im Original völlig unleserliches Wort, dem Sinn nach muß es jedoch »auf« heißen.
5 Der Gruß steht kopfüber am oberen Rand.

Nr. 49   [Postkarte]
[vermutlich Anfang März 1913][1]
[Poststempel:] Garmisch

Lieber Djoury, bitte schreibe mir den Namen und die Adresse des Zigomar.[2] Ich möchte ihm das Bild des Cellospielers abkaufen und der Alten[3] zum Geburtstag schenken. Wieviel kann er ungefähr dafür verlangen? Außerdem bitte Vedres'[4] Adresse. Es ist jetzt Zeit für die Bronzeplakette. Darf ich sie Dir auch schenken. Sie würde sich unter den alten Möbeln gut machen. Wir werden außer dem Mahagoni[5] keine alten Möbel haben, wir haben beide eine unangenehme Impression von dem Holz mit fremden alten Schicksalen. Es gibt auch[6] jetzt sehr schöne Sachen, und alt sind wir selbst.

Mit Liebe.
Dein Ernst

von Else viele Grüße.[7]

1 Die Karte hat weder Orts- noch Zeitangabe. Der Kontext (Zigomar, Bild, Geschenk für die Alte) ergibt jedoch eindeutig, daß sie vor Brief Nr. 51 einzuordnen ist. Sie dürfte nur wenig zuvor geschrieben worden sein. Da G.L. jedoch in der Zwischenzeit geantwortet hat, muß sie vor Brief Nr. 50 geschrieben sein.
2 Die ungarischen Herausgeber der Briefe vermuten, daß Dezső Czigany mit dem »Zigomar« gemeint ist, dessen Bild »Frau mit Cello« ungefähr gleichzeitig entstand. Dieses Bild befindet sich heute im Besitz der Ungarischen Nationalgalerie.
3 Gemeint ist wohl Frau Erdmann, bei der E.B. damals in Garmisch gewohnt hatte.
4 Mark Vedres (1870-1961), Bildhauer. Er gehörte zur Budapester Künstlergruppe »Die Acht« und war mit G.L. befreundet. Vedres hat – nach den ungarischen Herausgebern – im Frühjahr 1912 Bronzeplaketten von E.B. und G.L. angefertigt, von denen aber im Katalog seiner Werke nur die Plakette mit dem Porträt von G.L. erwähnt wird.
5 Gemeint ist ein Mahagoni-Schrank. Vgl. Brief Nr. 51.

6 Alles folgende steht, links unten beginnend, am Rand.
7 Der Nachtrag steht auf der Vorderseite quer am oberen Rand.

Nr. 50

[Postkarte]
[Datum des Poststempels:] Garmisch, 9. 3. [19]13

Mein lieber Djoury, bitte sei so gut und schicke mir das Paul Ernst-
sche Credo[1] (für Else) und jenen Band der Präludien[2], in denen der
Spinoza steht. Ich habe wieder mit der Arbeit begonnen (geht wieder sehr gut)[3]; es wird mit der offiziellen Heirat leider noch einige
Zeit dauern, weil wir es mit russischen Behörden zu tun haben. Wir
fahren morgen nach München (aber dann wieder hierher zurück)[4],
um alles wegen der Einrichtung zu besorgen. Ich denke, eine 8 Zim-
mer-Villa in der Nähe der alten Brücke wird am besten sein. Ich
werde mich jetzt übrigens mit dem (schon lange in Riga erwünsch-
ten) Export unseres Ale und Porter[5] in Deutschland beschäftigen.
Ich werde Dorn dafür (Lederer?)[6] interessieren und daran beteili-
gen. Ganz großer Stil, sicher 100000 M[ark] Reingewinn. Weißt
Du, daß Friedländer[7] eine Psychologie und Logik in einer ganz
unmöglichen Sammlung geschrieben hat?

Dein Ernst

1 Der Essay »Ein Credo«, den Paul Ernst 1912 veröffentlicht hatte.
2 E. B. meint Wilhelm Windelbands *Präludien. Aufsätze und Reden zur Einführung
in die Philosophie*; 2 Bde., Erstauflage 1884.
3 Das in Klammern Eingefügte steht im Original zwischen den Zeilen.
4 Das in Klammern Eingefügte steht im Original zwischen den Zeilen.
5 Vgl. dazu Brief Nr. 47, Anm. 11 und Brief Nr. 47, Anm. 1.
6 Vgl. Brief Nr. 47, Anm. 5.
7 Salomo Friedländer (1871-1946), Philosoph und Schriftsteller. Er studierte und
lebte bis 1933 in Berlin als freier Literat, emigrierte dann nach Frankreich. Er schrieb
– häufig unter dem Pseudonym Mynona (= Umkehrung von anonym) populärwis-
senschaftliche Werke und literarische Grotesken. Nach Büchern über Schopenhauer
und Jean Paul erschien 1911 seine Monographie über Nietzsche.

Nr. 51   [Postkarte]
                                           10.3.[19]13

Lieber Djoury, der Zigomar[1] verlangt 1500 Kronen, das ist das
Dreifache. Was soll ich darauf schreiben? Und: ich habe eingese-
hen, daß es besser ist, der Alten[2] als Qittung für das wenige Gute
und als Schluß einen Perser zu kaufen. Ist nun Zigomars Bild gut
genug, um von mir als eines der wenigen Bilder unserer Wohnung
angeschafft zu werden? Oder weißt Du von Kernstock[3] etwas
Gutes? Bitte gib rasch Antwort. Else ist in München. Wir haben
schon fast alles gekauft, d. h. alles wird mit[4] Ausnahme eines hinreißenden Mahagoni-Schrankes neu mit einigen Nuancen der Modelle
angefertigt. Also erst in zehn Wochen frühestens zu haben. Die
Baumgarten-Bendemannchose[5] erledigt.

                                           Dein Ernst

1 Vgl. Brief Nr. 49, Anm. 2.
2 Vgl. Brief Nr. 49, Anm. 3.
3 Károly Kernstock (1873-1940); ungarischer Maler und Vorkämpfer des Kon-
struktivismus in Ungarn, Leiter der Malervereinigung »Die Acht« sowie der Kunst-
politik während der Räterepublik. Er wirkte eher als Organisator und Programmge-
ber denn mit seiner Malerei.
4 Alles folgende hat E. B. auf die erste Seite der Karte vom linken unteren Rand nach
oben rechts und dann am Briefkopf geschrieben, teilweise den Anfangstext der Karte
überlappend.
5 Da weder die Briefe Baumgartens noch die von Frau Bendemann zur Verfügung
standen, hier der plausible Kommentar der ungarischen Herausgeber: »Wie es aus
den Briefen von Franz Baumgarten an Lukács hervorgeht, wollte er Fühlung mit
Margarete Susman aufnehmen und dazu die Empfehlung von Lukács an Margarete
Susman haben. Es ist anzunehmen, daß Lukács die Empfehlung Blochs für sinnvol-
ler hielt, und Bloch war der Bitte nachgekommen. Dies wird im Brief von Baumgarten an Lukács vom 25. 3. 1913 bestätigt: ›Morgen gehe ich zu Frau v. B., an die Bloch
geschrieben‹« (a. a. O., S. 331 f.).

Nr. 52   [Postkarte]
                                                    [Garmisch,] 14. 3. [19]13

Lieber Djoury, das ist ja unerhört. 300 Seiten! Aber: bitte warte mit
dem Manuskript.¹ Was Else anbelangt, so möchte sie es gerne mit
Ruhe und ganz gesammeltem Bewußtsein lesen, und ich möchte die
paar Tage, die ich noch hier bleibe, alle meine Zeit auf die Rangie-
rung meiner seit Monaten gestörten erkenntnistheoret[ischen] Verhältnisse verwenden. Aber in ungefähr zehn Tagen in Heidelberg. –
Ich bin erstaunt², je mehr ich Else kennenlerne, dieses lustig raffi-
nierte, maßlos gute, intensive und vor allem unerhört intuitive
Mädchen (sie hat jede Minute einen anderen braven Gedanken, sehr
tüchtig gesinnt und sehr ernsthaft, besonders vor jedem Krieger-
denkmal), wo ich vorher Ohren, Augen, Herz und Sinn gehabt
habe. Wir fahren Sonntag nach München zur Matthäus-Passion.
Und dann kommt Tristan.³ Aber auch Porter-Export!⁴ Das sind
Erfüllungen, alles wird ganz rund. (Nur die arme Else nicht.)⁵

                                                          Dein Ernst⁶

Wir haben sicher 2 Millionen, möglicherweise sogar 3, drei Mil-
lionen.⁷

1 Es muß sich um G. L.s Arbeit an einem kunstphilosophisch-ästhetischen System
handeln, die er im Winter 1911/12 in Florenz aufgenommen und diesen Plan 1912-
1914 in Heidelberg ausgearbeitet hatte (vgl. G. L., *Werke*, Bd. 16, Darmstadt und
Neuwied 1974). Er entwickelte hier u. a. die Trennung von Ethik und Ästhetik. 1914
brach G. L. die Arbeit ab und wandte sich statt dessen Fragen der Geschichtsphilosophie und der Ethik zu, die die Form eines Buches über Dostojewskij erhalten
sollten. Auch diese Arbeit blieb unvollendet; die dafür als Vorspann geplante *Theorie des Romans* sollte jedoch bedeutend genug werden.
2 Im Original folgt durchgestrichen: »wenn ich«.
3 Was E. B.s Beziehung zu Richard Wagner angeht, vgl. Brief Nr. 47, Anm. 14.
4 Vgl. Brief Nr. 47, Anm. 11.
5 Das in Klammern Stehende wurde nachträglich zwischen den Zeilen eingefügt.
6 Der Gruß steht kopfüber auf dem Rand.
7 Der Nachtrag steht auf der ersten Seite des Briefes kopfüber zwischen Datum und
Textbeginn.

Nr. 53   [Postkarte]
                                                      28.3.
[Datum des Poststempels:] Garmisch 28.3.[19]13

Lieber Djoury, ich werde Montag abend 6.42 in Heidelberg
ankommen. Allein, aber wir werden doch im [. . .]¹ zu Abend essen.

                                                   Dein Ernst

1 Im Original unleserlich; die ungarischen Herausgeber entziffern »Viktoria«.

Nr. 54   [Postkarte]
                                         [München] 14.4.[19]13

Lieber Djoury, soeben lese ich von der Ernennung Lasks¹: mein
»Glückwunsch«, nun ist ja Heidelberg die Gnade widerfahren, die
Residenz unserer Philosophie zu sein. Wartest du etwas Höheres?
Bitte schreibe es mir nach Garmisch; ich werde morgen abend wie-
der dort sein.

                                                   Dein Ernst

1 Emil Lask (1875-1915) Philosoph und – wie E.B. – Schüler von H. Rickert. Lask
war ab 1913 als Professor in Heidelberg. In seinen erkenntnistheoretischen und
werttheoretischen Schriften bemühte er sich um eine Weiterentwicklung der philosophischen Ansätze von Rickert und W. Windelband. – Mit G.L. verband Lask
anfänglich gegenseitige Hochachtung und später intime Freundschaft.

Nr. 55   [Postkarte]
                                        Garmisch, 28.4.[1913]

Lieber Djoury, wie mir die Base¹ schrieb, bist Du in Pest.² Ich habe
eine Bitte an Dich: vorgestern wurde ich mit der Erk[enntnis]theo-
rie³ ganz fertig (diesem unwürdigen Geschäft)⁴ und werde über
unser aller (wenigstens teilweise)⁵ ehemaligen Kollegen Don Qui-
chotte einen Dialog⁶ zwischen Bernhard und Christoph für die
Frktr. Ztg. [Frankfurter Zeitung]⁷ schreiben. Welches ist die beste

Übersetzung? Es werden wunderbare Sachen in diesem Dialog stehen. Grüße herzlich Herbert [Bálacs] und Frau Edith, auch die Vedres. Dasselbe soll ich Dir von Else sagen.

Dein Ernst

1 »Base« war der Kosename für Emma Lederer.
2 Budapest.
3 Zu E. B.s damaligem Systementwurf vgl. v. a. die Briefe Nr. 8, 9, 12, 18 und 103. Danach sollten Logik und Erkenntnistheorie in den »Einleitenden Teil« kommen.
4 Das in Klammern Eingefügte steht im Original zwischen den Zeilen.
5 Das in Klammern Eingefügte steht im Original ebenfalls in Klammern, zwischen den Zeilen.
6 Den Plan, seinen Essay über Don Quixote in Dialogform abzufassen, hat E.B. rasch wieder fallenlassen. Vgl. Brief Nr. 58 gegen Schluß. In den *Argonauten* (II. Jg. Heidelberg 1915, S. 105 ff.) erschien ein Essay von E. B. mit dem Titel: »Über Don Quixote und das abstrakte Apriori«. Der Text wurde auch in *Geist der Utopie* (GA Bd. 16, S. 53-67) unter dem Titel: »Der komische Held« übernommen; und noch in *Prinzip Hoffnung* (GA Bd. 5, S. 1216-1235) kehrt Don Quixote wieder. Vgl. auch Brief Nr. 11, Anm. 1. Unter dem Titel »Der andere Don Quixote« veröffentlichte E. B. (in: *Die weißen Blätter* 1917, H. 4, S. 79-87) eine gekürzte Version des in den *Argonauten* erschienenen Essays.
7 Vgl. Brief Nr. 20, Anm. 9.

Nr. 56   Garmisch, den 6. Mai [19]13
                                          [Briefkopf:] Hotel Neu-Werdenfels Garmisch.

Mein lieber Djoury, das sind sehr unersprießliche Nachrichten! Heute habe ich sehr leichte Zigarren entdeckt, wirklich fast ohne Nikotin, dabei doch wenigstens Rauch und ausgeprägter Tabakgeschmack. Sie heißen Würzburger Banditenzigarren und sind in einem Papieretui 20 Stück zu 85 Pfennig zu haben und dabei wirklich besser, als der von Honigsheim[1] erfundene 8,05 Pf.-Preis vermuten läßt. Nein, ich habe bisher nur weniges in Deinem Manuskript[2] gelesen; denn ich fand, daß es angemessener ist, das Ganze zu lesen, und dazu habe ich erst jetzt Zeit. Heute abend, in einer halben Stunde, kommt meine Braut aus München zurück, und wir werden uns jetzt nicht mehr trennen. Ich selbst habe die Zwischenzeit der Einsamkeit von oben bis unten mit Arbeit vollstopfen können, habe über 100 Seiten geschrieben, und seit heute morgen 9.25[h] liegt »Die Welt und ihre Wahrheit als utopisches Problem« 280[3]

Seiten stark bereit, um Else in die Hände gelegt zu werden. Ich bin
einem sehr schwierigen Naturproblem auf das [sic!] Spur gekom-
men, über das ich sehr gern mit Dir reden möchte. (auch den neuen
Begriff dreifacher Standindexe der Kategorien eingeführt und den
Begriff des Stichworts sehr merkwürdig vertieft.)[4]
Übrigens, hast Du die Karte, die ich nach Pest[5] schrieb, bekommen?
Ich fragte Dich nach der besten Quixote-Übersetzung. Jetzt hat mir
Else die aus dem Insel-Verlag besorgt, ich werde von morgen ab
intensiv darin lesen (weshalb hast Du mir nie gesagt, wie sehr ich ihm
ähnlich war?)[6] und einen Essay über diesen meinen früheren Kolle-
gen (jetzt wo die Wirklichkeit blüht) schreiben[7]. Für die Frtr. Ztg.
[Frankfurter Zeitung][8] Ich habe großartige Dinge dafür zurechtge-
legt und werde in dieser Gestalt nicht nur das maßlose Problem der
Komik begreifen können, sondern auch alle Gefahren und Mißver-
ständnisse meiner erk[enntnis]-theoret[ischen] Methode darstellen.
Übrigens die Oper[9] ist mäßig, ich habe von Bote u[nd] Bock[10] den
Auszug als »Ehrenexemplar« zugeschickt bekommen.
Wir haben hoffentlich in 14 Tagen Hochzeit. Else wird sich hier noch
von all den Einkäufen erholen, spazieren gehen und Karl May lesen.
Dann 8 Tage Würzburg, dann in unser Haus, das ich nun schon seit
sechs Tagen mit all den Möbeln (und dem Flügel)[11] besitze.
Bitte, lieber Djoury, werde wieder gesund und schreibe einen Deiner
moralischen Essays.

Von ganzem Herzen Dein Freund!
Ernst

1 Paul Honigsheim (1885-1967), Soziologe in Heidelberg, Schüler von Jellinek und
Troeltsch. Er war von 1919-1933 Direktor der Volkshochschule Köln, emigrierte
1933 und lehrte seit 1938 an der Michigan State University Soziologie und Ethnologie.
Er arbeitete besonders über Wissens-, Religions- und Agrarsoziologie und schrieb
seine Erinnerungen an den Max-Weber-Kreis: On Weber, New York 1968.
2 Vgl. Brief Nr. 52, Anm. 1.
3 Zahl schwer leserlich, könnte auch »380« heißen.
4 Das in Klammern Stehende wurde im Original teils am oberen Rand der Seite, teils
in den freien Platz zum nächsten Absatz eingefügt.
5 Pest = Budapest. Vgl. Brief Nr. 55.
6 Das in Klammern Stehende wurde im Original, ebenfalls in Klammern, zwischen
den Zeilen eingefügt, beginnend über »und einen Essay«.
7 Davor steht im Original durchgestrichen: »und dies«.
8 Vgl. Brief Nr. 20, Anm. 9.

9 Um welche Oper es sich hier handelt, war nicht mehr zu ermitteln.
10 E. B. meint wohl den Musikverlag Ed. Bote und G. Bock, Berlin.
11 Das in Klammern Stehende wurde im Original zwischen den Zeilen eingefügt.

Nr. 57   [Postkarte]
[Briefkopf:] Hotel Post, Garmisch
[Datum des Poststempels:] Garmisch, 12. 5. [19]13

Lieber Djoury, meinem letzten leichtsinnigen, oberflächlichen und
kindlich auftrumpfenden Glücksbrief folgt das Dunkel auf dem
Fuße. Es steht um Else nicht gut[1], es ist ein beständiges Ringen, um
sie irgendeiner neuen organischen Pfuscherei zu entreißen. Dabei
geht es durchaus nicht um eine ernste Krankheit oder um schlechtes
körperliches Material. Dann wäre alles hart, rauh und einmalig zu
entscheiden. Sondern Gesichtsneuralgie, dazu maßlose ärztliche
Dummheiten in der Behandlung. Hoffentlich kommt bald Licht. –
Viel in den letzten Tagen in Deinem M[anu]skript[2] gelesen. Hätte
viel dazu zu sagen.

Von Herzen!
Ernst

1 Zur Krankheit von Else Bloch-von Stritzky vgl. Brief Nr. 10, Anm. 34.
2 Vgl. Brief Nr. 52, Anm. 1.

Nr. 58

Garmisch, 14. 5. [19]13

Mein lieber Djoury! Ich habe es bereits von der Base[1] gehört, daß
Du Deine Möbel kommen lassen willst[2], und Du kannst Dir meine
Freude darüber denken. Hoffentlich ist alles andere, was Dich und
mich gegenwärtig quält, vorübergehend. Nun bin ich bereits seit
zwei Wochen im Besitz der Villa, und es können [sic!] noch weitere
fünf Wochen dauern, bis ich kommen kann. Ich habe Dir nicht
geschrieben, daß ich Else bei meiner Rückkehr in der Kranken-
abteilung des Diakonissenhauses, umwittert von kathol[ischem]
Geruch, schleichenden Schwestern und ringsum vom Tod umge-

ben, besuchen mußte. Sie sah sehr elend aus, ganz wie die Kat[h]a-rina von Emmerich[3], wie sie uns der große Meister Gabriel Max[4] verewigt hat, von schlohweißen Tüchern eingebunden. Sie hat sich, während sie dummerweise außen auf der Elektrischen stand, einen sehr heftigen Anfall von Neuralgie geholt. Nun, es ging nach zwei Wochen vorbei und sie schaffte in München wie eine Wahn-witzige an unserer Einrichtung. Sie kam Dienstag, ich war glück-lich, wie gut sie aussah, ganz wie der junge Cromwell[5], wenn sie das Haar – gelöst hatte: aber am Donnerstag morgen war das Unglück da. Sie hatte am Abend vorher, als ich ihr gute Nacht gesagt hatte, einen der schlimmsten Choks erlitten und mit Frau Erdmann, ohne daß ich eine Ahnung hatte, die ganze Nacht unter Weinkrämpfen gewacht. Denn die ärztlichen Schafe hatten ihr den Hinterkopf mit Röntgenstrahlen photographiert, und der starke Hautreiz wirkte so unheimlich nach, daß ihr, während sie ihr Haar für die Nacht kämmte – wundervolles, langes, seidiges, dunkel-goldblondes Haar – eine ganze dicke Strähne wie abgeschnitten in der Hand blieb. Es ist eine kahle Stelle entstanden, so groß wie eine Kaisersemmel. Sie fuhr gleich nach München, und es sind jetzt die besten Aussichten, daß die Haare wieder wachsen. Auch läßt sich bis dahin alles[6] durch die Frisur verstecken (bitte sage nichts der Base davon)[7]. Du kannst Dir denken, wie das eine Frau aufregen muß und gerade jetzt. Es ist noch schlimmer, daß sie für mich stets ihre heitere, strahlende Stimmung bereit halten will. Sie lag die ganze Zeit im Bett, heute einige Stunden auf; wie es scheint, gehen auch die erneuten neuralgischen Anfälle endgültig vorbei. Sie sieht sehr angegriffen aus, und dies alles mitten im Mai, unter neuem Laub Sonne und während ringsum strotzendes weibliches Schlachtvieh umherläuft.

Ich finde die methodische Einleitung Deines M[anu]skripts[8], die-ses endlose »Aber es wäre zu bedenken« oder die fortdauernden Zweiteilungen von Problemen nicht richtig. Ich glaube, daß auch andere fühlen müssen, daß dies im Schillerschen Sinn sentimenta-lisch[9] ist und dazu keinen Dir angemessenen Wert repräsentiert. Es ist quälend und langweilig. Später wird alles gut, und die Mischung von Essay und Sagazität[10] ist auch stilistisch sehr reiz-voll, dazu ist das Ganze von einer prachtvollen, stets erkennbaren Disposition und Systematik umspannt. Ich bin leider jetzt nicht in der Stimmung, um das Ganze in einem Zug zu lesen, wie ich gewünscht habe, will mich aber jetzt dahinter machen.

Selbstverständlich weiß Else nicht, daß ich Dir von dem Unsinn schreibe, der ihr zugestoßen ist. Aber ihr Bild steht Dir fest genug, daß es von solchen peripheren Angelegenheiten nicht tangiert wird. Überdies wird ja alles Kosmetische wieder gut, und als Episode läßt sich ruhig mitteilen, was als Endgültigkeit zu verschweigen gewesen wäre.

Ich bin von der Arbeit[11] müde, lese Quixote, mache dazu weiter Notizen und bin zu allem übrigen Druck auch von einer ekelhaften Neuwendung dieser verfluchten zweiten Natur[12] gequält. Ich sehe hier noch nichts Klares, aber es muß noch kommen. Dies soll zuerst fertig werden, bevor ich an den Quixote[13] gehe mit seiner merkwürdigen Art[14], die richtig stellende Wirklichkeit statt als Entzauberung stets als Verzauberung zu betrachten. Es fehlt ihm (wie etwa bei dem Ritter Zendelwald[15] bei Keller)[16] ganz das spekulative Pathos seinen utopischen Gebilden gegenüber, zwischen ihm und Faust[17] trägt sich das ganze Schicksal meiner Philosophie zu. Ich wollte zuerst einen Dialog[18] zwischen Dir und mir daraus machen, aber das kann ich nicht und wäre überdies bei meiner notorischen Unfähigkeit, andere Uhrwerke schlagen zu lassen, eine falsche und abgesehene Form.

Nun alles Gute, mein lieber Djoury! Es geht Dir ja wieder besser, und die Würzburger Banditenzigarren kannst Du ruhig rauchen. Gibt es sie nicht in Heidelberg? Ich werde Dir gerne einige Schachteln von hier aus schicken.

Laß Dich von Herzen
grüßen!
Dein Ernst

1 Emma Lederer.

2 G. L. wohnte bis zu seiner Heirat mit Lena Grabenko im Frühjahr 1914 in Heidelberg, Uferstraße 8/a.

3 Anna Katharina von Emmerich (1774-1824), stigmatisierte Nonne von Dülmen, wurde 1802 Augustinerin im Kloster Agnetenburg bei Dülmen, wo sie auch nach dessen Aufhebung (1812) lebte. Seit 1812 zeigte sich bei ihr die Stigmatisation. Clemens Brentano gestaltete ihre Visionen vom Leben und Leiden Jesu und Mariens literarisch. Ihr Seligsprechungsprozeß läuft seit 1892 ohne Ergebnis; die Kirche zeigt ihr gegenüber Zurückhaltung.

4 Gabriel von Max (1840-1915), Maler. Er malte weibliche Bildnisse und Akte, später besonders Bilder von kranken Menschen und realistische Darstellungen von Menschenaffen. E.B. meint das 1880 entstandene Werk »Die exstatische Jungfrau Katharina Emmerich«.

5 Oliver Cromwell (1599-1658), englischer Staatsmann, strenger Puritaner und einer der Führer gegen den Absolutismus Karls I., den er 1649 hinrichten ließ. In ständigem Kampf mit dem Parlament hatte Cromwell als Lord Protector eine gleichsam monarchische Stellung und herrschte zeitweilig sogar als reiner Militärdiktator. Mit seinen außenpolitischen Erfolgen gegen die holländische Handelsrivalität und gegen die See- und Kolonialmacht Spaniens begründete er die englische Weltstellung.

6 Schwer leserliches Wort; könnte auch »das« heißen.

7 Das in Klammern Stehende hat E.B. im Original, ebenfalls in Klammern, zwischen den Zeilen eingefügt.

8 Vgl. Brief Nr. 52, Anm. 1. Später hat E.B. diese Kritik wieder weitgehend zurückgenommen. Vgl. Brief Nr. 81 gegen Schluß und Brief Nr. 93, wo er sich erneut distanziert.

9 Schiller nennt eine Dichtung, die die Sehnsucht nach der verlorenen Natur und Natürlichkeit ausdrückt, sentimentalisch, im Gegensatz zur naiven. Naive Dichtung ist durch Nachahmung des Wirklichen der sie umstellenden Natur bestimmt, sentimentalische Dichtung durch Darstellung des Ideals. Vgl. F. Schiller, *Über naive und sentimentalische Dichtung* (1800).

10 Heute veralteter Ausdruck für: Scharfsinn.

11 Vgl. Brief Nr. 56, wo E.B. von der Fertigstellung eines umfangreichen Manuskriptes mit dem Titel »Die Welt und ihre Wahrheit als utopisches Problem« berichtet.

12 Dies bezieht sich wohl auf E.B.s Erwähnung in Brief Nr. 56, er sei einem sehr schwierigen Naturproblem auf die Spur gekommen.

13 E.B. plante damals einen Aufsatz über Don Quixote, der auch tatsächlich 1915 in den *Argonauten* erschien. Vgl. Brief Nr. 55, Anm. 6.

14 Im Original steht vor »die« durchgestrichen: »stets«.

15 Anspielung auf die Geschichte von G. Keller (1819-1890), »Die Jungfrau als Ritter«, eine der *Sieben Legenden*, die 1872 erschienen. In dieser Geschichte entschließt sich die heilige Jungfrau Maria zu einem weltlichen Bravourstück: In der Gestalt des Ritters Zendelwald, eines liebenswürdigen, aber träumerisch-tatenlosen jungen Herrn, gewinnt sie bei einem Turnier die Hand der verwitweten, vielbegehrten Bertrade – und von Stund an verließ »den Ritter Zendelwald alle seine Trägheit und träumerische Unentschlossenheit«. – Keller gehörte zu den Lieblingsautoren E.B.s. Vgl. GA Bd. 9, S. 579ff.: »Über ein Gleichnis Kellers«.

16 Das in Klammern Eingefügte steht im Original ohne Klammern zwischen den Zeilen.

17 Hier wiederum ein wichtiges Motiv, das in E.B.s Philosophie immer wieder anklingt. Später jedoch spielt der Vergleich nicht mehr zwischen Don Quixote und Faust, sondern vor allem zwischen Hegels *Phänomenologie des Geistes* und Goethes *Faust*. Vgl. dazu *Subjekt – Objekt* (GA Bd. 8, S. 59ff.); *Tübinger Einleitung* (GA

Bd. 13, S. 49-89); *Das Prinzip Hoffnung* (GA Bd. 5, S. 1175-1200); hier taucht auch
Don Quixote noch einmal auf: GA Bd. 5, S. 1216ff.
18 Vgl. Brief Nr. 55 bei Anm. 6.

Nr. 59   [Postkarte]
[Datum des Poststempels:] Garmisch, 26. 5. [19]13

Lieber Djoury, zum ersten Mal wieder mit der brillant, maßlos vornehm, blond, blauäugigen (strahlend groß) und bedeutend ausse-
henden Else[1] zum Abendessen gegangen. Wir sprechen darüber,
daß die nächste Wirtschaft 20 Minuten von unserem Haus entfernt
ist, sodaß wir auf Flaschenbier angewiesen wären. Dagegen schlägt
Else vor, ab und zu ein Faß von 20 Litern (das Mindestmaß) aufzu-
legen, aber wo dazu die Herrengesellschaft (vier Mann) herneh-
men? Nachdem es fast nur[2] Leimsieder gibt. Ich bekomme die Chateaubriands so groß, wie ich will. – Große Freude an Deiner Ethik.[3]
Habe sofort an Frau [...][4] geschrieben. Stehe in der Mitte Deines
Manuskripts, mußte leider unterbrechen, weil ich eine eingehende
Auseinandersetzung mit Spinoza[5] aus tiefen Gründen in das erste
Kapitel einfügen[6] mußte.

                                                        Von Herzen!
                                                        Dein Ernst

Gestern wunderbare Lampen in München gekauft.[7]

NB. Ich habe eigens für Sie einen schönen großen Baart-Krug![8]
Herzlichen Gruß. Ihre Else von Stritzky.[9]

1 Im Original folgt ein schwer leserliches, durchgestrichenes Wort; es könnte
»sicher« heißen.
2 Es folgt ein schwer leserliches, durchgestrichenes Wort, das ebenfalls »Leimsieder« heißen könnte.
3 Hier ein Hinweis, der vermuten ließe, daß es sich bei dem Manuskript um die
geplante Habilitationsschrift über den Zusammenhang von Ethik und Ästhetik im
Werk Dostojewskijs handelt (vgl. Brief Nr. 52, Anm. 1). Zeitlich kann das jedoch
nicht stimmen. E.B. spricht denn auch in Brief Nr. 81 gegen Schluß von G.L.s
»Ästhetik« und erwähnt, daß der »Produktionsprozeß zwei Jahre alt« sei. Wenn
diese Zeitangaben stimmen, muß es sich auch hier um G.L.s Ästhetik handeln.
4 Schwer leserliches Wort; die ungarischen Herausgeber entziffern: Uexküll; even-

tuell könnte es sich um die in Brief Nr. 20 erwähnte Shakespeare-Forscherin handeln.

5 Baruch Spinoza (1632-1677), holländischer Philosoph, wurde 1656 wegen religiöser Irrlehre mit dem Bannfluch der jüdischen Gemeinde belegt. Sein berühmtestes Werk, die *Ethik, nach geometrischer Methode dargestellt*, erschien erst nach seinem Tod 1677. Spinoza entwickelte darin in einem deduktiven Verfahren die Konsequenz seines pantheistischen Substanzmonismus. Danach ist Gott die einzige unteilbare, unendliche Substanz; ihr kommen unendlich viele Attribute zu, von denen aber nur Denken und Ausdehnung erkennbar sind. Gott und die Natur sind ein und dasselbe (*deus sive natura*), da alles, was ist, aus der einen Substanz notwendig folgt. Alle endlichen Erscheinungen (Dinge und Ideen) sind Modi (Daseinsweisen) der einen Substanz. Als Ursache seiner selbst (*causa sui*) ist Gott zugleich die Ursache aller Dinge. Ein jenseitiger Gott läßt sich daher ebensowenig denken wie ein der absoluten Substanz nicht integriertes Ding. Da sich alles nach kausal-mechanisch ablaufenden Gesetzen in der einen Substanz vollzieht, ist auch die aristotelische Lehre von den Zweckursachen hinfällig. – Basis seiner *Ethik* ist die Affektenlehre von Spinoza. Das Fundament der Tugend ist danach das Streben nach der Selbsterhaltung. Dieses ist nur dadurch möglich, daß sich der Mensch der Herrschaft der passiven Affekte entzieht. Hierzu muß er sie klar erkennen und der Herrschaft der tätigen Affekte unterstellen. Höchstes Gut und höchste Tugend ist »die geistige Liebe zu Gott« (*amor Dei intellectualis*), zugleich für den Menschen die höchste Seligkeit, die der Mensch durch seine Vernunft genießt. – Spinoza hatte vor allem auf Deutschland Einfluß, zuerst über Leibniz, dann Lessing, Mendelssohn und F.H. Jacobi, Fichte, Herder, Schleiermacher; aber auch Schelling und der junge Goethe waren von ihm beeinflußt.

6 E.B. meint wohl das erste Kapitel des Manuskripts mit dem Titel: »Die Welt und ihre Wahrheit als utopisches Problem«, von dessen Fertigstellung er in Brief Nr. 56 berichtet.

7 Dieser Nachtrag von E.B. steht auf der ersten Seite der Karte am rechten oberen Rand.

8 Ein solcher Krug fand auch Einlaß in den *Geist der Utopie*, GA Bd. 3, S. 17-19, sowie Erste Fassung, GA Bd. 16, S. 13-15.

9 Dieser Nachtrag von Frau von Stritzky beginnt neben E.B.s Nachtrag, jedoch kopfüber dazu und endet am linken unteren Rand der ersten Seite der Karte.

Nr. 60   [Postkarte]
Würzburg, Hotel Kronprinz, 19.6.
[Datum des Poststempels:] 19.6.[19]13

Mein lieber Djoury, wir werden noch bis Anfang nächster Woche hier bleiben; ich habe Else selbstverständlich[1] vieles Beziehungsrei-

che² zu zeigen; wir waren in meiner alten Wohnung, haben die Frau
Rabbiner Schlesinger³ besucht. (habe zehn Mark in die zionistische
Zentralkasse gestiftet)⁴ und erfreuen uns, von vielem anderen abgesehen, an der unübertrefflichen Schönheit meiner alten Stadt. Jetzt
gerade 48 Stunden verheiratet. Ich werde Montag⁵ Mittag gegen 3ʰ
zu Dir kommen.

Dein Ernst

Else sieht jetzt meistens aus wie ein Schubertsches Lied.⁶

ich schreibe nur deshalb so zitterig, weil ich gerade eine sehr
schwere Havanna versucht habe. Freundliche Grüße!

Else Bloch-von Stritzky⁷

1 Im Original sind die letzten beiden Buchstaben korrigiert, ursprünglich hieß es
»selbstverständlich«.
2 E.B. hatte seine Studienjahre von 1907 bis 1908 in Würzburg verbracht.
3 Wer hiermit gemeint ist, war nicht mehr zu ermitteln; zu E.B.s Auseinandersetzung mit dem Judentum vgl. Brief Nr. 7, Anm. 1. In den *Tagträumen vom aufrechten Gang*, Frankfurt/M. 1977, S. 110, gibt E.B. an, er verdanke sein Bekanntwerden
mit dem Judentum einer zionistisch eingestellten Studentin aus seiner Würzburger
Studienzeit. Hierbei könnte es sich um die mehrmals erwähnte Tona Gehnert handeln, deren Freundschaft mit E.B. in die Zeit seiner blitzartigen Erkenntnis des
Noch-Nicht-Bewußten fällt; vgl. E.B.s Hinweise auf diese Zeit in Brief Nr. 40,
Nr. 70 bei Anm. 22, und Nr. 91 bei Anm. 4.
4 Das in Klammern Eingefügte steht im Original zwischen den Zeilen.
5 Im Original steht durchgestrichen: »Dienstag«.
6 Dieser Nachtrag steht auf der ersten Seite der Karte am Rand von rechts unten
nach oben geschrieben. Das letzte Wort ist schwer leserlich, die Entzifferung mit
»Lied« keineswegs sicher.
7 Dieser Nachtrag von Frau von Stritzky steht auf Seite 1 der Karte am Rand von
links unten nach oben.

Nr. 61   [Postkarte]¹
[Datum des Poststempels:] Juni [19]13

Lieber Djoury, wir werden doch schon Samstag² fahren; vielleicht
bist Du so gut und kommst Sonntag gegen 3ʰ auch zur Base³, wo ich

mit Else einen Besuch machen werde. Dann kannst Du schon
abends bei uns essen.

Dein Ernst

Herzliche Grüße. Else Bloch[4]

1 Es handelt sich um eine Ansichtskarte von Veitshöchheim, königlicher Hofgarten
mit einer Orpheusgruppe. Aufgrund der Unterschrift mit Else Bloch muß die Karte
kurz nach der Eheschließung am 17. 6. geschrieben worden sein.
2 Vgl. Brief Nr. 60, Schluß.
3 Emma Lederer.
4 Dieser Nachtrag steht am oberen Rand der Karte, quer zum anderen. Auf der
Rückseite der Karte steht ein in der mir zugänglichen Vorlage völlig unleserlicher
längerer handschriftlicher Nachtrag. Die ungarischen Herausgeber entziffern folgenden rätselhaften Text: »aber nicht nur die Chateaubriands werden da [?] sein, auf
denen diese Kirche steht« (a. a. O., S. 66).

Nr. 62   [Postkarte]

[Datum des Poststempels:] Heidelberg, 1.8.[19]13
31.7.

Lieber Djoury, es geht alles gut, soweit ich die Sache beurteilen
kann. Es ist zwar eine Verschlechterung im Befinden[1] eingetreten,
aber man hat mir versichert, jenseits aller albernen Trostformen,
daß dies vorübergehend sei und in den normalen Verlauf in den
ersten Tagen der Genesung gehöre. Ich habe mir einen kleinen
Tisch in Elses Zimmer stellen lassen, an dem ich arbeite. Wir wollen
auf den baldigen und endgültigen Maschinenwechsel hoffen. Ich
sitze erinnerungsreich zum Mittagessen im Bahnhof, wo ich schon
einmal im Januar eine sinnlosere Leidenszeit angesehen habe. Hast
Du im 2. Morgenblatt der Frftr Ztg. [Frankfurter Zeitung] von
heute Martes Erwiderung[2] gelesen? Tue es, sie ist seiner würdig.
Grüße bitte Baumgarten aufs beste.

Dein Ernst

1 Zur Krankheit von Else v. Stritzky vgl. Brief Nr. 10, Anm. 34. Dieser Kranken-
hausaufenthalt war nötig geworden, weil sie operiert werden mußte (vgl. Brief
Nr. 70 bei Anm. 18).
2 Der Name ist schwer leserlich, das Gemeinte war nicht mehr zu identifizieren.

Nr. 63   Garmisch [vermutlich Mitte August 1913][1]

Lieber Djoury, bitte tu mir den Gefallen und schicke mir schleu-
nigst eingeschrieben die »Schönheit des Gedankens«[2] zu (ein einfach zusammengefaltetes Maschinen-Manuskript). Ich brauche sie
zum Don Quixote, den ich gerade schreibe.

Herzlich!

Dein Ernst

1 Die Karte ist ohne Datum; aus dem Inhalt ergibt sich jedoch eindeutig, daß sie in
die Zeit der Niederschrift des Aufsatzes über »Don Quixote und das abstrakte
Apriori« gehört. Erstmals erwähnt ist dieses Vorhaben im Brief Nr. 55 vom 28. 4.
1913, am 14. 5. (Brief Nr. 58) findet sich eine nähere inhaltliche Bestimmung und
Korrektur: es soll kein Dialog werden. Sie gehört daher in den Sommer 1913, wohl
nach der Phase der Beunruhigung über Elses Krankheit und vor G. L.s Abreise nach
Italien geschrieben. – Leider hat mir kein Original zur Verfügung gestanden; ich
folge daher der maschinenschriftlichen Übertragung des Lukács-Archivs Budapest.
Die ungarischen Herausgeber geben – als Datierung von E. B. selber! – den 5. Juni
1914 an.
2 Ein Manuskript mit diesem Titel fand sich weder im Nachlaß von E. B., noch ist es
sonstwie bekannt. Der Hinweis könnte jedoch von Brief Nr. 37 her verständlicher
werden, wo E. B. davon spricht, er müsse »den Gegensatz von immanenter und
transzendenter Ästhetik berühren«.

Nr. 64   [Postkarte]

[Datum des Poststempels:] Heidelberg, 22.8.[19]13

21.8.

Lieber Djoury, es scheint eine Karte von Dir verloren gegangen zu
sein, denn Deine Worte aus Urbino sind das Erste, was ich von Dir
höre. Es geht Else leidlich; sie ist seit zehn Tagen zuhause[1], muß
aber noch acht Tage liegen, da sich von Ferne allerlei gefährliche
Entzündungen als Nachwirkung zeigten. Wir scheinen dieser
Gefahr jetzt entgangen zu sein. Ich bin das Gegenteil von Nichts-
tun, laufe den ganzen Tag umher, ergänze das Haus, muß viel Geld
ausgeben, was mich in dieser Dichtigkeit schmerzt, und bin mehr
zum obersten Aufseher der Tapezierer geworden, als es sich selbst
für einen nicht spinozistischen Typus[2] schickt. Wie bequem ist das

Philosophieren, und wie riesengroß leuchtet (wenn es sich einmal
darum handelt, das ganze Weltall umzutapezieren) die eigentliche
Tatsphäre der Metaphysik auf. Es ist übrigens lustig, daß die eigentliche *faktische* Schwierigkeit größer ist, wenn es sich nur[3] um eine
Renovierung, als wenn es sich um das gänzliche Abtun des Welt-
prozesses und[4] der kosmischen Architektonik handelt. Ich beeile
mich aber, diese hochsommerlichen[5] Überlegungen abzuschließen.
Weiter alles Beste! Grüße Edith und Herbert[6] herzlich!

Dir treu ergeben!
Ernst

1 Vgl. Brief Nr. 62 und Anm. 1.
2 E. B. beschäftigte sich damals mit Spinoza; vgl. Brief Nr. 59, Anm. 5.
3 »nur« zwischen den Zeilen eingefügt.
4 Im Original folgt durchgestrichen: »seiner Arch ...«
5 Alles folgende steht auf der ersten Seite der Karte am linken Rand von unten nach
oben geschrieben.
6 Gemeint sind Béla Bálazs und seine Frau Edith, geb. Hajos (1888-1976).

Nr. 65   3.9.[19]13

Lieber Djoury, verzeihe, wenn ich erst jetzt schreibe. Es ist leider
ein ungünstiger Zeitpunkt für die Zahlung: wir haben uns vielseitig
verbaut und den Etat überschritten, zudem habe ich mit meinem
bisherigen Tapezier, einem Lumpen und Gauner, einen Prozeß,
den ich wahrscheinlich verlieren werde, so daß ich in drei Tagen
allein diesem Kerl 1400 M[ar]k zahlen muß; ich habe weiterhin[1] alle
Renovierungskosten des Hauses vorläufig selbst bezahlt und weiß
nicht, wann mir der Besitzer diese Summen zurückerstattet: also
kurz, um Dich nicht weiter zu langweilen, ich habe wenig flüssiges
Kapital mehr, und da Else keine Mitgift hat, sondern auf das Akkreditif angewiesen ist, so muß ich Dich bitten, noch ungefähr acht
Tage (kaum länger) zu warten, bis ich die 2100 M[ar]k an die
gewünschte Adresse[2] geben kann. Ich war gestern mit Herrn von
Stritzky in Nauheim zusammen und habe ihm das Ganze erzählt; er
ist gegenwärtig in einer schlechten Disposition barem Geld gegenüber (ich brauchte im ganzen 15000 M[ar]k), da er am 1. Oktober

60000 Rubel = 130000 M[ar]k als mittlere Rate für Neubauten und Neueinrichtungen in der Fabrik zu zahlen hat. Er steht natürlich meinen Forderungen in sehr vornehmer Haltung gegenüber, er behandelt das ganze unpersönlich und als eine durch unser Verhältnis freundlich beleuchtete Rechtssache, und ich zweifle nicht, daß nach kurzem, wenn ich die großen Mehrforderungen (die seinem puritanischen Gemüt nicht einleuchten) erledigt habe, eine regelmäßige und maschinenmäßig laufende Abwicklung der Kreditive[3] eintreten wird. Also bitte noch[4] acht Tage, es tut mir maßlos leid, überhaupt diese Frist in einem Fall, der[5] Dir und auch an sich wichtig zu sein scheint, notwendig zu haben. Frau v. Bendemann möchte an Dich schreiben, ich habe ihr Deine Adresse gegeben. Es geht[6] Else besser, die letzten Tage waren aber schlimm. Die brave Thatagata[7] kommt sehr oft und, wie es scheint, gern herüber. Sie ist aber trotzdem sehr dumm. Ich komme zu gar keiner Arbeit irgendwelcher geistiger Art. Übrigens Simon hat[8] meinen Kino-Artikel[9] abgelehnt, weil er bereits Deinen[10] angenommen hat und weil er, wie er schreibt, eine ganze Schublade voll solcher Einsendungen liegen hat. Welch glückliche, ergiebige[11] und reiche Zeit, wenn sich die Arbeiten unseres Ranges gleich schubladenweise häufen! Aber joco intermisso[12]: es geschieht mir recht, ich habe an Zeitungen nichts zu suchen, außer an der Bonner Zeitung[13], wo jetzt die Sache erscheinen wird. Hoffentlich schadet die Verzögerung des Geldes nicht allzu sehr.

Dein Ernst

1 »weiterhin« zwischen den Zeilen eingefügt.
2 G.L. scheint das Geld für Ljena Grabenko erbeten zu haben; vgl. Brief Nr. 72, Anm. 11. Aus Brief Nr. 70, Anfang und Anm. 2 geht jedoch hervor, daß E.B. annahm, das Geld solle Edith Hajos zukommen.
3 »Kreditive« zwischen den Zeilen eingefügt; im Original steht durchgestrichen: »Status«. E.B. hatte ursprünglich: »regelmäßiger und maschinenmäßig laufender Status« geschrieben und die Endungen dann verbessert.
4 Das folgende steht auf Seite 2 des Briefes am linken Rand, oben beginnend.
5 Das folgende steht auf Seite 1 des Briefes, zweizeilig am linken Rand, oben beginnend.
6 Das folgende steht auf Seite 1, dreizeilig am unteren Rand.
7 Vgl. Brief Nr. 47, Anm. 15.
8 Das folgende steht, durch Hinweispfeil mit dem normalen Text verbunden, kopfüber oben zwischen Datum und Briefbeginn.

9 E.B. meint den 1914 in den *Argonauten*, Jg. I, S. 82-90, erschienenen Aufsatz mit dem Titel »Die Melodie im Kino oder immanente und transzendente Musik«. Diese Arbeit dürfte im engen Zusammenhang stehen mit E.B.s Notierung (vgl. Brief Nr. 37), er müsse »den Gegensatz von immanenter und transzendenter Ästhetik berühren«.
10 E.B. meint den Essay von G.L., »Gedanken zu einer Ästhetik des Kinos«, der in der Tat am 10. September 1913 in der *Frankfurter Zeitung* erschien.
11 »ergiebige« zwischen den Zeilen eingefügt.
12 Lat., dem Sinn nach hier: Scherz beiseite.
13 Auch daraus scheint nichts geworden zu sein; vgl. oben, Anm. 9.

Nr. 66   Heidelberg, 5.9.[19]13

Lieber Djoury, ich habe eine Bitte an Dich, die Du mir hoffentlich leicht erfüllen kannst. Nämlich: ich habe ganz entschieden, weil ich das Zeug nicht mehr ansehen konnte, Elses Möbel und das Dielenmöbel herausgeworfen, gezwungenermaßen meine gegen das Alter der alten Möbel gerichteten Antipathien hygienischer und okkulter[1] Art niedergekämpft und stehe mit vier Antiquaren in Unterhandlungen wegen schöner alter Sachen, von denen sich bereits ein großer Teil in meinem Besitz befindet. Nun hat Ballin[2] die Liebenswürdigkeit, die Möbel des Damenzimmers in Kommission zurück zu nehmen: aber ich sehe mich verpflichtet, annähernde finanzielle Deckung durch Gegenbestellungen herzustellen. Ich brauche noch einige Teppiche und Klubsessel, würdest Du nun (da mir aus räumlichen Gründen ein weiterer Kauf ganz unmöglich ist) Deinen Bedarf an Klubsesseln, an Schlafzimmer- oder Vorplatzmöbeln, vielleicht auch an[3] einen oder zwei der schönen, dicken Kassak-Teppiche, wie ich sie bisher nur bei Ballin gesehen habe, bei dieser Firma decken? Ich wäre Dir sehr dankbar dafür.
Dies nur in aller Eile. Gestern habe ich der braven Thatagata[4] vorgespielt, sie kam so in Begeisterung über einige Lieder, daß sie laut mitsang.

                                        Mit vielen herzlichen Grüßen!
                                        Dein Ernst

1 Schwer leserliches Wort; vorgeschlagene Lesart nicht sicher.

2 Vermutlich handelt es sich um einen Heidelberger Antiquitätenhändler.
3 »an« zwischen den Zeilen eingefügt.
4 Vgl. Brief Nr. 47, Anm. 15.

Nr. 67   15.11.[19]13
                                                   [Poststempel:] Heidelberg

Mein lieber Djoury, ich verstehe jetzt Dein Stillschweigen die ganze
Zeit und ahne dunkel, was vorgegangen[1] sein mag. Ich kann Dir
jetzt nur sagen, was Du mir einmal von Florenz nach Garmisch
geschrieben hast, als ich Dir von der breit und mächtig gewordenen
Anlage meiner Philosophie schrieb: »hier ziemt sich nur ein freudi-
ges Schweigen.« Bitte empfehle mich Fräulein Grabenko[2] aufs
beste. Dir und Euch von Else der froheste Glückwunsch, und ich
gelobe Dir nach den kurzen Schwankungen und Trübungen dieser
letzten Wochen aufs neue meine rein gewollte Freundschaft, die
sich jetzt, wo sich Deine Gesinnung nach außen zu einem sozialen
Tun und Werk gestalten muß, hoffentlich auch selbst sichtbarer
und objektiver machen kann.
Es geht Else jetzt besser, obwohl sie immer noch, wenn auch nicht
mehr unbeweglich, zu Bett liegen muß. Bis vor drei Wochen war
das Grab nicht sehr fern, jede Bewegung war unmittelbar lebensge-
fährlich, aber sie blieb heiterer, tapferer und strahlender vor Anmut
und Hoheit als je. Ich führte mein Leben seit dem 30. Juli neben
einem Krankenlager[3], aber sie ließ es mich fast in jedem Augenblick
vergessen, und obwohl ich sehr müde bin und nie zur Arbeit kam,
habe ich doch das Gefühl, eine reiche Zeit mit kräftigen und deutli-
chen moralischen Inhalten durchlebt zu haben. Nun geht es für
Dich und mich, für uns beide aufwärts, und es bedarf keiner Erwähnung, was dies für das Eine bedeutet, in dessen Dienst wir stehen
und das von niemand und niemals vorher geleistet werden konnte.
Wir scheinen jetzt mit unerhörter Stärke über der Zeit und Welt,
wir sind seinem Erhalter fremd und unerreichbar geworden und
können, wie ich glaube und zuversichtlich hoffe, sogar mit Haut
und Haaren, mit unserem gesamten menschlichen, aktuellen Dasein stellenweise jene Traumstraßen des sich besser Denkens betre-
ten, die wir bisher nur mit dem Gehirn in die allein konstitutiven

Landkarten einzeichneten. Das walte unser Gott, der Erlöser der
Welt, dessen Namen in der Wahrheit wohnt.

Dein Ernst

1 G. L. hatte im September 1913 in Italien in Gesellschaft des Ehepaares Balázs seine
spätere Frau Jelena Grabenko kennengelernt.

2 Jelena Grabenko (1889-?), russische Malerin, Anarchistin, erste Frau von G. L. In
Cherson geboren wurde sie Hauslehrerin, beteiligte sich an der Revolution von 1905
als Parteigängerin der Narodniki, emigrierte in die Schweiz und weiter nach Frankreich, wo sie studierte. Sie war 1914-1918 mit G. L. in Heidelberg verheiratet. Während der Tage der Ungarischen Räterepublik war sie in Budapest, besuchte den
Sonntagszirkel von G. L. und folgte nach dem Sturz der Räterepublik ihren Freunden in die Emigration. Anfang der zwanziger Jahre kehrte sie zu ihrem Vater nach
Rußland zurück.

3 Else war schwer krank gewesen; vgl. die Briefe Nr. 57, 58, 62 und 64.

Nr. 68   [Postkarte]

16. 1.

[Datum des Poststempels:] Heidelberg, 17. 1. [19]14

Lieber Djoury, leider konnte ich heute weder mittags noch abends
zu Dir kommen; aber wir fahren voraussichtlich doch erst Dienstag
oder Mittwoch, so daß wir uns, selbst wenn Du länger in Freiburg
bleiben solltest, sicher noch sehen werden. Ich habe Dir viel zu
sagen, mein lieber Bruder   Dein Ernst

Herzliche Grüße an Ljena [Grabenko].

Nr. 69   [Postkarte]

[Garmisch Winter 1913/14][1]

Lieber Djoury, diese Karte nicht als Anpreisung, sondern aus Man-
gel, aber mit der Bitte: *willst Du nicht hierherkommen auf einige
Zeit und hier weiterarbeiten?* Es sind noch Zimmer im Haus frei für
Dich und I.

Bitte tue es! Dein Ernst

Bitte tun Sie es bald. Gruß Ihre

Else von Stritzky[2]

1 Es handelt sich um eine Ansichtskarte mit der Abbildung des Marktplatzes und der Kirche von Garmisch ohne Datum. Auch das Datum des Poststempels ist nicht mehr lesbar. Wenn I. jedoch mit Jelena Grabenko richtig dechiffriert ist, kann sie nicht vor September 1913 geschrieben worden sein, dem Zeitpunkt, als G.L. sie kennenlernte. Die noch erhaltene Adresse: Dr. Georg v. Lukács, Heidelberg, Uferstraße 8a, gibt einen zweiten Grenzwert; in diesem Hause wohnte G.L. bis zum Frühjahr 1914, als er J. Grabenko heiratete. Die Karte ist also wahrscheinlich im Winter 1913/14 geschrieben worden. Die ungarischen Herausgeber, die das meines Erachtens deutliche »I« nicht entziffern konnten, datieren die Karte auf März 1913.
2 Der Gruß von Frau von Stritzky steht auf der Vorderseite der Karte. Diese Unterschrift deutet eher auf die Richtigkeit der ungarischen Datierung: wenn es sich um kein Versehen handelt, daß Else mit ihrem Mädchennamen allein unterschreibt, muß die Karte vor der Eheschließung im Juni 1913 geschrieben worden sein.

Nr. 70   9.3.[19]14

Lieber Djoury, nur einige kurze Worte zum Faktischen der Geldangelegenheit[1], da ich Dir zeigen möchte, daß Dein reichlich spitzig geformter Vorwurf der Feigheit und Ärmlichkeit nicht stimmt. Sogleich als Dein Brief kam, schrieb ich, ob es sehr eilt und daß ich nicht soviel Geld parat habe. Ich wußte nicht, daß es sich um die Rettung eines Menschen handelt, es konnte mir auch gleichgültig sein, um was es sich handelt, da Du offenbar das Geld notwendig brauchtest, und so war es meine fraglose Freundespflicht, es zu schicken. Ich nahm an, daß es für Edith Hojos[2] war, und da mich mit dieser Frau allerdings keine besondere Sympathie verbindet, so kam keine tiefere Erregung zu der Freundespflicht hinzu. Du schriebst zurück, es genügten 500 M[ar]k bis Anfang September. Nun hatte ich Deinen Brief mit der Adresse verloren: ich schrieb Dir deshalb zwei oder drei Karten nach Rimini Hotel Miramare (ich glaube, dies war die letzte Adresse) um Angabe der Adresse, auf die ich keinerlei Antwort bekam. Ich gebe Dir, was nötig scheint, mein Wort, daß sonst das Geld eine halbe Stunde nach Eintreffen der Adresse abgeschickt worden wäre. Nun zur »Einrichtung«. Ich habe kein Geld verbraucht, das ich Dir hätte schicken können, sondern alles war bereits fertig in seiner Schuldenlast, auch die Möbel waren bereits zurückgegeben, *bevor* die eigentliche Krise begann. Ich war zum größten Teil an der Sache unbeteiligt; es war Elses

Angelegenheit, die Einrichtung zu besorgen, und wieviel sie leider[3]
ausgegeben hat, geht keinen Menschen etwas an, und alles andere
brach durch maßlose Ausbeutung, durch Betrug und Gemeinheit
sondersgleichen über unsere Unerfahrenheit herein. Dazu kam,
daß ich mich[4] täglich auf[5] Elses Tod gefaßt machen konnte, was
meine Fähigkeit zum Miterleben fremder Geldprobleme nicht
besonders steigerte. So wird es auch einem moralischen Solipsisten
eingehen, daß die Verworrenheit und das Elend dieser Epoche[6]
genug sichtbare Motive enthielt[7], um auch die einfachste Freund-
schafts-Ethik ungetan bleiben zu lassen. Sie blieb aber, wie Du oben
erfahren hast, nicht gänzlich ungetan. Du sprichst, daß Du nicht[8]
im Stand seist, Geld von Deinem Vater zu »erpressen«. Ich weiß
nicht, warum Du dieses Verbum dreimal, darunter einmal unterstrichen, anwendest; ebenso verstehe ich nicht, was Hebbel und
Wagner in einem solchen Zusammenhang zu tun haben. Es ist traurig, daß Hebbel nur die Lensing[9] hatte[10], und es ist empörend, daß
Wagner um Geld betteln mußte, und für mich ist das einzig Versöh-
nende in der Roheit einer solchen Gesellschaftsordnung, daß er
dadurch den Wesendoncks[11] Gelegenheit gab, auf leichte Weise
etwas Gutes zu tun. Was Du von Deiner stetig bereiten Geldhilfe
schreibst, so ist das ein schöner Zug, selbstverständlich von der
Güte, auch in meiner einfacheren Definition, noch weit entfernt,
aber ich weiß wieder nicht, was das mit meinem Fall zu tun hat. Ich
habe keinen Schreibtisch für 3300 M[ar]k (Du schreibst von dem
dreifachen Betrag)[12] (er kostet nur 280 M[ar]k, und für den Ballin-
schen[13] wurden mir 500 M[ar]k von Neuer[14] gutgeschrieben)
gekauft, statt Dir das Geld zu schicken, und was meine Gesinnung
im Punkt der Güte[15] anbelangt, so gibt es Menschen, die wesentlich
anderer Meinung sind als Du. Ich kann dies ruhig schreiben, da ich
ja der Güte keine besondere Schwierigkeit, Verdienstlichkeit und
Höhe beimesse. Wenn ich auch noch zur Zeit, als Dein Brief
gekommen[16] und das Elend bereits perfekt war, alte Möbel kaufte
((denn nur dafür mußte ich bar zahlen, alles andere (wie Bücher)[17]
hatte ein halbes bis zu einem ganzen Jahr Zeit)), so geschah dies, um
die leere Wohnung bis zu dem Punkt, wo Else aufstehen konnte,
einzurichten und der Else und mir in den finstersten Tagen unseres
Lebens, als uns kein Mensch mit einer teilnehmenden Anfrage oder
einem Brief der besseren Schicksale erfreute (so wußtest Du z. B.

ganz genau, wie gefährlich Elses Operation war)[18], eine kleine
Freude zu machen. Ich komme auf das »Erpressen« zurück. Mir
fällt das Bitten um Geld auch nicht leicht: weißt Du, daß ich
wegen Deiner Summe eine Unterredung mit meinem Vater haben
wollte (denn es wollte vor allem Else, daß ich sonst für nichts von
L[udwigs]hafen Geld annehmen soll)[19] und blaß vor Ekel auf seine
Ankunft wartete, vergeblich, denn er war nicht »auszusöhnen«.
Ich fuhr nach Nauheim und bat Herrn v. Stritzky am Schluß, als
ich schon ein großes, dann[20] von der Heidelberger Gesellschaft
spurlos verschlucktes Akkreditif in seiner Notwendigkeit klar
gemacht hatte, mir noch 1100 M[ar]k zu geben, die ich ihm als
»Schulden« darstellen mußte, weil er es sonst nicht begriffen hätte.
Ich sagte es fünf Minuten vor der Abfahrt[21], vorher konnte ich es
nicht herausbringen. Ich wiederhole, es waren Elses Einkäufe und
der Heidelberger Betrug, für den das erste Geld erkämpft wurde;
ich und dann wir hatten unserer *Absicht* nach nicht mit all diesen
Verlusten zu tun (außer den alten Möbeln, die den geringsten Teil
ausmachten). Herr v. Stritzky sagte, daß er die 1100 M[ar]k von
seinem eigenen Conto schicken würde, er muß es vergessen haben,
denn bis heute ist noch nichts gekommen; ich habe ihm vor acht
Tagen darum geschrieben, und Du siehst aus all diesem, daß ich es
an der peinlichsten und grausamsten Anstrengung nicht fehlen
ließ, um Dir das Geld zu geben. Selbstverständlich fühle ich einem
Freund wie Dir gegenüber keine »Schulden«, aber vielleicht habe
ich Dich überzeugt, daß ich auch keinen Selbstvorwurf oder fremden Vorwurf wegen fehlender Hilfsbereitschaft in diesem Fall fühlen kann.
Ich komme auf den kleinen Satz von der Tona-Zeit.[22] Es ist mir
wichtig, daß die damalige scheinbare Feigheit aufgeklärt wird.
Wenn Du Dich von Deinem Vater[23] losgesagt hättest in dem
geringeren Fall, so liegt keine Parallele vor: Du hast vor Deinem
Vater zum mindesten Achtung, mir war die ganze Umgebung seit
15 Jahren so gleichgültig geworden, daß ich nicht einmal Ekel
fühlte. Ich war zwar im Elend, aber so wenig gedemütigt, wie ich
es[24] jetzt etwa durch Honigheims üble Nachrede[25] bin. Dazu dies:
Du hattest die Erwerbsmöglichkeit durch engen Kontakt mit
Presse[26] und Theater, zudem damals Dein eigenstes Gebiet; ich
hätte verhungern können, und wenn ich auch irgendwo ein Aus-

kommen gefunden hätte, so stand damals schon über mir die Forderung meines zu jeder Erwerbsmöglichkeit feindlichen Werks.
Du übergehst meine anderen Sätze und schiebst sie auf meine Psychologie. Ich habe mich nicht mit Menschenkenntnis abzugeben,
sondern mit Taten und der in ihnen allein ausgeprägten und wichtigen[27] Gesinnung, als moralisches Werk genommen. Es wäre eine
Frechheit, mich in Deine Intimitäten einzumischen, ich habe mich
auch in Irmas Fall[28] nur an Deine »Armut am Geiste«[29] gehalten,
und ich halte mich für gescheit genug, diese Ethik zu verstehen. Ich
habe einfach und nicht primitiv geredet, und wenn Du hinter der
Mauer Deiner unzugänglichen subjektiven Absonderlichkeit bleiben willst und die Güte als eine Art von liebevoll verstehender, aber
unbeeinflussender Intuition definierst[30], dann ist es Deine Sache.
Ich habe nicht den Ehrgeiz, dieses einzelwissenschaftlich konstitutive Organ zu besitzen. Deshalb bleibt aber das andere nicht nur
einfache Äußerung meiner Psychologie. Ich fühle mich niemals
durch diesen Vorwurf gedemütigt, da nichts falscher sein kann. Ich
fürchte vielmehr, daß Du Dich dann bald in der unliebsamen Reihe
derer zu Deinem großen Erstaunen finden wirst, die meine ganze
Philosophie als eine solche, den Tatsachen nicht entsprechende,
private Psychologie bezeichnen werden.
Also, mein lieber Djoury, was soll werden? Du gibst Dir [sic!] harte
Beurteilungen, zu denen die Unterschrift »in alter Herzlichkeit«
wenig stimmt. Du sprachst ab und zu von Deiner Jungen-Senti-
mentalität, die ich noch jetzt ab und zu an[31] Dir sehe und die ich
über alles an Dir liebe. Du hast eine Frau, und dazu will die kalte,
berechnende Pflichterfüllung im Kleinen und indirekten Umkreis
auch nicht passen. Ich würde beten, wenn ich ein Yogi wäre, daß
Du den Umweg fändest. Bis dahin will ich mich mit Deinen drei
größten Eigenschaften in Freundschaft, Herzlichkeit und Liebe
verbunden fühlen, und zwar so, daß ich sie alle, als moralische Akte
und nicht ihren Resultaten nach erlebe: mit Deiner völlig uneitlen,
unselbstsüchtigen, großzügigen Gerechtigkeit, mit Deiner Klug-
heit und mit Deinem Genie. Was wir sonst[32] aneinander nicht verstehen, wollen wir ausschalten und nicht beurteilen, ich glaube,
man kann den Trunk der Freundschaft auch mit den übrig bleibenden Essenzen stark und bedeutend genug mischen.

Dein Ernst

1 Vgl. Brief Nr. 65, in dem E.B. seine damalige Zahlungsunfähigkeit erklärt.

2 Edith Hajos war die Frau von Béla Balázs. Vgl. Brief Nr. 65, Anm. 2. In der Tat brauchte G.L. das Geld jedoch für Ljena Grabenko. Vgl. Brief Nr. 72, Anm. 11. E.B. schreibt »Hojos«.

3 Schwer entzifferbares Wort; könnte auch »mehr« heißen.

4 »mich« zwischen den Zeilen eingefügt.

5 »auf« zwischen den Zeilen eingefügt.

6 »dieser Epoche« zwischen den Zeilen eingefügt.

7 Im Original durchgestrichen: »enthält«.

8 »daß Du nicht« zwischen den Zeilen eingefügt; im Original steht durchgestrichen »von Deiner«.

9 Elise Lensing (1804-1854) war die Geliebte von Friedrich Hebbel (1813-1863). Sie, eine Näherin, unterstützte den mittellosen Dramatiker jahrelang während seines Aufenthaltes in Hamburg ab 1835.

10 Im Original durchgestrichen: »haste«.

11 Anspielung E.B.s vor allem auf Mathilde Wesendonck (1828-1902), Schriftstellerin und seit 1848 Ehefrau des Kaufmanns Otto Wesendonck, mit dem sie seit 1851 meist in Zürich lebte. Sie war mit Richard Wagner eng befreundet (Entstehungszeit von *Tristan und Isolde*) und gewann großen Einfluß auf sein Schaffen. Berühmt wurde sie vor allem durch ihre »Fünf Gedichte«, die Wagner dann 1857/58 vertonte. – Die Wesendoncks hatten Wagner Asyl gewährt und ihn ökonomisch unterstützt, nachdem er wegen Beteiligung an der Revolution von 1848 in Verbannung gehen mußte.

12 Das in Klammern Eingefügte steht im Original, ebenfalls in Klammern, zwischen den Zeilen.

13 Vermutlich Heidelberger Antiquitätenhändler. Vgl. Brief Nr. 66, Anm. 2.

14 Vermutlich ebenfalls Heidelberger Antiquitätenhändler.

15 Ironische Anspielung auf G.L.s Theorie der Güte. Vgl. auch Brief Nr. 11, Anm. 5.

16 Im Original folgt durchgestrichen: »war«.

17 Das in Klammern Stehende wurde von E.B., ebenfalls in Klammern, zwischen den Zeilen eingefügt.

18 Das in Klammern Stehende wurde von E.B., ebenfalls in Klammern, zwischen den Zeilen eingefügt. Vgl. dazu die Briefe Nr. 58, Anm. 1, Nr. 62, 64.

19 Das in Klammern Stehende wurde von E.B., ebenfalls in Klammern, zwischen den Zeilen eingefügt; das zweite Wort »es« hieß ursprünglich »sonst« und wurde von E.B. korrigiert.

20 »dann« zwischen den Zeilen eingefügt.

21 Im Original steht durchgestrichen: »Aft«.

22 Anspielung auf die Zeit der Freundschaft mit Tona Gehnert; vgl. Brief Nr. 40, Anm. 1 sowie vor allem Nr. 60, Anm. 3, und Nr. 91 bei Anm. 8.

23 József Lukács (1853-1928), Direktor der Englisch-Österreichischen Bank in Budapest. Er war ein aus eigener Kraft aufgestiegener kulturliebender Großbürger, der junge Künstler und Wissenschaftler förderte. Ganz im Gegensatz zu E.B.s Eltern, die wenig von den philosophischen Neigungen ihres Sohnes hielten, weil sie

ihnen nicht nützlich schienen, war József Lukács gerne bereit, seinen Sohn Georg
ökonomisch zu unterstützen.
24 »es« zwischen den Zeilen eingefügt.
25 E. B. erwähnt diesen Vorwurf erneut in Brief Nr. 72 gegen Schluß.
26 Eventuell Anspielung auf den Kino-Artikel E. B.s, den die *Frankfurter Zeitung*
zugunsten des Artikels von G. L. abgelehnt hatte. Vgl. Brief Nr. 65, Anm. 9 und 10.
27 Vor »ausgeprägten« sowie vor »wichtigen« hat E. B. zweimal das gleiche Wort
geschrieben und durchgestrichen; es heißt mit ziemlicher Sicherheit beides
»gut«.
28 E. B. spielt auf den Selbstmord von G. L.s Jugendfreundin Irma Seidler an. Vgl.
Brief Nr. 9, Anm. 1.
29 In diesem Essay hatte G. L. seine Betroffenheit über den Selbstmord von Irma
Seidler auszudrücken versucht. Unter dem Titel »Von der Armut am Geiste – Ein
Gespräch und ein Brief« wurde er abgedruckt in: *Neue Blätter*, Jg. II, 1912, H. 5/6,
S. 67-92.
30 Vgl. Brief Nr. 11, Anm. 5. E. B. bezieht sich wohl auf die dort angegebene Stelle
in: »Reichtum, Chaos und Form«.
31 »an« zwischen den Zeilen eingefügt.
32 Alles folgende steht am linken Rand des Briefes, zum Teil in den ursprünglichen
Text hineingeschrieben.

Nr. 71   [Postkarte]
                                                                        3.6.
            [Datum des Poststempels:] Garmisch, 3.6.[19]14

Lieber Djoury, wir werden nolentes[1], da wir keine Wohnung
gefunden haben, noch bis Oktober in die Ziegelhäuser Landstraße[2]
ziehen und dann sehen, ob bis Oktober etwas um München[3] frei
wird. Vielleicht lassen wir auch eine Villa bauen. Wir werden also in
acht bis vierzehn Tagen in Heidelberg sein. Ich habe Burschell
gebeten, das Haus nach einem neuen Plan bewohnbar zu machen,
jedenfalls ist das Provisorium leichter zu ertragen als der Tic der
Vollkommenheit.

                        Dir und Ljena [Grabenko] herzlich!
                        Dein Ernst

1 Lat.: nicht wollend.
2 Im Original schwer entzifferbares Wort, aufgrund des deutlich lesbaren »Ziegelhäuser« jedoch eindeutig rekonstruierbar. In dieser Straße wohnte auch Max Weber.
3 In der Tat zog E. B. mit seiner Frau Else Ende 1914 nach Grünwald im Isartal.
Dort entstand in der Folgezeit *Geist der Utopie*.

Nr. 72

Garmisch 5.6.[19]14

Mein lieber Djoury! ich freute mich sehr, als Dein Brief ankam.
Daß ich Dir nicht zuerst schrieb, hat leider nicht denselben Grund
wie bei Dir. Es wird Dir in H[eidelberg] nicht entgangen sein, daß
ich in einer peinvollen Gespanntheit zu Dir stand, auch nach unserer Aussprache, die eben doch nicht alles lösen konnte. Vieles lag
freilich an meiner durch Elses Krankheit[1] und den schweren Sommer erzeugten Überempfindlichkeit, aber manches auch an Dir,
und da ich mir die Lehre vom moralischen Inkognito[2] nicht zu eigen
machen kann, so mußte ich einem scheinbar so klaren Fall gegenüber spektakelnd reagieren. Es war dumm, daß ich es nicht getan
habe, aber ich wollte den Eklat vermeiden (es wäre zwar, wie ich
jetzt, wo ich dich wieder klar sehe und liebe, weiß, gar keiner
gekommen), und außerdem war mir auch in der Stimmung meiner
Landflucht alles zu gleichgültig geworden. Ich habe keinen Sinn
und kein Recht zu *einzelnem* moralischen Klatsch und zur seelsor-
gerischen Deskription der Sünden. Aber es formte sich so vieles und
von mir zuletzt fast systematisch Gesammeltes zum Symptom, und
zwar eben zum Symptom dessen, daß Du der absolut indirekte
Mensch seiest, nur höflich, sehr begrenzt und oft irrend im menschlichen Verstehen, ohne Güte (es schien sich mir in Deiner erkälten-
den Gleichgültigkeit gegen kleine Dinge und vor allem sozial unter-
geordnete Menschen zu zeigen), und sonderbarerweise in alldem
auch nach der großen Gnade[3] dieses Sommers unverändert. Es gab
einige Ausnahmen, wie B. de Var[4], Herbert Bauer[5], Baumgarten
und im ganz großen Stil Irma [Seidler] und Leo Popper, denen
gegenüber Du warm und intuitiv warst: aber als Du mir im Café
Hohenzollern so ruhig sagtest, daß Du gar nicht wüßtest, wovon
die B. de Var lebte, und als Dir die furchtbare Tatsache, daß die
Braut Deines Freundes (er hat sie Dir doch zurückgelassen, damit
Du für sie sorgen kannst, wie hätte er sonst sterben können) Kla-
vierlektionen geben muß, gar keinen Eindruck machte, glaubte ich
zu sehen, daß auch diesen Menschen gegenüber vieles im guten Willen blieb und vielleicht nicht allzuviel die tatkräftige und über alles
hinaus deutliche Intensität der Freundschaft gewonnen hat. Du hattest nach Irmas Tod[6] ein Selbstgericht[7] geschrieben. Es blieb

geschrieben, wurde zur Literatur, und statt Dich in dem tiefsten
Mangel zu wandeln, wurde er verstärkt, zur Kälte der beginnenden
Vergreisung stilisiert, dazu noch der toten Irma ungewollt und
ungewußt die Kausalität dieser Verwüstung zugeschrieben und die
so einfach zu leistende Güte[8] so schwierig und hoch konstruiert,
daß Du ihr um den Preis einer Erniedrigung in der Kaste unaufhörlich und, wenn Du wolltest, systematisch ausweichen konntest.
Was kam nach Ljena [Grabenko]? Du nimmst der armen Base[9], die
so viel für Dich getan hat, die sich monatelang daran freute und der
ich (allerdings erst nach einer Rede, die ich Dir halten wollte) den
Besitz wahrscheinlich machte, den Teppich weg, nachdem Du ihn
sofort wieder aus Budapest ersetzt bekommen hattest[10]; verlangst
von mir Geld, um Ljena[11] zu helfen (so daß also ich damals, da es
mir fast völlig unmöglich gewesen wäre, das Opfer und die gute Tat
vollbracht hätte), statt eben, so unangenehm es auch sein mag, Deinem Vater[12] zu schreiben, er hätte es Dir gerne geschickt; Du rech-
netest in der kleinlichsten Weise, wie ein Eierhändler und nicht wie
ein Diplomat, mit dem halben Perzent Möglichkeit des familiären
Mißlingens, wiederholst zehnmal die Wichtigkeit der Düsseldorfer
dreitausend Mark[13], erinnerst mich bei jeder Gelegenheit, z.B.
beim Ansehen eines Teppichs in der Leopoldstraße, wie gut es
wäre, wenn Du jetzt die Summe hättest, die Du bei mir stehen hast:
und das alles, während Dein Vater im ersten Satz alle Geldsorgen
zerstreut und damit Dein mißtrauisches und in den[14] eigenen Angelegenheiten (denn Ljena gehörte hier in den Komplex der eigenen
Angelegenheiten) so feinfühlig intensives Wesen glücklich desavouierte. Als Du gar Sorgen hattest, ob Du bei mir hättest essen
sollen oder nicht, wurde mir erstens so zumute, als ob eben auch ich
Dir[15] nicht sicher wäre und hier die Kehrseite der gleichen Medaille
sichtbar würde, und zweitens mußte ich lachen, wie eindeutig dies
alles in seiner armen, gequälten Gehemmtheit und rein gesellschaft-
lich bleibenden Indirektheit ist und wie fremdartig sich demgegen-
über der Anspruch auf Kompliziertheit kräftiger und tiefer Art oder
gar auf den Predigerberuf ausnimmt. Als Du aber über Burschell
das gescheite Wort von der objektiven (nicht subjektiven) Unecht-
heit gesprochen hattest, schienst Du mir Dein eigenes, weithin ver-
nichtendes, absolutes Urteil gefällt zu haben. Ja, ich ging in meinen
Übertreibungen so weit, daß ich in mir den Gähnkrampf der Lange-

weile, mit dem Du früher Deine Arbeitsstimmung bezeichnet hast, mit dem seltsamen Gespenst verglich, das der Mann Judiths[16] auf dem Beilager hocken sah. Es wurde Dir die Langeweile zugeschickt, weil Du menschlich Deiner Genialität nicht würdig bist und[17] Du kein Werk aus ihr machen sollst.

Das ist alles. Ich schreibe es Dir jetzt, weil es für mich nicht mehr wahr ist. Es steckt viel Lieblosigkeit von mir in diesen Beobachtungen und Schlüssen, und ihre Mitteilung ist eine Belastungsprobe unserer Freundschaft. Vielleicht aber auch, wie ich sehnlich hoffe, ein neuer und ihr eigentlicher Beginn. Ich will damit schließen. Im nächsten Brief über Lenard[18] und über den Kino-Aufsatz.[19] Ich kann Dir nicht recht geben: zehn Aufsätze wären Ernst, dieser (und Nelson[20] verhilft gerade dazu) ist sichtbare Laune, so sehr, daß Blei[21] an Burschell schrieb, wenn ich etwas einschicken *wollte*, es stünden mir 50 Seiten beliebigen Inhalts in den »Weißen Blättern«[22] frei.

(es ist mir überdies gleichgültig, was die Zeit[23], die [Benrubi][24] geboren hat, von dem Kino-Aufsatz denkt).[25] Blei selbst hat mein Belieben unterstrichen. Also muß die Einmaligkeit deutlich sein. Ich habe im letzten Teil viel von Dir gestohlen, es ging nicht anders; dafür wird aber Dein Name im Buch an allen Ecken und Enden erschallen. Mindestens so häufig und laut wie der Name Falkenauges[26] in den ewigen Jagdgründen. Es geht meiner Arbeit (auch Else)[27] gut. Ich schreibe die Notizen zum letzten Kapitel, daher auch hier die kleine Schrift.[28] Übrigens der Titel endgültig:

> Ernst Bloch
> Der Name Gottes
> Einl. in d. Summe d. spek. Philos.[29]

(vgl. eine der letzten Karten in H[eidelberg][30]). Schon lange habe ich wieder die Liebe zu Dir gesucht, heute hat mir die Ahnungslosigkeit und der Ton Deines Briefes wieder die alte Wirklichkeit gebracht. Aber sie soll noch echteren und tieferen Geist bekommen.

Mit Liebe und Verehrung!

Dein Ernst

1 Frau Bloch-von Stritzky war am 1. 8. 1913 operiert worden und sehr schwer krank gewesen. Vgl. dazu die Briefe Nr. 58, 62, 64 und 70.

2 E. B. vertritt die These vom Inkognito des Augenblicks; hier spielt er jedoch auf G. L.s Theorie der Güte an (vgl. Brief Nr. 11, Anm. 3 und 5).

3 Anspielung auf G. L.s Bekanntwerden mit Lena Grabenko im Sommer 1913. Vgl. Brief Nr. 67, Anm. 1 und 2.

4 Gemeint ist: Beatrice de Waard (188?-1962), Braut von Leo Popper, Holländerin. Sie beschäftigte sich mit Musik und Malerei. G. L., der sie sehr schätzte, hielt den Kontakt zu ihr nach dem Tod von Leo Popper aufrecht. Sie lebte später in Paris und L'Ètang la Ville als Lebensgefährtin des Maler K. Xavier Roussel (1867-1944).

5 So der eigentliche Name von Béla Balázs.

6 Vgl. Brief Nr. 9, Anm. 1.

7 E. B. meint G. L.s Essay »Die Armut am Geiste«. Vergleiche Brief Nr. 70, Anm. 29.

8 Vgl. dazu Brief Nr. 70, bei Anm. 15, sowie Brief Nr. 11 und Anm. 3 und 5.

9 Emma Lederer.

10 Der Nebensatz wurde zwischen den Zeilen eingefügt.

11 Vgl. Brief Nr. 70, Anfang und Anm. 2.

12 Vgl. Brief Nr. 70, Anm. 23.

13 Aus dem Briefwechsel kann nicht erschlossen werden, worum es sich hierbei handeln könnte; Hinweise von anderer Seite waren nicht aufzufinden.

14 »den« zwischen den Zeilen eingefügt.

15 »Dir« zwischen den Zeilen korrigiert; im Original steht durchgestrichen: »Dich«.

16 Vgl. das apokryphe Buch Judith des *Alten Testaments*.

17 Im Original folgt ein unleserliches, weitgehend ausgelöschtes Wort; es könnte »weil« geheißen haben.

18 Vgl. Brief Nr. 102, Anm. 5.

19 Vgl. Brief Nr. 65, Anm. 9.

20 E. B. könnte Leonard Nelson (1882-1927) gemeint haben. Hauptwerk: *Die Unmöglichkeit der Erkenntnistheorie* (1911).

21 Franz Blei (1871-1942), Schriftsteller. Blei lebte bis zur Emigration 1933 in München und Berlin; er verfaßte Komödien und schrieb Kritiken und Essays. Der Umfang seines geistvoll vielseitigen Werkes reicht vom Erotischen bis zum Religiösen. Er war auch als Übersetzer tätig (A. Gide, P. Claudel, O. Wilde) und gab unter anderem die *Weißen Blätter* heraus.

22 Vgl. Brief Nr. 10, Anm. 1 an J. W. Muehlon.

23 Da es sich hierbei um einen sehr häufigen Namen für Zeitungen bzw. Zeitschriften handelt, ist die Identifikation nicht ganz sicher. Vermutlich handelt es sich jedoch um *Die Zeit*, österreichische Kulturzeitschrift, gegründet 1884 in Wien von J. Singer, H. Kanner und H. Bahr, seit 1902 Tageszeitung, liberal und kleindeutsch; sie wurde 1919 eingestellt.

24 Schwer entzifferbares Wort; daher die Person auch nicht identifizierbar.

25 Das in Klammern Stehende fügte E. B. ziemlich abenteuerlich zwischen den Zei-

len ein, ebenfalls in Klammern. Offensichtlich hat E.B. auch der *Zeit* den Aufsatz
angeboten und eine Absage bekommen.
26 So heißt Natty Bumppo, der »Lederstrumpf«, in James Fenimore Coopers
(1789–1851) Roman *Der letzte Mohikaner* (1826).
27 Die Klammer ist zwischen den Zeilen eingefügt.
28 In der Tat ist E.B.s Handschrift in diesem Brief sehr viel kleiner als gewöhnlich.
29 Zu E.B.s früheren Titel-Entwürfen vgl. Brief Nr. 56 sowie Nr. 24. E.B. spricht
hier im Untertitel von der »Einleitung in die Summe der spekulativen Philosophie«,
während er sonst immer von seiner axiomatischen Philosophie sprach. Offensichtlich war dies als erster Band der mehrbändigen Summe konzipiert, die E.B.
damals plante. (Zu den Systementwürfen vgl. vor allem die Briefe Nr. 8, 9, 18
und 103.)
30 Gemeint sein können die Briefe Nr. 61 und 62; sie enthalten jedoch keine wesentlichen Angaben zum Fortschreiten des Werkes.

Nr. 73   [August 1914][1]

Lieber Djoury, ich möchte Dir noch eines – und damit klingt das
alles bei mir endgültig ab – sagen. Du sagst, Leo Popper wäre nach
dem »Vergessen« der Antwort[2] nicht mehr darauf zurückgekommen. Ich kann nur annehmen, daß Du entweder in dieser Zeit ganz
anders warst oder daß Leo Popper Kräfte besaß, die freilich jede
Mühe und allen guten Willen zum Intuitionswollen auch abgesehen
davon, daß hier mein Wille ja nichts entscheidet, unmöglich
machen. Es ist bei Dir so vieles unwesentlich, alles Kleine, Äußere,
Alltägliche usw., aber auch – wie ich bisher meinen mußte – manches Wesentlichere, von Dir als dem, der Du bist (»ich habe keine
Zeit, gut zu sein«)[3] im beständigen Zustand des Überscheuwerdens,
daß weder meinem schwach entwickelten Gefühl noch meinem
Verstand, auch bei schärfster Anstrengung, eine Grenze der Bedeutung inhaltlich wie formtechnisch zu erkennen ist. Z.B. (ohne alte
vergessene Sachen aufzufrischen) Du fährst am Tage nach Elses
Operation[4], als es mir, zumindestens äußerlich sehr erkennbar,
(ganz miserabel zumute sein mußte,)[5] weit weg nach Italien. Ich bin
auch überzeugt und würde mich – ganz ehrlich – nicht gewundert
haben, daß[6] Du nicht daran dächtest, mich zu besuchen, und wenn
ich doppelt so krank wie Baumgarten wäre. Ich will das letztere, ja
nicht Entschiedene weglassen und mich an das erstere halten. Soll

ich das als unwesentlich bei Dir nehmen oder fixieren und »von
Deinen Voraussetzungen« aus beurteilen? Ich habe das schon längst
aufgegeben, zu beurteilen, da Du mir ja sicher noch unendlich viel
mehr Unterlassungen aufzeigen kannst, wenn Du auch von jeder
Geste des Vorwurfs (mit Ausnahme von Geldsachen) frei bist. Aber
wie müßte ich es beurteilen, und *wer* wärest Du, wenn[7] ich es ernst
nähme und nach »Voraussetzungen« (nicht von mir aus)[8] suchte?
Also: wenn mir so Gravantes[9] nicht zählt, wie soll ich die unterlas-
sene Antwort auf eine Frage und Ähnliches, Wichtigeres, Unge-
sagtes bemerken wollen, falls Du von mir keine überirdischen
Unterscheidungsfähigkeiten und Einblicke[10] verlangst, die ich
nicht besitze und die auch nicht die conditio sine qua non einer
Freundes-Beziehung im irdischen Sinn sein können. Ich schreibe
dies natürlich nicht, als ob ich mich angeklagt fühle; ich weiß, daß
Du es nicht so meinst, überdies habe ich ja jeden Ehrgeiz der
menschlichen Verständigung aufgegeben. Aber bitte kläre mich
über eines auf: es gibt doch auch noch andere Voraussetzungen als
Deine Voraussetzungen[11] und meine Voraussetzungen. Hältst du
über diese (z. B. Bruch mit sich, das Tun des [an][12] sich Unmöglichen) mit Wirkung auf Dich und mich eine Verständigung für
möglich?

Dein Ernst

1 Der Brief hat keinerlei Datierung; dem Inhalt nach muß er jedoch eindeutig nach
Brief Nr. 72 geschrieben worden sein, denn E. B.s Unzufriedenheit über seine Beziehung zu G. L. ist hier sichtlich noch nicht abgeklungen. Die ungarischen Herausgeber datieren ihn – meines Erachtens wenig überzeugend – auf 1915. Da Elses Operation (s. unten, Anm. 4) im Sommer 1913 war, würde dieser Vorwurf von E. B. zwei
Jahre zurück beziehen.
2 Es war nicht mehr zu klären, worauf sich dies beziehen könnte. Es ist lediglich
bekannt, daß diese Freundschaft zwischen G. L. und Leo Popper durch offenherzige
oder gar strenge Kritik Poppers nie gestört wurde. Zu Leo Popper vgl. Brief Nr. 14,
Anm. 32, E. B. erwähnt dies jedoch, weil er sich offenbar sehr darüber geärgert
hatte, nachdem er von G. L. zweimal keine Antwort bekommen hatte: einmal auf
seine Frage, ob er nach Heidelberg kommen solle, zum anderen in der »Baumgartensache«. Vgl. Brief Nr. 73 »Nachschrift«, bei Anm. 4.
4 Vgl. dazu Briefe Nr. 62 und 64.
5 Das in Klammern Eingefügte steht im Original zwischen den Zeilen.
6 Im Original steht vor »daß«, durchgestrichen: »wenn«.

7 »wenn« zwischen den Zeilen korrigiert, im Original steht durchgestrichen: »von«.

8 Die Klammer steht im Original zwischen den Zeilen.

9 Wörtlich: Schwerwiegendes.

10 »und Einblicke« zwischen den Zeilen eingefügt.

11 Das folgende steht am rechten Rand des Briefes vierzeilig jeweils von unten nach oben geschrieben.

12 Die Klammer ist nicht ganz verständlich. E. B. hat sich bei »Bruch« mehrmals verbessert, das eingefügte »an« fehlt im Original gänzlich.

Zu Nr. 73 Nachschrift.[1]

ich bin spazieren gegangen und habe mir Verschiedenes überlegt, das besser ist. Also ich gestehe, daß mir vieles an Dir[2] aus fehlender äußerer, empirischer und fehlender innerer Einsicht völlig unverständlich ist. Es wäre lächerlich, wenn ich hier von einem »allmählichen« Erkennen (das schon als Hoffnung ein völliger Blödsinn ist, der nur bei Schmetterlingssammlern eine methodologische Seite haben mag) etwas erwarten wollte. Ich mache mich lächerlich und werde von Dir nicht weniger wie von meiner eigenen Dunkelheit Dir gegenüber abgewiesen oder, wenn man will, in die Schranken gewiesen. Ich verstehe gar nichts[3] von Zwischentönen und Feinheiten, aber wenn sie so massiv werden, daß Du mir auf meine vielleicht etwas sonderbar herausgekommene Anfrage, ob ich nach H[eidelberg] kommen soll, in einer mich doch durchaus nicht »interessierenden« Sache, noch weniger antwortest als auf die Baumgartensache[4], dann ist mir – ohne Zorn und ohne Sucht nach dem anderen Extrem[5] – meine Rolle klar. Ich sagte: daß ich vieles und das Wesentliche an Dir nicht verstehe. Ich habe weiter dazu zu sagen – und wahrscheinlich gab überhaupt dies und nicht die aus unwesentlicheren Zügen und dann[6] eben aus dem Großen abgeleitete Liebe den falschen[7] Liebeskonflikt, daß es niemand gibt, den ich mir in einer Zeit, wo mir die vergangenen Philosophen anfangen[8] so beziehungslos zu werden wie Erbsen, als geistig so verwandt empfinde wie Dich. Dies prägt sich ja, sofern ich doch selber über alten Reichtum genug verfüge und es nicht nötig habe, in meinen Diebstählen[9] aus. Etwas ähnliches scheint bei Dir der Fall zu

sein, obwohl ich zufälligerweise vielleicht gegenwärtig etwas tiefer
in Deiner Schuld stehe als umgekehrt. Ich werde also vorläufig,
d. h. immer, so lange, bis ein Wunder geschieht, bewußt von jeder
die Seele betreffenden Beziehung absehen und bitte Dich, dies als
den Ausdruck meiner höchsten Achtung vor Deiner Art zu empfinden. Ich selbst fühle mich dadurch nicht lieblos werdend, sondern
resigniert vor einer rätselvollen Tatsache. Ich verstehe weder Dich,
noch verstehe ich, warum gerade zwischen uns so sehr alle Wege
fehlen. Denn ich habe es von sehr verschiedenartigen Menschen
erfahren können, von den einfachsten Burschen des Pennals über
viele Frauen hinweg (dem inneren Abstand untereinander nach)[10]
bis zu Else hinauf (und dann vielleicht wegen der Täuschung der
Liebe), daß ich bei aller Selbstsucht und Herrschsucht plötzlich und
dann öfter einen sehr wesentlichen Punkt treffen kann, in dem ich
den anderen verstehe und gut werden kann. Das hat mit den logischen Fähigkeiten der Menschenkonstruktion nach Aufgaben und
Klassen vielleicht nicht alles zu tun.
Es ist wahrscheinlich Dein höchstes Wesen, von dem ich hier
Abschied nehme. Wir bleiben in dem anderen verbunden, das ja
auch noch ausreicht, um uns beide *vor* allen anderen Menschen (ich
meine: im Angesicht aller Menschen)[11] zusammenzuführen und uns
auch im Krummen zusammenführen würde, sofern Du den Philosophen in der geraden Ethik läßt.

Dein Ernst

1 Obwohl das Original keine eindeutige Zuordnung hat, muß es sich hier um die
Nachschrift zu Brief Nr. 73 handeln; die inhaltliche Zusammengehörigkeit ist deutlich.
2 Es folgt im Original durchgestrichen »äußeren«.
3 »gar nichts« wurde nachträglich zwischen die Zeilen eingefügt; das ursprüngliche
Wort ist nicht mehr lesbar.
4 »die« wurde nachträglich eingefügt. Zu Baumgarten vgl. auch die Briefe Nr. 82
und 83.
5 »und ohne Sucht nach dem anderen Extrem« wurde zwischen den Zeilen eingefügt.
6 »dann« zwischen den Zeilen eingefügt.
7 »falschen« zwischen den Zeilen eingefügt.
8 »anfangen« zwischen den Zeilen eingefügt.
9 Als Korrektur eingefügt; das ursprüngliche Wort sollte wohl genauso heißen,

E.B hat sich jedoch verschrieben. Zu E.B.s Diebstählen vgl. Brief Nr. 72, gegen
Schluß.
10 Die Klammer steht im Original zwischen den Zeilen.
11 Das in Klammern Eingefügte steht im Original, mit einem Kreuz versehen und
ohne Klammern, am linken Briefrand.

Nr. 74   Grünwald[1]

Mein lieber Djoury, ich beeile mich, sogleich zu antworten. Diesmal ohne alle Vorbehalte und Sprungformen zwischen Irrationalem
und Geformtem. Es ist dasselbe, was ich »vorschlug«, mit schöner
Erinnerung gefüllt. Vielleicht ist dies das einzige, womit ich nicht
ganz einverstanden bin.
Ich glaube, es genügt hier der Willensakt um sich auf das uns ziemlich geschichtslos Gegebene (und insofern von der Beziehung doppelt, wegen des möglichen Willens dazu und eben wegen der
Geschichtslosigkeit Verschiedene) zurückzuziehen. Dazu braucht
es wenigstens bei mir keiner Rezeption, und ich finde sie gefährlich.
Ich glaube nicht, daß die gemeinsame Vergangenheit, als Abge-
schlossenes betrachtet, schöpferisch ist. Dazu habe ich eine sehr
heftige Abneigung gegen die sehr unedle, übrigens auch nur bei den
rasch abgetakelten Spießbürgern sachlich berechtigte, Romantik
des Jungen, des: ja damals, wie ich noch jung war, des Jugendspecks
und seiner verlorenen Paradiese. Es ist so bei mir und bei allen meinen Angelegenheiten, daß es reift und daß selbst der Verfall[2] dem
früheren Blühen keine anderen Rechte gibt als diese: damals einem
Gegebenen näher gewesen zu sein als jetzt, das aber nicht in dem
Damals wohnt, sondern jetzt, wenngleich entfernt, noch genauso
»west«, um der schweren Frage seiner Realität aus dem Weg zu
gehen. Darum also: ich bin jederzeit menschlich in der Lage, so zu
sein und an meinem Teil dies zu leisten, was Du mit Berlin[3]
geschichtlich umschreibst. Und ich sehe keinen Grund, warum es
bei Dir, nach dieser Entfernung des Störenden, unserem Verhältnis
Unzugänglichen, nicht genauso gut möglich sein sollte. Es ist von
jedem Gesichtspunkt aus[4] und von dem eines etwa dazutretenden
guten Menschen erst recht[5] wärmer und sittlicher, das ganz und gar
Exzeptionelle unseres Zusammentreffens in der gleichen Zeit und

der gleichen Sprache nicht mit dem ganz und gar Unzulänglichen unseres übrigen Verständnisses zu trüben und zu entwürdigen. Wir wollen dabei das Problem, wie denn das möglich sein, daß wir uns[6] das doch gleichfalls sehr, sehr tief liegende Irrationale unserer geistigen und metaphysischen Brüderlichkeit beliebig zugänglich machen können[7], ebenfalls nur mehr im Klima unseres theoretischen Verhältnisses diskutieren. Für mich persönlich kommt etwas sehr Erstaunliches dazu: daß nämlich das, was uns wahrscheinlich am tiefsten trennt, nämlich meine unausrottbare Überbetonung des Geistigen, des »Stichworts« im apokalyptischen Gebrauch, und meine fast völlige charakterologische Definierbarkeit als »Philosoph«,[8] wenn auch in einem Sinn, den ich ihm erst gegeben habe, – daß mir dieses mein Wesen das Irrationale unseres theoretischen Verhältnisses gar nicht so sehr als Entsagung erscheinen läßt, daß es *mir* wenigstens seine Leistung nicht nur mühelos macht (also genau das, was die von Dir gemeinte andersartige Beziehung auszeichnet), sondern auch von einer neuen, eigentümlichen, einer kühlen Wärme der Feierlichkeit umgeben. Ich glaube, daß Du, wenn Du Dich an die besten Stunden dieser Art erinnerst, etwas Ähnliches empfinden wirst. Und für das andere, für die weniger[9] hohen Stunden dieser Art, die nun unsere einzigste[10] Art sein mag, das Bekenntnis unserer alten Kameradschaft, in der ja auch ich[11] Dich jederzeit so erkannte[12], wie Du bist, wie Du geistig bist, und jederzeit[13] die volle Achtung und die volle spontane Wahrung des Gebildes der Distanz einhielt.

Dein Ernst

1 Der Brief ist ohne Datum. Dem sachlichen Zusammenhang nach muß er jedoch nach dem Sturm der vorherigen Briefe ab Nr. 70 geschrieben worden sein.
2 Im Original steht durchgestrichen: »nicht«.
3 Unklar, worauf E.B. sich hier bei G.L. genau bezieht.
4 »aus« zwischen den Zeilen eingefügt.
5 Im Original folgt durchgestrichen: »auf«.
6 »uns« zwischen den Zeilen eingefügt.
7 »beliebig zugänglich machen können« zwischen den Zeilen eingefügt.
8 Vgl. Brief Nr. 70 und Nr. 99 bei Anm. 6, wo E.B. von seiner Unmöglichkeit spricht, Sein und Werk trennen zu können.
9 »für die weniger« zwischen den Zeilen eingefügt; im Original steht durchgestrichen: »mag unsere«.

10 Alles folgende steht auf Seite 1 des Briefes, am linken unteren Rand beginnend
einzeilig nach oben geschrieben, dann quer zum ursprünglichen Text am oberen
Rand über der Anrede.
11 Im Original folgt durchgestrichen: »jederzeit«.
12 »erkannte« zwischen den Zeilen eingefügt.
13 »und jederzeit« zwischen den Zeilen eingefügt.

Nr. 75

[vermutlich: Okt./Nov. 1914][1]

Lieber Djoury, hier der Anfang.[2] Ich habe ihn abschreiben lassen
und möchte Dich fragen, ob Du es für gut halten würdest, ihn *mit*
der Bemerkung, die unter dem Titel steht, in den »Neuen Blättern«[3]
(wo Paul Ernst ist) erscheinen zu lassen. Ich habe zwei Ausdrücke
aus Deinem letzten Brief noch zur Weihe eingefügt. Bitte gib die
Sache auch der Base[4] und Vater Lederer zu lesen. Ich komme in
einigen Tagen wahrscheinlich nach H[eidelberg]. Unser Wegzug
von dort bedeutet einen oftmaligen Besuch und reineren Aufenthalt. Aber Deine Antwort erreicht mich hier noch.

Viele Grüße an Ljena [Grabenko].
Dein Ernst

Ich habe Dir den »Zeitgeist« mitgeschickt, das ist beinahe noch
schöner als der Be[uru]bische[5] Artikel.

1 Die Karte ist ohne Datum. Aus dem Inhalt läßt sich jedoch entnehmen, daß sie
kurz nach dem »Wegzug« von Heidelberg 1914 nach Grünwald im Isartal geschrieben worden sein muß. Im Brief vom 3.6.1914 schrieb E.B., sie wollten »sehen, ob
bis Oktober etwas um München frei wird«; sofern diese Vorankündigung verwirklicht wurde, läßt sich die Karte auf Oktober/November 1914 datieren.
2 Vermutlich handelt es sich um E.B.s Arbeit über Don Quixote; vgl. dazu Brief
Nr. 55, Anm. 6.
3 E.B. meint wohl die *Weißen Blätter*, in denen in der Tat insgesamt fünf Beiträge
von ihm erschienen sind; als erstes im April 1917 »Der andere Don Quixote«, vgl.
dazu Brief Nr. 55, Anm. 6 sowie Brief Nr. 10, Anm. 1 an Johann Wilhelm Muehlon.
4 Emmy Lederer.
5 Im Original schwer leserlich; es muß daher unklar bleiben, worauf E.B. sich hier
bezieht. Vgl. jedoch Brief Nr. 92, Anm. 12 und 14.

Nr. 76   [Postkarte]
[Datum des Poststempels:] Heidelberg 18. 12.[19]14
Mittwoch

Lieber Djoury, ich komme von einem wesentlich ergebnislosen
Ausflug von den Althändlern zurück. Nämlich: ich habe gegenwärtig kein Geld, um größere Sachen, wie ich gern möchte, zu kaufen
und habe nichts Kleineres gefunden, das in Eurer ja nicht gerade
aufs Damenmäßige und Graziöse eingerichteten Wohnung bestehen könnte. So kann ich Ljena [Grabenko] und Dir nichts schenken
und bitte Dich, ebenfalls jede äußere Beschenkung hintanzuhalten.
Vielleicht hast Du die Freundlichkeit, auch andere, uns vielleicht
von Bruno[1] oder Eckart[2] möglicherweise zugedachte Beschenkun-
gen aufzuhalten.
Ich hörte von Else, daß wir am Weihnachtsabend zu Euch kommen
sollten. Was mich anbelangt, so kann ich selbstverständlich nur
kommen, wenn Vater Lederer das Verbot[3] seiner Wohnung auf-
hebt, und zwar[4] mir gegenüber, telephonisch oder schriftlich. Bitte
teile ihm diesen Tatbestand mit.

                                              herzlich!
                                              Ernst

1 Gemeint sein könnte: Bruno Bauer, alias Béla Balázs. Die ungarischen Herausgeber nennen Bruno Steinbach (geb. 1898), Musiker und enger Freund von G. L., mit
dem er gegen Kriegsende sogar im gleichen Haushalt wohnte.
2 Vermutlich meint E. B. den Juristen und Nationalökonomen Hans von Eckardt
(1890-1957). 1920-1926 war er Osteuropa-Referent des Wirtschaftsarchivs, ab 1925
in Hamburg und ab 1927 Professor in Heidelberg für Nationalökonomie und Staatswissenschaften und Leiter des Instituts für Publizistik; 1933-1945 von den Nazis von
der Universität entfernt.
3 Das folgende steht am linken Rand der zweiten Seite der Karte von oben nach
unten geschrieben. Der Grund des Zerwürfnisses war nicht zu ermitteln.
4 Das folgende steht auf Seite 1 der Karte, quer zum ursprünglichen Text und teils in
ihn hineingeschrieben.

Nr. 77   [Postkarte]
                                                      [1915][1]

Lieber Djoury! ich möchte Dir noch einige Worte schreiben, es
geht leichter, als sie zu sagen. Ich bin so außerordentlich erhoben
von Dir weggegangen wie noch selten seit den Verstimmungen des
vorigen Sommers. Sie waren, wie Du wohl leider bemerken muß-
test, ab und zu zum Schaden Deiner Nerven, hoffentlich nie Deiner
Gesinnung, nicht gänzlich zu vertreiben, wurden noch durch kleine
Antipathien unterstützt, und da mein heftiges, extremes Wesen
auch nur Rot und Grün auf der Palette hat, so war es mir oft maßlos
schwer, in der Lüge dieser Halbheiten zu verharren. Ich leiste Dir
jetzt Abbitte und bitte Dich alles Lieblose, Kleinliche und Unge-
rechte an meinem Verhalten zu verzeihen. Es ist alles so äußerlich;
wir sollten nur wieder öfter längere Zeit zusammenkommen und
die gemeinsame Stimmung[2] erzeugen, dann wäre immer alles klar
und[3] auf das Tiefste verwandt. Bleibe sonst, wie Du sein magst, ich
habe nicht Dein Richter zu sein, sondern in Verehrung, schlimm-
stenfalls in Kompensation[4] Dein Kollege. Ich würde Dich jeden[5]
Tag begrüßen, wenn Du auch zu Heraklits Zeiten gelebt hättest.
Was können dann alle Trübungen bedeuten, dieses lächerliche und
substanzlose Zeug?

                                                      Dein Ernst

1 Das Original trägt weder Ortsangabe noch Datum: Da E. B. jedoch von den »Verstimmungen des vorigen Sommers« spricht, die sich eindeutig auf 1914 datieren lassen, muß die Karte 1915 geschrieben worden sein, vermutlich nach dem gemeinsam
verbrachten Weihnachtsfest in Heidelberg (vgl. Brief Nr. 76), denn E. B. spricht
davon, er sei von G. L. »weggegangen«.
2 Im Original folgt durchgestrichen: »zu«.
3 Im Original folgt durchgestrichen: »doch«.
4 Das Wort ist nach »Kom-« getrennt, das folgende steht am linken Rand von unten
nach oben.
5 Das folgende steht auf Seite 1 der Karte, am linken unteren Rand beginnend und
schließlich quer zum Text an den oberen Rand geschrieben.

Nr. 78   [Postkarte]
[München, 24. 3. 1915][1]
Pension Brunner, Kaulbachstr. 22a.

Mein lieber Djoury!

[Wir fahren][2] morgen noch auf acht Tage nach Garmisch (Haus Erdmann). Dann erst in die Wohnung. Bewegtes Leben, krieche wieder und zum letzten Mal auf lange Zeit bei allen Althändlern herum, dazu jeden Tag zwei Stunden Museum; morgen ins peruanische Museum; ich bin sehr gespannt. Es ist doch eine unglaubliche Stadt: Heimat ist nur, wo Unserer Frauen Türme[3] ragen.

Grüße alle Heidelberger[4], auch von Else. Dir und Ljena [Grabenko] herzlich.

Dein Ernst

---

1 Der Brief ist ohne Datum. Dasjenige des Poststempels läßt nur »München, März 1915« erkennen; der nächste Brief jedoch, am Tag darauf in Garmisch geschrieben, trägt das Datum vom 25. 3. 1915; die Karte muß daher vom 24. 3. 1915 stammen.
2 Diese zwei Wörter sind in der Vorlage völlig unleserlich.
3 Anspielung auf die Frauenkirche, genau: Dom Unserer Lieben Frau, die 1271 erbaut und 1468-1488 zur dreischiffigen Halle umgebaut wurde und seither zu den Wahrzeichen Münchens gehört.
4 Das Wort ist nach »Heidel-« getrennt, alles folgende steht auf der ersten Seite der Karte am linken Rand, in den Text hineingeschrieben und schwer leserlich.

Nr. 79   [Briefkopf:] Hotel & Pension Riesser – See
Garmisch, Haus Erdmann, 25. 3. [19]15[1]

Mein lieber Djoury! Ich bin auf einige Tage hierhergefahren, da ich den letzten Handanlegungen der Handwerksleute nicht beiwohnen wollte. Das hat Else in großartiger Weise besorgt. Sie ist seit gestern hier und ruht sich noch einige Tage aus, dann werden wir erst einziehen.

Ich will Reich[2] gleich schreiben. Ich gab ein von ihm gekauftes Service zu 35 M[ar]k zurück und zahlte noch 40 M[ar]k dazu, sodaß Dein Wedgewood[3] sogar 75 Mark kostete. Also macht Reich mit 60 M[ar]k sogar noch ein gutes Geschäft. Du wirst lachen und triumphieren, aber ich habe jetzt bei Bernheimer[4] für mein Zimmer herrliche italienische Möbel gekauft, die Dich sehr interessieren werden. Der Schreibtisch ein großer Bologneser Tisch (mit schönen alten Bronzenägeln ringsum)[5] mit wundervoller Patina, der Schrank eingelegt; das Schönste, das ich überhaupt bisher gesehen habe, Barock. Dazu Stühle usw. – Du wirst ja sehen, auch das übrige, z. B. Elses Bett, das wir aus den Einlagen einer alten Kommode (Ghirlanden, Vögel, mythische[6] Städtebilder) machen ließen, ganz Einschiffung nach Cythere[7]. Ich habe als geistigen Ausklang all dieses hier meine lange projektierte Arbeit: »Über die Erzeugung des Ornaments«[8] begonnen und will sie in voller kunsthistorischer Gelehrsamkeit, ganz wie ein Florentiner Djoury[9], zu Ende führen.

Es freut mich sehr, daß Du Dein Buch[10] begonnen hast. Ich finde allerdings den Böhme-Titel[11] nicht gut. Wozu? Buch ist Buch, Kapitel ist Kapitel, und außer der Schönheit des Titels sehe ich keinen Anreiz, wie mir scheint, auch Deine sachlich begründete Deckung mit dem Böhmeschen doch höchst bekannten und prägnant Böhmisch festgelegten Titel. Das haben wir doch nicht nötig. Übrigens finde ich, was eine private Nervosität sein kann, seit einiger Zeit alle Morgen- und Lichtgleichnisse abgebraucht, unzureichend, leise phrasenhaft und wie als das[12] Zeichen einer lahmen, zum mindesten unkonstitutiven Phantasie.

Bald mehr. Ich schicke Euch bald die Photographien des Inneren des Hauses. Denn ich bin ein großer Architekt und möchte meine Werke zeigen. Übrigens der letzte Faden mit dem unteren Heidelberg: ich mußte gestern gegen die Hacker[13] Klage einreichen, weil das Luder kein Geld zahlen will. Man darf übrigens in Rußland wieder Bier[14] trinken, und ich glaube, daß der Fall Przemysls[15] sehr günstig auf den Konsum einwirken wird,
Ich wollte, Ihr kämet bald. Grüße Ljena [Grabenko] herzlich, von Else und mir. Sie gedenkt stets Deiner in besonderer Liebe und Verehrung.

Dein Ernst

---

1 Dieser Brief wurde schon veröffentlicht in: *Georg Lukács – Briefwechsel 1902 bis 1917*, herausgegeben von Éva Karádi und Éva Fekete, Stuttgart 1982, S. 346f.
2 Vermutlich ein Heidelberger Antiquitätenhändler.
3 Josiah Wedgewood (1730-1796), englischer Kunstkeramiker, nach dem auch das von ihm hergestellte Porzellan genannt wurde. Die in klassizistischem Stil gehalte-

nen Arbeiten Wedgewoods entsprachen dem Zeitgeschmack so sehr, daß sie weit über England hinaus zum Vorbild wurden für alle keramischen Erzeugnisse, besonders auch für das europäische Porzellan dieser Zeit.

4 Vermutlich handelt es sich um einen Münchner Antiquitätenhändler.

5 Die Klammer steht im Original zwischen den Zeilen.

6 »mystische« ist zwischen den Zeilen eingefügt.

7 »Embarquement pour Cythère« (Einschiffung nach Cythera) ist der Titel eines berühmten Bildes von Jean-Antoine Watteau (1684-1721), dessen traumhaft-utopischer Vorschein von Lust und Liebe E.B. tief beeindruckte (vgl. dazu: *Das Prinzip Hoffnung* GA Bd. 5, 932 ff.).

8 Dies ging unter dem gleichen Titel in beide Fassungen von *Geist der Utopie* ein. Vgl. GA Bd. 3, S. 20-48, und GA Bd. 16, S. 17-52.

9 G.L. hatte in Florenz im Winter 1911/12 die Arbeit an seinem geplanten kunstphilosophisch-ästhetischen System begonnen und arbeitete damals intensiv daran.

10 E.B. meint das geplante Buch über Dostojewski, in dem G.L. vor allem Fragen der Ethik und der Entwicklung der Geschichtsphilosophie erörtern wollte. – Mit Beginn des Krieges und vermutlich nicht ohne Einfluß durch seine Heirat mit Ljena Grabenko hatte G.L. seine Arbeit an der Ästhetik fallenlassen, weil sie ihm nun sinnlos erschien. Von dem geplanten Buch über Dostojewski ist jedoch der erste Teil, der als *Theorie des Romans* (1916) berühmt werden sollte, wirklich fertig geworden. Aufrisse und Notizen zum nie vollendeten Teil liegen im Lukács-Archiv Budapest vor.

11 Anspielung auf das berühmteste Buch von Jakob Böhme (1575-1624) mit dem Titel *Aurora*. Böhme, von Beruf Schuhmacher, vertrat eine pantheistische Weltauffassung: Gott ist alles. Auch das Böse verlegt Böhme in Gott selbst, der sich aus der in seine Einheit eingeschlossenen Gegensätzlichkeit von Gut und Böse selbst erzeuge. Ähnlich vermag das Gute sich auch im Menschen nur auf dem Grunde des Bösen zu zeigen. Böhme, als der erste deutschsprachige Philosoph, von seinen Freunden »Philosophus Teutonicus« genannt, schreibt häufig unbeholfen, schwer verständlich, aber mit mächtiger Gestaltungskraft, tiefer Innerlichkeit und prophetenhafter Begeisterung. Zahlreiche bedeutende Denker wurden von ihm beeinflußt, so Schelling, Goethe, Lichtenberg, Hegel und Franz von Baader. – Aus diesem Hinweis geht hervor, daß die *Theorie des Romans* ursprünglich den Titel »Aurora« bekommen sollte.

12 »wie als das« zwischen den Zeilen eingefügt; ursprünglich hatte E.B. geschrieben: »das«.

13 Vgl. Brief Nr. 81, Anm. 1.

14 Anspielung auf E.B.s Schwiegervater, Herrn von Stritzky (und dessen Brauerei in den baltischen Gebieten Rußlands), von dem E.B. ökonomisch abhängig war.

15 Stadt in der polnischen Woiwodschaft Rzeszów, gehörte seit 1772 zu Österreich, wurde ab 1876 zur Festung ausgebaut, im Ersten Weltkrieg von September 1914 bis März 1915 von russischen Truppen belagert und schließlich erobert; im Juni 1915 gewannen deutsche Truppen die Stadt zurück; 1918 kam sie an Polen.

Nr. 80   Grünwald, 6. 4.[1]

Lieber Djoury, so sieht die neue Landschaft aus. Alles bald fertig,
auch das Turmzimmer. Bald Brief. Grüße Lederer und sage ihm
alles Gute auf seinen Brief[2], ich werde bald antworten.

Euch alles Beste.
Ernst

1 Die Karte hat keine Jahresangabe, ist aber vom Inhalt her eindeutig auf 1915 zu
identifizieren. Es handelt sich um eine Postkarte: »Isartal, Deich auf Grünwald«, auf
der E. B. durch einen Hinweispfeil vermerkte: »dies ist unser Haus, aus weiter Ferne
gesehen.« Den Fluß im Vordergrund kennzeichnete E. B. mit »Isar«.
2 Das folgende steht am linken Rand, teils in den ursprünglichen Text hineingeschrieben. Der erwähnte Brief von Lederer befindet sich nicht im Nachlaß von E. B.

Nr. 81   Grünwald, 23. 4. [19]15

Mein lieber Djoury, um das Verdrießliche vorweg zu nehmen: ich
muß Dich schon wieder um Geld bitten. Aber diesmal unter den
günstigsten Bedingungen und wirklich ohne alle meine Schuld. Ich
weiß, daß Du keine »Rechtfertigung« wünschst, aber mir zuliebe
will ich sie in diesem armseligen Dreckskram geben. Ich habe von
der Hacker[1] 4000 Ma[rk] zu bekommen, und ich muß, obwohl ich
einen schriftlichen Kaufbeweis habe, um dieses Geld prozessieren,
weil die Hacker den Verkauf plötzlich, als ich um das längst nach
Verabredung fällige Geld telegraphierte, ableugnete. Wir haben
uns, in dem sicheren Besitz dieses Geldes, für ungefähr 1500 M[ar]k
alte Möbel gekauft, hätten also 2500 M[ar]k gewonnen, wozu noch
die ungefähr 2500 Minimum für mein Zimmer kommen[2], über dessen Verkauf immer noch Verhandlungen »schweben«, die nur leider nicht schon längst zum Schluß gekommen sind, weil ich mit
dem Preis nicht herunterging. Jetzt haben wir 2200 M[ar]k gesetzt,
und die Sache scheint in einer Woche zum Klappen zu kommen.
Der Hacker-Termin selbst ist diesen Samstag, aber – obwohl nicht
der geringste Zweifel am Gewinnen ist –, es kann noch vierzehn
Tage dauern, bis ich das Geld bekomme. Ihr *einziges* Argument

bzw. das ihres Anwalts (oh liebes Heidelberg!) ist dies, daß ich russischer Staatsangehöriger bin und Zahlungen an einen feindlichen Ausländer nicht zulässig sind. Du siehst, das ist leicht zu entkräften; dazu kommt das unter Umständen eidliche Zeugnis der beiden Mädchen[3] (schon bei Gericht lagernd) und die schriftliche[4] Mitteilung der Hacker an Neuer[5], daß die Zimmer verkauft sind (ebenfalls bei Gericht lagernd).

Ich erzähle das Zeug so ausführlich, um Dir auch die objektive Gewißheit zu geben, daß Du das Geld bald bekommst. Ich brauche unbedingt 200-300 M[ar]k sofort. Hoffentlich ist es Dir möglich. Ich habe auch an die Hammerschlag darum geschrieben, die Nein sagt, im Thatagata-Ton[6] von ihrer Sparsamkeit schwärmt und uns am Schluß herzlich wünscht, daß wir uns in Grünwald gut einleben. An so etwas haben Du und ich unsere gemeinsame Freude. Es geht uns wie den Kunstmalern in den Fliegenden Blättern[7], wir haben selbst die Miete am 1. April und spät und erst zur Hälfte[8] bezahlen können. Wir erwägen schon ernsthaft, welche Dinge wir bei der möglichen Pfändung hergeben, das ist allen hier nicht so niederdrückend zu bedenken, wie es in Heidelberg zu denken gewesen wäre, weil die bayrische Luft im Grunde sehr gleichgültig gegen Geldwirtschaft ist. Ich werde eine Arbeit schreiben über das Geld[9], über die erstaunliche und furchtbare Art, wie es bei fast allen Menschen der einzige seelische und moralische, auch intellektuelle Inhalt geworden ist; alles A-B-C-Schützen-[10]-Addition mit einem plötzlichen satanischen Pathos und das unmittelbare, aus Nichts zusammengesetzte Gift jeder Brüderlichkeit. Steht darüber etwas bei Max Weber?

Dein Brief hat mich sehr betrübt. Lieber Djoury, Du mußt in eine andere Luft. Zieht doch im Sommer hierher und versuche hier zu schreiben. Ich lese jetzt in Deiner Ästhetik[11] die Partien über das paradiso terrestre[12] und das Genie: es erscheint mir jetzt alles so schön, klar, mühelos quellend und leuchtend, daß ich meinen[13] vorigen Standpunkt gegen diesen Stil nicht begreife. Vielleicht weil ich jetzt erst »Leser« geworden bin und der Produktionsprozeß zwei Jahre alt ist.

Bitte gib bald Antwort! Dir und Ljena [Grabenko] herzlich!

Dein Ernst

Else grüßt Eucht beide herzlich und will bald schreiben.[14] M.L. Gotheins Bücher[15] folgen!

1 Diesen Rechtsstreit hat E.B. schon erwähnt in Brief Nr. 79 bei Anm. 13.

2 »kommen« zwischen den Zeilen eingefügt.

3 Es war nicht mehr zu ermitteln, wen E.B. hier meint.

4 »schriftliche« zwischen den Zeilen eingefügt.

5 Vgl. Brief Nr. 70, Anm. 14.

6 Anspielung auf die oft zitierte »Tante Thatagata«, vgl. Brief Nr. 47, Anm. 15.

7 *Fliegende Blätter* nannte sich eine humoristische Zeitschrift, die von 1845 bis 1944 in München erschien. Das Blatt wurde vor allem wegen seiner graphischen Mitarbeiter geschätzt, darunter M. v. Schwindt, C. Spitzweg, W. Busch, A. Oberländer, F. Stuck und Th. Th. Heine. Sie schufen zahlreiche Figuren für typische Verhaltensweisen des deutschen Bürgertums.

8 E.B. meint wohl, daß er die Miete für April nicht pünktlich auf den 1., sondern spät und nur zur Hälfte bezahlen konnte.

9 Es könnte sich um eine Vorarbeit zu dem Kap. »Der sozialistische Gedanke« von *Geist der Utopie* handeln.

10 »Schützen« zwischen den Zeilen eingefügt.

11 E.B. meint die *Heidelberger Philosophie der Kunst*, die G.L. in den Jahren 1912 bis 1914 geschrieben hat. Vgl. dazu G.L., *Werke*, Bd. 16, vor allem »II. Phänomenologische Skizze des schöpferischen und rezeptiven Verhaltens«, S. 43 ff.; zu E.B.s früherer Kritik vgl. Brief Nr. 58 bei Anm. 8 sowie ihre Erneuerung in Brief Nr. 93.

12 Ital.: irdisches Paradies.

13 Alles folgende steht auf Seite 1 des Briefes am linken Rand von unten nach oben und über der Anrede des Briefes quer am oberen Rand.

14 Im Original folgen einige völlig unleserliche Wörter.

15 Um welche Bücher es sich hier handelte, ist nicht mehr zu klären. Zu M.L. Gothein vgl. Brief Nr. 41, Anm. 2.

Nr. 82   Grünwald 64, 17. 5. [1915][1]

Mein lieber Djoury, endlich gehen die Sachen an Dich ab, es war hier die ganze Zeit ein derartiges Durcheinander, daß ich nichts finden konnte. Jetzt ist es etwas besser, d. h. ich hätte ein ganzes Haus zu bewohnen und sitze den ganzen Tag in einem kleinen Turmzimmer, weit ab vom Schuß, und arbeite viel.

Nun, Du mußt mit der Kierkegaardschen Methode ja viel fertig bringen. Ich freue mich sehr darüber. Ich habe für die »Rundschau«[2] eine kleinere Sache fertig gemacht (morgen kommt sie von der Maschine)[3], die ich Dir auch gleich zuschicke: »Negerplastik«[4],

auch das Buch von Einstein[5] wird Dich freuen. Die Abschrift des
Ornaments[6] ist bald vollendet. Ich möchte nämlich gleich nach
Kriegsschluß bei Kurt Wolff[7] ein Buch herausgeben, scheinbar zu
bunt, aber im ganzen doch weißes Licht, Titel: Die Erzeugung des
Ornaments (fühlbar mehrsinnig). Gesammelte Essays.[8] Inhalt:
1. Über den Kaufmann[9]; 2. Negerplastik[10], 3. die Erzeugung des
Ornaments[11]; 4. Über den Irrsinn[12]; 5. Die Musik im Kino[13]; 6.
Rich[ard] Strauss oder die Grenzen zwischen der Melodik und
Symphonik[14]; 7. Jakobe Salomon: Ein Dialog[15]; 8. der undiskutier-
bare Krieg[16], 9. über[17] Don Quixote und das abstrakte Apriori[18];
10. Die geheime Deutung der Bibel[19]; 11. Historisch – kritischer
Exkurs zur Philosophie[20]; 12. Vorbereitungen[21]; 13. Die Gestalt
der unkonstruierten Frage[22]. – Das wird sicher rasch berühmt wer-
den, und einiges ist noch zu schreiben. Dann werde ich erst die
Logik und Erkenntnistheorie[23] gesondert bei Siebeck herausgeben.
Wie findest Du die Zusammenstellung in diesen meinen Parerga[24]?
Bitte gib mir die Adresse von Baumgarten[25] an. Was arbeitet Ljena
[Grabenko]?

Sei mit ihr, auch von Else[26], herzlich gegrüßt!
Dein Ernst

1 Der Brief ist ohne Jahresangabe. Aufgrund des nächsten Briefes, der von E. B. auf
28. 5. 15 datiert wurde und wo er die in diesem Brief versprochene Arbeit über
»Negerplastik« mitschickt, ist er jedoch sicher auf 17. 5. 1915 zu datieren. Die
Zahl 64 bezeichnet wohl die Hausnummer.
2 *Neue Rundschau*: als »Freie Bühne« 1894 in Berlin von O. Brahm und S. Fischer
gegründete Wochenschrift; ab 1904 heutiger Titel; seit 1950 Erscheinungsort Frank-
furt/M. – Aus dieser Ankündigung E. B.s ist nichts geworden. Vgl. Brief Nr. 85,
Anm. 7 und 8.
3 Das in Klammern Eingefügte steht im Original zwischen den Zeilen.
4 Vgl. die Briefe Nr. 82 (Anm. 10), Nr. 84 und Nr. 85.
5 Es handelt sich mit großer Wahrscheinlichkeit um das 1915 von Carl Einstein
veröffentlichte Werk: *Negerplastik*. Einstein (1885-1940), Kunsthistoriker und
Schriftsteller, war ein Kenner der expressionistischen und afrikanischen Kunst. Er
verfaßte den Roman *Bebuquin* (1912) als frühes Zeugnis der ›absoluten Prosa‹. Seine
Gedichte und Essays erschienen in den Zeitschriften *Hyperion*, *Die Aktion* u. a.
6 E. B. meint »Die Erzeugung des Ornaments«, vgl. Anm. 11.
7 Kurt Wolff (1887-1963), Verleger. Wolff übernahm 1913 den 1908 von E. Rowohlt
gegründeten Verlag in Leipzig, erwarb 1917 noch den Hyperion-Verlag sowie den
Verlag der Weißen Bücher und gründete 1924 in Florenz den Kunstverlag Pantheon

Casa Editrice. Wolff verlegte Werke von F. Kafka, F. Werfel, M. Brod, H. Mann, G. Meyrink und W. Hasenclever. Nach Auflösung seiner Firmen (1930) und Emigration (1933) gründete Wolff in New York den Verlag Pantheon Books. Seine Erinnerungen *Autoren, Bücher, Abenteuer* erschienen 1965 und 1984.

8 Die folgende Aufzählung läßt schon deutlich die Konturen von *Geist der Utopie* erkennen; E.B.s Plan ist etwas anders als hier entworfen in Erfüllung gegangen: eine Essaysammlung erschien 1923 bei Paul Cassirer, Berlin, unter dem Titel: *Durch die Wüste*. Teile der ersten Fassung von *Geist der Utopie* sind darin aufgenommen.

9 Dies könnte sich auf E.B.s projektierte Arbeit über das Geld beziehen. Vgl. Brief Nr. 81 bei Anm. 9.

10 Diese kleine Arbeit von E.B. erschien 1915 in den *Argonauten – Eine Monatsschrift*, herausgegeben von Ernst Blaß, Heidelberg, II. Jahrgang, S. 10ff.; sie wurde nicht in *Geist der Utopie* aufgenommen. Unter dem Titel: »Über ein Sammelwerk: Negerplastik (Versuch 1914)« hat E.B. diese Arbeit in den *Literarischen Aufsätzen* (GA Bd. 9, S. 190-196) wieder publiziert.

11 Dies sollte das zweite Kapitel in beiden Fassungen von *Geist der Utopie* werden. E.B. hat diese Arbeit jedoch sehr stark umgearbeitet. Vgl. Brief Nr. 92 bei Anm. 24.

12 Dieser ganze vierte Punkt wurde zwischen den Zeilen eingefügt. Von einer größeren Arbeit über den Irrsinn ist nichts bekannt.

13 Es handelt sich wohl um den Essay »Die Melodie im Kino oder immanente und transzendente Musik«, der in den *Argonauten* I, S. 82-90 erschienen ist. Unter dem Titel: »Über die Melodie im Kino (Versuch 1913)« hat E.B. diese Arbeit in die *Literarischen Aufsätze* (GA Bd. 9, S. 183-187) später übernommen. Das Thema schien ihm offensichtlich so interessant, daß er eine zweite Fassung 1919 versuchte (ebenfalls in GA Bd. 9, S. 187-190).

14 Strauss kommt in beiden Fassungen von *Geist der Utopie* vor, wenn auch nur am Rande; vgl. GA Bd. 3, S. 90-93 und GA Bd. 16, S. 122ff.

15 Diese Auseinandersetzung mit Pontoppidans Roman: *Hans im Glück* hat in Gestalt eines Essays in den *Literarischen Aufsätzen* (GA Bd. 9, S. 83-88) Aufnahme ins Werk von E.B. gefunden. – Bei G.L. ist dieser Roman am Schluß von II. in der *Theorie des Romans* behandelt (Neuwied und Berlin 1971, S. 96ff.) – Jakobe Salomon wird in dem achtbändigen Werk (erschienen 1898-1904) als tragische Heldin dargestellt.

16 Dieser Essay wurde unter dem gleichen Titel in die *Politischen Aufsätze* GA Bd. 11, S. 20-26 aufgenommen. Die Angabe der Entstehungszeit von 1914/15 läßt sich mit diesem Brief eindeutig auf 1915 korrigieren.

17 »über« zwischen den Zeilen eingefügt.

18 Diese Arbeit wurde unter demselben Titel 1915 in den *Argonauten – Eine Monatsschrift*, herausgegeben von Ernst Blaß, zuerst veröffentlicht. Unter dem Titel »Der komische Held« spielt Don Quixote in der ersten Fassung von *Geist der Utopie* eine zentrale Rolle (vgl. GA Bd. 16, S. 53-78), die er aber in der zweiten Fassung nicht behaupten kann; vgl. Brief Nr. 55, Anm. 7.

19 Es ist nicht sicher, worum es sich handelt. Vielleicht eine Vorarbeit zu »Jesus«, in: GA Bd. 16, S. 373ff.

20 Daraus wurde später wohl der Vergleich Kant – Hegel im *Geist der Utopie*; vgl.
Brief Nr. 83, Anm. 19 und 20.
21 Dies wurde kein eigenständiges Kapitel, vgl. Brief Nr. 83 bei Anm. 20.
22 Dies wurde zum philosophisch zentralen Teil von *Geist der Utopie*. Vgl. GA
Bd. 3, S. 209-287, und GA Bd. 16, S. 343-389.
23 Zu E.B.s damaligen Systementwürfen einer axiomatischen Philosophie in mehreren Bänden vgl. vor allem die Briefe Nr. 8, 9, 18 und 103; danach sollte der »Einlei-
tende Teil« mit Logik und Erkenntnistheorie beginnen.
24 Diese Anspielung auf Schopenhauer, der nach seinem Hauptwerk *Die Welt als
Wille und Vorstellung* nur noch *Parerga und Paralipomena* schrieb, sollte die weitere
Entwicklung in ihr Gegenteil verkehren: der als Essaysammlung geplante *Geist der
Utopie* wurde zu E.B.s erstem Hauptwerk; die mehrbändige Axiomatik dagegen
blieb ungeschrieben.
25 Vgl. Brief Nr. 83, Anm. 4.
26 Das folgende steht am rechten Rand des Briefes.

Nr. 83   5.8.[1915][1]

Mein lieber Djoury! ja ich habe Dir gereizt geschrieben. Ich hätte
vielleicht gegen mich nicht weniger oder sogar allein gereizt sein
sollen, denn es ist merkwürdig, daß Du mir gegenüber nichts sagen
kannst, das schwebend und noch ungeformt ist, daß Du sogar in dem
letzten Brief über das Daimonion[2] nur dann mit mir sprechen willst,
wenn das Gefühl »unpersönlich« und logisch geworden ist. Das liegt
gewiß an mir, wie Du es ja auch einmal am Gegensatz zu Vedres und
Max Weber, um von den letzten Typen zu schweigen, exemplifiziert
hast. Hier ist der Punkt unserer tiefen Unverträglichkeit, und da sich
hier nichts zwingen läßt (aber ist H. Bauer nicht ein mir verwandter
Typ, und geht es bei ihm nicht trotzdem besser?), so haben wir uns
geeinigt, weiter nur im[3] welthistorischen Verbundensein miteinander zu verkehren, obwohl das eigentliche Band nicht in diesem
Rayon zu knüpfen ist. Ich erneuere also, unter dem beständigen
Vorbehalt, daß ich auf eine irrationale Veränderung hoffe, den großen und ewigen »Vertrag« dieser unserer um viel Gewohntes, Altes
und Erinnerungsmäßiges versuchten Freundschaft. Aber das Richtige ist es natürlich nicht, hoffentlich noch nicht. Ich möchte nicht
ruhen, bis ich nicht von Dir mit Leo Popper in einem Atemzug
genannt werden kann, selbstverständlich unbeschadet aller parallelen Ich-Verschiedenheit zwischen Leo Popper und mir.
Um ins Kleine zu gehen: ich nannte Baumgarten[4], weil ich mich

(vorher und ohne Zusammenhang damit[5] über die Umständlichkeiten ärgerte. Es ist leicht, für einen anderen[6] um Geld zu bitten, und ich begreife nicht, was es überhaupt[7] für eine »Angelegenheit« ist, einen Chek auf 500 M[ar]k auszustellen, auch wenn man krank ist und mit eigenen Angelegenheiten überaus beschäftigt ist, die ja in diesem Fall mit Geld überhaupt nichts zu tun haben können[8]. Wir sind seit Monaten in einer kleinbürgerlichen Misere, die nicht zu beschreiben ist. Gestern[9] kam es soweit, daß zwei alte schöne Stücke gepfändet wurden. Else, die Lächelnde, Verklärte, Erhabene, läuft bei den dreckigsten Halunken in München herum, um Stundung zu bitten, und geht in zwanzig Geschäfte, um Sachen zu verkaufen, ohne einen Pfennig zu bekommen ((z. B. es wurde ihr, als sie eines Tags mit der alten chinesischen Drachenstickerei, die 250 M[ar]k gekostet hat, ihr Glück versuchte, gesagt (im China-Geschäft ersten Ranges), daß auch sie die Sache nicht unter 250 M[ar]k verkaufen würden, aber nur 20 M[ar]k dafür gäben, und auch das nur nach Kriegsschluß)). Es ist viel Rechtlichkeit und Liebe in der Welt, und ich glaube, daß der Messias kommen würde, wenn nur das armselig, grob, einfach Gemeine, aber hundsföttisch intensiv Gemeine der Menschen getilgt wäre, und daß er das Versagen in den eigentlichen Moral*problemen* dagegen gar nicht mehr spüren würde. Ich bitte Dich dringend, doch noch einmal an Baumgarten zu schreiben, es kann Dir doch, soviel ich sehen kann, auch von Dir und deinen Voraussetzungen aus, nicht unangenehm sein. Mindestens nicht unangenehmer, als uns dieses Leben ist, in dem Else zu Deiner Wirtin in der Uferstraße und ich unter den Honigsheim deklassiert werden.[10] Ich bin jedenfalls am Ende, trotz aller guten Arbeit. Ich schreibe gegenwärtig einen kleinen Essay über Alexander den Großen; es ist klar, worüber er geht. Sonst steckt in dem Band[11] nur noch und dies ist endgültig: 1. Negerplastik[12]; 2. Über Alexander den Großen[13]; 3. Ornament[14]; 4. Krieg[15]; 5. Jakobe[16]; 6. Don Quixote[17]; 7. J. S. Bach oder die wahrhaft christliche Melodie[18]; 8. Der Rang der Hegelschen Philosophie[19]. Die schlechten »Vorbereitungen«[20] werden in ihrem kritischen Teil dem »Krieg« und in[21] ihrem sachlichen Teil der »Hegelschen Philosophie« zugewiesen. Ich erwarte jeden Tag Dein M[anu]skript.[22]

Von Herzen! Dein Ernst

Ich bitte Dich gleich an Baumgarten zu schreiben; wenn es nicht anders geht, werde ich selber nach Berlin fahren und ihn um Geld bitten, es geht so unmöglich weiter. Soeben zwei neue Klagen, Else im Weinkrampf.

bitte *gleich Antwort!*[23]

1 Der Brief ist ohne Jahresangabe, der Inhalt (zweite Inhaltsangabe von *Geist der Utopie*) ergibt jedoch zweifelsfrei, daß er in direktem Anschluß an den vorherigen Brief, also 1915, geschrieben worden sein muß.

2 Vgl. Brief Nr. 21, Anm. 3.

3 »im« zwischen den Zeilen eingefügt.

4 Hier wird klar, daß es sich bei den früheren Andeutungen darum handelte, daß E. B. den wohlsituierten Baumgarten um Geld bitten und dafür offensichtlich G. L.s Rat haben wollte; dieser jedoch hüllte sich in Schweigen. Vgl. die Briefe Nr. 73, Anm. 2 und Nr. 73 Nachschrift Anm. 4 sowie Brief Nr. 84.

5 Die Klammer steht im Original zwischen den Zeilen.

6 G. L. hatte das E. B. geliehene Geld für Ljena Grabenko wieder zurückerbeten. Vgl. Brief Nr. 72, Anm. 11, sowie Brief Nr. 70, Anfang.

7 »überhaupt« zwischen den Zeilen eingefügt.

8 »können« zwischen den Zeilen eingefügt.

9 Im Original folgt durchgestrichen: »war«.

10 Anspielung auf Honigsheims »üble Nachrede«, E.B. betreffend. Vgl. Brief Nr. 70 bei Anm. 25.

11 Zu E. B.s früheren Ankündigungen vgl. die Briefe Nr. 24, 55 und 72 sowie v. a. das erste Inhaltsverzeichnis in Brief Nr. 82.

12 Vgl. Brief Nr. 82, Anm. 10.

13 In *Geist der Utopie*, Erste Fassung GA Bd. 16, S. 304-319 aufgenommen unter dem Titel: »Exkurs: Der Alexanderzug«. In der bearbeiteten zweiten Fassung von 1923 lautet der Titel: »Vom Nebel, dem Alexanderzug und der Größe des Ja« (GA Bd. 3, S. 212-218).

14 Vgl. Brief Nr. 82, Anm. 11.

15 Vgl. Brief Nr. 82, Anm. 16.

16 Vgl. Brief Nr. 82, Anm. 15.

17 Vgl. Brief Nr. 55, Anm. 6.

18 Diesen Teil über die Musik hat E. B. im folgenden noch sehr ausgebaut, bis er als großes Kapitel in beiden Fassungen von *Geist der Utopie* einen wichtigen Platz in diesem Werk einnimmt. Vgl. die Briefe Nr. 85, 86, 89, 90, 92, 94 und 98.

19 Dies ist wohl die Vorankündigung des später in beiden Fassungen des *Geist der Utopie* durchgeführten Vergleichs von Kant und Hegel; vgl. dazu die erste Fassung GA Bd. 16, S. 271-294, »Innerlichkeit und System – Kant – Hegel« sowie die zweite Fassung GA Bd. 3, S. 219-236 (»Kant und Hegel oder Inwendigkeit, die Welt-Enzyklopädie überholend«).

20 Vgl. Brief Nr. 82, Anm. 21, das kurz darauf folgende »in« ist zwischen den Zeilen eingefügt.

21 »in« zwischen den Zeilen eingefügt.
22 *Theorie des Romans*, vgl. Brief Nr. 87, Anm. 5.
23 Der Nachsatz steht im Original auf Seite 1 des Briefes über der Anrede quer zum anderen Text.

Nr. 84   [Briefkarte]
                                                       28. 5. [19]15

Lieber Djoury, ich schicke Dir hier die Negerplastik[1], ursprünglich als Anmerkung für die Neue Rundschau[2] bestimmt. Flott in der Form, nicht besonders tief; ich wollte sie Dir daher nicht vor dem Ornament[3] schicken, aber das wird nicht vor Montag fertig getippt sein (50-60 Maschinenseiten).

Verzeihe, wenn Du die übrigen Bücher[4] immer noch nicht hast; aber als ich daran ging, sah es schrecklich aus, alles Logische voll von Zetteln, Seitenverweisungen auf Deine Bücher, Auflagen usw. Bitte schreibe mir nochmal, was Du unbedingt brauchst, also alles Außerlogische (denn ich finde zum Überfluß auch Deinen Brief nicht mehr, alles ganz basenhaft). Sonst müßte ich Dich Bücherbesitzer das Unerhörte bitten, das Logische auf der Bibliothek zu holen und mir Deine Bücher noch auf einige Zeit zu lassen. Aber Du wirst die Gründe einsehen.

Ich bat um Baumgartens Adresse[5], natürlich um ihn um Geld zu bitten. Da Du sie nicht schreibst, scheinst Du es nicht für opportun zu halten. Ich verfalle auf alles, wir haben bis zum Ersten seit acht Tagen nur noch 45 ₰ [Pfennig] ohne Aussicht, von irgend jemand etwas zu bekommen, und leben von den einstmals aufgekauften Konserven. Übrigens, mit der Hacker[6] steht es nicht so schlecht, wie Lederer schreibt; mein Anwalt sagt bestimmt voraus, daß ich jetzt am 29. M[ai][7] den Prozeß gewinne.

Arbeitest Du viel?
Dein Ernst[8]

1 Vgl. Brief Nr. 82 bei Anm. 4.
2 Vgl. Brief Nr. 82, Anm. 2.
3 Vgl. Brief Nr. 82, Anm. 11.
4 Vgl. Brief Nr. 82, Anfang. Bei den dort erwähnten »Sachen« handelte es sich demnach um Bücher.

5 Vgl. Brief Nr. 82, bei Anm. 25, und Nr. 83 bei Anm. 4.
6 Zu dieser Rechtssache vgl. Brief Nr. 81, und Nr. 79 bei Anm. 13.
7 Der Buchstabe ist nicht sicher mit M zu identifizieren.
8 Der Gruß steht am rechten Rand der Karte.

Nr. 85   [Briefkarte]
                                            Grünwald 64, 5.6.
                      [Datum des Poststempels:] 5.6.[19]15

Lieber Djoury, es ist mir vollständig schleierhaft, warum Du nicht
schreibst. Ich habe Dir vor 14 Tagen einen langen Brief mit (unterdessen etwas geändertem, strenger gemachtem) Buchplan[1]
geschrieben und vor acht Tagen die Negerplastik[2] geschickt. Ist
etwas vorgefallen? Bist Du wegen der Bücher[3] verstimmt, das kann
ich mir doch gar nicht denken.
Ich schreibe jetzt die Musik[4], da wird ein ungeheurer Gedanke drin
stecken, den Du noch nicht kennst. (Titel: »J.S. Bach oder die doppelte Ordnung der Melodik.« Gustav Mahlers Andenken gewidmet).[5] Morgen schicke ich Dir das Ornament[6] zu. Natürlich hat
Dir[7] die Negerplastik[8] abgelehnt, »zu schwere Kost«. Mir bleiben
nur die Argonauten[9] übrig, das wird noch meine Norddeutsche Allgemeine.[10]
                      Bitte gib sofort Antwort. Von Herzen!
                      Dein Ernst

1 Vgl. Brief Nr. 83.
2 Vgl. Brief Nr. 84 und Brief Nr. 82, Anm. 4.
3 E.B. hatte einen Teil der von G.L. ausgeliehenen Bücher zurückbehalten. Vgl.
Brief Nr. 84.
4 Im späteren *Geist der Utopie* ist der Teil über Musik in beiden Fassungen sehr viel
umfangreicher als hier angekündigt. Das Kapitel über Bach heißt in beiden Fassungen: »Bach, seine Form und sein Gegenstand«.
5 Die Klammer steht im Original zwischen den Zeilen, beginnend über dem Wort
»Musik«.
6 Gemeint: »Die Erzeugung des Ornaments«. Vgl. Brief Nr. 82, Anm. 11.
7 Hier handelt es sich um ein Versehen von E.B.; der Name war nicht zu eruieren;
jedenfalls druckte die *Neue Rundschau* E.B.s Arbeit nicht.
8 Vgl. Brief Nr. 82, Anm. 4 und 10.
9 Hier ist der Aufsatz auch tatsächlich erschienen. Vgl. Brief Nr. 82, Anm. 10.
10 Diese Zeitung (Kanzlerblatt) galt als das Sprachrohr Bismarcks.

Nr. 86   [Briefkarte]
                                                    Freitag. [6.6.1915]¹

Mein lieber Djoury, hier die Arbeit². Ich bitte über den reichlich
aktuellen Ton, besonders am Anfang, hinwegzusehen, es schien
mir für das, was doch nicht mein Werk ist, notwendig und ist doch
der ins Aktuelle und Agitatorische zurückkehrende Begriff. Bitte
gib es auch Ljena [Grabenko], der Base³ und Lederer außer anderem zu lesen. Vielleicht vermissest⁴ Du begriffliche Schärfe, aber sie
ist drin, oft nur in einem Adjektiv versteckt, weshalb man gut lesen
muß. Meine Musik⁵ ist zum ersten Viertel fertig. Bitte bald Antwort, auch wie es Dir geht. Hast Du von⁶ den Erinnerungen an
Cezanne⁷ gelesen? Ich sah einen Auszug in der Zürcher Zeitung, es
sind herrliche Anekdoten, wirklich ein ins Ungeheure gesteigerter
Vedres.

                                                        Von Herzen!
                                                        Dein Ernst

1 Die Karte trägt weder Datum noch Ortsangabe. Wenn E. B.s Angabe aus Brief
Nr. 85 stimmt, daß er »morgen« die Arbeit über das »Ornament« schicken werde,
dann ist sie genau auf den 6. 6. 1915 zu datieren. Die ungarischen Herausgeber
schreiben, dieser Brief sei dem vom 28. Mai 1915 (Nr. 85) beigelegt gewesen. Der
sachliche Zusammenhang spricht nicht dafür.
2 »Die Erzeugung des Ornaments«. Vgl. Brief Nr. 82, Anm. 11.
3 Emma Lederer.
4 »vermissest« zwischen den Zeilen eingefügt; im Original steht durchgestrichen:
»vermissst«.
5 Vgl. Brief Nr. 85 und Anm. 4.
6 Das folgende steht am linken Rand von unten nach oben geschrieben.
7 Paul Cézanne (1839-1906), französischer Maler. In seinen frühen Bildern vertrat
er einen romantischen Naturalismus. 1874 und 1877 nahm er an den Ausstellungen
der Impressionisten teil, zog sich dann aber von ihnen zurück. – Cézannes Kunst ist
im wesentlichen auf die Farbe gestellt. In seinen reifen Werken gibt es weder maleri-
sches Helldunkel noch impressionistische Atmosphäre. Cézannes Landschaften,
Stilleben, Figurenkompositionen und Bildnisse haben der modernen Kunst (Kubis-
mus) die nachhaltigsten Impulse verliehen.

Nr. 87   [Postkarte]
                                         Grünwald, 14.6.[1915]¹

Lieber Djoury, ich vergaß Dich zu bitten, das Ornament² nach Lektüre an Blei, Charlottenburg, Herbartstrasse 16 zu schicken. Er weiß
schon. Ich laß' es ihn lesen, als »Empfehlung« für [den] Kurt Wolf-
Verlag.³
Soeben kommt der Sonderabdruck des Archivs.⁴ Sage Lederer meinen Dank; das wird ja nicht schlecht Aufsehen machen, der einzige
Mann unter lauter Feiglingen und Dummköpfen.

                              Herzlich! Dein Ernst

Was macht Dein Buch?⁵ Könnt Ihr bald kommen? Herzliche Grüße
auch an Ljena [Grabenko]. Else.⁶

1 Die Kopie des Originals, die zur Bearbeitung vorlag, ist sehr unvollständig. Für die
Richtigkeit des Textes gibt es daher keine Gewähr.
2 Gemeint: »Die Erzeugung des Ornaments«. Vgl. Brief Nr. 82, Anm. 11.
3 Vgl. Brief Nr. 82 und Anm. 7. E.B. schreibt Wolff hier nur mit einem f.
4 Gemeint ist wohl G.L.s Rezension über »Wladimir Solovjeffs *Ausgewählte Werke
Bd. 1*«, in: *Archiv für Sozialwissenschaft und Sozialpolitik XXXIX* (1915), S. 572f.
5 Gemeint ist wohl das von G.L. projektierte Buch über Dostojewskij, von dem
jedoch nur der 1. Teil unter dem Titel *Die Theorie des Romans* fertig geworden ist. Vgl.
Georg Lukács – Briefwechsel 1902-1917, a.a.O., Brief Nr. 203, S. 345: G.L. an Paul
Ernst im März 1915: »Ich mache mich jetzt endlich an mein neues Buch: über Dostojewski (die Ästhetik ruht vorläufig). Es wird aber viel mehr als Dostojewski enthalten:
große Teile meiner – metaphysischen Ethik und Geschichtsphilosophie etc.«
6 Nachschrift von der Hand Else Bloch-von Stritzkys.

Nr. 88   [Postkarte]
                              Grünwald b[ei] München 64, 17.6.[1915]¹

Lieber Djoury, ich habe Dir vor acht Tagen ein größeres Manu-
skript² geschickt, ist das nicht angekommen? Schreibe mir bitte
jedenfalls gleich darüber, es ist uns in letzter Zeit so irre [sic!] Postali-
sches verloren gegangen, daß ich nicht ohne Anlaß zu dieser Vermutung bin. Kommst Du bald?

                                           Dein Ernst

1 Die Karte trägt keine Jahreszahl; aufgrund des Inhalts kann sie jedoch sicher auf
1915 datiert werden.
2 Gemeint ist »Die Erzeugung des Ornaments«. Vgl. Brief Nr. 86 und Nr. 82,
Anm. 11.

Nr. 89   Grünwald, rosch-ha-schana[1]
                         [Datum des Poststempels:] 10.9.[1915][2]

Mein lieber Djoury, ich kann Dir leider nur kurz schreiben, da ich
im hoffentlich letzten, aber deshalb noch reichlich unangenehmen
Stadium eines hohen Schnupfenfiebers in Gefolge einer Influenza
bin. Bitte schreibe mir genau, wie es mit Deinen Militärsachen[3]
steht, kannst Du mir brieflich sagen, was in Berlin damit in Zusammenhang stehen kann? Auch ich bin jetzt ernstlich in Gefahr; soviel
ich von zuverlässiger Seite hörte, denkt man, im Oktober unserer
Kategorie näherzutreten. Aber ich glaube, meine hohe Kurzsichtigkeit, dazu mit einer von einem Münchner Privatdozenten der
Augenkunde konstatierten »nervösen Sehstörung«, genügt. Das ist
Plakatstil an Deutlichkeit, man hütet sich ja auch, um aus meiner
geliebten Gleichnissphäre zu reden, farbenblinde Lokomotivführer
anzustellen; und es ist nicht weniger schlimm, wenn ich als Myop[4]
versehentlich deutsche Generäle erschieße und aus Versehen in
französische Gräben gerate.
Leider kann ich in diesem Zustand nur ganz wenig über Deine
Arbeit schreiben. Ich habe schon eine Karte nach [Buda]Pest
geschickt, die vermutlich nicht angekommen ist. Soll das untragi-
sche Drama ins Dost[ojewskij-]Buch[5] kommen? Darf ich um die
Kapitelfolge dieses Buchs bitten? Was Du mir schreibst, ist mir
allerdings auch aufgefallen, allerdings nicht in der von Dir angegebenen Form. Ich kann jetzt keine Seitenzahlen angeben, aber es
liegt in der Gegend, wo Du vom Unterschied des lyrischen und
dramatischen Verses[6] sprichst und überhaupt den größeren Endteil
des ersten Abschnitts, der so unendlich hoch beginnt und dann in
ein technisch scharfsinniges Schreiben übergeht, in dem vielleicht
der Zug, den der zweite Teil durchgängig besitzt (das letzte Ende
dieses Teils ist besonders glänzend im Hinblick auf die negative
Herausarbeitung der Dostojewski-Welt) nicht durchgehend spür-

bar ist. Ich meine das so, ganz rezeptiv gesagt: wen die im Anfang des ersten Teils eingeschlagene Richtung packt, der wird vielleicht ungeduldig über das andere Subjekt des Fortgangs, da er nicht ganz begreift, warum er zwar dieses trockenere Brot essen muß, ehe er wieder, wie es ihm scheint, homogenes Detail und die Ganzheit des Problems sehen kann. Sprache ist in allen Partien angemessen, stellenweise außerordentlich blühend, mühelos und konstitutiv bildhaft. Ich werde Dir hoffentlich bald ausführlicher schreiben können, noch lieber möchte[7] ich mit Dir endlich wieder sprechen. Ich arbeitete bis vor drei Wochen immer noch Musik[8], stehe jetzt auf S. 94, es wird im ganzen 110 Maschinenseiten geben. s. weiter Beilage!

[Zusatz-Beilage:][9]

Es zerfällt in Abschnitte, deren Titel[10] sind ((d. h. der erste Abschnitt hat keinen Titel – (doch, er hat einen Titel, wie ich jetzt sehe)[11], er geht über die scheinbar unendliche Linie in der Musik, über ihren »Fortschritt«, in[12] dem scheinbar alles fortschreitet und jeweils inkommensurabel weggespült wird, auch die Probleme und Formaprioritäten)):

1. Was unter[13] musikalischem Fortschritt zu verstehen sei.
2. Der Kampf des trouver und des construer.
3. Der Teppich der Liedoper und der Fuge.
4. Die Ereignisform der Handlungsoper, der transzendenten *Oper* und der Symphonie.
5. Über den Ausdruck, die Regel der Verknüpfung und den Gegenstand der Musik.

Aber das sagt ja wenig von dem, was drin steht, es kreuzen sich darunter viele Einzeldispositionen, die erst im letzten Abschnitt ans[14] offizielle Wort ihrer Reife treten.

Ich hatte eine unbestimmte Sorge um Dich, nicht nur, weil Du so rätselhaft nach zwei Telegrammen verstummtest. Hoffentlich war sie grundlos.

Grüße Ljena [Grabenko] herzlich, auch von Else, sage ihr, ich hatte während meiner Krankheit wieder[15] gemalt, einen ganzen Jahrmarktplatz, halb von oben gesehen, wie es die Luftdämonen tun. Von Herzen!

Dein Ernst

1 Rosch-ha-Schana (hebr.: Haupt des Jahres), das jüdische Neujahrsfest am 1. und 2. Tischri (September/Oktober); es leitet die zehn Bußtage ein, die am Jom Kippur (Versöhnungstag) enden. Das Fest wird auch als Tag des Posaunenschalls bezeichnet, da es als himmlischer Gerichtstag gilt.

2 Der Poststempel läßt nur noch Tag und Monat deutlich erkennen; aufgrund des Inhalts ist der Brief jedoch sicher auf 1915 zu datieren. Dieser Brief wurde schon veröffentlicht in: *Georg Lukács – Briefwechsel 1902-1917*, a. a. O., S. 360.

3 G. L. war in Berlin zunächst für den Kriegsdienst untauglich erklärt worden. Zur weiteren Entwicklung vgl. Brief Nr. 91, Anm. 1 und 2.

4 Myopie ist der medizinische Ausdruck für Kurzsichtigkeit. E. B. war in der Tat sehr stark kurzsichtig, eine Krankheit, die in hohem Alter dann schließlich zu weitgehender Blindheit führte.

5 Vgl. Brief Nr. 87, Anm. 5. G. L. hatte sich an diesem Problem schon früher versucht; vgl. »Das Problem des untragischen Dramas« in: *Schaubühne* vom 2. März 1911, 7. Jg., Nr. 9, S. 231-234, sowie in einem Manuskript »Die ›Ästhetik der Romance‹. Versuch einer metaphysischen Grundlegung des untragischen Dramas«, das in den Jahren 1911/12 entstand.

6 Dies bezieht sich auf Kapitel »3 Epopöe und Roman« in: *Die Theorie des Romans*, Neuwied und Berlin 1971, S. 47 ff.

7 Das folgende steht, am linken unteren Rand beginnend auf der ersten Seite des Briefes quer zum übrigen Text über der Anrede.

8 E. B. meint den späteren zentralen musikphilosophischen Teil von *Geist der Utopie*.

9 Die »Beilage« verdankt diese Bezeichnung durch E. B. wohl vor allem der Tatsache, daß sie auf ein Papier von anderem Format geschrieben wurde. Alles folgende ist »Beilage«.

10 Die folgende Inhaltsangabe unterscheidet sich noch sehr stark von beiden Fassungen im späteren *Geist der Utopie*. Vgl. GA Bd. 16, S. 82-234 sowie GA Bd. 3, S. 50-208.

11 Die Klammer innerhalb der Klammer steht im Original zwischen den Zeilen.

12 »in« zwischen den Zeilen eingefügt.

13 Im Original folgt durchgestrichen: »dem«.

14 »ans« zwischen den Zeilen eingefügt.

15 Hier folgt im Original eine größere Lücke, in der kopfüber von E. B.s Hand geschrieben steht: »betr. Chor, missa ... S. 84«. Offensichtlich hat E. B. diese »Beilage« auf einen seiner Notizzettel geschrieben.

Nr. 90   [September 1915][1]

⟨jedoch ich selber, wie ich mir empirisch gegeben bin, im Tiefsten (also abgesehen von Witzen und stetigen, immer wieder aktuell werdenden Rückfällen) nicht in dem innerlich Wesentlichen vor-

komme.⟩ Aber das läßt sich erst innerhalb des mir noch völlig
unübersehbaren Paradox der Freude ⟨als des dreifachen Paradoxes
zusammen⟩ überblicken. /:Kreatürliches Leid;:/ *adamitische*
Freude – Bruch: christliches Leid, Vollendung: christliche Freude
(Gespräch Franz von Assisi und Bruder Leo)[2]; luziferische Freude –
was jetzt? gibt es ein Paradox dagegen? Chassidim[3]; der Weinstock,
das ewige Leben. Ist der Zorn des Empörers, das Leid an der Welt
(statt wie vorher im Christlichen: an sich) ein Paradox dagegen?
Sicher gegen die Freude am luziferischen Panlogismus. Aber wer bin
ich, daß ich aus meinem nur im Ergebnis, im Werk sich parakletisch
vernichtenwollenden luziferischen Wesen die Kraft und die richtenden Bilder der Empörung nehme? Kann sich das luziferische Ich, also
das Ich der dritten Stufe, sagen wir überchristlich (ich kenne dafür gar
keine Formen) verneinen, reinigen, zum Leid und Abbruch bringen?
Was liegt zwischen dem kämpfenden und dem gewonnenen parakletisch gelösten Wir? Ist das Christliche dazu jetzt noch als Stufe notwendig? Gibt es überhaupt dazu (zum Paradox) Korrespondenzen
für das aufständische, von Luzifer erfüllte ich? Wo ist dann, wenn das
Leid, Reue, Zweifel, Erniedrigung, Demut usw. dazwischen
geschoben wird, das ποῦ στῷ[4] des Kampfes gegen den /: (»gleichfalls«):/ luziferfeindlichen Gott? – Ich sehe schon, wir kommen in
alle Ewigkeit nur in dem Schwebenden dieser Art, das ja auch nicht
logisch ist, zusammen, und wir wollen, da auch ich mich nicht anpas-
sen kann, *daraus* Freundschaft und Verständnis ziehen.

Übrigens: ich weiß nicht, wo das Goethezitat zu finden ist. Es ist
Dir wenig gedient, wenn ich sage, ich »glaube«, im zweiten Teil des
Faust. Das über Hegel ist das M[anu]skript vom Sommer *1914*[5].
Morgen gehen die gewünschten Bücher ab. Ich bin tief in den nie-
derländischen Kontrapunktikern des 15. Jahrhunderts.[6]

Herzlich! Dein Ernst

---

1 Zu diesem Brief fehlte das Original zum Vergleich. Es blieb nichts anderes übrig,
als die vorliegende maschinenschriftliche Übertragung aus dem Lukács-Archiv
Budapest mit den spitzen Klammern und Schrägstrichen zu übernehmen. Die ungarischen Herausgeber der Briefe schreiben, den Zustand des Briefes betreffend, folgendes: »Der Text ist fragmentarisch (es fehlt der Anfang), aber nicht zufällig; die
Seite, auf der der Text steht, hat Bloch vom übrigen Teil eines Briefes abgerissen und
die ersten dreieinhalb Zeilen gestrichen« (a. a. O., S. 338).

2 Abgeleitet von hebräisch: chassid = Gottesbund Wahrender, Frommer. Die Mehrzahl chassidim bezeichnet Bewegungen im Judentum, die besonders intensive Formen der Frömmigkeit pflegen.
4 Griech.: wo stehe ich?
5 Es ist nicht mehr zu klären, um welches Manuskript über Hegel es sich hier genau handelt; vermutlich jedoch eine Vorarbeit zum späteren Kapitel »Hegel« im *Geist der Utopie* GA Bd. 16, S. 276-294.
6 E. B. arbeitet also an seiner »Philosophie der Musik«, aus der später ein Hauptteil von *Geist der Utopie* wurde.

Nr. 91   [vermutlich Ende September 1915][1]

Lieber Djoury, ich muß Dir noch ganz kurz etwas auf Deine Bedenken[2] sagen. Freilich ist hier nichts zu ändern, und so müßte das Dumme ohne Widerstand geschehen. Gewiß[3] liegt auch Deine Abneigung gegen die Reise tiefer als Deine Gründe. Ich weiß auch, daß Du in solchen Sachen durchaus nichts auf mich gibst und daß Dir ein Kopfschütteln oder eine Handbewegung von Baumgarten vielsagender wäre als alle meine Probleme des axiomatischen Systems[4]. Ich finde mich damit ab, versichere Dir aber, daß Du mich darin sehr unterschätzt und daß ich Dir, soweit auch meine jesuitischen Adiaphora reichen, das mit der Reise nicht unüberlegt geschrieben habe. Also ich muß sagen: ich würde es nicht begreifen, wenn *Fichte*[5] jetzt nicht so gehandelt hätte. Damals war es von ihm mitgeschaffener Krieg und eine Station auf der wirklichen harten Notwendigkeit. Gestehe: ich war schon immanent genug; ich wäre mit dem entsetzlichsten Mißbehagen in den Krieg gezogen, wenn ich noch meine frühere konservativpreußische Grundstimmung im geringsten bewahrt hätte, ich habe kleine Rickert-Konjekturen[6] gemacht zu einer Zeit, als der Nietzsche-Aufsatz[7] und die Tona-Genialitäts-Epoche[8] schon ein Jahr jedem unbekannt geschrieben waren usw. [sic!]. Das alles schien mir notwendig, und ich hätte noch mehr äußere Bindungen sehr gerne in meiner ungebundenen Leidenszeit auf mich genommen, wenn sie wie gezogene Geschütz-röhren auf das Letzte hingeführt hätten. Aber das jetzt führt nicht hin, man kann ihm ausweichen wie einem Geschwür oder einem Abgrund, mag er auch unterwegs vorkommen. Ich bekenne, daß mir Dein verborgener Instinkt gegen diese Meinung unerlebbar ist

und daß ich ihn hinnehmen muß, daß mir aber das Gedankliche
daran völlig falsch erscheint.

Ich lese jetzt wieder »Hans im Glück«[9] und bin wieder betroffen
von Jakobe. Wenn ich hier nur etwas fertig bringe! Ich glaube, ich
muß es so machen, daß sie mit einem Menschen der jungen Generation (der den Baalschem[10], Dich und mich kennt) über Hans
spricht, daß sie ihn plötzlich versteht (das ist ein dummes Wort, ich
meine es anders), und dann werde ich nicht, was sie alles wird und
ist (die Jüdin als unendlicher Typus) [sic!].[11] Ihr eigentliches Alter
ist wohl 50 Jahre.

Dein Ernst

Bitte grüße Ljena [Grabenko] herzlich, grüße auch Frau Hajós.

---

1 Der Brief ist ohne Datum. Er wurde schon in *Georg Lukács – Briefwechsel 1902
bis 1917*, a. a. O., als Brief Nr. 208 veröffentlicht. Die Herausgeberinnen datieren
ihn auf Ende Mai 1915. Dagegen spricht folgendes: G. L. schreibt in Brief Nr. 210
vom 2. August 1915, er werde am 20. September gemustert; in Brief Nr. 213 vom 24.
September 1915 (beide Briefe an Paul Ernst, a. a. O., S. 358 und S. 361) berichtet er
davon, daß er »bei der Stellung tauglich gefunden worden« sei. Er trat seinen Dienst
dann in Budapest bei der Briefzensur an. Da E. B. in diesem Brief von G. L. »Bedenken« und »Abneigung gegen die Reise« spricht, ist anzunehmen, daß er ihn von
seiner Lösung des Problems durch Emigration (vgl. Anm. 2) überzeugen wollte. Der
Brief ist dann auf Ende September 1915 zu datieren. Auch die ungarischen Herausgeber der Briefe Blochs übernahmen die Datierung auf Mai 1915, da sie meinen, der
Hinweis auf Pontoppidans Figur Jakobe lasse eine Entscheidung gegen September
zu.

2 G. L. war mit E. B. in seiner Verurteilung des Ersten Weltkrieges einig. Seine hier
erwähnten »Bedenken« dürften sich auf E. B.s Absicht beziehen, sich dem Stellungs-
befehl durch Übersiedlung in die neutrale Schweiz zu entziehen.

3 Schwer leserliches Wort; es könnte auch »daher« heißen.

4 Anspielung auf E. B.s damaligen Plan, eine mehrbändige »Summe der axiomatischen Philosophie« zu verfassen – vgl. dazu vor allem die Briefe Nr. 8, 9, 18 und 103.

5 E. B. meint, daß Fichte, der ein enthusiastischer Teilnehmer des sogenannten
Befreiungskrieges gegen Napoleon war und diesen philosophisch, moralisch und
politisch rechtfertigte, den Ersten Weltkrieg genauso moralisch rigoros abgelehnt
hätte.

6 E. B. kann nur seine Dissertation meinen: *Kritische Erörterungen über Rickert
und das Problem der modernen Erkenntnistheorie*; sie entstand 1907/08 und wurde
1909 gedruckt.

7 E. B. meint den Aufsatz: »Über das Problem Nietzsches«, in *Das Freie Wort*,
6. Jg. (1906), S. 566-570.

8 Tona Gehnert war eine Jugendliebe von E.B. Auf welches Werk E.B. hier
anspielt, kann nicht mehr geklärt werden. Vermutlich hängt es mit seiner Theorie des
Noch-Nicht-Bewußten zusammen, die den 22jährigen nach späteren eigenen Angaben wie ein Blitz getroffen haben soll. Vgl. Brief Nr. 40, Anm. 1, Nr. 60, Anm. 3,
Nr. 70 bei Anm. 22.
9 Vgl. Brief Nr. 82, Anm. 15.
10 Vgl. Brief Nr. 14, Anm. 25.
11 Zu E.B.s früher Beziehung zum Judentum vgl. die erste Fassung von *Geist der
Utopie*, GA Bd. 16, S. 319-332 (»Symbol: Die Juden«).

Nr. 92   16.8.[1916][1]

Lieber Djoury, morgen gehen die gewünschten Bücher[2] an Dich ab.
Ich bitte um Entschuldigung, ich arbeitete die ganze Zeit Logik und
glaubte in Kürze fertig zu werden, vor allem brauchte ich Lask und
Sigwart. Da die Münchner Bibliothek keine Bücher mehr nach aus-
wärts gibt, muß ich also das Material an eine Münchner Deckadresse schicken lassen.
Ich hoffe sehr, daß Du bald wieder regenerierst. Wie hast Du alles
angefunden? Wie geht es Ljena [Grabenko]? Ich hoffe gut, hat sie
unterdessen etwas Schönes fertig gebracht? Du schreibst, ich wisse
nicht, was Arbeitsunterbrechung ist. Ich weiß es sehr gut; und Du
willst nur nicht wissen, daß Du weißt, daß ich es weiß. Ich bin ein
müder, am anderthalbjährigen Kampf mit Elend und Deklassierung
zermürbter Mensch mit einer kranken Frau, die sich pflegen und gut
nähren müßte und statt dessen hungert und Stammgast in Pfandhäu-
sern und auf der Gerichtsvollzieherei geworden ist. Es kommt freilich hier nicht darauf an, was gegenständlich vorliegt, sondern wie
man es erlebt, so daß hier jede Rivalität an Lebens- und Arbeitsunterbrechung ebenso schäbig wie sinnlos ist; ich schreibe auch nur darüber, weil ich Dich bitte, mir etwas anderes zu beantworten. Freilich
habe ich gearbeitet, sehr und unaufhörlich; aber daß ich es kann und
konnte, stammt nicht aus meinem Wohlbehagen, sondern aus etwas
anderem, das mir aber keine Kraft zur Ruhe und Souveränität gegenüber dem unaufhörlich dunklen Alltag gibt.
Ich wollte Dich fragen, was mir bei Deinem Münchner Balkanzug[3]
auffiel. Nicht, daß Du durchgefahren bist. Das mußt Du selbst besser wissen und geht mich nichts an, obwohl auch vielleicht für die

allein noch zwischen uns projektierte »Kameradschaft« das rein geistige Verhalten ein etwas zu schmaler Begriff ist. Aber du hast
meine »Frage«[4] gelesen. Es ist eine tiefe Sache, wenn auch nicht
genug ausgearbeitet, was die Angelegenheit meines »Altersstils«
sein soll. Aber ich hätte dieses vor drei, vier Jahren sowohl menschlich wie gedanklich nicht schreiben können. Wieso mag es nun
kommen, daß unser ganzes Verhältnis in dieser Zeit so abgestimmt
und projektiert war, als ob ich diese »Frage« geschrieben hätte,
während es »jetzt« auch im »Kameradschaftlichen« oder rein geistig
Kollegialen so aussieht, als ob ich noch der alte, bloß sachliche, bloß
werkfreudige Systematiker mit der zweiten Natur als Triumpf
wäre? Das ist doch sehr auffallend; entweder hast Du Dich damals
außerordentlich in mir getäuscht und Du »durchschaust« mich jetzt
(ungefähr in größeren Massen wie bei Eckhart[5]) oder – ich weiß
nicht. Ich lasse alles beiseite, auch innerlichst, was ich von Dir in
diesen anderthalb Jahren an Ausweichungen erfahren habe und an
dieser Deiner sonderbarsten Kameradschaft; Dein Verhalten ist für
mich undurchdringlich und verlangt ἐποχή[6]. Aber dann kann auch
alles beiseite bleiben, was Dich an mir gestört, empört, verletzt
usw. hat, und ich kann innerlich den gleichen Bauhorizont der
Kühle *diesem* gegenüber und der ἐποχή verlangen. Aber dann sehe
ich nicht, wieso mein mir genau bekanntes und bewußtes Reifer-
und Tieferwerden in einer Linie, die Dir, d. h. Deinem apriorischen
und »theoretischen« Ich, verwandter sein muß als das Vorherge-
hende, in Dir nicht ein erstaunliches und exzeptionelles Verhältnis
zu mir hervorrufen oder neu bekräftigen muß ebenfalls zu mir als
dem apriorischen und »theoretischen« Ich – ein Verhältnis, das freilich ausstrahlt und die Kühle vertritt, so wie es bei mir Dir gegenüber jenseits aller Irritierungen unveränderlich geblieben ist. Das
soll keine Apostrophierung sein; wie könnte man hier etwas erreichen wollen und noch gar derjenige, den es angeht (ich finde auch
keinen [sic!] Gramm meines Werts oder Unwerts von irgend eines
Menschen Verhalten zu mir abhängig)[7], ich habe gar kein fordern-
des »Liebesverlangen« und habe mich gänzlich mit dem Status quo
abgefunden, aber es ist mir ein Freundschaftsproblem, um dessen
Lösung ich Dich bitte. Wir begegnen uns unaufhörlich in einem
Reich, in dem außer uns keiner, der lebt, atmen kann und das überhaupt keiner ahnt; und wenn wir uns außen[8] sehen, erkennen wir

uns an der Farbe des Strohhuts oder an Ähnlichem, als ob alles
andere Hekuba[9] wäre, als ob es kein erlebbares Freimaurerzeichen[10]
gäbe.
Nächstens erscheint von mir in d. Frftr. Ztg. [der Frankfurter Zei-
tung] ein »Feuilleton«, eine »Plauderei«: »Ein sehr alter Krug«[11]. Es
ist angenommen. Ebenso muß in den nächsten Tagen das »Zeit-
Echo«[12] herauskommen, in dem eine Chose von mir steht: »Das
südliche Berlin«[13]. Ich habe übrigens an das »Reich«[14], das Bernus'[15]
herausgibt (endlich George + Steiner) den Schluß der Musik[16]
geschickt, weiß nicht, ob angenommen; an die Weißen Blätter:
»Die Juden«[17], an die Rundschau: »der Alexanderzug«[18], beides
Teile aus dem Buch, weiß ebenfalls nicht, ob angenommen. Übrigens, das Buch jetzt völlig umdisponiert[19]; es ist ganz einheitlich
alles vom Ornament[20] bis zur Frage[21] in einen politisch – soziolo-
g[isch] – gesch[ichts]philos[ophisch] – apokalyptischen[22] Rahmen
(d.h. Die menschl[iche] Arbeit usw. geteilt) gestellt und zusam-
mengehalten. Das Ornament vollkommen neu geschrieben, nur
noch fünf Seiten von der[23] ersten schlechten Fassung[24] sind erhalten
geblieben (fast alles Kunstgewerbliche heraus, ebenso das »Tri-
viale«)[25]. Bitte schreibe mir auch, ob Du die Meinung der Ritook
teilst, daß die »Frage« so nicht bleiben sollte, so »unausgearbeitet«.
Denn Dein Brief ist verloren gegangen. Ich meine, es wäre dieses
leidenschaftliche, sprechend Umreißende eine Form; wenn es
anders werden müßte, so müßte ich lange Zeit warten und vieles in
dem, was ich im Buch sage, bliebe ohne einen, wenigstens geahnten
inneren Abschluß, d.h. wenn in diesem offenen Gebiet ein
Abschluß überhaupt zur Form gehört. Es ist ein Fehler, wenn
Schubert den Vers[26]: »Das Meer erglänzte weit hinaus« aus der
Tonika schließt. Und noch etwas: hier schicke ich Dir die Kritik der
Musik ((die übrigens jetzt »Philos[ophie] der Musik« heißt und
noch einen großen Passus (rein musiktechnisch)[27] über Tristan und
Parsifal[28], über[29] die Frage der Operndichtung (was kann die Musik
einem »Musikdrama« an Mythischem geben) und vor allem über
den zentralen[30] Ortsbegriff in der Musik (anschließend an Rhythmus) dazu erhalten hat))[31], also die Kritik von Weber[32]. Sie ist
erstaunlich in ihrer Fähigkeit, das Unwesentliche zu tadeln oder zu
loben (und das andere abzulehnen oder nicht zu sehen.)[33] Nur muß
ich Dich fragen: wie kann ein solcher Mann, der doch von meinen

Kräften, von meinem ganzen Spezificum so wenig eine Ahnung hat, daß ich, wenn mein Name nicht ausdrücklich genannt wäre[34], gar nicht wüßte, daß diese Kritik über meine »Musik« geht, wie kann dieser Mann mit Dir[35] auch geistig so intim stehen? Was kann er an Dir verstehen, nach der erschütternden Reproduktion[36] meines Hellhörens[37]? Bitte gib mir die Kritik wieder zurück. Auch Simmel hat übrigens die Musik gelesen und Feuchtwanger[38] geantwortet: »Trotz des vielen Unverständlichen und sehr Subjektiven, Phantastischen und Unorganischen finde ich diese Arbeit doch so interessant und originell, daß usw.« – ich finde, daß die Ausstellungen doch selbst von Simmels Voraussetzungen aus ein großes Lob sind. Aber Simmel betonte seine musiktechnische Inkompetenz und bat, die Arbeit an den Wiesbadener Hofkapellmeister Klemperer[39] schicken zu können. Der hat nur einen Fehler entdeckt: nämlich, daß ich sage, Beethoven hätte die Synkope *erfunden*. So bin ich also beruhigt.

Bitte antworte bald! Herzlich Dein Ernst.[40]

[Beilage zu Brief Nr. 92]

1. Husserl Phänom.[enologie] 2 Bde
2. Husserl Jahrbuch
3. Lotze, Logik
4. Sigwart, Logik 2 Bde
5. Cassirer, Substanzproblem
6. Lask. Urteil
7. M[anus]kript
Leider habe ich den Rickert (einen Sonderabdruck) bis jetzt nicht gefunden; wenn, dann schicke ich ihn sogleich mit Kreuzband zu.

E[rnst]

1 Dieser Brief wurde schon veröffentlicht in: *Georg Lukács – Briefwechsel 1902 bis 1917*, a. a. O., S. 373 ff.
2 Vgl. dazu die Beilage.
3 G. L. ist offensichtlich auf seiner Rückfahrt von Budapest nach Heidelberg gefahren, ohne in München haltzumachen und den im nahen Garmisch wohnenden E. B. zu besuchen.
4 E. B. meint: »Die Gestalt der unkonstruierbaren Frage«, die den metaphysischen Kernteil des *Geist der Utopie* bildet. Vgl. GA Bd. 16, S. 343-389 sowie GA Bd. 3, S. 209-287.

5 Gemeint ist Hans von Eckardt. Offensichtlich hatte es eine Entfremdung zwischen G. L. und Eckardt gegeben; die genauen Gründe waren nicht mehr eruierbar.

6 E. B. meint wohl den durch Husserl berühmt gewordenen Begriff der Epoché, verstanden als phänomenologische Reduktion.

7 Das in Klammern Eingefügte steht im Original zwischen den Zeilen.

8 »außen« zwischen den Zeilen eingefügt.

9 Anspielung auf den zum geflügelten Wort gewordenen Ausspruch in Shakespeares *Hamlet* II, 2: »Was ist ihm Hekuba, was ist er ihr / Daß er um sie soll weinen?«

10 Anspielung auf die den Freimaurern eigenen Erkennungszeichen durch Wort und Griff und die Anrede »Bruder«.

11 Hier handelt es sich um den späteren Auftakt von *Geist der Utopie*: »Ein alter Krug«. Aus Brief Nr. 95 geht hervor, daß die *Frankfurter Zeitung* diese Arbeit von E. B. auch wirklich druckte; sie erschien am 15. August 1916 (Abendblatt) S. 1.

12 Vermutlich bezieht sich der Hinweis auf »Zeitgeist« in Brief Nr. 75 auf diese Zeitschrift *Zeit-Echo*.

13 G. L. hat diesen Essay offensichtlich kritisiert: vgl. Brief Nr. 95. Noch 1932 hat E. B. dieses Thema wieder aufgenommen: »Berlin aus der Landschaft gesehen« (GA Bd. 9, S. 408-420).

14 Erschienen in: *Zeit-Echo*, 2. Jg. (1915/16), H. 15, S. 235-238.

15 Alexander Bernus, Freiherr von (1880-1964), Lyriker und Übersetzer mit romantisch-mystischen Neigungen.

16 E. B. meint seine »Philosophie der Musik«, die einen umfangreichen Teil in allen drei Fassungen von *Geist der Utopie* ausmacht.

17 E. B. meint das Unterkapitel: »Symbol: Die Juden«, das in die erste Fassung des *Geist der Utopie* GA Bd. 16, S. 319-332 aufgenommen wurde; es erschien nicht in den *Weißen Blättern*, vgl. Brief Nr. 10, Anm. 1 an Johann Wilhelm Muehlon.

18 Vgl. Brief Nr. 83, Anm. 13. Tatsächlich erschien »Der Alexanderzug« in: *Summa*, 1. Jg. 1917, S. 137-144.

19 Zu E. B.s früheren Dispositionen vgl. die Briefe Nr. 82 und 83.

20 »Die Erzeugung des Ornaments«; vgl. Brief Nr. 82, Anm. 11.

21 Vgl. oben Anm. 4.

22 E. B. schrieb zuerst abgekürzt: »apoka« und fügte »lyptischen« zwischen den Zeilen hinzu.

23 »der« zwischen den Zeilen eingefügt.

24 Vgl. die Briefe Nr. 84 und 87.

25 Die Klammer steht im Original zwischen den Zeilen.

26 »Vers« zwischen den Zeilen eingefügt; im Original steht durchgestrichen: »Lied«.

27 Die Klammer wurde zwischen den Zeilen eingefügt.

28 E. B. meint wohl das Kapitel »Die transzendente Oper und ihr Objekt«, das in beide Fassungen des *Geist der Utopie* aufgenommen wurde.

29 Im Original steht durchgestrichen: »und«.

30 »zentralen« zwischen den Zeilen eingefügt.

31 Wie ersichtlich, fügte E. B. mehrere Klammern ineinander, ohne die umfassende Klammer als solche zu kennzeichnen.

32 Die offizielle Lesart dieser Kritik von Max Weber sieht etwas anders aus. E.B. zitiert aus der Stellungnahme Max Webers in *Durch die Wüste*, Berlin 1923, S. 58 folgende Sätze: »Aufs höchste zu loben ist die sehr umfassende Stoffbeherrschung. Vollkommen richtig ist das Urteil über Beethoven, über Kammermusik; das ganze Buch enthält überhaupt eine Fülle der sachlich wichtigsten und richtigsten Einzelbemerkungen, und so bin ich dem Verfasser für zahlreiche Hinweise aufrichtig dankbar.«

33 Das in Klammern Eingefügte steht im Original ohne Klammern zwischen den Zeilen.

34 Im Original folgt durchgestrichen: »das di«.

35 Max Weber hielt sehr viel von G.L.s Ästhetik, kannte die frühen Entwürfe, ermunterte zur Weiterarbeit und unterstützte G. L. sehr bei dessen Plänen zur Habilation; vgl. Brief Nr. 93.

36 Im Original folgt durchgestrichen: »des«.

37 Vgl. GA Bd. 16, S. 228 ff. sowie GA Bd. 3, S. 202 ff. (»Das Geheimnis«).

38 Lion Feuchtwanger (1884-1958), Schriftsteller. Er lebte seit 1938 als Emigrant in Frankreich, war während eines Aufenthaltes in der Sowjetunion Mitherausgeber der Zeitschrift *Das Wort*, entkam 1941 aus französischer Internierung in die USA. – Feuchtwanger gewann seine eigentliche Bedeutung als Erneuerer des historischen Romans durch eine große Anzahl von Erzählungen aus der jüdischen und deutschen Geschichte. Feuchtwanger war ein Freund von E.B.; dessen Bericht »Moskau 1937« über die Schauprozesse war nicht ohne Einfluß auf E.B.s Haltung hierzu. Vgl. E.B., *Vom Hasard zur Katastrophe*, Frankfurt/M. 1972, S. 175 ff., 281 ff., 351 ff.

39 Otto Klemperer (1885-1973), Dirigent. Klemperers positives Urteil über die »Philosophie der Musik« von E.B. begründete eine lebenslange Freundschaft der beiden Männer. E.B. schenkte ihm einen kleinen Essay zum 80. Geburtstag: »Gruß an Klemperer als Con-ductor der Meister« (1965), in: GA Bd. 9, S. 554 f. Vgl. auch die Briefe an ihn in diesem Band.

40 Der Gruß steht auf der vorletzten Seite des Briefes, weil die letzte Seite randvoll geschrieben war.

Nr. 93   24. 8. [1916][1]

Lieber Djoury, heute nur eine kurze Anfrage. Was ist mit der Base und Λεδερερς[2] überhaupt! Sie haben uns seit einem Jahr nicht geschrieben, eine konfuse Postkarte abgerechnet. Liegt ein äußerer Grund vor, Krankheit usw.? Oder hast Du eine Ahnung von inneren Gründen? Ich freue mich, daß das andere nicht tiefer geht. So warte ich gerne und wünsche Dir alles Beste zur Rückkehr.[3] Bitte, ich habe die Paul-Ernst-Sache[4] immer noch nicht bekommen. Du wirst mir gestatten, anhand dieser Beurteilung, die nicht metaphy-

sisch gleichgültig, d.h. rein einzelwissenschaftlich, sondern metaphysisch ablehnend ist, bzw. eine andere Metaphysik einsetzen
möchte, über W.[5] anderer Meinung zu bleiben, die ja weder Dir
noch ihm etwas schadet. Es war nur eine *sachliche* Frage: wie *kann*
dieser Mann an Dir und Deiner Ästhetik auch nur etwas anderes als
das metaphysisch Gleichgültige überhaupt ehrlich erkennen und
bekennen?

Sehr herzlich
Dein Ernst

Du weißt im übrigen seit allem Anfang, daß ich wesentlichen Punkten Deiner Ästhetik[6] völlig fremd gegenüberstehe.

1 Die Karte hat keine Jahresangabe. Da sie jedoch direkt auf Webers Kritik an E.B.s
Musikphilosophie Bezug nimmt, muß sie ins Jahr 1916 gehören. Auch hier stand
kein Original zum Vergleich zur Verfügung; der Text folgt daher der maschinenschriftlichen Übertragung aus dem Lukács-Archiv.
2 Griechische Schreibweise von: Lederers. Wenig später kam es zum offenen Bruch
mit ihnen; die Gründe sind nicht mehr eruierbar. Vgl. Brief Nr. 102.
3 G.L. war von Budapest und seiner Arbeit bei der Briefzensur im Juli/August 1916
wieder nach Heidelberg zurückgekehrt. Dort blieb er bis zu seiner endgültigen
Rückkehr nach Budapest Ende 1917.
4 E.B. meint »Ariadne auf Naxos«, einen Essay von G.L., den dieser Paul Ernst zu
seinem 50. Geburtstag widmete; in: *Paul Ernst zu seinem 50. Geburtstag*, herausgegeben von W. Mahrholz, München 1916, S. 11-18.
5 W. = Weber; vgl. Brief Nr. 92, besonders Anm. 32.
6 Vgl. E.B.s anfängliche Kritik in Brief Nr. 58 sowie deren spätere Zurücknahme in
Brief Nr. 81.

Nr. 94   5.9.
[Datum des Poststempels:] Grünwald 5.9.[19]16

Lieber Djoury, ich schicke Dir hier die restlichen Bücher.[1] Auch
den Schönberg[2], um den mich Bruno[3] gebeten hat. Bitte stelle ihn
ihm zu; er schrieb mir, daß er den Hegelianischen Harmonielehrer[4]
zufällig entdeckt hat, ich wäre ihm sehr dankbar, wenn er mir das
Buch zugänglich machen wollte.
Wie steht es mit den Arbeiten? – Bei mir geht es verflucht. Ich muß
die ganze Musik[5], d.h. den theoretischen Teil ganz und vieles aus

dem historischen umarbeiten. Wenn es so weitergeht, dauert es gerade so lange, das Buch in Ordnung zu bringen, wie es gedauert hat, es zu schreiben. Dabei bin ich müde und lese, wann immer nur Zeit frei ist, Sherlock Holmes.[6] Es gibt doch Formen transzendentaler Art, auch der Kontrapunkt gehört dazu, d. h. seine vier apriorischen Formen: der attische (Haydn, Mozart), architektonische (Bach), dramatische (Haydn, Beethoven, Wagner) und ontologische (Palestrina, Bach, Unbekannt)[7] Kontrapunkt. Alle diese, mit Ausnahme des architektonischen, der den herkömmlichen der Lehrbücher entspricht und von Josquin[8] bis Bach abgezogen ist, muß ich erst technisch bestimmen, um überhaupt zu sehen, wie groß der Hiatus bis zur transzendentalen Brauchbarkeit ist.

Kannst Du mir 100 M[ar]k schicken? Wenn nicht, dann nehme ich an, daß Du es faktisch nicht kannst, d. h. daß keine Methode in dem Nichtschicken ist, wie ich mich immer noch weigere anzunehmen. Ich bräuchte das Geld notwendig zur Vervollständigung der Miete und sehe vorderhand keine andere Möglichkeit.

Sei herzlich gegrüßt, auch von Else.
Dein Ernst

1 Vgl. Brief Nr. 92, Begleitbrief.

2 Vermutlich handelt es sich um die *Harmonielehre* von Arnold Schönberg (1874-1951), die im Jahr 1911 erschienen war. Vgl. dazu bei E. B.: *Geist der Utopie*, erste Fassung, GA Bd. 16, S. 188-194 (»Die beliebige Harmonielehre«) sowie in der zweiten Fassung: GA Bd. 3, S. 156-163 (»Die Harmonielehre als Formel«).

3 Bruno Steinbach.

4 Nicht identifizierbar.

5 E. B. meint den großen Teil aus *Geist der Utopie* über die »Philosophie der Musik«.

6 Diese lebenslange Vorliebe für Detektivromane hat ihren schriftlichen Niederschlag gefunden in: »Philosophische Ansicht des Detektivromans«, GA Bd. 9, S. 242-263.

7 Die hier in Klammern eingefügten Komponisten stehen im Original zwischen den Zeilen.

8 Josquin de Prez, vgl. Anm. 11, Brief Nr. 2 an Adolph Lowe.

Nr. 95   [Briefkarte]
                                                              22.9.[1916]¹

Lieber Djoury, ich bin von Dir immer noch ohne Antwort.
Kennst Du den Bernus von der Stiftsmühle oder hast Du indirekte
Beziehungen zu ihm? Ich habe ihm eingeschrieben für das »Reich«
den Schluß der Musik am 29. Juli zugeschickt.² Da ich nichts darüber von ihm hörte, schrieb ich am 1. Sept[ember] von neuem eingeschrieben und bat um Antwort bzw. umgehend Zurücksendung,
um vor Druck des Buchs³ anderweitige Verwendung offen zu
haben. Darauf immer noch keine Zeile. Nun wäre ich Dir sehr
dankbar, wenn du dem Burschen vielleicht von H[eidelberg] aus
schriebest⁴, falls Du ihn kennst, oder sonstwie etwas darüber erfahren kannst. So ist der Lauf der Welt: Fredis⁵ Aphorismen stehen im
ersten Heft, und die Musik wird nicht einmal der einfachsten Höf-
lichkeitsform gewürdigt. Aber Ende Oktober erscheint mein
»Alexanderzug«⁶ im ersten Heft der neuen Hellerauer Zeitschrift⁷
»Die Verantwortung«⁸ oder so ähnlich, die Blei herausgibt.

                                                     herzlichst!
                                                     Ernst

Ich glaube, alle Deine Bücher sind jetzt in Deinem Besitz. Und der
»Paul Ernst«?⁹

1 Die Briefkarte ist ohne Orts- und Jahresangabe; aus dem Poststempel geht als Ort
Grünwald eindeutig hervor, das Jahr kann auch hier nicht identifiziert werden. Dem
Zusammenhang nach kann die Karte jedoch nur ins Jahr 1916 gehören.
2 Vgl. Brief Nr. 92 bei Anm. 14 und 15 sowie Anm. 14.
3 *Geist der Utopie*; das Buch konnte jedoch erst später als E. B. hier annimmt, nämlich erst nach Kriegsende 1918 erscheinen. Im Original folgt nach »Buch« durchgestrichen: »neue«.
4 Im Original steht durchgestrichen: »schreibst«.
5 Hier muß es sich um die pathetischen Aphorismen von Friedrich Alfred Schmid-
Noerr handeln, die unter dem Titel »Vom Sein, vom Sinn und vom Sagen« erschienen sind, in: *Das Reich*, hg. von A. v. Bernus, Buch 1 (1916), S. 17-28.
6 Vgl. Brief Nr. 83, Anm. 13, sowie Brief Nr. 92, Anm. 18.
7 Alles folgende steht auf Seite 1 der Karte, am linken unteren Rand beginnend und
über die Anrede geschrieben.
8 E.B. meint die von Franz Blei herausgegebene Zeitschrift *Summa*, in der »Der
Alexanderzug« 1917 auch tatsächlich erschien; vgl. Brief Nr. 92, Anm. 18.
9 Vgl. Brief Nr. 93, Anm. 4.

Nr. 96   [Postkarte]
26.9.
[Datum des Poststempels:] München, 26.9.[19]16

Lieber Djoury, bitte laß' die Sache mit Bernus[1] ruhen. Ich erhielt
zwei Stunden nach Absendung meiner Bitte einen langen Brief von
Frau Schmid Romberg[2], daß *sie* das Manuskript verloren hat. Leider von Bernus noch kein Wort. Ich finde das alles in den gewohnten Heidelberger Rahmen passend. – Hast Du den alten Krug[3] von
mir in der Frkftr. Ztg. [Frankfurter Zeitung] gelesen? Ich habe jetzt
noch eine Studie über Tristan[4] vor, dort zu veröffentlichen; die
Bendemann gibt sich alle Mühe, sie trotz ihrer Länge bei Simon
durchzudrücken[5]. Ihre Adresse ist: Frankfurt a.M., Brentanostr.
1. Was Du gegen Berlin[6] schreibst kann ich nicht akzeptieren. D.h.
in einem hast Du Recht, daß die Beziehung zwischen Biedermeier,
dem Leichten, Bunten, Mittelmeerhaften, zum Westen salopp ist;
aber das liegt nicht an mir, sondern daran, daß der Kerl, der es
herausgibt, eine unverschämte Streichung des wichtigen Übergangs
vorgenommen hat. Dagegen: es freut mich und es paßt mir in mein
neues, völlig unakademisches Lebensgefühl, auch das zu können,
was die anderen können; es ist hier ein Straussischer Zug mit Freude
am Leichten, ja Trivialen an mir, den ich mir gestatte, wenigstens an
solchen Orten. Was Du gegen den Schluß sagst, ist mir von Dir aus
verständlich; das sind Hoffnungs- und Wertbeurteilungen, über die
nicht zu streiten ist. Harry Kahn (Du gestattest, daß ich ihn in *diesem* Zusammenhang mit Dir[7] konfrontiere) findet das südliche Berlin gut und ist sachlich im Punkt Berlin mit mir einverstanden. Er ist
übrigens wirklich ein kreuzbraver Mensch. – Ich glaube, daß Dir
auch am Alexanderzug[8] das *Politische* darin nicht besonders gefallen
wird, da es etwas vom Geist der Bagdadbahn[9], also unternehme-
risch, gedacht[10] ist und erst in weiterer Entfernung sozialistisch –
national – kulturell.
                                    Herzlichst. D[ein] Ernst
nächstens das [Linke?]-Buch.[11]

1 Vgl. Brief Nr. 95.
2 Vermutlich eine Mitarbeiterin von A. Bernus.

3 Vgl. Brief Nr. 92, Anm. 11.
4 Vermutlich handelt es sich um die in Brief Nr. 92 angekündigte Arbeit; vgl. Brief Nr. 92, Anm. 28.
5 Daraus scheint nichts geworden zu sein.
6 E. B. meint den Essay: »Das südliche Berlin«, vgl. Brief Nr. 92, Anm. 13.
7 »mit Dir« zwischen den Zeilen eingefügt.
8 Vgl. Brief Nr. 92 und Anm. 18.
9 Die Deutsche Bank hatte 1888 die türkische Konzession für den Bau einer Bahn von Konstantinopel nach Ankara erhalten. Der Bau wurde zunehmend von Großbritannien und Rußland als imperialistisches Unternehmen Deutschlands angesehen und blieb daher nicht ohne Einfluß auf den Kriegsausbruch 1914.
10 Das Wort ist nach »ge« getrennt; alles folgende steht kopfüber über Seite 1 der Karte über der Anrede und am rechten Rand von unten nach oben.
11 Der Nachsatz steht auf Seite 2 der Karte am rechten Rand über der Mitte. Das entscheidende Wort ist kaum zu entziffern, es könnte eventuell Linke- bzw. Flinke-Buch heißen. E. B. könnte jedoch Paul Ferdinand Linke meinen, seit 1908 Privatdozent in Jena für Psychologie und seit 1918 dort Professor. Es müßte sich dann um eines der folgenden Bücher von ihm handeln: *Humes Lehre vom Wissen* (1901), *Die stroboskopischen Täuschungen* (1908) oder *Die phänomenale Sphäre und das reale Bewußtsein* (1912).

Nr. 97

[Briefkarte][1]

Lieber Djoury, es freut mich, Dir hier die erste Seite des Buchs[2] zu schicken. Auf ihn [sic!] folgt: »Der Staat«. Dann als Abgesang »Der Alexanderzug«. Darauf der »Absicht« entsprechend, ein zweiter, größerer Portikus vor den sieben[3] Essays der »Selbstbegegnung«: »Kräfte und Übergang«[4]. Ich möchte Dir alles gerne schicken; aus dem letzten (Kräfte und Übergang) nur ein Satz, den ich soeben geschrieben habe zum Problem der contemporanéité[5] der Philosophie selbst in dieser Zeit, der Dir wohlgefallen wird:
»Und doch, gewiß, die Seelen sind zu leer, um noch gläubig zu sein, um noch Mythos zu haben; aber nichts fällt heraus, auch diese Leere ist nur ein Teil geschichtsphilosophischer Zusammenhänge, auf den sie notwendig und konstitutiv auftrifft, auch die Verlassenheit ist eine Art, eine furchtbare Art, von Gott umfangen zu sein – wohlan, entdecken wir den Mythos dieser Leere am Mythos, und sie wird sich ebensowohl[6] zur Hälfte füllen als ihren und den

nächstfolgenden, den Mythos der eschatologischen Menschheit erleuchten.«[7] – Ich wollte, ich könnte Dir alles vorlesen. Es ist ein unerhörtes Buch.

Dein Ernst

Bitte die »Absicht«[8] wieder zurück.

1 Der Brief ist ohne Datum und Ortsangabe. Nach dem hier zu entnehmenden Stand der Arbeit am *Geist der Utopie* gehört er sicher ins Jahr 1916.
2 *Geist der Utopie*. Die mitgeschickte »erste Seite« muß die ebenfalls erwähnte »Absicht« sein; so heißt der Auftakt von *Geist der Utopie* dann auch tatsächlich.
3 »sieben« zwischen den Zeilen eingefügt; in der Tat hat der Teil »Selbstbegegnung« in der ersten Fassung des *Geist der Utopie* GA Bd. 16, S. 13-389 nur sechs Teile, denn E. B. hat den hier angeführten Essay »Der Staat« nicht eingefügt.
4 Ein Kapitel mit diesem Titel gibt es nicht in *Geist der Utopie*; es könnte sich jedoch um eine Vorwegnahme des späteren Teils »Über die Gedankenatmosphäre der Zeit« handeln.
5 Franz.: Zeitgenossenschaft.
6 Im Original folgt durchgestrichen: »füllen als«. Die hier zitierte Stelle findet sich wenig verändert in der ersten Auflage von *Geist der Utopie*, GA Bd. 16, S. 341.
7 »erleuchten« zwischen den Zeilen eingefügt.
8 Vgl. oben Anm. 2.

Nr. 98

[Grünwald, 22. Oktober 1916][1]

Lieber Djoury! ich danke Dir herzlichst[2]. Sehr hat mich die warme Widmung gefreut, die alte Zeiten in Erinnerung bringt [mit] einer feinen Umstellung. Sie drückt in ihrer Weise das aus, was sachlich auffallend genug ist: wie sehr diese Deine Arbeit und meine Musik[3] methodisch (der Kategorisierung) und dem schließlichen Ausgang nach verwandt erscheinen.

Sehr schade, daß das in keinem Verlag erschienen ist[4], – wenn auch nur als Vorläufiges. Feuchtwanger[5] hätte es sicher genommen. (»Abstraktion und Einfühlung«[6] ist nicht größer. Und da Dost[o-jewskij] ja nicht dazugehört, ist es doch eine abgeschlossene Romantheorie. So ist doch alles auf Zufall gestellt, ob es die Richti-gen trifft; oder kommt es auch in den Buchhandel? Es müßte hier sogleich auffallen und den Löwen zeigen; schon die ersten Seiten bis

9 geben das Thema in einer ungeheuren Weite von Blick an, Rahmen und Beziehungsmöglichkeit. Ich werde Dir nach Lektüre noch über einzelnes schreiben.

Ich habe Kahn vorgestern abend von dem ursprünglichen Plan der Rahmenerzählung in Baden-Baden erzählt. Er war sehr davon gepackt. Und ich muß sagen, wie angemessen wäre es doch, wenn diese Gedanken auch in der äußeren Form das Ungewöhnliche und Großartige spiegeln würden; statt ein Buch zu sein, der Inhaltsabfolge nach, wie andere auch. Selbstverständlich wird dieser Aufsatz einmal außerordentlich berühmt werden; Du bist in der letzten einfachen Formulierung: »das sind keine Romane mehr« so glücklich und einprägsam, vor allem nach dem, wie ich jetzt[7] deutlich sehe, notwendigen Durchgang durch die möglichen Romanstandpunkte, daß jeder Leser sogleich das neue Plateau sehen wird. Aber die andere Einreihung als ein Buch mit Kapiteln muß Dich doch auch stilistisch reizen; mit den vielen Möglichkeiten zum Tonverändern, Dialog und anderen unprofessoralen Genialitäten. Was übrigens den Ton angeht (übrigens der Titel mit dem Adjektiv ausgezeichnet), so finde ich gerade hier ein Nebeneinander, das vielleicht in der Rahmenerzählung besser zu ordnen wäre: oft im selben Satz ein »essayistisches« Bild und darunter oder darüber, ziemlich unentschieden, akademische Sprechweise. Das wird nie gleichzeitig denselben Leser treffen. Beides hat seine Ehre, und ich würde jetzt nicht mehr ohne weiteres sagen, daß das Schöpferische Deinem Bildstil näher steht als Deinem Akademiestil, der doch wohl der Hort der fruchtbaren Hierarchie ist. Aber mir scheint, man muß hier entweder trennen oder ganz einheitlich »mischen«. Ich selbst habe mich für das letztere entschieden. Noch etwas: Du hast, wie mir vorläufig wenigstens scheint, keine rechte, vor allem im einzelnen fühlbare Steigerung. Schon die Art, das geschichtsphilos[ophisch] »Allgemeine« als ersten Teil vor die Romantypologie zu stellen, macht das unmöglich. Man kann darüber streiten, ob das sachlich der beste Weg ist; Hegel macht es auch so in der Ästhetik, aber vielleicht ist es auch sachlich besser, statt von vornher vom Schluß, d.h. von oben her zu deduzieren, das einzeln aufgeteilte Licht[8] erst am Schluß in seiner Fülle auszugießen, aufzusuchen. Rein stilistisch scheint mir hier wieder eine Zweiheit zu sein: Du denkst wie ich auch wesentlich geschichtsphilosophisch, also hast

Du Verlauf, Steigerung, Senkung, je nachdem, in Deinem Denken, und alles geht ja negativ auf Dostojewski hinaus, Umschlag, Wiedergeburt; dafür aber scheint mir die Architektur oder vielmehr nicht die Architektur, denn die ist ja als hierarchische ebenfalls auf »Steigerung« gestellt, sondern das altmodische Hegelianische Zweirad aus unserer Kinderzeit [Zeichnung desselben] nicht adäquat zu sein. Nächstens mehr.

Geht es Dir besser? Hat die neue Arbeit[9] zu dem Dost[ojewskij]-Buch eine Beziehung? Ich arbeite immer noch Musik. Mitfolgend schicke ich Dir den alten Krug[10], den Du wahrscheinlich noch nicht gelesen hast. Kahn ist verreist; er wird also sein Exemplar[11] erst in ungefähr acht Tagen bekommen.

Herzlichst! Dein Ernst

Habe übrigens Paul Ernsts »Taufe«[12] gelesen und Dich darin gefunden. War zuerst erfreut, finde aber das Ganze reichlich geschmacklos und das respektlos angeschlossene Zeug über den indischen Gott dumm. Habe mir übrigens die Festschrift gekauft und Deinen vortrefflichen Aufsatz[13] mit widerspruchsvollem Gemüt, besonders in der Exemplifizierung auf Paul Ernst, gelesen.

1 Dieser Brief wurde schon veröffentlicht in: *Georg Lukács – Briefwechsel 1902 bis 1917*, a. a. O., S. 378 ff. Da Original nicht zur Verfügung stand, folgt der Text der maschinenschriftlichen Übertragung des Originals aus dem Lukács-Archiv. Es muß daher offenbleiben, was der Hinweis »[Zeichnung desselben]« gegen Ende des Briefs bedeutet.

2 E.B. bedankt sich für die Zusendung des Sonderdrucks von G.L.s *Theorie des Romans*, die in der *Zeitschrift für Ästhetik und Allgemeine Kulturwissenschaft*, 2. Jg. (1916), S. 225-271 und S. 390-431 erschienen war.

3 Gemeint ist der große Teil von *Geist der Utopie* über »Die Philosophie der Musik«.

4 G.L. hatte Schwierigkeiten, einen Verlag für die *Theorie des Romans* zu finden; dazu kam es erst 1920, als Paul Cassirer in Berlin das Buch druckte.

5 Lektor beim Verlag Duncker und Humblot; vgl. Anm. 38, Brief Nr. 93.

6 Gemeint ist das 1908 von Wilhelm Worringer erschienene Werk; vgl. Brief Nr. 2, Anm. 3.

7 Zu E.B.s früheren kritischen Bemerkungen, vgl. Brief Nr. 89.

8 Die ungarischen Herausgeber lesen: »das einzeln Aufgeteilte nicht«.

9 Nach Fertigstellung seiner *Theorie des Romans* 1916 nahm G.L. – unter anderem auch auf Anraten Max Webers – seine Arbeit an der 1914 abgebrochenen Ästhetik wieder auf. Vgl. G.L., *Werke*, Bd. 17, Berlin und Neuwied 1974.

10 Dieser Essay steht am Beginn von *Geist der Utopie*: »Ein alter Krug«.

11 *Die Theorie des Romans.*
12 Anspielung auf den 1916 von Paul Ernst erschienenen Novellenband, worin
G. L. als eine Figur der Rahmengeschichte auftaucht.
13 Vgl. Brief Nr. 93, Anm. 4.

Nr. 99   [Poststempel:] Grünwald[1]

Lieber Djoury, ich meinte nicht, als ich den Brief mitschickte[2], daß
dies zu neuen Darstellungen führen müßte. Warum: so angenehm
Dir diese zu schreiben waren, so bekannt waren sie mir zu lesen;
hier ist auch für mich alles entschieden, wenigstens tatsächlich. Nur
das eine habe ich zu sagen: ich nahm Dein damaliges kalkiges Leben
als natürlich hin, einmal weil ich nichts daran ändern konnte, und
dann, wo ich sein sich Fügen, Mitmachen entgegennahm, so sah ich
bei meinem Mangel an persönlicher Intuition und Wendekraft
gerade in diesem Rhythmus, der sich bei mir arbeitstechnisch vortrefflich rentierte (war ich besonnen, so war ich nicht der Tell)[3]
nichts Dir wenigstens werkmäßig, logisch, worauf es Dir ja damals
allein ankam, Fremdes, Hinderndes, Feindliches. Er war gewiß
nichts für Dich; um[4] das zu sehen, brauchte man nicht intuitiv zu
sein; aber daß es nichts für Dich ist, und ich meine jetzt Tieferes als
die bloße »Lebensweise«, daß zwischen Dir und mir überhaupt
keine seelische Beziehungsmöglichkeit und Intuition vorliegt, wie
es tatsächlich der Fall ist, das ist mir immer noch ein Problem.
Wenn ich daher zu einer Zeit, wo ich selber seelischer zu werden
anfing, eine solche Steigerung aufs Seelische »verhängte« und dabei
und mehr noch, als Du mir immer unverständlicher wurdest, das
Mißlingen jeder dieser einseitigen Versuche kräftig bedauerte, in
den heftig danebenhauenden Worten und Taten des verschmähten
Liebhabers (es war kein Heilmittel für meine Herrschsucht, daß *ich*
gerade in meinen alten Tagen ein Werbender, Bittender werden
mußte), so stammte dies nicht aus panlogistischer Konsequenzma-
cherei, sondern eben aus dem Nicht-Begreifenkönnen (rein sachlicher, theoretischer Art), wieso Menschsein und Werkgesinnung
bei[5] uns derart auseinanderfallen könne. Irgendetwas vom Logischen muß doch auch in einem menschlichen Aggregatszustand
vorkommen. Dazu kommt, daß Du viel leichter, eben durch das

Leo Popper-Toderlebnis[6], Sein und Werk trennen kannst als ich;
dem das auch im tatsächlichen Verkehr vollständig unmöglich ist,
soll sich die Beziehung nicht auf eine völlig geheimrätlich-kollegiale
beschränken; gerade *das* meinst Du nicht, aber auch das breite Ich
meines Philosophendaseins ist bei mir irgendwie in allem Einzelnen
der Lebensäußerungen verwurzelt, wogegen ich nichts machen
kann und das ich auch[7] nicht ethisch aufzuheben wünschte, selbst
wenn ich es könnte; hier bin ich, so fern mir seine sonstigen Formen
sind, eine untilgbar goethehafte Natur, und zwischen Bruch und
Sprung ist ja außerdem ein Unterschied. Dieses habe ich zu sagen
zum Verständnis der Tatsache, warum ich immer wieder staune[8],
nicht tatsächlich, hier muß mir das Mißlungene jeder derartiger
Versuche genügen, aber theoretisch. Es ist mir z. B. eingefallen, als
ich Deinen Roman[9] las (der mir übrigens Deine Chiffrendeutung
der Form neu und besser als vorher ins Gedächtnis rief): wenn ich
diese Worte, Sätze, Gesinnungen, Ekelgefühle, Utopien von einem
Herrn Lehmann lesen würde; ich möchte nicht ruhen, bis ich diesen
meinen Freund gefunden habe, denn wenn er mir so [verwandt ist,
daß][10] ich nicht einmal Intuition für ihn zu haben brauche, sondern
er überhaupt mein doppeltes Leben ist (so als ob mein Leben, meine
Schaffenszeit durch ihn aufeinandergestellt, 140 statt 70 Jahre
wären[11]), wie reizvoll und fruchtbar muß erst seine persönliche
Fremdheit sein, wo wir Distanz und Intuition des anders Seelischen
haben könnten. Du mußt mir zugeben, daß es begreiflich ist, so zu
denken, nicht nur von mir aus, sondern ganz objektiv; nur daß es,
da weder Du noch ich »objektive« Denker[12] im Kierkegaardschen
Sinn sind, in diesem Fall Du bist[13], der dieses, daß es nicht so ist,
wahrhaftig nicht als »natürlich« hinnimmst [sic!]. Aber ich wiederhole: möge sich dies alles nur als Problem abspielen; ich halte mich
an das, was[14] ist und das auch mir in unserer Beziehung als positiv
genug erscheint. Sehr erleuchtend für die Frage wäre es übrigens:
wie Dein Verhältnis zu dem Menschen wäre, den ich einmal als
meinen »Freund« finden würde.
Else liegt seit zwei Monaten im Bett. Sehr schwere, nicht ungefähr-
liche Unterleibsstörungen; die armselige Lebensweise macht sie
nicht gesünder. Ich schreibe[15] ihr gegenwärtig einen Essay: »Ein
Frauenbildnis.«[16] Du hast mir immer noch nicht geschrieben, ob
Du irgend einen irrationalen oder rationalen Grund, aber wenig-

stens einen »Grund« dafür entdeckt hast, warum die Base[17] seit fast
anderthalb Jahren weder Else noch mir ein Wort geschrieben hat,
trotz mehrerer Briefe unsererseits. Ich bitte Dich, mir etwas darüber zu schreiben; ich kann es aushalten ohne die Manifestationen,
aber Else, besonders da sie keinen Menschen hat oder überhaupt
nur briefliche Ablenkung hat, leidet sehr darunter, so vergessen zu
sein. – Nächstens schicke ich dir eine »Studie[18] über Tristan«[19], die
vorerst noch auf allen Redaktionen herumfährt. Hat Dir die Bendemann etwas Ausführlicheres über den Roman[20] geantwortet? Herzlichst!

Dein Ernst

1 Die ungarischen Herausgeber datieren diesen Brief nach dem Poststempel auf 11.
November 1916.

2 Das Wort ist im Original schwer leserlich; in genauer Wiedergabe heißt es wohl:
»mitschickickte«.

3 Zum geflügelten Wort gewordener Ausspruch Wilhelm Tells in Friedrich Schillers
(1759-1805) berühmten gleichnamigen Schauspiel in fünf Akten, das am 17. 3. 1804
in Weimar uraufgeführt wurde.

4 Im Original steht durchgestrichen: »so«.

5 Im Original steht durchgestrichen: »zwischen«.

6 Vgl. Brief Nr. 14, Anm. 32 und Brief Nr. 18, Anm. 3.

7 »ich auch« zwischen den Zeilen eingefügt.

8 »staune« zwischen den Zeilen eingefügt.

9 Im Vorwort seiner *Theorie des Romans* gibt G. L. an, er habe die Studie im Sommer 1914 entworfen und im Winter 1914/15 niedergeschrieben.

10 Mehrere völlig unleserliche Wörter im Original; die vorgeschlagene Lesart kann
sich auf keine Anhaltspunkte des Originals stützen; sie ist rein logisch erschlossen.

11 »waren« zwischen den Zeilen eingefügt; im Original steht durchgestrichen:
»ist«.

12 Kierkegaard war sowohl für E. B. wie für G. L. von großer Bedeutung, vor allem
in Abgrenzung gegen den »objektiven Denker« Hegel. Vgl. dazu bei E. B. vor allem
GA Bd. 3, S. 249f. und GA Bd. 8, S. 389f., 393ff.

13 Im Original folgt durchgestrichen: »werde«.

14 »das, was« zwischen den Zeilen eingefügt; im Original steht durchgestrichen:
»dieses, das«.

15 Das Wort ist nach »schrei« getrennt; das folgende steht sechszeilig am linken
Briefrand der zweiten Seite von oben nach unten.

16 Vermutlich wurde dieser Essay unter dem Titel »Grund in der Liebe« in *Geist der
Utopie*, erste Fassung (GA Bd. 16, S. 349-360) eingefügt; in der zweiten, bearbeiteten Fassung ist der Titel: »So das Weib und Grund in der Liebe« (GA Bd. 3, S. 262 bis
267).

17 Gemeint: Emma Lederer. Zu E.B.s Anfrage vgl. Brief Nr. 3.
18 Das folgende steht kopfüber am oberen Rand des Briefes.
19 Vermutlich ist dieser Essay bzw. sind Teile davon dann später in die beiden Fassungen von *Geist der Utopie* übernommen worden. Vgl. GA Bd. 16, S. 140 ff., »Die transzendente Oper und ihr Objekt«, sowie GA Bd. 3, S. 108 ff.
20 G. L.s *Theorie des Romans*, Berlin 1911.

Nr. 100

Grünwald Nov[ember] [19]16[1]

Mein lieber Djoury, ich weiß doch nicht ganz, ob die einzige formmäßig Alternative des Dialogs Ironie oder Ethik ist. Und dann, wenn du das Formelle schon von so weither und vornehm deduzierst: wieso geht das dann nicht in jeden einzelnen Satz, wieso ist es möglich, daß Du Dir, wenn »der äußeren Umstände halber« Deine Prosa »der letzten Feile ermangelt«[2], nicht ebenfalls einer Sünde wider den heiligen Geist bewußt bist? Gewiß, das ist ein Witz; aber ist er nicht, soweit ich wenigstens sehe, nach Deiner Formmetaphysik unabweisbar? und ist es nicht ein der genauesten Begründung bedürftiger Widerspruch, daß der reinste Nominalist der Staatsform in Ansehung der Kunstform ein solcher Realist ist? irgendwie dem Petrus Ramus[3] verwandt, der selbst die Silbenzahl und selbstverständlich die Wortstellung eines Satzes als Abspiegelung, Chiffre reallogischer Verhältnisse definierte?
Ich habe Deine Arbeit[4] nochmal ganz gelesen und finde das Meiste ausgezeichnet und von einer unbeschreiblichen Treffsicherheit. Dazu ausgezeichnet auf Dost[ojewskij] hingeführt; sehr schön und weit auch die Parallele mit Natur und Gesellschaft. Wie war die Aufnahme? Weber (bei Dir stehen die »metaphysischen Aufstellungen« allbegründend doch sogar am Anfang), Rickert? Deine ersten resignierten Sätze verheißen hier nichts Gutes. Gebsattel[5] hat, wie mir Scheler gestern sagte, die Sache sehr imponiert. Ich traf Scheler gestern im Café; er wird im Winter in Tegernsee (sonst im Kloster Beuron) sein und wir werden uns öfter sehen. Er wird in einer großen Kollektion im Hellerauer Verlag Bernhard die Viktorianer, jesuitische Kasuisten und andere ethische »Phänomenologen« herausgeben[6]. An ihm sehe ich, wie unangemessen mir jetzt das Katho-

lischsein[7] wäre und wie wenig wir ehrlich arme Menschen, die wissen, was das heißt, »modern« zu sein, wir am weitesten vorn stehende Menschen noch von Jesus imprägniert sind; wie wenig die vergangenen ethischen Phänomenologien unsere Sorgen oder gar unser Heil treffen. Gerade weil ich mich hier noch sehr schwach fühle, aber ganz sicher weiß, daß es darin einmal bei mir einen Durchbruch ethischer Schärfe, Tiefe und Inhaltlichkeit geben wird (dem Akt der Erneuerung nach wie mein Durchbruch zur bildenden Kunst), ärgern und stören mich diese falschen Propheten wie Fliegen, die ich nicht fangen kann. Ich war nach Scheler im Strindbergschen »Traumspiel«: wie verkehrt ist hier noch von Gnade zu sprechen. Der unselige Strindberg ist milliardenmal mehr begnadet, so unselig zu sein und es zu tragen als alle diese eitlen, heiteren, scheißfidelen neukatholischen Leichenwäscher. – Ich schicke Dir hier einen Brief, der genau fünf Jahre alt ist und um dessen Rückgabe ich bitte. Er macht Dir vielleicht verständlich, warum mir das »Decrescendo« unserer Beziehung und die stetig sinkende Bewußtheit Deinerseits, daß *ich* es bin, der es damit nicht leicht nimmt, irgendwie belastend erschien; für Dich und mich. –

                                              Herzlichst! Dein Ernst
Else ist wieder sehr krank.

Eckart war übrigens in München (wie ich erst von Scheler hörte), ohne mich zu besuchen; dabei schrieb er mir vor einem Jahr einen so ekstatischen Brief, als ob ich »sein begnadetstes Erlebnis« gewesen wäre – dieser Bursche!

1 Dieser Brief wurde schon veröffentlicht in: *Georg Lukács – Briefwechsel 1902 bis 1917*, a. a. O., S. 381 f. Da mir kein Original zum Vergleich vorlag, folge ich der maschinenschriftlichen Übertragung des Lukács-Archivs.
2 Anspielung auf die Anmerkung, die G. L. der Veröffentlichung seiner *Theorie des Romans* 1916 voranschickte.
3 Petrus Ramus, eigentlich Pierre de la Ramée, französischer Humanist und Philosoph (1515-1572); er wurde in der Bartholomäusnacht ermordet. Ramus griff die aristotelische Logik an mit der Begründung, sie sei gekünstelt und verstelle die natürliche Art zu denken. Die »natürliche Logik« müsse in Verbindung mit der Rhetorik gesehen werden: hier wie dort würden Fragen aufgeworfen und nach Gründen zu ihrer Beantwortung gesucht. Die Logik zerfällt daher in die Kunst, die Gründe aufzufinden (ars invendi) und in die Urteilsbildung (iudicium). In seinen enzyklo-

pädisch angelegten mathematischen Werken kritisiert Ramus die euklidische Methode. Ramus hat besonders den Calvinismus weithin beeinflußt; der Ramismus gilt als Bindeglied zwischen Humanismus und Aufklärung.
4 Gemeint ist *Die Theorie des Romans*. Vgl. Brief Nr. 98.
5 Victor-Emanuel Gebsattel (1883-1976), Psychotherapeut, Professor für medizinische Psychologie und Psychotherapie in Würzburg, Vertreter der daseinsanalytisch orientierten Psychotherapie auf christlich-katholischer Grundlage.
6 Die Bibliographie der Werke Schelers weist kein Werk aus, das sich auf diese Angaben E.B.s eindeutig bezöge.
7 Scheler bekämpfte damals die formale Kantische Ethik im Namen einer materialen Wertethik, in der die Grundlehren des dogmatischen Katholizismus im Gewand moderner Einzelforschung erschienen. Um religiöse Erneuerung ging es auch noch in seinem Buch *Vom Ewigen im Menschen* (1921). Zu E.B.s früher Neigung zum Katholizismus vgl. Brief Nr. 12, Schluß und Anm. 10.

Nr. 101

1.12.[19]16

Lieber Djoury, ich habe die Ehre, mich unter meinem neuen Titel vorzustellen: Redakteur an den »Radikal-Konservativen Blättern«.[1] Blei hat mir diesen Ausweis[2] gegeben. Was besseres, Vaterländischeres als Konservativ gibt es nicht, und dieser Titel schützt mich vor dem § 2 der neuen Schweinerei, die die schmutzigen Hunde jetzt gegen die Arbeiter und nur gegen diese wieder eingeführt haben. Bei den Österreichern und den anderen preußischen Provinzen (ich gratuliere Dir übrigens zu Deinem neuen König[3]) wird das sicherlich auch bald eingeführt werden; vielleicht tust Du gut, Dir am Ledererschen Archiv[4] beizeiten ebenfalls freiwillig eine Stellung zu sichern.
Mein Buch[5] wird jetzt begonnen zu drucken. Vertraglich ist ausgemacht, daß die Sache, mag Krieg sein oder nicht, unbedingt Herbst 1917[6] erscheinen wird. Feuchtwanger wird schon[7] vorher eine Reklame à la Strauss bei den besseren Redaktionen machen; es soll schon vorher davon gesprochen werden, um den Ruhm zu erzwingen, wir müssen mindestens so viele Auflagen in einem Jahr wie der »Golem«[8] haben. E.R. Weiß[9] wird den Einband zeichnen; das ganz Unerwartete und Großartige ist, daß Duncker und Humblot[10] davon überzeugt sind, der Wirkung nach eine Bombensache und dem Gehalt nach ihren zweiten Hegel zu haben. Großes, monu-

mentalisches Format (wie Chledowsky »Rom«[11], also so lang, aber
etwas schmaler, handlicher wie der Gundolfsche Goethe[12]), darin
an die 600 Seiten. Vorgestern ein Abendessen bei Dr. Geibel, dem
Inhaber des Verlags, in dem mit Champagner auf Buch und Autor
getrunken wurde; ich kam mir schon vor wie Ibsen bei S. Fischer.

                                                          Herzlichst!
                                                          Dein Ernst
Frau Lederer hat noch nicht geschrieben.

1 Nicht ermittelt.
2 Dies steht im Zusammenhang mit E. B.s Bemühen, in die Schweiz zu emigrieren,
um sich Krieg und drohendem Militärdienst zu entziehen; vgl. Brief Nr. 98.
3 Am 21. November 1916 war Kaiser Franz Joseph I. von Österreich, der zugleich
ungarischer König war, gestorben. E. B. gratuliert dem Ungarn G. L. hier ironisch
zu dessen Nachfolger, Kaiser Karl I. von Österreich (1887-1922), unter dem Namen
Karl IV. auch König von Ungarn.
4 *Archiv für Sozialwissenschaft* vgl. »Lederer« in Anm. 5, Brief Nr. 47.
5 *Geist der Utopie*.
6 Daraus ist nichts geworden; der Krieg hat die Veröffentlichung verzögert; das
Buch konnte erst nach Kriegsende 1918 erscheinen; vgl. die Briefe Nr. 103 und 105.
7 »schon« zwischen den Zeilen eingefügt.
8 *Der Golem*, Roman von Gustav Meyrink (1863-1932) war 1915 erschienen. Der
Roman spielt in der Welt des Prager Judenviertels; er wurde berühmt vor allem
wegen des souveränen Spiels zwischen Traum und Wirklichkeit: Der unheimliche
Stadtteil dient als Hintergrundfolie für die dunklen Bereiche eines seelischen Däm-
merzustands und unruhigen Halbschlafs des Erzählers, in dem für den Helden die
Grenzen von Ich und Außenwelt zerfließen und zahlreiche »Gänge« und »Gassen«
sich auch in die versunkenen Bezirke der eigenen Vergangenheit und eines von
schockhaften Ängsten durchsuchten Traumbewußtseins öffnen, das sich selbst, auf
alte, magische Vorstellungen zurückgreifend, als doppeltes, fremdes gegenübertritt.
9 Emil Rudolf Weiß (1875-1942), Buchkünstler, Schriftschöpfer und Maler. Er
begann als Mitarbeiter der Zeitschrift *Pan*, schuf Buchausstattungen, war 1907-1933
Professor in Berlin (Unterrichtsanstalt des Kunstgewerbemuseums), arbeitete für
die Verlage Eugen Diederichs, Insel und S. Fischer; er entwarf Buchtitel, Buchein-
bände sowie die Druckschriften »Weiß-Antiqua« und »Weiß-Golisch«. Die vom
Suhrkamp Verlag besorgte Ausgabe GA Bd. 16 hat das Innenblatt der Erstausgabe
1918 übernommen.
10 Karl Duncker (1781-1869) gründete im Jahr 1809 zusammen mit Peter Humblot
eine gemeinsame Verlagsbuchhandlung in Berlin und späterer Zweigstelle in München. Ihre Verlagsgebiete sind vor allem Wirtschafts- und Sozialwissenschaften,
Rechts- und Staatswissenschaften sowie Geschichte und Naturwissenschaften. –
Geist der Utopie ist tatsächlich in diesem Verlag 1918 erschienen.

11 Kazimierz Chledowski (1843-1920), polnischer Schriftsteller; Verfasser zahlreicher Romane und kulturhistorischer Darstellungen aus dem italienischen Raum.
Sein Monumentalwerk *Rom* war in drei Bänden 1912-1915 erschienen.
12 Dieses Werk von Friedrich Gundolf war kurz zuvor (1916) erschienen.

Nr. 102

Grünwald 64. 12.2.[19]17

Lieber Djoury!
Wolltest Du mir einen großen Gefallen tun? Nämlich ich brauche,
wie mir auf dem Paßbüro gesagt wurde, außer meinem Ausmuste-
rungsschein nur noch den *Nachweis* einer Tätigkeit in der
Schweiz, sowohl überhaupt wie aus Hilfsdienstgründen. Ich
gedenke Korrespondent[1] zu werden und habe bereits nach allen
mir zugänglichen Seiten hin versucht, das Formelle eines solchen
Auftrags bei Zeitungen zu gewinnen. Vielleicht gelingt mirs [sic!]
irgendwo, vielleicht auch nicht. Ich habe zur Empfehlung sogar
Schelers neues Buch: »Krieg und Aufbau«[2] in den Münchener
neuesten Nachrichten[3] besprochen. Nun habe ich die Beziehungen
zu Lederers abgebrochen. Es ist mein Ungück, daß gerade diejenigen Menschen, mit[4] denen ich, wenn auch nicht im Kriegszustand,
so doch ohne diplomatischen Verkehr bin, eine Personalunion mit
einem Beruf oder einer Stellung haben, die zu mir, das heißt –
homogen – zu meinem Beruf, zu der Möglichkeit meiner Stellung,
eine empirisch korrespondierende Relation zu unterhalten in der
Lage ist. Würdest Du die Güte haben, als der neutrale Schwede
vom Fall Silbermann – Lenard[5], bei Herrn Redaktionssekretär Dr.
Lederer anzufragen, ob er[6] eventuell[7] dem Verfasser des dem-
nächst erscheinenden Werkes: »Geist der Utopie« einen Auftrag
zuerteilen könnte, als Korrespondent sowie zu Studienzwecken
für das Archiv[8] in der Schweiz zu wirken (das ist selbstverständlich
weder für das Archiv noch für mich juristisch verpflichtend)[9]? Es
tut *höchste Eile* not; mit anderen Worten, es ist hier an diejenige
Kategorie zu denken, unter die Du, im Gegensatz zum Panlogismus, die Ethik stellen willst.
Sonst heute wenig. Ich arbeite verdrossen und gelangweilt an der
Logik.[10] D.h. der Plan ist bedeutend und anregend: nicht mehr
bewußt zu sein, mit dem Abstand des Bewußtseins, sondern zur

Sache (der Gedanke ist nicht bewußt)[11] zu kommen, d. h. die ganze menschliche Sprache auf ihre Bedeutungen zu durchmustern, um das andere vorzubereiten, die transzendentallogischen Bedeutungen; indem ich richtig denke, schwinge ich schon hinüber, auch besteht der Zusammenhang des Formallogischen mit dem »Normativen« in einem tiefen Sinn, der mich am Ende sogar phänomenologisch – dogmatisch machen dürfte: ordo et connexio idearum eadem ac ordo et connexio rerum.[12] Übrigens gedenke ich den Teil, den ich jetzt gerade bearbeite, an den Logos[13] zu senden unter dem schönen Titel: »Beiträge zur Lehre vom hypothetischen Urteil.«[14] Das ist alles entsetzlich schwer, vor allem weil man immer wieder sein eigenes Wesen herabmindern muß, um hier schöpferisch zu sein, ja überhaupt nur zu begreifen, was auch Kollege Sigwart über diese Sache gesagt hat, und daß Erdmann wohl richtiger[15] die hypothetische Beziehung als Kopula statt wie Sigwart als Prädikat des hypothetischen Urteils bestimmt hat, und der Unterschied von: zwar – aber, obgleich – so, sofern – so, wenn – dann (manchmal wenn – dann, nur wenn – dann), so oft – so, weil – so, es muß – damit – das ist alles nicht sehr anfeuernd.

Bitte antworte mir sobald als möglich.

herzlichst!
Dein Ernst

1 Dies steht in Zusammenhang mit E.B.s Bemühen, aus dem kriegführenden Deutschland zu emigrieren. Vgl. Brief Nr. 97. Wenig später wurde E.B. Mitarbeiter an der *Freien Zeitung*, die in Bern erschien, sowie dem »Freien Verlag«, ebenfalls Bern (vgl. die Briefe an Johann Wilhelm Muehlon). Hier sammelte sich die Opposition gegen Hindenburgs und Ludendorffs Krieg.

2 Dieses Werk Schelers ist 1916 im Verlag der Weißen Bücher erschienen.

3 Diese Besprechung war nicht aufzufinden.

4 »mit« zwischen den Zeilen eingefügt; im Original steht durchgestrichen: »zwischen«.

5 Philipp Lenard, Professor für Physik und Nobelpreisträger, hatte Schlagzeilen gemacht, weil er seinem Assistenten, einem Russen, am Tag der Kriegserklärung 1914 sofort den Schlüssel zum Institut entzog und dabei einen Schweden als Vermittler benutzte: »Denn mit dem Feind verkehrt ein Deutscher, will er sich nicht beschmutzen, nur durch Neutrale« (zitiert nach dem Aufsatz von E.B. »Lenards ›Deutsche Physik‹«, in : *Vom Hasard zur Katastrophe*, Frankfurt/M. 1972, S. 35.

6 Im Original folgt durchgestrichen: »für«.

7 Im Original folgt durchgestrichen: »für«.

8 Vgl. Brief Nr. 99, Anm. 4. In der Tat hat E.B. in der Schweiz für das Archiv

gearbeitet; 1918 erschien hier ein Beitrag von ihm über »Politische Programme und Utopien in der Schweiz«, aufgenommen in GA Bd. 11, S. 46-59.

9 Die Klammer steht, mit Hinweispfeil versehen, im Original am oberen Rand der Seite.

10 Offensichtlich hat E.B. seinen Plan einer mehrbändigen axiomatischen Philosophie trotz *Geist der Utopie* nicht aufgegeben. Vgl. dazu vor allem die Briefe Nr. 8, 9, 12, 18, 24 sowie Nr. 103.

11 Die Klammer steht im Original zwischen den Zeilen.

12 Lat.: Die Ordnung und Verbindung der Ideen (ist) dasselbe wie die Ordnung und Verbindung der Sachen (Spinoza *Ethik*, 2. Teil, 7. Lehrsatz).

13 Vgl. Brief Nr. 10, Anm. 35.

14 E.B. hat nie im *Logos* veröffentlicht. Vermutlich meint er jedoch schon hier seine später unter dem Titel: »Über motorisch-mystische Intention in der Erkenntnis« in den *Argonauten* 1914/21, Tl. 2, S. 176-186 erschienene Arbeit, die später in *Tendenz – Latenz – Utopie*, den Ergänzungsband zur Gesamtausgabe, wiederaufgenommen wurde.

15 Im Original folgt durchgestrichen: »als Sigwart«. Christoph Sigwart (1830 bis 1904), Philosoph, war von 1865-1903 Professor in Tübingen. Er trat durch seine Logik hervor, die als formale Methodenlehre (»Ethik des Denkens«) die allgemeinen Gesetze der Denkfunktion, des Denkvollzugs und die Regeln der Vervollkommnung des Denkens zu bestimmen habe. Die Untersuchung der auf inhaltliche Erkenntnis gerichteten Denktätigkeit komme der Psychologie zu. Die Frage nach der Übereinstimmung zwischen dem Denken und seinen objektiven Inhalten führte ihn zur Voraussetzung des teleologischen Prinzips eines einheitlichen Grundes (Gottesidee) und damit zur Begründung und Überhöhung der Logik durch die Metaphysik. Gegen Kant vertrat er eine materiale Ethik. Seine zweibändige Logik erschien 1873/78. E.B. zählt sie auch unter den von G.L. ausgeliehenen Büchern im Begleitbrief zu Nr. 92 auf.

Nr. 103   [Briefkopf]
                                                                               19.2.[19]17

Lieber Djoury, wie geht es Dir? Was macht die Arbeit? – Ich werde jetzt nach endlosen Schriftproben, endlich zu drucken begonnen; aber es sind so wenige Setzer da, daß ich wahrscheinlich nur alle 10 Tage einen Bogen erhalte, es kann also schlimmeren Falls das Buch[1] nicht einmal auf Weihnachten erscheinen. Außerdem kommt mir der zweite Band des Sombartschen Kapitalismus[2], der früher zu drucken begonnen worden ist und ebenfalls die schriftkundigsten Setzer verlangt, in die Quere. – Ich lese jetzt den Simmelschen Rembrandt[3]; einiges (auch S. 168 über die Seele)[4], wie das über den

»Tod« oder den »raumlosen Blick«, ist doch überraschend und wie eine Altersfeinheit, die etwas Ernstes sagt, inmitten des übrigen öden, unernsten, ziellosen Formalisierens und Methodisierens. Sonst bin ich dabei die Logik[5] zu schreiben, d.h. sie heißt »Die Umdenkung« und ist der erste Band der siebenbändigen Summe, die ich jetzt endlich der Reihe nach zu schreiben gedenke. Das eigentlich Erkenntnistheoretische wird erst spezifisch vor jeder Sphäre abgehandelt; es[6] wird auf diese Art quer und nicht längs, zusammenhängend, tranchiert, aber so, daß es[7] gleichsam bruchlos wieder[8] zusammengestellt werden kann. Die einzelnen Teile sind: 1. Die Umdenkung. 2. System der Physik. 3. Theorie des Lebens. 4. Philosophie der Geschichte. 5. Philosophie des Staates. 6. System der Ästhetik. 7. System der Ethik und Metaphysik.[9] Diese Folge hat den weiteren Vorteil, daß ich zuerst an das Leichtere und im eschat[ologischen] Menschen noch nicht Berührte komme; unterdessen kann sich die Tiefe erholen und Neues, Besseres, Älteres bringen als ich jetzt noch kann. – Hast Du zufällig vom Erfolg des Kahnschen »Rings«[10] in Wien gelesen? Er hat hier auch einen Vortragsabend gehabt, der glänzend rezensiert wurde und taucht überhaupt mit einem Male auf; was mich sehr für ihn freut. – Ich werde mich zwingen, jedes Jahr einen Band fertig zu machen, um zu sehen, was mir dann noch übrig bleibt; daß mir bei so früher Beendigung meines Faustplans das übrige Leben nicht nur wie »ein Geschenk« erscheint[11]. Das frühere Programm: »junge Betschwester, alte Hure«[12] lockt mich nicht mehr. Wie gut, daß es einen Tod gibt, wenn man mit den Mitteln *dieses* Lebens nichts mehr zustande[13] bringt. Wir haben doch das Böse in ihm weithin überlistet.

Herzlich.
Dein Ernst

1 *Geist der Utopie*, vgl. Brief Nr. 101 und Anm. 6.
2 Werner Sombarts (1863-1941) berühmtes Buch *Der moderne Kapitalismus* wurde in der Tat im Verlag Duncker und Humblot 1916 in zweiter Auflage gedruckt; zuerst erschienen war er 1903/08.
3 Georg Simmels *Rembrandt* war 1916 erschienen.
4 Das in Klammern Stehende ist im Original ohne Klammern zwischen den Zeilen eingefügt.
5 Vgl. Brief Nr. 102 und Anm. 10.

6 Im Original steht durchgestrichen: »ist«.
7 Im Original steht durchgestrichen: »sie«.
8 »wieder« zwischen den Zeilen eingefügt.
9 Zu diesem Systementwurf vgl. die Briefe Nr. 8, 9 und vor allem Nr. 18.
10 Von Harry Kahn war 1916 sein Werk *Der Ring* erschienen.
11 Dieser Gefahr wußte E.B. zu entgehen; aus dem angekündigten Plan ist nichts geworden. Der Sache nach hat E.B. seine siebenbändige Summe aber dennoch geschrieben, und zwar in seinem letzten Werk *Experimentum Mundi*; damit war sein Lebenswerk beendet.
12 Ironische Verkehrung des Diktums: Junge Huren, alte Nonnen.
13 Das folgende steht auf Seite 1 der Briefkarte quer zum übrigen am oberen Rand über der Anrede.

Nr. 104   [Postkarte]
                                              [München,] 13.3.[19]17
Lieber Djoury!
Du kannst beruhigt sein, die Bücher[1] gehören mir. Nicht umsonst hast Du sie von meinem Regal weg Gutermann[2] gegeben, sie stehen auch in der Buchhändlerrechnung verzeichnet, in der ich unterdes nachgesehen habe. Elses: »ich weiß nicht« war ein flüchtiger Zweifel, den sie selbst kurze Zeit nachher behoben hat. Nur bitte ich Dich, da wir diesen Samstag nach Locarno fahren, die Bücher noch bei Dir zu behalten und für mich zurechtzulegen. Dagegen wäre ich Dir sehr dankbar, wenn du die Neue Rundschau[3], in der mein Nachruf auf Lipps[4] steht, an Herrn Dr. Konrad K. *Düssel*, Stuttgart, Neues Stuttgarter Tageblatt, schicken wolltest.

                               Herzlich dankend und grüßend!
                               Ernst

Leider war es mir nicht möglich, da bisher jeder Tag mit Reisevorbereitung, Paß, M[anu]skriptzensur[5] ausgefüllt war, Dein M[anu]skript[6] in Ruhe zu lesen. Ich schicke es also zurück und muß auf den Logos[7] warten.

1 Es war nicht mehr zu eruieren, um welche Bücher es sich hier handeln könnte.
2 Abraham Gutermann, von Geburt Russe, war ein Schüler von Radbruch.
3 Vgl. Brief Nr. 82, Anm. 2.
4 Einen Nachruf auf Th. Lipps hat E.B. später in seine Gesamtausgabe übernom-

men (GA Bd. 10, S. 53 f.); er ist auf 1914 datiert, dem tatsächlichen Sterbejahr von
Lipps. Diese Karte, deren Datierung sicher mit 13. 3. 17 anzugeben ist, spricht dagegen von einem Nachruf drei Jahre nach dem Ableben. Unter dem Titel: »Theodor
Lipps als moralische Erscheinung« war 1914 in *Die neue Rundschau*, 1914,
S. 1752 f., ein Nachruf von E. B. erschienen.
5 Dies betrifft E. B.s Emigration aus dem kriegführenden Deutschland in die
Schweiz.
6 G. L.s Arbeit »Die Subjekt-Objekt-Beziehung in der Ästhetik«, die im *Logos*,
7. Jg. (1917/18), S. 1-39 erschien. Hierbei handelt es sich um ein Kapitel der *Heidelberger Philosophie der Kunst.*
7 Vgl. Brief Nr. 10, Anm. 35.
8 Der ganze Nachsatz steht auf Seite 1 der Briefkarte, quer zum übrigen am oberen
Rand bis zur Anrede und abenteuerlich von rechts nach links geschrieben.

Nr. 105   [Postkarte]
                              Monti della Trinità (Tessin, Schweiz)
                                                    20.6.[19]17

Lieber Djoury, seit ich weg bin, habe ich nichts mehr von Dir
gehört. Wie geht es? Ist das Ästhetische im »Logos« erschienen?[1]
Bitte schicke es mir dann baldigst zu. Könnte etwa der Mann[2], der
»ebenfalls« Husserl und Steiner verbinden will[3], mein Buch[4] im
»Reich«[5] besprechen? Nach einigen vorherigen Tips? Oder weißt
Du sonst jemanden? Es wird in einigen Wochen erscheinen;[6] im
Aushängebogen wird es Dir vorher schon vom Verlag zugehen.
Schreibe bald. Grüße Ljena [Grabenko].

                                                    Dein Ernst

1 Vgl. Brief Nr. 104, Anm. 6.
2 Wer hier gemeint ist, war nicht mehr mit Sicherheit zu klären. Gemeint sein
könnte jedoch: Rudolf Meyer, der ein Buch schrieb über *Rudolf Steiner, Anthroposophie: Herausforderung im XX. Jahrhundert*, Stuttgart ³1975.
3 Darstellung des damaligen Programms von E. B. als Verbindung von Husserl und
Steiner vgl. Brief 6, wo E. B. davon spricht, er werde den Theosophen das Wasser
abgraben (mit seiner »axiomatischen Summe«).
4 *Geist der Utopie.*
5 Aus einer solchen Besprechung ist nichts geworden.
6 Vgl. Brief Nr. 101, Anm. 6.

Nr. 106 16. Mai 1948
69 Vassal Lane,
Cambridge, Mass. USA

Lieber Djoury,

seit wir uns zuletzt geschrieben haben, ist der Fluß, in den man nicht zweimal steigen kann, ein ganzes Stück weiter geschwommen. Ich höre, Du hast den Lehrstuhl in Budapest.[1] Und nun interessiert es im Sinn der gemeinsamen Wissenschaft: hast du die Absicht, dort zu bleiben? Ich erhielt vor einigen Monaten einen Ruf auf das philosophische Ordinariat in Leipzig[2] und vor kurzem einen gleichen Ruf nach Berlin.[3] (Ich bin im Begriff, Leipzig vorzuziehen). So sind wir jetzt auch im äußeren Sinn Kollegen. Anfängliche Bedenken, ob mich die Lehrarbeit nicht zu sehr von der an den Manuskripten abziehen wird, sind seitdem zerstreut. Gerne wüßte ich nun, wie Deine Pläne sind. Deine letzten literarhistorischen Arbeiten habe ich kennengelernt; leider noch nicht den Gottfried Keller.[4] Am meisten habe ich aus der Hölderlinstudie[5] gelernt; weniger sagte mir der Goethe[6] zu (z.B. das ad Hermeneutik der Marienbader Elegie). Recht sehr bewegte es mich, wegen der schönen Gleichzeitigkeit, daß Du bei Oprecht ein Hegelbuch[7] erscheinen läßt. Soeben wird ein Hegelbuch von mir (Die Schule der Erkenntnis. Erläuterungen zu Hegel)[8] im Aufbau-Verlag gedruckt. Ein 800 Seiten langer Kommentar zu allen Teilen der Hegelschen Philosophie. Diese Gleichzeitigkeit trifft sich doch gut. Auf Dein Buch bin ich sehr gespannt, und werde mich den fruchtbaren Differenzen wie der erwartbaren Kommunizierungen freuen.

Mit den besten Wünschen Dir und Gertrud[9], auch von Karola

Dein Ernst

1 G.L. war von 1945-1958 Professor für Philosophie an der Universität Budapest.
2 E.B. war von 1949 bis zu seiner Zwangsemeritierung 1957 Professor für Philosophie an der Universität Leipzig. G.L. gibt an, E.B.s Berufung gefördert zu haben.
3 Diese Berufung war E.B. als wenig zuverlässig erschienen. Vgl. A. Münster (Hg.), *Tagträume vom aufrechten Gang*. Sechs Interviews mit E.B., Frankfurt/M. 1977, S. 112.
4 »Gottfried Keller«, erstmals erschienen in: *Internationale Literatur*, Nr. 6, 1939, S. 95-113 und Nr. 7, S. 115-134.
5 »Hölderlins Hyperion«, erstmals veröffentlicht in: *Internationale Literatur*, Nr. 6, 1935, S. 96-110.

6 *Goethe und seine Zeit*, Bern, Francke 1947.
7 *Der junge Hegel · Über die Beziehungen von Dialektik und Ökonomie*. Das Werk erschien nicht wie E.B. vermutet bei Oprecht, sondern 1948 im Europa-Verlag, Zürich und Wien.
8 Diesen schönen Titel hat E.B. abgewandelt in: *Subjekt–Objekt. Erläuterungen zu Hegel*, heute GA Bd. 8. Das Buch ist erstmals 1949 in Mexiko in spanischer Übersetzung und kurz darauf im Aufbau-Verlag erschienen. Vgl. den Brief Nr. 15, Anm. 5, an Adolph Lowe.
9 G.L.s Frau Gertrud, geborene Borststieber (1882-1963).

Nr. 107   [Briefkopf:
               Philosophisches Institut der Universität Leipzig]
                          (10b) Leipzig C 1, den 18. 5.[19]49
                                  Ritterstraße 16/22, Aufg. A
Lieber Djoury,
seit einer Woche bin ich hier. Habe den philosophischen Lehrstuhl übernommen[1]; es gibt viel Arbeit, aber alles scheint sich gut anzulassen. Hoffe, daß Dich dieser Brief erreicht, und sehe einer freundnachbarlichen Beziehung entgegen. Weiteres, sobald ich von Dir höre, daß der Brief angekommen ist.

                                            Herzlich Dein Ernst

1 Vgl. Brief Nr. 106, Anm. 2.

Nr. 108   [Briefkopf:
               Philosophisches Institut der Universität Leipzig]
                                           Prof. Dr. Ernst Bloch
                          10b Leipzig C 1, den 6. September 1949
                                       Ritterstr. 16/22, Aufg. A
Lieber Djoury[1],
es war mir eine besondere Freude, dich wiederzusehen und in such high spirits[2].
Heute komme ich mit einer sachlichen Anfrage. Mein Freund, der hiesige Romanist Werner Krauss[3], und ich planen im Verein mit einigen Genossen an der hiesigen Universität, dem[4] neueren Historiker Markov[5], dem Ethnologen Lips[6], dem Staatsrechtler Polak[7]

und einigen anderen, Ende Oktober eine Zeitschrift herauszugeben mit dem Titel: »Beiträge zum wissenschaftlichen Sozialismus«[8]. Die Zeitschrift wird bei Rütten und Loening im Brandenburgischen Staatsverlag erscheinen, und zwar in der gleichen Ausstattung wie »Sinn und Form«[9], vierteljährlich. Lizenz ist bereits vorhanden, und zwar von höchster Stelle. Ich bin nun beauftragt, Dich zu bitten, uns gleich für das erste Heft einen Beitrag zu schicken, und zwar tunlichst methodischer Art[10]. Ich selbst werde mich über die lehrreiche Hypokrisie[11] verbreiten oder den Tribut des Lasters an die Tugend, den Max Weber und andere seinerzeit dargeboten haben, als sie[12] die materialistische Geschichtsauffassung als »Arbeitshypothese« zuließen, ja, feierten. Sollte die Zeit für Dich etwas zu knapp sein, so würden wir natürlich auch mit einer kürzeren Arbeit Deinerseits dankbar und zufrieden sein.

Persönlich brauche ich nicht zu versichern, wie sehr es mich freut, daß wir auf diese angemessene Weise wieder zusammenkommen. Bitte gib umgehend Antwort, eventualiter telegraphisch.

Dir und Gertrud herzlich ergeben
Ernst

1 Bei diesem Brief handelt es sich um einen der seltenen Fälle, daß das Original mit der Maschine geschrieben wurde; es finden sich wenige handschriftliche Korrekturen von E. B.
2 Engl.: in solch geistiger Hochform. – E. B. und G. L. hatten sich anläßlich der Feier zu Goethes 200. Geburtstag vom 27. 8. bis 3. 9. 1949 in Weimar getroffen. G. L. hatte während dieser Reise am 31. 8. 1949 einen Vortrag in Berlin über Goethe gehalten, dessen Text in die späteren Ausgaben von *Goethe und seine Zeit* unter dem Titel »Unser Goethe« aufgenommen wurde.
3 Werner Krauss (1900-1976), Romanist. Er wurde 1931 Dozent in Marburg, 1941 Professor, kam 1942 ins Zuchthaus wegen Beteiligung an der Widerstandsgruppe Schulze-Boysen. Seit 1945 war er wieder Professor in Marburg, seit 1947 in Leipzig.
4 Im Text steht vor »dem« durchgestrichen: »mit«.
5 Walter Markov, in Leipzig lehrender Historiker; Spezialist für die Geschichte der französischen Revolution und der Jakobinerforschung. Verfasser (zusammen mit Albert Soboul) von *Die Sansculotten von Paris*, Berlin 1957.
6 Julius Lips (1895-1950), Ethnologe. Er wurde 1929 Direktor des Rautenstrauch-Joest-Museums in Köln; 1934-1948 Professor an amerikanischen Hochschulen, Forschungsreisen zu verschiedenen Indianerstämmen; seit 1948 Professor in Leipzig. Seine Hauptarbeitsgebiete waren Primitives Recht und Wirtschaftsethographie. Er prägte den Begriff der »Erntevölker«: damit sind Naturvölker gemeint, die zwischen

Sammlern und Pflanzern stehen, weil sie ihre Nahrung vorwiegend durch systematisches Einernten wildwachsender Pflanzenarten beschaffen und Vorräte anlegen.

7 Karl Polack (1905–1963), Jurist, war seit 1949 Professor für Staatsrecht in Leipzig, seit 1960 Mitglied des Staatsrates der Deutschen Demokratischen Republik; er galt als führender Staatsrechtler der DDR und war maßgeblich an der Ausarbeitung der Verfassung von 1949 beteiligt. Er schrieb zahlreiche Werke zur marxistisch-leninistischen Staats- und Rechtstheorie. E. B. schreibt übrigens den Namen nur mit k statt mit ck.

8 Daraus scheint nichts geworden zu sein.

9 Vgl. Brief Nr. 2, Anm. 5 an Peter Huchel.

10 Nach den ungarischen Herausgebern plante G. L. zunächst, seinen Aufsatz »Lenins Erkenntnistheorie und die Probleme der modernen Philosophie« hier zu veröffentlichen. Daraus ist nichts geworden; in deutscher Sprache erschien dieser Aufsatz damals nur in dem Band G. L., *Existentialismus oder Marxismus*, Berlin 1951 (vgl. Brief Nr. 109).

11 Vermutlich nie realisiert. Zu E. B.s philosophischen Aufsätzen 1949/50 vgl. GA Bd. 10, S. 255–317.

12 »als sie« wurde handschriftlich von E. B. zwischen den Zeilen eingefügt.

Nr. 109   Leipzig W 31
                                                                        Wilhelm-Wild-Str.
                                                                            4. XI. [19]49

Lieber Djoury,

Dein M[anu]skript[1] kam gut an und ist bereits in Berlin. Da das 1. Heft[2] tunlichst im Dezember herauskommen soll, wird es leider kaum angängig sein, Dir die Korrektur zu schicken. Können Krauss oder ich sie erledigen? Wenn Du *nicht* damit einverstanden sein solltest, telegraphiere bitte. Nur weiß ich dann nicht, ob Dein wichtiger Beitrag fürs 1. Heft noch rechtzeitig zurückkommt. Und Du sollst doch durchaus darin sein.

Mit Ekel las ich die Frechheiten des playboy W. Harich[3] gegen Dich. Dem Lausejungen muß das Handwerk gelegt werden. Aus der Zeitung erfahre ich: Du bist zur Zeit, patriae serviendo[4], in Rom. Als wir einmal zusammen in Italien waren, long ago, in Ravenna und Florenz[5], sah vieles in uns und außer uns anders aus. Three cheers for the difference.[6]

                                            Dir und Gertrud herzlich von uns,
                                            Euer Ernst

1 Vgl. Brief Nr. 108, Anm. 10.   2 Vgl. Brief Nr. 108, Anm. 8.

3 Wolfgang Harich (geboren 1923), Philosoph, war seit 1946 Dozent an der Humboldt-Universität Berlin (Ost), von 1953 bis 1956 Mitherausgeber und Chefredakteur der *Deutschen Zeitschrift für Philosophie*. Wegen seines Eintretens für eine liberale Kulturpolitik war er 1956-1965 als »Konterrevolutionär« inhaftiert. Danach wurde er wissenschaftlicher Mitarbeiter an der Deutschen Akademie der Wissenschaften (Ost); seit 1979 lebt er in Wien und beschäftigt sich vor allem mit ökologischen Fragen. Er schrieb auch Bücher über Herder, Rudolf Haym und Jean Paul. – Um welchen Zwist es sich hier handelte, konnte nicht geklärt werden. Nach Angabe der ungarischen Herausgeber stand G. L. mit Wolfgang Harich als Lektor des Aufbau-Verlages seit dem 5. September 1952 in Korrespondenz. Der Briefwechsel (insgesamt 66 Briefe) befindet sich im Georg-Lukács-Archiv Budapest.
4 Wörtlich: um dem Vaterland zu dienen. G. L. war Delegierter auf dem Friedenskongreß des Comité Mondial des Partisans de la Paix, 28.-30. Oktober 1949.
5 Das war ganz zu Beginn ihrer Freundschaft im Jahre 1911.
6 Engl.: Ein dreifaches Hoch auf den Unterschied.

Nr. 110   [Briefkopf:
                     Institut für Philosophie der Universität Leipzig]
                                                   Prof. Dr. Ernst Bloch
                                       Leipzig C 1, den 24. 9. [19]52
                                       Petersteinweg 2 (Amtsgericht)
Lieber Georg,
wir in der DDR sind im Begriff, eine philosophische Zeitschrift herauszugeben. Titel: »Deutsche Zeitschrift für philosophische Wissenschaft«.[1] Erscheinungstermine: vierteljährlich. Umfang: 5-6 Bogen. Nach den Aufsätzen folgt eine Rubrik: Diskussion, danach eine: Übersetzungen aus der marxistisch-philosophischen Literatur der Sowjet-Union, den Volksdemokratien, Chinas und auch Frankreichs, Englands, Italiens. Danach: Kritiken und Anzeigen. Herausgeber[2] der Zeitschrift bin ich, unterstützt von Wolfgang H a r i c h und dem Redaktionssekretär S c h r i c k e l. Selbstverständlich steht die Partei, vertreten durch Kurt H a g e r[3], der Sache nahe.
Das erste Heft soll außer einem Beitrag von mir (Über die Kategorie Möglichkeit) einen mathematisch-logischen von K l a u s[4] (Jena), einen philosophiegeschichtlichen von M e n d e[5] – Halle, einen sprachphilosophischen von A l b r e c h t[6] – Rostock und andere enthalten.
Jetzt nun entledige ich mich meines Auftrags, Dich um regelmäßige

Mitarbeit[7] zu bitten. Falls Du zu beschäftigt bist, einen neuen Aufsatz in Bälde zu verfassen, so kannst Du vielleicht philosophische
Manuskripte, die nur in Ungarisch erschienen sind, zuschicken.
Ich bitte Dich, in diesem Fall, um Antwort und zwar, da die Sache
eilt, wohl auch in Dein Interesse greift, um freundlich baldige.
Die normalerweise etwas deplazierte Bitte um eine Antwort überhaupt muß ich unterstreichen, weil bisher nie eine nach hierher eingetroffen ist. Ich muß annehmen, daß Du auch mein Hegel-Buch[8]
und zuletzt die kleine Schrift ad »Avicenna«[9] nicht erhalten hast.
Sogar ein Schreiben fortgeschrittener marxistischer Studenten aus
einem Ästhetik-Seminar[10], das ich im vorigen Semester gehalten
habe, erregte keine Reaktion. Daß Du kein leidenschaftlicher Brief-
schreiber bist, weiß ich aus ehemaliger Zeit. Daß wir nicht eben
mehr einen Naturschutzpark für Differenzen[11] brauchen, ist mir
gleichfalls nicht unbekannt. Aber die gemeinsame Position, Gesinnung, Arbeitsrichtung, in der wir uns befinden, macht ein fast rät-
selhaftes Schweigen so wenig ersprießlich wie ratsam.
So möchte immerhin die Redaktion der neuen Zeitschrift von Dir
bald einen freundlichen Bescheid erwarten. Und, wenn irgend
angängig, mit beigelegtem Manuskript.

Mit freundlichen Grüßen
Dein Ernst Bloch[12]

1 Der endgültige Titel der Zeitschrift war: *Deutsche Zeitschrift für Philosophie*; sie
erschien von Januar 1953 bis Oktober 1956.
2 In der Tat hat W. Harich als Herausgeber und leitender Redakteur fungiert; E. B.
war Mitherausgeber.
3 Kurt Hager (geb. 1912), war seit 1930 Mitglied der KPD, kämpfte 1937-1939 auf
republikanischer Seite im Spanischen Bürgerkrieg und lebte danach als Emigrant in
Frankreich und Spanien. Hager wurde 1949 Professor für Philosophie an der Humboldt-Universität Berlin. Seit 1954 war er Mitglied des ZK der SED, seit 1955 Sekretär des ZK und schließlich seit 1963 Mitglied des Politbüros der SED. Hager schrieb
im 1. Heft d. Zeitschrift: »Die Bedeutung des Werkes von J. W. Stalin, ökonomische
Probleme des Sozialismus in der UdSSR«.
4 Vgl. Anm. 2, Brief Nr. 1 an Peter Huchel. Klaus schrieb den Beitrag »Kants ›Allgemeine Naturgeschichte und Theorie des Himmels‹ und das moderne Weltbild« in:
Jg. II, H. 1, S. 18 ff.
5 Georg Mende schrieb den Beitrag: »Kant und das Problem des ewigen Friedens«,
in: Jg. I, H. 1, S. 103 ff.
6 Erhard Albrecht (geb. 1925), Professor für Geschichte der Philosophie, Logik,

Semiotik und Methodologie an den Universitäten Rostock und Leipzig; National-
preisträger der DDR.

7 G. L., der wie E. B. nur bis 1956 in der *Deutschen Zeitschrift für Philosophie* vertreten ist, veröffentlichte dort insgesamt folgende Beiträge: »Schellings Irrationalismus«, in: Jg. I, H. 1, S. 53 ff.; »Kierkegaard«, in: Jg. I, H. 2, S. 286 ff.; »Karl Marx
und Friedrich Theodor Vischer«, in: Jg. I, H. 3/4, S. 471 ff.; »Kunst und objektive
Wahrheit«, in: Jg. II, H. 1, S. 113 ff.; »Zur philosophischen Entwicklung des jungen
Marx«, in: Jg. II, H. 2, S. 288 ff.; »Die Frage der Besonderheit in der klassischen
deutschen Philosophie«, in: Jg. II, H. 4, S. 764 ff.

8 Vgl. Brief Nr. 106, Anm. 8.

9 Vgl. Brief Nr. 8, Anm. 14 an Peter Huchel.

10 Hierbei handelte es sich um einen Brief, den E. B.s Studenten am 12. Mai 1952 an
G. L. verfaßten und in dem sie G. L. baten, er möge seine »Untersuchungen in
Gestalt der Lehrworte einer Ästhetik zusammenfassen (...) als eines geschlossenen
Werks«. E. B. schloß sich in Gruß und Unterschrift diesem Wunsch an (abgedruckt
in: *E. B. und G. L. – Dokumente zum 100. Geburtstag*, Archivumi Füzetek IV,
Budapest 1984, S. 242).

11 E. B. beschrieb seine Jugendfreundschaft mit G. L. als so eng, die geistige Affinität als so groß, daß es nötig gewesen sei, einen »›Naturschutzpark der Differenzen‹
zwischen uns anzulegen, wie wir das nannten«. Vgl. A. Münster (Hg.), *Tagträume
zum aufrechten Gang*. Sechs Interviews mit E. B., a. a. O., S. 103.

12 Hier handelt es sich um einen der wenigen maschinenschriftlichen Briefe E. B.s

Nr. 111   [Briefkopf:
                        Institut für Philosophie der Universität Leipzig]
                                                         Prof. Dr. Ernst Bloch.
                                         LEIPZIG C 1, den 27. 10. 1952
                                          Petersteinweg 2 (Amtsgericht)

Lieber Georg,

ich danke Dir für Deinen Brief. Es ist also doch so, wie ich hoffte,
hinter Deinem Schweigen[1] ist nichts Ernstliches. Deine Korrespondenz mit Wolfgang Harich[2] war mir selbstverständlich genau
bekannt. Ich danke Dir für Dein Manuskript. Das Eingeschickte
über Schelling[3] wird selbstverständlich im ersten Heft, das im
Januar 1953 herauskommt, erscheinen. Ebenso werden laufend
Deine übrigen Beiträge an würdiger Stelle erscheinen.

Das, was Du in Deinem Brief über Hegel und Religion schreibst, –
nun, ich möchte mit Dir sagen –, hier ist nicht der Ort[4], um diese
Fragen auch nur andeutend zu behandeln. Ich meine, ein Brief ist
nicht der Ort; da müssen wir schon eine lange und langwierige

Unterhaltung haben. Was den Termin dieser Unterhaltung angeht,
so komme ich mit diesem zugleich auf ein Hauptanliegen des vorliegenden Briefes, nämlich auf einen »Philosophischen Kongreß« größeren Stils, den wir im Februar 1953 in Leipzig haben werden. Er
wird sich an die vorherige Konferenz in Jena[5] anschließen, worin,
wie Du Dich erinnerst, Fragen der Logik und Dialektik behandelt
wurden. Die Einladung zu diesem Kongreß geht von meinem Institut für Philosophie aus und geschieht im Namen der Universität
Leipzig. Das Thema des Kongresses wird sein: »Das nationale Erbe
in der deutschen Philosophie«. Es werden 4 Hauptvorträge gehalten. An diese anschließend Diskussion. Dauer des Kongresses: 3
Tage; er wird hier in Leipzig stattfinden, am 27., 28. Februar und 1.
März 1953, also an einem Freitag, Sonnabend und Sonntag. Die
Ordnung der Vorträge wird sein:
1.) Überblick über die deutsche Philosophie mit den Hauptpunk-
ten Leibniz, Kant, Hegel, Marx. – Diesen Vortrag möchte ich übernehmen.[6]
Es folgt dann ein Vortrag über Kant. Hier denken wir an Wolfgang
Harich, der in Berlin über Kantische Philosophie liest und sich eini-
germaßen zureichend damit beschäftigt hat und im übrigen durch
seine interessante Begabung ebenso wie durch seinen Fleiß eine
gewisse Gewähr für gute Erledigung seiner Aufgabe bietet. Den
Schlußvortrag über Marx wird Prof. Dr. Gropp[7] halten, der am
hiesigen Institut den dialektischen Materialismus vertritt. Hier
kann man erst recht beruhigt sein; die Sache wird einwandfreies
Niveau haben und keinerlei Schematismus. Bleibt in der Hauptsache: der Vortrag über Hegel. Wir alle in der Philosophischen Kommission in Berlin waren einstimmig der Meinung, Dich zu bitten,
diesen Vortrag zu übernehmen, und mir wurde der Auftrag – keinem komme ich lieber nach –, diese Bitte herzlich an Dich zu übermitteln. Alle etwa auftauchenden Formalitäten wird Prof. Kurt
Hager in Berlin erledigen.
Dies ist also mein Anliegen für heute, und ich bitte Dich um
freundlichst baldige Antwort, und, wie ich hoffen darf, um Zustimmung.

In alter Freundschaft herzlichst
Dein Ernst[8]

1 Vgl. Brief Nr. 110.

2 Zu den Schwierigkeiten zwischen Harich und G. L. vgl. Brief Nr. 109 und Anm. 3.

3 Es handelt sich um die Arbeit von G. L. »Schellings Irrationalismus«, die, wie E. B. hier verspricht, in der ersten Nummer der *Deutsche(n) Zeitschrift für Philosophie*, Berlin 1953, S. 53-102 erschienen ist.

4 Häufig gebrauchte Formulierung von G. L., wenn er in seinen Werken bestimmte Bereiche ausgrenzte, und um deretwillen er nicht nur von E. B. geneckt wurde.

5 Dieser Kongreß hat 1951 stattgefunden. E. B. scheint zu beiden Themen einen Vortrag gehalten zu haben; vgl. »Aussprache über Hegel«, GA Bd. 10, S. 420-423, und »Zur Frage Logistik«, GA Bd. 10, S. 424-431.

6 Was aus diesem Vorhaben geworden ist, muß ungewiß bleiben. In den *Philosophischen Aufsätzen* findet sich nur der umfangreiche Essay »Über den Begriff der Weisheit« aus dem Jahre 1953, und auch im Nachlaß fand sich kein Vortrag dieses Titels.

7 Rugard Otto Gropp (geboren 1907) war seit 1958 Professor für Philosophie in Leipzig. Als Theoretiker des dialektischen Materialismus hat er sich besonders mit revisionistischen Bestrebungen in der SED auseinandergesetzt. Er sollte zum schärften Kritiker E. B.s in der DDR werden. In dem von Johannes Heinz Horn herausgegebenen Band *Ernst Blochs Revision des Marxismus* (1957) veröffentlichte er einen Aufsatz mit dem drastischen Titel: »Ernst Blochs Hoffnungsphilosophie – eine antimarxistische Welterlösungslehre«; ähnlich deutlich im *Forum* (Berlin-Ost) Nr. 6, 1957: »Mystische Hoffnungsphilosophie ist unvereinbar mit dem Marxismus.«

8 Hier handelt es sich um einen der wenigen maschinenschriftlichen Briefe E. B.s.

Nr. 112

Leipzig W 31, am 25.6.[19]54
Wilhelm-Wild-Str. 8

Lieber Georg,

ich danke Dir für die Überreichung der »Zerstörung der Vernunft«.[1] Ein Buch, das rechtzeitig kommt, indem es das imperialistische Philosophieren zugleich mit dessen unablässiger Kritik vermittelt, also der Gefahr entgeht, Giftstoff ungeleitet bekannt zu machen.

Aufgefallen ist mir wieder ein gewisser Soziologismus oder wie man das nennen soll. So etwa S. 166. Was ging den geistesaristokratischen und reaktionären Patrizier Schopenhauer die Klassenohnmacht des Bürgertums an? Und vor allem: sind durch derlei die *philosophischen* Probleme des Pessimismus, selbst als Scheinprobleme, erschöpft?[2] Auffallend ist es auch, wie Du nicht ergangene Invektiven Hegels gegen Schelling postnumerando und recht über-

trieben nachholen willst. Von der »intellektuellen Anschauung«
geht ein gerader Weg zu Hitler[3]? Three cheers for the little difference.[4] Und kommt damit nicht ein höchst ungemäßes Glänzen an
die Fahne, besser in das Aborthaus Hitler?

Einen Grund wirst Du gehabt haben, meinen Kampf, etwa gegen
den Neu-Hegelianismus, überhaupt nicht zu erwähnen. Ich werde
das – wie ich auch bei dem stattgehabten Gericht über Gropp[5]
gezeigt habe – nicht mit Gleichem vergelten.

Mit herzlichen Grüßen
Ernst

1 G.L.s umstrittenstes Werk *Die Zerstörung der Vernunft* erschien erstmals 1954
im Aufbau-Verlag und gleichzeitig auf ungarisch bei Akadémiai Kiadó, Budapest.
2 Dies Problem hat E.B. nie ganz losgelassen. Aus dem Nachlaß geht hervor, daß er
in seinen Tübinger Anfangsjahren eine größere Arbeit über Schopenhauer plante
(vgl. Mappen 54/55). Zugleich hielt er im Wintersemester 1964/65 in Tübingen eine
Vorlesung über Hegel und Schopenhauer im Vergleich (vgl. dazu die redigierte Fassung dieser Vorlesungen, in: E.B., *Abschied von der Utopie? – Vorträge,* herausgegeben und mit einem Nachwort versehen von Hanna Gekle, Frankfurt/M. 1980,
S. 9-39).
3 Vgl. G.L.,, *Die Zerstörung der Vernunft,* in: G.L., *Werke,* Neuwied und Berlin
1962.
4 Engl: Ein dreifaches Hoch auf den kleinen Unterschied.
5 Hier muß es sich um eine frühe Attacke von Gropp handeln, der einen Streit über
Hegel anzettelte, der sich über zwei Nummern der *Deutschen Zeitschrift für Philoso-*
phie (2. Jg. 1954, Heft 1 und 2) hinzog; in seiner Abhandlung über »Die marxistische
dialektische Methode und ihr Gegensatz zur idealistischen Dialektik Hegels« griff er
alle marxistischen Hegel-Interpreten an, allen voran E.B. als Verfasser des 1949
erschienenen *Subjekt–Objekt. Erläuterungen zu Hegel.* Gropp erntete ringsum
scharfe Kritik. Zu Gropps damaliger Position vgl. die differenzierte Darstellung in:
E.B. in Selbstzeugnissen und Dokumenten, dargestellt von Silvia Markun, Reinbek
1977, S. 86ff.

Nr. 113   Leipzig, W. 31
                                          Wilhelm-Wildstr[aße] 8
                                               11. 6. [19]55

Lieber Djoury,
ich wollte sogleich, nachdem wir uns in Weimar[1] verabschiedet
haben, Dir einige sehr herzliche Worte schreiben. Eine längere
Delegationsreise durch Polen[2] (verbunden mit Kampf gegen die

dortigen Übergriffe der Logistik), Semesterschluß, Prüfungen kamen dazwischen.

Jetzt, wo ich die Feder ansetze, lese ich im »Aufbau« Deinen meisterlichen Versuch über »Das Spielerische und seine Hintergründe«[3]. Du nimmst darin Mann vor sich selbst, wohl auch vor den Einflüsterungen Th. Adorno-Wiesengrunds[4] in Schutz. Aber indem ich gerade die Feder einer so alten und wiedergeborenen Freundschaft und Liebe ansetzen wollte, so bin ich bekümmert und darüber überrascht, wie isoliert (ein noch zu schwacher Ausdruck) und wie verzerrt Dir das Meine doch gegenwärtig zu sein scheint. Du zitierst den Satz aus einem Buch von 1934[5], auch das in völlig isolierender Form, und das noch gleichgeordnet mit dem Faschisten Benn.[6] Um letzteres zu ertragen, dazu brauche ich allerdings unsere wiederbesiegelte Freundschaft; und sie hält in der Tat die außerordentliche Belastungsprobe dieses, sage man: lapsus aus. Doch wie sehr das Zitat des Zusammenhangs ermangelt, auf den Du doch sonst so großen und berechtigten Wert legst, das zeigt der Vorwurf, den Du gleich anschließend den subjektivistischen Kartenhausbauern[7] (also offensichtlich auch meinem Bild in Dir) machst: sie entbehrten des Horizontblicks aufs Kommende. Ich brauche nicht hinzuzufügen, daß letzterer, mit mehr oder weniger Glück, seit sehr langem mein einziges, mein wesentlichstes Geschäft ist. Und das »Subjektive«? Auch in der so stückhaft zitierten »Erbschaft dieser Zeit« von 1934 war die »Montage«[8] doch einzig deshalb bejaht und pointiert, weil sie, bei gesprungenem »Lack der Oberfläche«, bisher übersehene »Querbezüge« in der objektiven Wirklichkeit gegebenenfalls objektiv kenntlich machen konnte. Doch selbst nach dieser sachlichen Korrektur: es betrübt mich, daß mein philosophisches Bild Dir nur »expressionistisch« oder contra »soignierte Bürgerlichkeit« fortzuleben scheint. Was nicht einmal pars pro toto[9] ist, auch nicht, wenn dergleichen in dem meisterhaften Versuch ein methodisches Hilfsmittel ist.

Mein lieber alter Freund, die Verhältnisse ordnen uns besser und wahrer zueinander, als wir selber es in den Jahren einer (kaum von mir ausgehenden) Entfremdung zustande gebracht haben. Wir haben fast genau die gleichen Feinde und, soweit ich sehe, fast genau die gleichen Freunde, Schüler, »Anhänger«. Wir werden zusammen als diejenigen angesehen[10], die der Intelligenz am unver-

wechselbarsten das Niveau und die Perspektiven, die Wissensfülle
und die Humanität des Marxismus sichtbar machen. Verblüffend
trat mir das gerade jetzt in Polen entgegen. Und bei allen unseren
sachlichen Differenzen gibt es, glaube ich, eine neue Einheit zwischen uns: das[11] parteiliche Problemgebiet der Antizipation.
So denke ich: wir wollen uns hinfort noch in anderem begegnen und
auch streiten als in ephemer gewordenen Partikularitäten.
Sehr herzliche Grüße von Haus zu Haus (oder, wie Th. Mann zu
schreiben pflegt: von Burg zu Burg) Dir und Gertrud

Euer Ernst

1 Anläßlich der Gedenkfeiern zum 150. Todestag von Friedrich Schiller am 9. Mai
1955 waren sich G.L. und E.B. wieder begegnet.
2 Es war nicht mehr genau zu eruieren, worum es hier ging; zur Frage der Logistik
hatte G.L. sich indes schon früher geäußert. Vgl. Brief Nr. 111, Anm. 5.
3 Dieser Aufsatz über die *Bekenntnisse des Hochstaplers Felix Krull* von Thomas
Mann erschien erstmals in der Zeitschrift *Aufbau* Nr. 11, Berlin-Ost 1955. G.L. hat
ihn später als dritten Teil seiner Arbeit *Thomas Mann* integriert; vgl. G.L., *Werke*,
Bd. 7, Neuwied-Berlin 1964.
4 Adorno stand mit Thomas Mann in freundschaftlichem Verhältnis. Im *Doktor
Faustus* hat ihn Thomas Mann in der Figur des Teufels porträtiert (ebenso trägt die
Figur des Naphta im *Zauberberg* Züge von G.L.).
5 E.B. meint natürlich sein Werk *Erbschaft dieser Zeit* und gibt – entgegen allen
Angaben in den Druckfassungen – das Erscheinungsjahr korrekt mit 1934 an. Vgl.
Brief Nr. 11, Anm. 5 an Klaus Mann.
6 Zu Gottfried Benn vgl. Briefwechsel mit Klaus Mann, Brief Nr. 4, Anm. 3. Sachlich bezieht sich E.B. auf folgenden Absatz bei G.L.: »Darum schrieb schon vor
Jahrzehnten Gottfried Benn: ›... Es gab in Europa zwischen 1910 und 1925 überhaupt keinen anderen als den antinaturalistischen Stil. Es gab auch keine Wirklichkeit, höchstens noch ihre Fratzen. Wirklichkeit, das war ein kapitalistischer Begriff.
[...] Der Geist hatte keine Wirklichkeit.‹ Darum spricht Ernst Bloch von der Wirklichkeit seiner Gegenwart, sie sei eine ›perfekte Nicht-Welt, Gegen-Welt oder auch
Trümmer-Welt des großbürgerlichen Hohlraums‹. Was bedeutet nun der von welt-
anschaulich in jeder Hinsicht so gegensätzlichen Autoren einmütig betonte Ausdruck: keine Wirklichkeit? Bloch antwortet darauf scharf und richtig: ›So kommen
wichtige Dichter in den Stoffen nicht mehr unmittelbar unter, sondern sie zerbre-
chen. Die herrschende Welt verbreitet ihnen keinen darstellbaren Schein mehr, der
auszufabeln wäre, sondern nur Leere, mischbaren Bruch darin.‹« G.L., *Faust und
Faustus – Vom Drama der Menschengattung zur Tragödie der modernen Kunst –
Ausgewählte Schriften II*, Reinbek: Rowohlt 1977, S. 282.
7 Genau spricht G.L. von »Kartenhäuser des Gedankens, der Erlebnisse« (a. a. O.,
S. 283).

8 Vgl. dazu *Erbschaft dieser Zeit*, GA Bd. 4, S. 221-228. Im Rahmen der Expressio-
nismusdebatte, die sich an Gottfried Benns Parteinahme für die Nationalsozialisten
entzündet hatte und zugleich zu einer politischen Debatte für oder wider Volks-
frontpolitik wurde, hatte sich ein großer, öffentlich ausgetragener Streit zwischen
den nunmehrigen Antipoden E.B. und G.L. entzündet.
9 Lat.: ein Teil für das Ganze.
10 »angesehen« zwischen den Zeilen eingefügt; im Original steht durchgestrichen:
»angehen«.
11 Im Original folgt ein durchgestrichenes, unleserliches Wort.

Nr. 114   Tübingen, 9.4.[19]65
                                        (Georg Lukács freundlich durch den
                                           Luchterhand Verlag übermittelt)
Lieber Djoury,
Dein Geburtstag[1] bewegt mich natürlich oder naturgemäß, wie Du
so gern zu sagen pflegst. In wenigen Monaten werde ich die gleiche
runde Zahl erreicht haben[2] (»oft gerundet, nie geschlossen«, sagte
unser Alterskollege Goethe), ein chronologisch Homogenes, das
hier etwas mehr bedeutet als beim gleich numeriert gewesenen Wie-
genfest Jaspers[3] und seiner rechten Erkenntnistheorie.[4] Drücke Dir
über alle Unterschiede hinweg die Hand, bei anders dimensionier-
ter Ratio wohl einig in dem Satz Isaak Babels[5]: Die Banalität ist die
Gegenrevolution.
Wünsche Dir von Herzen noch multos annos[6] aus Ruhe und glücklicher Arbeit.
                                                         Dein Ernst

1 G.L. wurde am 13. April 1965 80 Jahre alt.
2 E.B. hatte am 8. Juli Geburtstag und war wie G.L. 1885 geboren.
3 Karl Jaspers (1883-1969), gemeinsamer Bekannter von E.B. und G.L. seit ihren
gemeinsamen Tagen im Heidelberger Max-Weber-Kreis, war 1963 ebenfalls 80 Jahre
alt geworden.
4 Ironische Anspielung auf G.L.s Meinung, E.B. vertrete eine »Synthese von linker
Ethik und rechter Erkenntnistheorie«, wie G.L. 1962 im Vorwort zur Neuauflage
seiner *Theorie des Romans*, Neuwied und Berlin 1971, S. 16, geschrieben hatte.
5 Isaak Babel (geboren 1894 in Odessa), russischer Schriftsteller jüdischer Abstam-
mung, der durch seinen Erzählungszyklus *Budjonnys Reiterarmee* (erschienen ab
1923) international berühmt wurde. Babel war Anhänger der Bolschewiki, nahm am
Bürgerkrieg teil und war politischer Kommissar in der legendären Reiterarmee des
Marschalls Budjonny. Seit Ende der zwanziger Jahre wurden Babels Werke zuneh-

mend kritisiert und schließlich abgelehnt. Nach 1935 konnte er nichts mehr veröffentlichen; 1939 wurde er verhaftet und starb 1941 in einem der zahlreichen stalinisti-
schen Lager. 1954 wurde er rehabilitiert, und seit 1957 werden wieder Werke von
Babel in der UdSSR veröffentlicht.
6 Lat.: viele Jahre.

Lukács an Bloch
Nr. 115   [Briefkopf:
                                                             Georg Lukács
                                            Budapest V. Belgrad RKP. 2. V. EM. 5.
                                                         Telefon: 185-366
                                            Budapest,] den 30. April [19]65
Lieber Ernst!
Dank für den Geburtstagsgruß. Ich teile ganz Deine Ansicht von
der Homogenität unserer Chronologie. Die Begegnung um 1910
hatte etwas so Vehementes, daß sie mit keiner von anderen Alters-
genossen auch nur vergleichbar ist. Wie bald und wie entscheidend
die Trennung der Wege eintrat, ändert nichts an diesem Faktum.
Der Satz von Babel[1] könnte ein bestimmtes Einverständnis bringen,
wenn nur ein Einverständnis darüber hergestellt werden könnte,
was Banalität ist.
Mit herzlichem Dank und Gruß

                                                                      Djoury

1 Vgl. Brief Nr. 114.

Lukács an Bloch
Nr. 116
                                                   Budapest, 2. 7. 1965[1]
Lieber Ernst,
Es fällt mir nicht leicht, von der gegenwärtigen Lage unserer Beziehung aus einen Glückwunsch zu schreiben. Er müßte formell –
wenn auch stilistisch noch so gesucht – ausfallen. Eines bleibt aber
für mich auch heute lebendig: die Begegnung von 1910 in Budapest[2], die Zusammenkünfte von Berlin[3], Florenz[4] und Heidelberg.[5]
Ein Impuls[6], dessen Erinnerung ich bis heute aufbewahre. Er war
die Eröffnung der Perspektive auf eine Philosophie anderen Stils,

als in unsrer damaligen Gegenwart üblich war. Wann immer unsere
Divergenzen sich zu ganz getrennten Wegen entfalteten – die Tendenz dazu war schon in Heidelberg stärker, als wir damals glaubten
–, sie können die Erinnerung an den alten Impuls, wenigstens bei
mir, nicht auslöschen.

Mit diesem guten Gefühl grüße ich Dich und wünsche Dir die
Erfüllung aller Deiner lebendigen Wünsche.

Dein
Djoury

1 Dieser Brief befindet sich im Nachlaß von E.B. an der Universität Tübingen.
G.L. schrieb ihn zum 80. Geburtstag an seinen ehemaligen Jugendfreund.

2 E.B. und G.L. hatten sich in Budapest 1910 kennengelernt.

3 Im Kreis von Simmel 1910.

4 E.B. und G.L. waren gemeinsam in Italien im Jahr 1911.

5 Teils im Kreis von Max Weber; vor allem in den Jahren 1912 bis 1915.

6 Im Entwurf G.L.s zu diesem Brief, den die ungarischen Herausgeber als Nr. 121
veröffentlichten, folgt eine meines Erachtens wichtige, offenbar in der endgültigen
Fassung weggelassene Charakterisierung dieses Impulses: »Es war kein inhaltli-
cher.«

Lukács an Bloch
Nr. 117

Budapest 30. 12. 1970.

Lieber Ernst!

Vielen Dank für Deine guten Nachrichten. Die Vorbereitungen für
den Protest[1] gehen ihren Weg und werden hoffentlich nicht wir-
kungslos sein. Dabei muß ich mich bei Dir ganz besonders bedanken. Du hast uns sehr geholfen.

Es freut mich, daß Du über mich bessere Nachrichten erhalten hast
als ich über Dich. Bei uns beiden wirkt natürlich das Alter stark bei.
Nur bin ich insofern in einer viel glücklicheren Lage als Du, denn
bei mir ist nur das Gehör viel schlechter geworden. Das stört aber
bei der Arbeit viel weniger als die Verminderung der Sehfähigkeit.[2]
Ich muß sagen, daß ich Deine Energie, ja ich würde fast sagen, Deinen Heroismus bewundere, daß Du unter diesen Umständen noch
so energisch tätig sein kannst. Was mich betrifft, so hoffe ich, in den
nächsten Monaten eine »Prolegomena zur Ontologie des gesell-

schaftlichen Seins«[3] fertigstellen zu können. Ob ich dann eine theo-
rethische Fortsetzung[4] /Entwicklung der menschlichen Gattungs-
mäßigkeit/ zu schreiben versuchen werde oder, was meine jüngere
Freunde sehr wünschen, eine intellektuelle Autobiographie[4] ist
noch nicht sicher. Es wäre schön, so lange arbeitsfähig zu werden,
um alle drei Sachen fertig stellen zu können. Aus dieser Stimmung
heraus wünsche ich Dir das aller Beste für Deine kommenden
Arbeiten. Ich bin sehr froh, daß Du in Karola eine so gute Stütze
hast. Grüße sie vielmals und herzlichst von mir.
Mit den besten Wünschen für Leben und Arbeit, Dein

                                                                    Djoury

1 Es handelt sich um die Kampagne zur Rettung der schwarzen Bürgerrechtlerin
Angela Davis, die in den USA zum Tode verurteilt worden war. G.L. hatte Ende
November 1970 einen Aufruf in allen größeren europäischen Zeitungen abgedruckt.
E.B. hatte sich auf seine Bitte hin der Initiative angeschlossen. G.L. war selbst 1919
zum Tode verurteilt gewesen. E.B. hatte damals, unter anderem mit Th. Mann,
»Zur Rettung von G.L.« aufgerufen. Dieser Aufruf erschien in *Weiße Blätter*, IV.
Jg., Heft 12, Dez. 1919, S. 529f.
2 E.B., schon immer stark kurzsichtig, konnte seit 1970 kaum mehr sehen, weder
lesen noch schreiben. Trotzdem vollendete er, unterstützt von Burghart Schmidt,
noch mehrere große Werke: *Das Materialismusproblem*, GA Bd. 7, *Experimentum
Mundi*, GA Bd. 15, *Zwischenwelten in der Philosophiegeschichte*, GA Bd. 12.
3 *Zur Ontologie des gesellschaftlichen Seins.* In: G.L., *Werke*, Bd. 13/14, Neuwied/
Berlin 1983/85. Ein Teil dieser Arbeit über »Hegels falsche und echte Ontologie«
wurde 1971 veröffentlicht.
4 Laut Anmerkung der ungarischen Herausgeber verbirgt sich unter diesem Titel
die von G.L. seit langem geplante Ethik, als deren Vorarbeit auch die Ontologie galt,
die aber nicht über das Stadium des Fragmentarischen hinauskam.
5 Diese Ankündigung konnte G.L. noch wahrmachen: Es erschien von ihm eine
Autobiographie mit dem Titel *Gelebtes Denken*, Frankfurt/M. 1973.

Brief an Annette Kolb 1918
Briefe an
Johann Wilhelm Muehlon 1918

*Herausgegeben
und mit Anmerkungen versehen
von Martin Korol*

Vorbemerkung

1. Ernst Bloch im Schweizer Exil 1917-1919

Im Frühjahr 1917 gingen Ernst Bloch und seine Frau Else Bloch-von Stritzky von Grünwald bei München in die Schweiz; zunächst nach Bern, dann nach Thun, die längste Zeit aber haben beide in Interlaken gewohnt, etwa 50 Kilometer südöstlich von Bern. 1917 war die Welt bereits seit zweieinhalb Jahren im Krieg, in Rußland fand die Februarrevolution, dann die Oktoberrevolution statt, die USA erklärten dem Deutschen Reich den Krieg (6. April 1917), Kaiser Wilhelm II. versprach in seiner Osterbotschaft 1917 die Reform des preußischen Dreiklassenwahlrechts und, zum selben Termin, konstituierte sich die USPD. Bloch hatte das Manuskript von *Geist der Utopie* beim Verlag abgegeben, Geld war weder aus Ludwigshafen, Blochs Geburtsstadt, noch aus Riga, Elses Heimatstadt, zu holen. Vom *Archiv für Sozialgeschichte und Sozialpolitik*, dessen Herausgeber Bloch aus seiner Heidelberger Zeit (1912-1914) kannte, brachte er einen Forschungsauftrag mit, aber für mehr als die halbe Miete dürfte der Vorschuß auf das Honorar nicht gereicht haben. So kam Bloch zur *Freien Zeitung* (FZ) und entwickelte sich zum politischen Redakteur. Seine Ansichten, in Deutschland geäußert, hätten ihm eine Anklage und Verurteilung wegen »Landesverrates« eingebracht. Gewiß mehr nolens denn volens entwickelte er sich zum Exulanten, nach dem das Stellvertretende Generalkommando Bayerns fahnden ließ. Im Ersten Weltkrieg war die Schweiz noch ein sicherer Hort, sofern man genug Geld hatte. Und in der Not fanden sich »Schweizer von altem Schrot und Korn«, die ihm auch finanziell halfen. Die Gesellschaft von René Schickele, Annette Kolb und Salomon Grumbach und die Freundschaft mit Hugo Ball fand er hier und begegnete erstmals Walter Benjamin.

Einen Großteil der Energie scheinen die Stänkereien unter den Gruppen und Grüppchen der Emigranten verbraucht zu haben. Blochs Sätze in dieser Richtung lassen die Sektiererei und Profilneurose, die gegenseitigen Anschwärzungen, Seitenhiebe bis in die journalistische Produktion und die Beziehung zu den Vertretern der Entente vor Ort nur erahnen.

Nachdem die erste Euphorie der Nachkriegsmonate verflogen war,
kamen Resignation und materielles Elend. Hugo Ball kehrte – nachdem er sich als Anarchist, Dadaist, Journalist, Verleger und Politiker, aber auch (nach Dokumenten von Schweizer Behörden) als
Zuhälter versucht hatte – in den Schoß der Mutter Kirche zurück.
Ernst Bloch blieb vor solcher Regression bewahrt. Hier dürfte Else
Bloch-von Stritzky erheblichen Anteil gehabt haben, und gerade sie
hat diese Zeit nur um Monate überlebt. Sie starb am 2. 1. 1921.
Im Frühjahr 1919 kehrten die beiden Blochs nach Deutschland
zurück. 14 Jahre später suchte Ernst Bloch mit seiner dritten Frau
Karola noch einmal in der Schweiz Schutz vor den Deutschen. Sie
mußten das Land umgehend wieder verlassen.

2. Annette Kolb

Die Schriftstellerin Annette Kolb (1870-1967) stand schon von ihrem
Münchener Elternhaus her mit Persönlichkeiten in ganz Europa in
Verbindung, so auch mit Richard von Kühlmann (der unter anderem
von August 1917 bis Juli 1918 Staatssekretär im Auswärtigen Amt
war). Von Kriegsbeginn an war sie in diplomatischen Missionen
unterwegs, die allesamt erfolglos blieben; aus den über 50 Briefen an
Muehlon und dem autobiographischen Roman *Zarastro-Westliche
Tage* (Berlin: Fischer 1921) lassen sich ihre Aktionen, Partner und
Gegner nur erahnen: alle Namen sind verschlüsselt! Deutlich wird
aber, daß sie teils mit, teils ohne und teils auch gegen den Willen der
Obersten Heeresleitung zwischen der zivilen Reichsleitung –
Bethmann Hollweg, Zimmermann, Solf und Kühlmann – und Vertretern der Entente in Bern vermittelte und ab 1916 in stetem Kontakt
mit Wilhelm Muehlon stand; im Januar 1915 hielt sie in Dresden eine
Rede gegen den Krieg; im März 1916 verbot ihr das Bayerische
Kriegsministerium, Briefe zu schreiben, und im Dezember 1916 ging
sie mit Wissen ihrer Freunde in der Reichsleitung, aber als »Spionin«
vom Kriegsministerium gesucht, in die Schweiz. Hier stand sie auch
in enger Verbindung zu Harry Graf Kessler, dem Mäzen und Litera-
ten, der Presseattaché in der Deutschen Gesandtschaft in Bern war;
zu René Schickele, den sie seit 1914 kannte; zu Hermann Hesse und
Carl Sternheim. Ihre Verbindung zu Romain Rolland und Alfred

Hermann Fried innerhalb der Schweiz und ihre Kontakte zum Deutschen Reich über Theodor Wolff vom *Berliner Tageblatt* und Adolf Müller von den *Münchner Neuesten Nachrichten* machten sie zu einer zentralen Figur der deutschen und österreichischen Opposition gegen die Oberste Heeresleitung. Im Februar 1919 nahm sie am Internationalen Sozialistenkongreß teil; 1923 zog sie als Nachbarin Schickeles nach Badenweiler, von wo sie 1933, gewarnt von Manfred Hausmann, zunächst in die Schweiz, dann über Österreich und Frankreich in die USA emigrierte. Nach dem Zweiten Weltkrieg ehrten Frankreich und die Bundesrepublik sie für ihre Verdienste um die deutsch-französische Verständigung. Die Briefe Nr. 1 und 2 dieser Sammlung sind bisher die einzigen Dokumente, die ihre Bekanntschaft mit Ernst Bloch bezeugen.

3. Johann Wilhelm Muehlon

Muehlon (1878-1944) war von Haus aus Rechtsanwalt. Seine Karriere begann er 1907 im Auswärtigen Amt, dann ab 1908 bei der Firma Krupp, in deren Direktorium er 1913 als kaufmännischer Leiter der Abteilung für Kriegsmaterial berufen wurde; die Praktiken im Waffengeschäft und die unsoziale Politik der Firma veranlaßten ihn, zu kündigen; im März 1915 wurde er »beurlaubt«. Für die regierungsamtliche *Zentrale Einkaufsgesellschaft* (ZEG) führte er erfolgreiche Verhandlungen über Getreide- und Erdöllieferungen aus Rumänien, mit dessen Ministerpräsident Bratianu er befreundet war; politische Verhandlungen scheiterten an der Haltung Wiens und Budapests – im August 1916 erklärte Rumänien den Mittelmächten den Krieg; die deutschen Friedensvorschläge zu überbringen und in Bukarest Gesandter zu werden, lehnte er ab; im Juni 1916 trat er der pazifistischen *Vereinigung Gleichgesinnter* bei, im Herbst 1916 der *Zentralstelle Völkerrecht*, deren Denkschrift an den Reichstag er mitunterzeichnete. Ende Oktober 1916 ging er in die Schweiz. Bis zur Ankündigung des »uneingeschränkten U-Boot-Krieges« stand er mit der deutschen Gesandtschaft in Bern in Verbindung. Am 7. Mai 1917 zog er mit einem Brief an Bethmann Hollweg einen Trennungsstrich zu Deutschland.
Mit dem Memorandum *Die Schuld der deutschen Regierung am*

Krieg stellte Muehlon die Reichsregierung an den »Pranger der Weltgeschichte«. Er referiert darin Gespräche, die er im Juli 1914 mit Helfferich und Krupp von Bohlen und Halbach geführt hatte und die die Bereitschaft des Deutschen Reiches zum Krieg schon für Anfang Juli verrieten; dieses Memorandum kursierte seit Ende 1917 unter Bekannten Muehlons im Reich und wurde zusammen mit einer Denkschrift des ehemaligen Botschafters in London, des Fürsten Lichnowsky, am 16. März 1917 im Hauptausschuß des Reichstages behandelt. Muehlon wurde als »gemütskrank« und als »im Dienste der Entente stehender Überläufer« bezeichnet. Seine gesamten Tagebuchaufzeichnungen aus den ersten Kriegsmonaten erschienen im Mai 1918 unter dem Titel *Die Verheerung Europas* in Zürich bei Orell Füßli.

Seine Villa in Gümligen bei Bern – bei Krupp hatte er ein Jahresgehalt von 200 000 Mark plus Gewinnbeteiligung bezogen – wurde zum Mittelpunkt für Diplomaten und Emigranten. Zu den USA stand er in Verbindung über George D. Herron, dem Freund Wilsons; zu Frankreich über Emile Haguenin, dem Leiter der französischen Propaganda in der Schweiz; zu England über den Journalisten Sefton Delmer; zu Österreich-Ungarn über F. W. Foerster und den holländischen Pazifisten de Jong van Beek en Donk und zum Deutschen Reich über Eduard Bernstein, Max Graf Montgelas und Annette Kolb. Der Streit zwischen den Herausgebern der *Freien Zeitung* und der *Friedenswarte*, Schlieben und Fried, und ihren Redakteuren Ball, Bloch, Fernau, Frank und Zweig ließ Muehlons Anliegen, die deutschsprachigen Pazifisten und Demokraten zu einem »Bund der Intellektuellen« zu vereinigen, im Juli 1918 scheitern. Im Februar 1919 lehnte er ein Angebot ab, als Nachfolger des ermordeten Kurt Eisner bayerischer Ministerpräsident zu werden. Im Rahmen des »Kleinen Volksvereinsprozesses« im Dezember 1933 in Mönchengladbach wurde dem Angeklagten Friedrich Dessauer seine Freundschaft zu Muehlon vorgeworfen; sowohl Krupp von Bohlen und Halbach als auch der Verfasser der wichtigsten Schrift über die deutschen Emigranten in der Schweiz während des Ersten Weltkrieges, Dr. Hans Thimme, wurden als Zeugen vernommen. Vor der nun gegen ihn einsetzenden Pressekampagne und letztlich vor dem KZ war ihm bis zu seinem Tode am 5. Februar 1944 die Schweiz ein sicherer Hort.

4. Zu den Briefen

Aus der Zeit von Ernst Blochs erstem Schweizer Exil sind bis heute nur wenige Dokumente aufgetaucht, die hier alle abgedruckt sind: ein Brief Blochs an Annette Kolb (Nr. 1); ein Brief Kolbs an Muehlon (Nr. 2), in dem sie die Verbindung beider Männer herstellt; zwölf Briefe Blochs an Muehlon (Nr. 3-8 und 10-15) sowie ein Offener Brief (Nr. 9), zu dessen Mitunterzeichnern Bloch gehörte. Außerdem finden sich im Anmerkungsapparat einige Briefe, die über die beengten Lebensumstände von Bloch und seiner Frau Auskunft geben. Der Herausgeber hat versucht, die komplizierten persönlichen und politischen Verflechtungen dieser Zeit transparent zu machen. So könnten die wenigen vorliegenden Dokumente einen Beitrag zur vergleichenden Exilforschung leisten.

Nr. 1
Bloch an Kolb

Thun-Burgegg 24
5.5.[19]18

Liebe Annette Kolb!
Dürfte ich Sie um eine Empfehlung bei Dr. Muehlon bitten? Und zwar, wenn es geht, möglichst eilig und auch, wofür ich Ihnen ebenfall sehr dankbar wäre, eine Vorbereitung Dr. Muehlons auf mich, meine Person und meinen Besuch; also so, daß mir vielleicht Dr. Muehlon selbst schreibt, wann er mich erwartet. Es handelt sich um einen sehr bedeutenden literarischen Plan in unserem Sinn, einheitliche Mobilisierung unserer gesamten Intelligenz und meiner ganzen philosophischen Kraft für die Sache der Demokratie und des Friedens. Dazu aber ist höchste Reinlichkeit aller dran Beteiligten nötig; wenn es irgend geht, darf auch nicht der Schatten eines Mißverständnisses daran möglich sein.
Hoffentlich bald mündlich mehr; was ich hier schreibe, ist vorerst vertraulich. Bitte, schreiben Sie mir bald.

Auf das Wiedersehen freut sich Ihr
Ihnen herzlichst ergebener
Ernst Bloch

Scheler[1] war sehr unerfreulich; er machte den Eindruck eines geistig völlig zerfahrenen, ja verlorenen Menschen, schrecklich anzusehen!

1 Max Scheler (1874-1928), Philosoph. 1910 in München Privatdozent; im selben Jahr Rücktritt; als freier Schriftsteller in Berlin, dort Bekanntschaft mit E.B.; zu Kriegsbeginn durchaus pazifistisch: »Da saßen also Buber, Scheler, Landauer und ich [Max Brod] und berieten angestrengt über das furchtbare Unglück des hereingebrochenen Krieges; und was man allenfalls dagegen machen könne« (Max Brod, *Streitbares Leben*, München–Berlin 1969, S. 100). 1915 erschien *Der Genius des Krieges und der deutsche Krieg*, »einer der größten Erfolge der Professoren-Publizistik im Weltkriege« (Klaus Schwabe). 1917/18 kam er als Sonderbeauftragter des Auswärtigen Amtes auch in die Schweiz; siehe dazu: Hugo Ball, *Briefe 1911-1927*, Einsiedeln/Zürich/Köln 1957, S. 97f. Vgl. auch den Brief an Scheler in diesem Band.

Nr. 2
Kolb an Muehlon

Hotel Mirabeau,
Clarence Monheim
8.5.[1918]

Lieber Doctor,
eben erhalte ich eine Karte von Dr. Bloch, einem Philosophiekollegen Schelers, wie Sie aus dem P.S. sehen. Er wohnt in Thun Burgegg, ein Mensch voller Ideen, Fried[1] kennt ihn auch. Wollen Sie ihm schreiben? Man erstickt jetzt jeden Versuch, den Krieg zu beenden, mit irgendeinem schnöden Namen im voraus. So werden wir wohl weiterhin, d.h. auf Lebenszeit, Krieg behalten. Den Apoll kann man in Genf auf den Tod nicht leiden. Das hat er für seine Treuherzigkeit! Ich bin mit der lila Dame grobgeworden, weil sie nicht verstehen will, daß ich einfach niemanden mehr sehen *will*; ich musiziere hier mit einem sehr guten Cellisten[2]; die Welt ist *verpestet, überall*! Ich erzähle Ihnen ein neues Pröbchen, wenn ich komme.

Herzliche Grüße
Annette Kolb

1 Alfred Hermann Fried (1864-1921), österreichischer Pazifist, Mitarbeiter Bertha von Suttners; Mitbegründer der Österreichischen und der Deutschen Friedensgesellschaft; Mitarbeiter bei verschiedensten pazifistischen Organisationen. Seit 1899 gab er die *Friedenswarte* (*FW*) heraus, das führende bürgerlich-pazifistische Organ

mit einer Auflage von ca. 10.000 Exemplaren. 1911 Friedensnobelpreis, 1913 Ehren-
doktorwürde der Universität Leiden; ab Oktober 1914 in der Schweiz: Kontakte mit
Romain Rolland, Freundschaft mit Stefan Zweig; über Bernstein, Gothein und
Breitscheid Verbindungen zu Deutschland und einer der Mittelpunkte deutschspra-
chiger Emigranten in der Schweiz; verschiedene Veröffentlichungen im Sinne seines
optimistischen »wissenschaftlichen Pazifismus«, der die Ursachen des Unfriedens
erforschen und durch entsprechende organisatorische Verbesserungen in der Völ-
kerverständigung unschädlich machen sollte. Fried war Gegner der Friedensverträge
von Versailles und St. Germain. E. B. veröffentlichte zweimal in der *FW*: »Der Weg
Schelers«, in: XIX. Jg., Nr. 9, Okt. 1917, S. 274, sowie: »Der tätige Geist«, in: XX.
Jg., Nr. 7/8, Juli/August 1918, S. 179. In diesem »Gedenkheft zum vierten Jahrestag
des Krieges« veröffentlichten die sonst völlig zerstrittenen Emigranten wie Fernau,
Flake, Frank, Grelling, Kolb, Studer-Goll, Zweig und andere zum ersten und letzten Mal gemeinsam.
2 Der Komponist und Musiker Ferruccio Busoni (1866-1924), der von 1915 bis 1919
in Zürich lebte.

Nr. 3
Bloch an Muehlon
　　　　　　　　　　　　　　　　　　　　　Thun, Burgegg 24
　　　　　　　　　　　　　　　　　　　　　16. Mai 1918
Sehr verehrter Herr Doktor!
Dürfte ich Sie bitten, mir zwei oder drei derjenigen Nummern der
Frankfurter Zeitung zuzuschicken, die die undiskutierbaren
Angriffe auf Sie enthält?[1] Frau von Bendemann[2], von der ich Ihnen
erzählte, möchte wissen, um was es sich handelt, um die Fortsetzung dieses Treibens präzis verhindern zu können.
Nächste Woche fahre ich nach Zürich, um mit Füßli die Herausgabe der Bücher zu besprechen.[3] Sogleich werde ich Ihnen den Ver-
tragsentwurf zuschicken. Da Ball[4] zuerst seinen Almanach und ich
zuerst meine Quellensammlung[5] von polemischen, kritischen,
schöpferischen Äußerungen *Deutscher* von Münzer bis Lassalle
und noch weiter gegen das preußisch-österreichische System, tiefer
noch gegen denjenigen Teil der deutschen Mentalität zusammenstellen will, der jetzt und immer weiter die Versöhnung mit der
Welt hindert –, so dürfte noch ein Vierteljahr bis zur Herausgabe
des ersten der Bücher der Neuen Demokratie vergehen. Bis dahin
hoffen wir sicher im Besitz eines oder auch anderer Manuskripte
von Ihnen zu sein; nicht nur aktueller, memoirenhafter, sondern

moralischer prinzipieller Art: Dies gänzlich mit Ihrem Wunsch einiggehend, den Anschein jeder falschen Sensation zu vermeiden. Um so kräftiger werden Anständigkeit und inopportune Prinzipienhaftigkeit in dem jetzigen Deutschland sensationell wirken. Wir werden im ersten Buch außer Ihrem Manuskript einen Aufsatz Bernsteins[6], einen Aufsatz Margarete Susmanns über den preußischen Pflichtbegriff und seine Korruption, ein Manuskript Balls aus seinem ungedruckten Buch über die deutsche Intelligenz[7], eine Partie aus meinem in den nächsten Wochen erscheinenden Buch »Geist der Utopie«[8] (von dem ich Ihnen gesprochen habe), bringen. Ball und ich werden Glossen schreiben.
Hoffentlich bald Gutes mehr!

Ihr Ihnen aufrichtigst ergebener Ernst Bloch

1 In der *Frankfurter Zeitung* vom 8. 5. 1918, Erstes Morgenblatt, stand auf S. 1: »*Dr. Muehlon in Paris/* In der ›Humanité‹ vom 29. April teilt der bekannte Homo-Grumbach mit, daß sich der frühere Kruppsche Direktor, Dr. Muehlon, im Juli 1917 in Paris aufgehalten habe. Die sozialdemokratische ›I.K.‹, der wir den Hinweis auf diese Mitteilung entnehmen, bemerkt in bezug auf Muehlon: ›Da er dort nicht interniert worden ist, sondern offenbar als willkommener Gast aufgenommen wurde, kann über sein Verhältnis zur Entente wohl kein Zweifel mehr bestehen.‹ Muehlon sei also französischer Regierungsagent.«
2 Margarete Susman (1874-1966), Dichterin Essayistin, verheiratet seit 1906 mit Eduard von Bendemann. Bekanntschaft mit E.B., Buber und Lukács aus Georg Simmels Privatseminar in Berlin um 1910. Über ihre Begegnung mit E.B. 1912 und ab August 1917 in der Schweiz vgl. ihr Buch *Ich habe viele Leben gelebt*, Stuttgart 1964, S. 79-90. Ihr widmete E.B. 1921 *Thomas Münzer als Theologe der Revolution*, GA Bd. 2; über ihren Einfluß auf die *Frankfurter Zeitung* vgl. Brief Nr. 6, Anm. 2. Nähere Einzelheiten über ihre Beziehung zu E.B. sind in zahlreichen Briefen an Georg Lukács zu finden.
3 Im Verlag Art. Institut Orell Füßli in Zürich waren unter anderem 1917 *Die Biologie des Krieges* von G. F. Nicolai und 1918 *Die Verheerung Europas* von J. W. M. erschienen. Der Plan, in diesem Verlag eine Reihe »Bücher der Neuen Demokratie« zu edieren, war nicht ohne Vorbild: Eine entsprechende Reihe betreute der mit E.B. befreundete Salomon Grumbach bei Payot & Co. in Lausanne: die »Republikanische Bibliothek«. Die Verhandlungen mit Füßli verliefen ergebnislos; über die – offensichtlich führende – Rolle E.B.s ist weiter nichts bekannt; vgl. Brief Nr. 5, 1. Absatz. Hausverlag für die Mitarbeiter der *Freien Zeitung* (*FZ*) (vgl. dazu Brief Nr. 4, Anm. 4) wurde ab August 1918 der von Hugo Ball initiierte Freie Verlag (FV) in Bern; erste Publikationen erschienen im Oktober 1918. Offizieller Leiter des FV war der Schweizer Hans Huber, in gleicher Funktion schon in der *FZ*, *de facto* und formal ab 1919 war es Hugo Ball. Im November 1918 übernahm Franz Pfemferts

Aktion in Berlin die Vertretung für die *FZ* und den *FV*, ab Juli 1919 war Berlin der Zweitsitz des Verlages. Im März 1920 wurden *FZ* und *FV* aufgegeben; bis dahin waren im *FV* neben etwa 30 politischen Broschüren im Oktober 1918 E.B.s »Schadet oder nützt Deutschland eine Niederlage seiner Militärs?« und im Juni 1919 sein »Vademecum für heutige Demokraten« erschienen; in dem von Ball herausgegebenen *Almanach der Freien Zeitung* vom Oktober 1918 war E.B. mit zwei Artikeln vertreten.

4 Hugo Ball (1886-1927) gab 1910 zugunsten der Arbeit am Theater sein Promotionsvorhaben auf und ließ seine Dissertation über *Nietzsche in Basel* unvollendet. Im Mai 1915 ging er mit seiner späteren Ehefrau, der Dichterin Emmy Hennings, in die Schweiz; im Februar 1917 begründete er in Zürich den Dadaismus mit; vom September 1917 bis zum März 1920 verfaßte er für die von ihm mitgeleitete *FZ* etwa 40 Artikel. Im Oktober 1918 scheiterte sein Versuch, ein »Deutsches Republikanisches Komitee« für die Reformarbeit im Deutschen Reich zu gründen; im Frühjahr 1919 reiste er mehrfach nach Deutschland und zog sich, enttäuscht von der Kunst, dem Journalismus und der Politik, in die Einsamkeit des Tessin zurück. Über seine Freundschaft mit E.B. vgl. Balls *Briefe 1911-1927*, Einsiedeln 1957, S. 93-99 und ders., *Die Flucht aus der Zeit*. Luzern 1946. Dort heißt es: »18. XI. 1917: ... Auch sehe ich mich jetzt öfters mit einem utopischen Freunde, E.B., der mich veranlaßt, Morus und Campanella zu lesen, während er seinerseits Münzer studiert und den Eisenmenger« (a.a.O., S. 201f.).

5 Keines der Projekte wurde verwirklicht.

6 Der Sozialdemokrat Eduard Bernstein (1850-1932) ließ den Kontakt zu anderen Oppositionellen auch nach Kriegsbeginn nicht abbrechen: unter anderem zu A.H. Fried, in dessen *Friedenswarte* er seit 1912 veröffentlichte, und zu René Schickele, in dessen *Weißen Blättern* Bernstein 1915 zwei Beiträge veröffentlichte. Seine Erklärung im Reichstag am 29. 3. 1917 zum Notetat als Sprecher der »Sozialdemokratischen Arbeitsgemeinschaft«, die Ostern 1917 die USPD mitbegründete, wurde vollständig in der *FZ* vom 28. IV. 1917, S. 19f. abgedruckt.

7 Balls *Zur Kritik der deutschen Intelligenz* erschien im Freien Verlag Bern im Januar 1919. E.B.s Rezension darüber in *Die Weltbühne*, 15. Jg., II. Halbjahr, S. 53-55.

8 GA Bd. 16, vgl. auch Brief Nr. 6, Anm. 1.

Nr. 4
Bloch an Muehlon

Interlaken, Jungfraustraße, 13.6.[19]18

Sehr geehrter Herr Dr. Muehlon!
Soeben habe ich die Anzeige Ihres Buches abgeschickt. Sie wird Mittwoch erscheinen.[1]
Aber sie wird redaktionell, d.h. gegen meine ursprüngliche Absicht

ohne Namensnennung erscheinen. Ich möchte hier von Ihnen nicht
mißverstanden werden. Wie ich Ihnen sagte, habe ich bisher eine
Anzahl von Artikeln pseudonym veröffentlicht. Nicht aus Gründen persönlicher Feigheit oder um zu lavieren, sondern nach reifli-
cher Überlegung und gegen meine eigentlichsten Instinkte. Persönliche Gründe können schon abgesehen vom Charakter, über den ich
nicht diskutiere, deshalb nicht in Betracht kommen, weil ich d. u.
bin, seelenruhig Refraktär[2] würde und nicht die geringste Bindung
irgendwelcher Art an Deutschland habe. Aber ich will, wenn ich
mit meinem jungen Namen zum ersten Mal an die Öffentlichkeit
trete, dieses mit einem Werk tun, das mich ganz zeigt und von dem
aus, von dessen weiten Zusammenhängen her erst meine übrigen
Äußerungen recht und so, wie ich es angemessen fühle, verstanden
werden können. Dieses mein Buch, vor einem Jahr gut zum Druck
abgegeben, liegt bis jetzt in Leipzig beim Buchbinder und ist immer
noch nicht erschienen.[3] Ich habe aber aus großer Scheu vor dem
sporadischen Gedrucktwerden mit verschwiegenem weiterem
Zusammenhang nicht bis zu meinem 32. Jahr mit einer Publikation
gewartet, obwohl sich seit meinem 17. Jahr die Manuskripte häufen, um plötzlich mit politischen Glossen in der Freien Zeitung[4] den
Anfang zu machen. Wäre mein Buch da, so hätte ich von Anfang an
selbstredend meinen Namen, und je bekannter er gewesen wäre,
desto lieber gegeben; denn desto stärker wäre die Resonanz der von
mir vertretenen Überzeugungen gewesen. So habe ich bis jetzt
pseudonym geschrieben mit dem Grundsatz, in dem Augenblick,
wo mein Buch endlich erscheint oder wo sich sonst eine Gelegenheit zeigt, in breiterer und adäquaterer Form zu schreiben, die
Pseudonyme aufzuklären und meinen dann endlich richtig definier-
ten Namen zu geben. Aber meine sämtlichen politische Freunde in
Bern, also alle Menschen, die mich halbwegs nur in eigentlich philosophischer Ganzheit kennen, wußten, daß ich unter den verschiedenen, von Schlieben aus redaktionellen Gründen vervielfältigten
Pseudonymen Aberle, Bengler, Schönfeld und Reich in der Fr. Z.
schrieb, überdies noch vom 1. Dezember bis 22. Februar die
Wochenschau übernommen hatte. Seit der Plan der Sammelbücher
Gewicht bekam, mit der möglichen Breite und dem sehr hoch gele-
genen Niveau dieses Publikationsplans, wollte ich, sofern dadurch
für mich der einzige, rein sachliche Grund der Anonymität wegfiel,

unerachtet oder gerade wegen der nicht durchwegs erfreulichen übrigen Mitarbeiter der F.Z. nur noch unter meinem Namen schreiben (deshalb sage ich Ihnen: »Ich habe die Absicht, es zu werden«).

Es lag für mich eine tiefe Schönheit darin, gerade die Besprechung der rein moralischen Angelegenheit Ihres Buches als ersten Leitartikel zu signieren. Aber nun hat meine Frau[5] vorgestern von ihrem 75jährigen Vater die Nachricht erhalten, daß er die Erlaubnis bekam, aus Riga (er ist Rigenser) auf zwei Monate nach Mannheim zu fahren, und meine Frau unbedingt zu sehen wünscht. Veröffentliche ich nun in der Zeit dieser zwei Monate unter meinem Namen, so erhält meine Frau (noch kurz vor dem Krieg russische Staatsangehörige) keinen Paß oder wenn auch, so doch keine Erlaubnis zur Rückreise. Daß ich gerade bei der besonderen Betonung der voll eingesetzten Personenhaftigkeit in dem angezeigten Buch nicht selber offen signieren kann, ist eines der widerlichsten Phänomene im an sich schon so höchst unerfreulichen und schwierigen Gebiet des Konflikts der Pflichten. Trotzdem habe ich die Anzeige geschrieben, weil es mir nötig schien, jedoch Schlieben[6] ausdrücklich die Verwendung eines Pseudonyms untersagt.

Das schreibe ich alles, weil ich von Ihnen nicht falsch verstanden werden möchte. Sollte das trotzdem der Fall bleiben, so kann ich mir jedenfalls keinen Vorwurf machen, daß ich Ihnen einen Scheinanlaß zum Mißverstehen gegeben hätte. – Sobald ich etwas Zeit finde, werde ich das mir freundlichst zugesandte Manuskript durchlesen. – Herr von Bendemann kam beglückt und völlig wieder mit sich im Gleichgewicht und Reinen von dem Besuch bei Ihnen zurück. Er ist gestern wieder nach Frankfurt gefahren.[7]

Ihr Ihnen in aufrichtigster Verehrung ergebener

Ernst Bloch

---

1 In der *FZ* (vgl. Anm. 4) vom Samstag, 15. 6. 1918, erschienen auf S. 4 eine Annonce für J.W.M.s *Die Verheerung Europas* mit einigen werbenden Sätzen und auf S. 1 ein ganzseitiger Leitartikel unter gleichem Titel ohne Namensnennung des Verfassers.

2 Refraktär: jemand, der sich »widerspenstig dem Militärdienst entzieht«; d. u.: Abkürzung von »dienstunfähig«. Über die Ausmusterung E.B.s und die Rolle von Karl Jaspers dabei berichtet Hans Saner im *Bloch-Almanach 1985*, Ludwigshafen am Rhein.

3 Vgl. Brief Nr. 6, Anm. 1.

4 *Die Freie Zeitung (FZ)* erschien vom 14. 4. 1917 bis zum 27. 3. 1920 mittwochs und samstags in Bern, herausgegeben von Hans Schlieben (vgl. Anm. 6). Finanziert von deutschen Republikanern im Reich, Schweizer Oppositionellen und der Entente, besonders von den USA und von Frankreich. Vgl. Hans Thimme, *Weltkrieg ohne Waffen. Die Propaganda der Westmächte gegen Deutschland, ihre Wirkung und Abwehr*, Stuttgart und Berlin 1932, S. 64-102. E. B. schrieb über 100 Artikel für die *FZ*.

5 Else Bloch, geb. als Else von Stritzky am 17. 8. 1883 in Riga, Bildhauerin. Seit dem 17. 6. 1913 verheiratet mit E. B., gestorben am 2. 1. 1921; vgl. E. B., *Tendenz–Latenz–Utopie*, Frankfurt/M. 1978, S. 13 ff. und die Briefe an Georg Lukács. Riga war deutsche Stadt seit 1201, unter russischer Herrschaft seit 1710; am 3. 9. 1917 von deutschen Truppen erobert.

6 Dr. Hans Schlieben (1865-1943), Herausgeber der *FZ*. Er war bis 1914 deutscher Konsul in Belgrad und hatte sich aus politischen Gründen pensionieren lassen. Während seines Aufenthaltes in der Schweiz nutzte er seine zahlreichen Verbindungen – so zu Reichsdeutschen in den USA und, über seine Frau, zu Frankreich zur Finanzierung der von ihm gegründeten *FZ*. Er war seit 1915 Mitglied des deutschen pazifistischen »Bundes Neues Vaterland«, als »Civis diplomaticus« Mitarbeiter an René Schickeles *Weißen Blättern* und veröffentlichte *Die deutsche Diplomatie, wie sie ist und wie sie sein sollte* (1917).

7 Seit kurz nach Kriegsbeginn war Eduard von Bendemann beim militärischen Pressedienst in Frankfurt tätig.

Nr. 5
Bloch an Muehlon

Interlaken, Jungfraustraße, 18.6.[19]18

Sehr verehrter Herr Dr. Muehlon!

Soeben habe ich die mir zugesandte Arbeit[1] zu Ende gelesen.

Sie hat mir im ganzen einen günstigen Eindruck gemacht. Doch gerade deshalb möchte ich sie noch nicht für druckreif halten. Zunächst schon, um mit Unwesentlicherem zu beginnen, rein stilistisch. Hier wäre eine nochmalige Durchsicht ratsam, die unedle Ausdrücke und Bilder wie »grundfaul« oder »einem Kinde die Beine eines Erwachsenen einsetzen« ausstreicht, die vor allem häufige Härten, Umständlichkeiten und (wohl aus dem Bestreben nach möglichster Deutlichkeit und Einprägsamkeit stammenden) Wiederholungen vermeidet. Sodann aber scheint es mir nicht glücklich, die Arbeit mit zwei mathematisch gehaltenen oder wenigstens durchsetzten Eingangspartien zu beginnen. Das schreckt oder hält manche Leser ab, die doch der Verfasser möglichst Verständigung

suchend gewinnen möchte. Nun wäre das freilich noch kein haltba-
rer Einwand gegen diese mathematisierenden Partien, wenn diese
zum sachlichen Aufbau des Grundgedankens des »Charakterismus« so notwendig wären, wie es dem Verfasser wohl aus persönlichen oder heuristischen Gründen erscheint. Ich selbst und wohl
noch viele andere philosophisch orientierte Leser kann diese Notwendigkeit nicht wünschen; weder geht der Verfasser hier, z. B. bei
der Erwähnung und Ergänzung der Einsteinschen[2] oder vielmehr
Minkowskischen[3] Unionstheorie zwischen Zeit und Raum, in die
dabei allein angemessene Gründlichkeit und Tiefe, noch kann
Mathematisches, wie es doch selber erst die Erkenntnistheorie als
Kriterium seiner Konstitution Anwendbarkeit auf Wirkliches vor-
aussetzt, überhaupt jemals Philosophie begründen. Hier wäre also
meiner Meinung nach seine erkenntnistheoretische Fundierung
besser am Platz; um so mehr, als der Verfasser S. 61 f des ersten Teils
z. B. eine recht gute, rein erkenntnistheoretisch abgezielte Definition des »Verstandes« als des Vehikels seiner »Reziprozitätstheo-
rie« oder »Charakterismus« gibt.
Sehr merkwürdig ist der Begriff der »Charakterform« als des Einseitigen gefaßt im Gegensatz zum »Charakteristischen« als dem stetigen Ausdruck einer Beziehung zwischen dem Verschiedenartigen
(IV Seite 11) (nur reicht das nicht aus). Zweifellos ist hier noch manches bei größerer und nicht nur auf Zeit, Kreis, Urzeugung, Völ-
kerlogik gestreifter Breite der Beobachtung hervorzuholen. Es ist
unmittelbar einleuchtend, daß das Weitere, Ausgleichende charak-
terisch, das andere scheinbar Charakterhafte in Wahrheit charak-
terlos ist; vor allem an dem Satz des Verfassers betrachtet, daß den
Deutschen die Auseinandersetzung mit der Zukunft, mit dem Ideal
fehlt, daß sie zu stark einem Realidealismus hingegeben sind, bei
dem das Ideal aller die Kosten der Verwirklichung bezahlt. Wo es
nicht so steht, wie jetzt in den asymptotischen Forderungen der
Kantischen Philosophie[4] ist dafür die Spannung zwischen Ideal und
Leben hoffnungslos, unausgleichbar und verewigt worden. So
unmittelbar einleuchtend aber auch dies alles wirkt, so sichtbar
gehen hier doch mehrere Begriffsbildungen durcheinander, zu
deren Klärung die Antithese des Einseitigen und des Zweiseitigen,
das heißt der einheitlichen Zweiseitigkeit oder des geforderten Charakterismus noch nicht ausreicht. Auch ist gerade die in dem Buch

angestrebte sehr interessante Ehrenrettung des Kompromisses (in einem neuen Sinn gefaßt), der Gedanke, daß »die Wirklichkeit weder das Wahre noch das Falsche, sondern das Gepräge beider trägt und sich nur in ihrem Ausgleich bekundet« – so gefährlich und paradox ersteres im Hinblick auf möglichen Mißbrauch, letzteres in redlicher, erkenntnistheoretisch-methaphysischer Beziehung, daß man durch eine gründlichere Ausbreitung dieses Gedankens ebenso gern seine möglichen Schäden abgestoßen wie seine möglichen Vorzüge erprobt sehen möchte. Vielleicht sind dem Verfasser *Friedländers* Schriften[5] bekannt, der auf anderen Wegen ebenfalls zu einer eigentümlichen Polaritäts- und Ausgleichstheorie gelangt ist. Ich möchte daran festhalten: jeder wahrhaft philosophische Gedanke braucht zu seiner, jenseits des Einfalls liegenden Wirklichkeit die Ausbreitung im System; und da der Verfasser ja selbst schon seine Idee an ziemlich weit auseinanderliegenden Gebieten: wie Kreis, Urzeugung, Politik exemplifiziert hat, so wäre es vielleicht eine einfache Angelegenheit weiterer Konsequenz, dieser Idee nicht nur eine rein erkenntnistheoretische Fundierung, sondern auch eine systematische Entwicklung zu gönnen. Dabei ist nicht zu fürchten, daß sie unverständlicher würde; eher im Gegenteil, vielleicht aber auch kommt der Verfasser in seinem schönen philosophischen Streben bei weiterer Arbeit noch auf weniger statische und mehr evolutionistische (im Bergsonschen[6] Sinn) Resultate des Ausgleichs, des Beharrens des Vorher im Nachher und Nachher im Vorher.

Jedenfalls danke ich Ihnen sehr für die Überlassung des Manuskriptes, diesem reinen Spiegel einer anima candida[7].

Ihr Ihnen stehts aufrichtig ergebener

Ernst Bloch

(P. S. Bitte denken Sie in meiner Anzeige Ihres Buchs den einem Versehen des Setzers entsprungenen Satz: »Nach der zweiten bei Lemberg verlorenen Schlacht« mitten unter Ihren Sätzen weg)[8]

---

1 Es handelt sich um das Manuskript zu R. Romane, *Einiges über Charakterismus-Verständigungsversuche.* Erschienen 1919 bei der Bentelli AG in Bern-Bümpliz.
2 Albert Einstein (1879-1955), der 1916 seine Schrift »Die Grundlage der allgemeinen Relativitätstheorie« veröffentlichte (in: *Annalen der Physik* 49), hatte 1896-1900 an der Eidgenössischen Technischen Hochschule Zürich studiert (unter anderem bei Minkowski).

3 Hermann Minkowski (1864-1909), Mathematiker und Physiker. Sein grundlegender Vortrag zum Relativitätsprinzip *Raum und Zeit* erschien 1909; *Die mathematischen Grundlagen der Relativitätstheorie* posthum 1910.

4 Zu Immanuel Kant (1724-1804) vgl. E. B. *Geist der Utopie*, GA Bd. 16, S. 271 ff.

5 Dr. Salomo(n) Friedländer (1871-1946), Philosoph und Literat (unter dem Pseudonym Mynona): Mitarbeiter der Zeitschriften *Die Aktion, Der Sturm, Das Theater* und Hillers *Ziel*-Jahrbüchern. Er war befreundet mit Georg Simmel. Schriften unter anderem: *Schöpferische Indifferenz*, München 1918. Außerdem eine Rezension von E. B.s *Geist der Utopie*: »Der Antichrist und Ernst Bloch«, in: *Tätiger Geist* 4, 1920, S. 103-117. In der *Frankfurter Zeitung* vom 17. 5. 1918, also einen Monat vor Brief Nr. 5, hatte Friedländer »Das ätherische Gehirn« veröffentlicht.

6 Zu Henri Bergson (1859-1941) vgl. Arno Münster, *Utopie, Messianismus und Apokalypse im Frühwerk von Ernst Bloch*, Frankfurt/M. 1982, S. 53 ff.

7 Lat.: redliche Seele.

8 Vgl.: *FZ*, 2. Jg., Nr. 48 vom 15. VI. 1918, S. 193; vgl. Anm. 1 zu Brief Nr. 2.

Nr. 6
Bloch an Muehlon

[Interlaken], Jungfraustraße 70,
26.7.[19]18

Sehr verehrter Herr Doktor!

Ich freue mich sehr, Ihnen mein Buch[1] zuschicken zu können. Seine Korrektur war bereits Mai vorigen Jahres abgeschlossen. Ebenso hat mir die Zensur doch, wie ich jetzt sehe, einiges in der »Absicht« und vor allem im Schlußkapitel verstümmelt. Erst die zweite Auflage[2] wird darin authentisch sein. Ebenso ist in dem Kapitel zur »unkonstruierbaren Frage« einiges technisch beim Druck unvollkommen und durcheinandergeraten.

Ich füge meinen Brief an Dr. Fried bei. Ich bat ihn zuerst um Auskunft und um vorläufige Rückgabe meines bei ihm noch liegenden Manuskripts für die nächste Nummer; behielt mir mein *endgültiges* Urteil bis zur *genauen* Kenntnis der Tatsachen vor. Seine *kurze* Antwort ist aus meiner Antwort ersichtlich, die ich – als eine die Versammlung bei Ihnen betreffende Sache – Ihnen bekanntgeben möchte.

Ihr ihnen aufrichtig ergebener

Ernst Bloch

1 *Geist der Utopie*, GA Bd. 16.
2 Sie erfolgte 1923; vgl. GA, Bd. 3.

Nr. 7
Bloch an Muehlon

Interlaken, Jungfraustraße 70,
4.7.[19]18

Sehr verehrter Herr Dr. Muehlon!
An Ball habe ich geschrieben wegen des Buch-Manuskripts.
Er hat bis jetzt leider noch nicht geantwortet. Hoffentlich sieht es
bei ihm weniger trübe aus als bei mir. Denn ich erhielt, wider alles
Erwarten, von den verschiedenen Seiten nur erfreute Briefe,
Zustimmungen zu dem Plan, aber doch zumeist Abwartenwollen,
Gefühl der Unsicherheit, bestenfalls das Versprechen, diese Manuskripte (infolge momentaner Arbeitsüberhäufung) erst im Herbst
zu liefern. So sieht es sehr aus, als ob Sie, Ball und ich das erste
Buch, wenn überhaupt, so aus unseren eigenen Beiträgen schreiben
müßten. Großer Moment, kleines Geschlecht; wobei man sehr darüber zweifeln kann, ob die Menschen in Deutschland jemals auch
nur eine Ahnung haben werden, daß sie überhaupt einen großen
Moment versäumt haben. Alles muß hier, entsetzlichem Anschein
zufolge, von außen kommen, wie bei Totem, wie bei einem Berg,
der nur gesprengt werden kann, nicht wie bei einem Lebewesen, das
wächst, das von innen her Form bekommt.
Ich habe eine Bitte an Sie. Noch bin ich vermutlich Orell Füssli
unbekannt. Hätten Sie die Güte, den Verlag für mich zu interessieren, da ich ihm zwei Broschüren anbieten möchte; die eine umfangreicher, die andere kleiner. Von der einen sprach ich Ihnen schon: es
ist eine Sammlung der kräftigsten, inhaltsvollsten Äußerungen
deutscher Politiker, Dichter und Philosophen für die Freiheit,
gegen das Gewaltprinzip; von den Bauerkriegen bis auf den Libera-
lismus und Sozialismus kurz vor dem Krieg. Ich suche hier gemeinsam mit einem Assistenten am Baseler staatswissenschaftl[ichen]
Seminar, einem Schüler von Prof. Rudolf Michels[1], die Quellen,
werde Vorwort, verbindenden Text und Schlußwort schreiben;
Titel: »Almanach der deutschen Demokratie«[2]. Zum zweiten
möchte ich eine Broschüre »Zur Geschichte und Kritik des preußischen Militarismus, seiner ›Ethik‹ und seiner ›Weltanschauung‹«[3]
schreiben. Vielleicht haben Sie die Liebenswürdigkeit, den Verlag
darauf hinzuweisen, daß mein Name vermutlich sehr bald bekannt
sein wird, sofern soeben bei Duncker und Humblot, München –

Leipzig, mein 28 Bogen großes Buch »Geist der Utopie« erschienen ist. – Ich habe übrigens noch keine Freiexemplare; sobald sie da sind, macht es mir große Freude, Ihnen eines zuzuschicken. Zugleich wäre es mir äußerst angenehm, da es uns schlecht geht, sofern das Vermögen meiner Frau in Häusern und Grundstücken in Riga investiert und nichts von dort vorläufig herauszubringen ist, wenn mir Orell Füssli auf diese beiden Broschüren (Das Freiheitsbuch ung[e]f[ähr] 15 Bogen, das Militarismusbuch 5-8 Bogen groß) einen Vorschuß zur ungestörten Muße der Ausarbeitung bzw. Fertigstellung geben könnte. Von beiden Büchern ist ein guter Absatz zu erwarten; ich werde in beiden den Ton so halten, daß ein Verbot in Deutschland nicht zu befürchten ist. Mein Verlag in Deutschland, ebenso Reiss und Diederichs, haben diesen Sommer die Buchproduktion, mit Ausnahme von unerledigten Manuskripten aus der Zeit bis Januar, eingestellt; Reiss läßt einiges allerdings noch in der Schweiz drucken und binden, aber nur Belletristisches.

Ich wäre Ihnen für eine baldige Antwort sehr dankbar. Oder meinen Sie, es wäre besser, noch ungefähr 14 Tage zu warten, bis Füßli im Besitz meines Buchs sein wird, das ihm wohl vom Verlag zugeht? Es wäre mir jedenfalls am liebsten, wenn wenig Zeit verloren ginge und ich für August und September mich nur der Arbeit an diesen Buch-Broschüren hingeben könnte.

Ich danke Ihnen sehr für alles zuvor.

In aufrichtiger Verehrung ergeben und zugetan!

Ihr Ernst Bloch

---

1 Gemeint ist Robert Michels (1876-1936), Professor für Nationalökonomie und Statistik in Basel 1914-1928. Geboren und aufgewachsen in Köln; Studium in Halle und Turin; 1907-1914 Dozent in Turin. Er wurde früh Sozialist, war während des Weltkriegs Ententist; nach dem Kriege zunehmend Faschist; 1928 Professor in Perugia.
2 Nicht erschienen.
3 Nicht erschienen.

Nr. 8
Bloch an Muehlon

7.8.[19]18

Sehr verehrter Herr Dr. Muehlon!
Schon länger ist das Geld[1] da. Es gibt mir Ruhe und ein recht
bedroht gewesenes absolutes Freiheitsgefühl zurück, ich danke
Ihnen nochmals. Frau von Bendemann hat mir geschrieben; ich soll
Sie vielmals grüßen und ausrichten, daß sie Simon[2] aufs Kräftigste
»seine Verpflichtung gegen das Ganze« klargemacht hat (was wohl
nicht so wichtig, d. h. vergeblich sein dürfte) und daß sie in der
nächsten Zeit schon nach Hamburg fahren wird.
Wie ich höre, soll diese Woche schon die Zusammenkunft bei Ihnen
sein.[3] Leider ist mir nicht sicher, ob ich kommen kann, da ich ziemlich erkältet bin, etwas Fieber habe und rheumatische Schmerzen
dazu; geht das weiter – ich wußte bisher überhaupt nicht, daß ich
einen Körper habe –, so werde ich noch so hypochondrisch wie ein
Junggeselle aus dem 18. Jh. Und dabei scheint doch jetzt so schöne
Sonne: ein Großherzog[4], der gegen einen Kaiser kämpft, mit seiner
Billigung – als deutsche revolutionäre Demokratie. Der Nach-
komme des Mannes, der das erste Kaiserhoch ausbrachte und die
ganze Brutalität der Versailler Szene inszeniert hat; und eines anderen Mannes, der die Preußen 1849 zum Blutgericht nach Rastatt
rief. Dostojewsky[5] sagte, die russischen Zustände seien so verrot-
tet, daß ein russischer Bauer ein Heiliger sein müßte, um überhaupt
noch ein anständiger Mensch zu sein. Ich glaube, in Deutschland
würde analog Liebknecht[6] gerade knapp ausreichen, um ein Bür-
gerkönigtum zu bringen. Wer nötig wäre, um dort eine sozialistische Republik zu schaffen, dazu reicht meine Fantasie nicht aus.
Mit herzlichem Gruß
Ihr ergebenster

Ernst Bloch

1 Vgl. Brief Nr. 14.
2 Heinrich Simon (1880-1941), Herausgeber und Chefredakteur der *Frankfurter
Zeitung* seit 1910, Freund Margarete Susmans.
3 Über die verschiedenen Vereinigungsversuche unter den Emigranten vgl. Benz,
a. a. O., S. 362 ff.
4 Am 3. 10. 1918 ernannte Wilhelm II. den Prinzen Max von Baden zum Reichskanzler, der am 28. 10. das parlamentarische System verordnete. Sein Onkel war

Friedrich I. (reg. 1852-1907), Großherzog von Baden, seit 1866 Vorkämpfer einer
Einigung Deutschlands unter Führung Preußens; er brachte am 18. 1. 1871 im Spie-
gelsaal von Versailles ein Hoch auf »Kaiser Wilhelm« aus und ließ so die verfassungs-
rechtlich bedeutsame Frage offen, ob der preußische König nun »Kaiser der Deutschen«, »Kaiser von Deutschland« oder »Deutscher Kaiser« geworden war. Sein
Großonkel Leopold (reg. 1830-1852), ebenfalls Großherzog von Baden, flüchtete
im Mai 1849 ins Elsaß, als sich in Baden ein Aufstand gegen das Scheitern der Frankfurter Nationalversammlung erhob; die Bundestruppen in der Festung Rastatt
schlossen sich den Revolutionären an, Leopold rief die Preußen zu Hilfe; ein preußi-
sches Heer unter Führung des späteren Kaisers Wilhelm I. besiegte das Revolutions-
heer und trieb seine Reste über die Schweizer Grenze.
5 F. M. Dostojewskij (1821-1881), russischer Dichter, auf den E.B. von Lukács
aufmerksam gemacht worden war.
6 Karl Liebknecht (1871-1919), Sozialist; Sohn Wilhelm Liebknechts; Rechtsanwalt
in politischen Prozessen; 1908 Mitglied des preußischen Abgeordnetenhauses; ab
1908 Mitglied des Reichstages. Er trat als Antimilitarist auf der äußersten Linken der
SPD für den politischen Generalstreik ein; am 4. 8. 1914 lehnte er die Kriegskredite
fraktionsintern ab, als erster Abgeordneter dann auch im Reichstag am 2. 12. 1914;
im Februar 1915 wurde er eingezogen; am 5. 3. 1915 war er Mitbegründer der
Gruppe Internationale, aus der im Januar 1916 die Spartakusgruppe hervorging; am
12. 1. 1916 wurde er aus der SPD-Fraktion ausgeschlossen; am 1. 5. 1916 wurde er
während einer von der Spartakus-Gruppe organisierten Kundgebung gegen den
Krieg verhaftet und unter Aberkennung seines Mandates zu fünf Jahren Zuchthaus
verurteilt; wie Lenin und die Zimmerwalder Linke forderte er die Soldaten auf, die
Waffen zu senken und gegen den gemeinsamen Feind zu kehren. Liebknecht war
Autor vieler der von Rosa Luxemburg herausgegebenen *Spartakus-Briefe*; im Oktober 1918 begnadigt, rief er am 9. 11. 1918 gegen Scheidemann (SPD) die »Freie Sozialistische Republik« aus; am 30./31. 12. 1918 gründete er die KPD mit; nach dem
sogenannten Januar-Aufstand der Spartakisten wurde er zusammen mit Rosa
Luxemburg von Freikorpsoffizieren ermordet.

Nr. 9
Offener Brief

21. 11. 1918

Dringend
Kollationiert

An den Volksbeauftragten des Auswärtigen
Hugo Haase[1]
Berlin

Entsprechend den vielfachen schwerwiegenden Anklagen der
schweizerischen und gesamten ausländischen Presse gegen die hiesige deutsche Gesandtschaft, vertreten durch Personen, die sich von
den Kaiserlichen Methoden[2] schwer trennen können und noch
heute mit den alten Ludendorffschen Propagandaagenten arbeiten,
haben wir uns entschlossen, im Einverständnis mit großen Teilen
der hiesigen Bevölkerung und der Presse des In- und Auslandes,
diese für den Ruf der jungen deutschen Republik so bedauerliche
und schädigende Tatsache Ihnen als dem Volksbeauftragten des
Auswärtigen zur Kenntnis zu bringen, mit der dringenden Aufforderung, durch sofortige Abberufung des jetzigen imperialistischen
Gesandtschaftspersonals diesem beunruhigenden Zustande ein
Ende zu bereiten. Wir fühlen uns zu diesem unserem Schritte um so
mehr berechtigt, nachdem wir unter schweren Bedrängungen sei-
tens des offiziellen Deutschland hier während des alldeutschen Sie-
gesjubels in der »Freien Zeitung« und im »Freien Verlag« die Fahne
der Menschlichkeit und des Rechtes sowie die Prinzipien einer
deutschen Republik und freien Völkerbundes verteidigt haben und
dadurch das Vertrauen der freien Völker gewonnen und den Glauben an eine deutsche Wiedergeburt aufrecht erhalten haben. Die
Interessen einer aufrichtigen deutschen Republik erfordern hier in
der Schweiz als erste Maßnahme eine moralische Tat, die wir hiermit hervorrufen möchten.

Hugo Ball, Dr. Ernst Bloch,
Karl Ludwig Krause[3], Dr. Hans Schlieben

1 Hugo Haase (1863-1919), Sozialdemokrat; 1897-1907 und 1912-1918 Mitglied des
Reichstags; stellvertretender Parteivorsitzender 1911-1916; Fraktionsvorsitzender

ab 1913. Zusammen mit Rosa Luxemburg und Paul Singer vertrat er die SPD im Internationalen Sozialistischen Büro in Brüssel; am 4. 8. 1914 stimmte er den Kriegskrediten zu, obwohl er sie intern abgelehnt hatte; am 21. 12. 1915 lehnte er sie als einer von zwanzig Abgeordneten zum ersten Male ab, nachdem er zusammen mit Bernstein und Kautsky schon vorher »sofortigen Frieden ohne Annexionen« als »das Gebot der Stunde« bezeichnet hatte; 1916 wurde er aus der Fraktion ausgeschlossen und begründete 1917 in Gotha die USPD mit; vom 5. bis 12. 9. 1917 nahm er an der – gescheiterten – Stockholmer Friedenskonferenz der europäischen Sozialisten teil; vom 9. 11. 1918 bis 29. 12. 1918 war er neben Ebert Vorsitzender im Rat der Volksbeauftragten und trat zurück, als Ebert gegen aufständische Soldaten reguläre Truppen einsetzen ließ; 1919 war er Mitglied der Nationalversammlung; einen Tag nach dem Attentat eines Psychopathen starb er am 8. 10. 1919.

2 Im Juni 1918 richteten sich erste Angriffe gegen Freiherrn von Romberg und Major von Bismarck wegen der Verbindung der deutschen Gesandtschaft in Bern mit dem Spionagefall Tockus. Unterschriften für eine Petition zur Abberufung beider wurden gesammelt; in der Zeitung *Suisse* vom 10. und 11. 6. 1918 erschienen dazu Artikel. In der *FZ* vom 16. 11. 1918 hatte Hugo Ball unter dem Titel »Die Umgehung der Instanzen« geschrieben: »Nicht nur das kaiserliche System, auch der Bolschewismus ist besiegt. Es geht nicht, die Methoden Ludendorffs weiter zu betreiben. Die Gesandtschaft in Bern muß verschwinden. Sie hat durch ihre Unterstützung der bolschewistischen Propaganda der Schweiz einen Generalstreik verschafft.« Zur Behauptung der *FZ*, die Bolschewiki seien Agenten des Deutschen Reiches, vgl.: (Hugo Ball), *Die deutsch-bolschewistische Verschwörung. 70 Dokumente über die Beziehungen der Bolschewiki zur deutschen Heeresleitung, Großindustrie und Finanz; herausgegeben vom Committee on Public Information USA,* Bern: Der Freie Verlag 1918.

3 Karl Ludwig Krause (Lebensdaten nicht eruiert), Pazifist; ab 1897 in München Kunsthändler; ab 1916 in der Schweiz; Antipreuße. Anfang 1917 erschien »Wofür stirbt das Deutsche Volk?«; am 29. 9. 1917 schrieb er an den bayerischen Ministerpräsidenten Hertling und forderte die Trennung Bayerns von den Hohenzollern, notfalls durch eine Revolution; als »Heinrich Sieger« veröffentlichte er »Bayern und der Friede«; 1918 erschien in Bern »Die Politik des doppelten Bodens«; wegen Versuchten Landesverrates und Aufforderung zum Hochverrat wurde ihm beim Reichsgericht der Prozeß gemacht, am 1. 11. 1917 sein Vermögen beschlagnahmt. Als Mitarbeiter der *FZ* schrieb er vom Januar 1918 bis zum April 1919 32 Artikel, unter anderem entwarf er das Programm für eine neue deutsche Bundesverfassung. Im Sommer 1918 wurde er Mitglied der USPD.

Nr. 10
Bloch an Muehlon

Interlaken
22. 11. [1918]

Sehr verehrter Herr Dr. Muehlon!

Wir haben am Abend Schickele[1] noch getroffen. Er war ja am nächsten Tag bei Ihnen. Er pries uns den ästhetischen Reiz mancher Einzelsituationen am 9. November in Berlin. Aber er hatte eine riesige Weinflasche vor sich stehen, und seine Augen waren grell. Auch konnte man nicht genau wissen, ob er nun eigentlich so begeistert oder so verzweifelt war. Ganz unsinnig war aber der Rat, daß Ball und ich sogleich nach Berlin reisen müßten, weil »sonst« die Sache ganz schief geht. So wichtig kommen wir uns aber nicht vor; ich sprach allerdings nachher mit Ball darüber, ob ich nicht doch fahren solle, denn wahrscheinlich bekäme ich ja von dieser servilen Demokratie einen Paß.[2] Aber es hat doch keinen Sinn; ich bin kein Massenredner, und der deutsche Karren ist so verfahren, daß ihn Zeitungsartikel gewiß nicht herausreißen. Was ich darüber denken möchte, habe ich in einem Artikel: »Constituante, Sozialdiktatur und Rheinbund« gesagt, der Mittwoch in der F.Z. erscheint.[3] Schickele nannte uns allerdings Etappenschweine der Revolution, aber damit hatte er wenig Glück, denn Schickele ist nicht die Kirke, ganz davon zu schweigen, daß ich nicht der Begleiter dieses Odysseus sein möchte.

Ich habe auch etwas noch zu sagen, das mir wichtig ist. Wegen des unerhörten Schlußabsatzes von Balls Leitartikel.[4] Ich schrieb Ball sogleich, daß die Art seines Antisemitismus skandalös ist; ganz gleich, wie er gedacht ist (ich kenne die tieferen und, wie oft bei Ball, bedeutend verkürzten Zusammenhänge). Es kommt darauf an, wie es die Uneingeweihten und nun gar die Schweizer Lölis[5] lesen. Und so sieht es aus, als ob Ball ein entsprungener Rohling aus dem Verein Deutscher Studenten und die F.Z. ein Pogromblatt wäre. Ich schrieb auch Schlieben, daß ich nicht als Hanswurst dastehen will, wenn nun in der nächsten Nummer ausgerechnet mein Leitartikel (er war schon vorher abgegangen) über die »Deutsche« Revolution erscheint.[6] Ball weiß genau, und Schlieben ließ ich nirgends in Zweifel, daß ich ein durchaus rassebewußter Jude bin und daß ich stolz auf mein altes, geheimnisvolles Volk bin, und daß ich mit meinen besten Teilen im jüdischen Blut und der großen religiösen Tradition meines Volkes zu Hause bin. Das habe ich auch in der F. Z. schon einmal in einem Leitartikel »Die deutschen Juden in Palästina« gesagt[7] und auch begründet, wieso ich gerade deshalb am deutschen Freiheitswesen mitarbeite. Ich schrieb sowohl Ball wie Schlieben, daß ich sie gar nicht um Erlaubnis frage, mit »dabei« zu sein, und daß ich keine Zeile mehr für die F. Z. schreibe, wenn sich auch nur entfernt eine solche Einfältigkeit wiederholt. D. h. kritisieren kann man an dem gefallenen und abgeirrten Judentum so viel man will; obwohl uns das nichts Neues sagt, Karl Kraus[8], Weininger[9] und nun gar erst die Propheten haben das etwas besser besorgt als Ball. Aber das Wesen, das Testamentliche, der Sinai in uns, unser Apriori ist mit dieser historischen Kritik nicht zu erreichen. Wer es trotzdem tut, lästert sich und nimmt jedem anständigen Juden und jedem, der die Assimilierung verabscheut, die Möglichkeit, mit ihm zusammen zu gehen. Ball gehört, wie ich seit langem weiß, nicht zu diesen (sonst könnte er ja nicht mein Freund sein); er gehört so wenig dazu, daß ich ihm sogar seine Bitte erfüllen wollte, zu einer Kritik der deutschen Juden im 19. Jh. ein Vorwort zu schreiben, auf daß er nicht in den Schmutzverdacht des gemeinen Antisemitismus falle. Aber natürlich ist das ja aus so abrupten Telegrammsätzen, wie in seinem letzten Artikel überhaupt nicht zu ersehen; kurz und gut, ich stellte ihm und Schlieben die Bedingung, daß das in Zukunft unterbleibt, wenn ich mir nicht ein anderes Organ suchen soll; und davon möchte ich auch Ihnen, um keinen Zweifel zu lassen, genauso wie Grumbach[10] gegenüber, Kenntnis geben.

Hoffentlich können wir Sie hier recht bald begrüßen.

Ihr Ihnen von ganzem Herzen ergebener

Ernst Bloch

1 René Schickele (1883-1940), elsässischer Schriftsteller, 1915 Mitglied des pazifistischen »Bundes Neues Vaterland« (BNV); 1915-1920 gab er die Monatszeitschrift *Die Weißen Blätter* heraus, zuerst in Leipzig, dann in der Schweiz (1916/17 in Zürich, 1918 in Bern-Bümpliz; ab 1919 wieder in Berlin). Inwieweit die Verlegung in die Schweiz, analog zur Umsiedlung Stefan Zweigs, von den Behörden nur geduldet oder gar gefördert war, ist ungeklärt; von August 1917 bis Juni 1918 erschien das Blatt nicht. Mitarbeiter waren unter anderen H. Ball, H. Barbusse, J. R. Becher, E. Bernstein, F. W. Foerster, L. Frank, A. H. Fried, Ivan Goll, Emmy Hennings,

H. Hesse, Harry Graf Kessler, Annette Kolb, G. F. Nicolai, Romain Rolland und
M. Scheler; E. B. veröffentlichte hier fünf Artikel: »Der andre Don Quixote« (in: 4.
Jg., 4. Heft, April 1917, S. 79-87); »Wie ist Sozialismus möglich?« (in: 6. Jg., 5. Heft,
Mai 1919, S. 193-201); »Über das noch nicht bewußte Wissen« (in: 6. Jg., 8. Heft,
August 1919, S. 355-366); »Zur Rettung von Georg Lukács« (in: 6. Jg., 12. Heft,
Dezember 1919, S. 529-530) und »Über den sittlichen und geistigen Führer« (in: Neue
Folge, hg. von Emil Lederer, 1. Heft, 1921). Über Schickeles Ansichten zu dieser Zeit:
ders., »Revolution, Bolschewismus und das Ideal« (in: ebd., 5. Jg., 6. Heft, Dezember 1918, S. 97-130).
2 Am 23. 12. 1918 wurde von der deutschen Gesandtschaft in Bern folgendes Paßge-
such von E. B. bearbeitet:

»22.12.[19]18
Interlaken, Jungfraustr. 70
DRINGEND!

Sehr geehrter Herr Geheimsekretär!
gerne möchte ich gleich nach Weihnachten nach München fahren. Könnte ich den Paß
hierher zugeschickt bekommen? Oder ist es nötig, daß ich ihn persönlich abhole? Wie
ich höre, soll die Sache doch nicht ganz so einfach sein, wie ich es mir dachte. Aber ich
bin ja weder Refraktär noch Deserteur; und Prof. Jaffé hat mich soeben selbst aufgefordert zu kommen. Für recht baldige Antwort wäre ich Ihnen sehr dankbar.
Ist es nötig, wegen des noch vom Ministerium des kgl. [königlichen] Hauses ausge-
stellten Heimatscheins die Formulare mit den Photographien zu schicken? Hier
drängt mich die Gemeinde auf meine Papiere. Vielleicht ist es möglich, daß meine Frau
und ich einfach von der Gesandtschaft die Versicherung erhalten, daß mit ihr und mir
politisch alles in Ordnung ist; geht das nicht so nominalistisch wie ich es mir vorstelle,
dann werde ich natürlich Geld und Photographien trotz des leichten Anachronismus
schicken.
In aufrichtiger Hochachtung Ihnen, Herr Geheimsekretär,

ganz ergeben
Dr. Ernst Bloch«

Daraufhin schickte die deutsche Gesandtschaft das folgende Schreiben an E. B.:

»Bern, den 24. Dezember 1918.
Sehr geehrter Herr Doktor!
Auf Ihr Schreiben vom 22. lfd. Mts. teile ich Ihnen ergebenst mit, daß die Gesandt-
schaft Ihnen zur Reise nach Deutschland einen Paß ausstellen wird, daß aber Ihr
persönliches Erscheinen zur Ausstellung desselben unerläßlich ist.
Ich möchte Sie aber darauf aufmerksam machen, daß eine solche Reise jetzt mit vielen
Schwierigkeiten verbunden ist. Auf der Strecke Lindau verkehren bloß Postzüge;
außerdem habe ich kürzlich in der Zeitung gelesen, daß Fahrkarten zur Zeit nur dann
abgegeben werden dürfen, wenn die Dringlichkeit der Reise nachgewiesen wird.
Ich bitte deshalb, eventuell die Aufforderung des Herrn Professor Jaffé mitzu-
bringen.

Der Familienheimatschein kann Ihnen nur dann zugesandt werden, wenn Sie der Gesandtschaft die Photographie von Ihnen und Ihrer Frau Gemahlin übermitteln, und die Ihnen seinerzeit zugesandten Formulare anher übersenden oder mit Ihrer Frau Gemahlin persönlich auf der Gesandtschaft erscheinen.
Mit vorzüglicher Hochachtung

> Ihr ergebenster
> [Luitpold] Werz
> Geheimer Sekretär.«

3 E.B.s Artikel »Sozialdiktatur, Konstituante und Rheinbund – Ein Ausblick«, in: *FZ*, 2. Jg., Nr. 95 vom 27. 11. 1918, S. 381-382.

4 Der inkriminierte Schlußabsatz lautet: »... Und noch eines: Man schickt anationale Israeliten vor, um eine möglichst vorteilhafte Liquidation zu erreichen. Auch das ist falsch. Der Boden einer israelitischen Republik ist das gelobte Land, nicht aber Deutschland. Wir arbeiten mit diesen Herren gerne, soweit sie sich unzweideutig zur moralischen Tat bekennen. Die Legende vom auserwählten Volk ist besiegt. Das alte Testament ist besiegt, Berlin ist nicht mehr Sinai. Wir wollen eine *deutsche* Nation, eine *deutsche* Republik, wir wollen eine *deutsche* Nationalversammlung, die die Geschäftemacher und Opportunisten desavouiert und sich zur Auferstehung einer großen, wahrhaft geläuterten Nation bekennt. So, nur so, gewinnen wir das Vertrauen der Welt zurück« (Hugo Ball, »Die Umgehung der Instanzen«, in: *FZ*, 2. Jg., Nr. 92 vom 16. 11. 1918, S. 369).

5 Esel, schwer von Begriff.

6 E.B., »Die deutsche Revolution«, in: *FZ*, 2. Jg., Nr. 93 vom 20. 11. 1918, S. 373.

7 Dr. Josef Schönfeld (d. i. E.B.), »Die deutschen Juden in Palästina«, in: *FZ*, 2. Jg., Nr. 31 vom 17. 4. 1918, S. 125.

8 Karl Kraus (1874-1936), Herausgeber, Chefredakteur und weitgehend einziger Autor der Wochenzeitschrift *Die Fackel*, Wien, 1899-1936; vgl. besonders Karl Kraus, *Die demolierte Literatur*, und ders. *Eine Krone für Zion*, beide Wien 1901.

9 Otto Weininger (1880-1903), Hauptwerk *Geschlecht und Charakter*, Wien 1903.

10 Salomon Grumbach (1884-1952), Sozialist; ging 1914 in die Schweiz, um sich als Elsässer dem deutschen Kriegsdienst zu entziehen; kehrte 1918 zurück, wurde 1928 Abgeordneter der Kammer; schrieb unter anderem: *Der Irrtum von Zimmerwald-Kienthal*, Bern 1916; Herausgeber von: *Das annexionistische Deutschland*, Lausanne 1917. E.B. zählte (in: *Enttäuschte Liebe zur Schweiz, Gespräch mit Alfred Häsler*, Erstsendung 1. 2. 1968, Schweizerische Radio- und Fernsehgesellschaft) Grumbach während der Zeit in Interlaken neben Schickele, A. Kolb, H. Hesse und Ball zu dem Kreis, mit dem er »ein Herz und eine Seele« war.

Nr. 11
Bloch an Muehlon

Interlaken
8. 12. [1918]

Sehr verehrter Herr Dr. Muehlon!
Genau bewegte ich Ihre Worte noch im Herzen. Sie versetzten
mich, nachdem ich so lange gewohnt war, die Sache von außen
anzusehen, mich lediglich auf der gleich besser gewordenen Welt zu
Hause zu fühlen, wieder nach Deutschland, dort die neue Weltzeit
zu vertreten. Die Liebe im christlichen Sinn hat eine Bewegungs-
umkehr in sich: sie geht nicht wie die antike Liebe nach vorwärts zu
dem Glänzenden, Reinen, Strahlenden, Göttlichen. Oder doch
wenigstens nicht nur und lediglich deshalb, um sich dem Ärmsten,
sogar Verworfensten zuzuwenden. Freilich habe ich selber die notwendig *verwandelnde* Kraft dieser christlichen Liebe durchaus
nicht; ich bin leider nicht Jesus, sondern Jesajas[1] wesensgemäß
zugeboren und kann besser schreien, donnern, Abstand zeigen als
Handauflegen; vielmehr dies letzte kann ich, wenn kein Sprung
kommt, überhaupt nicht. Aber auch der Prophetenzorn als ethisches Wesen wendet sich ja zurück und stürmt nicht nur, wie der
griechische Jüngling auf dem Agon[2], ohne Blick hinter sich, vorwärts auf das strahlende Ziel.
Kurz und gut, ich werde bald in das dunkle Land fahren. Kann ich,
wie ich glaube, nicht unmittelbar volksmäßig einwirken (eben weil
ich zu einem anderen Volk gehöre), so hoffe ich doch, bei den Studenten, bei der intellektuellen Jugend etwas ausrichten zu können.
»Geist der Utopie« ist, wie ich höre, eine recht beachtete Sache, ein
religiös-metaphysischer Impuls bei vielen geworden; von hier aus,
einfacher, sinnfälliger, mehr auf den Augenblick bezogen, kann ich
zunächst mit der Sicherheit anfangen, die ich immer brauche und
die mir gemäß ist. Das Weitere muß dann abgewartet werden; und
ich danke Ihnen nochmals für alles, das mir die ganze Zeit über Ihre
Begegnung und Ihre Schriften an »ethischem« Wesen (das mir nicht
ursprünglich ist) gezeigt und gegeben haben.
Eines habe ich Ihnen gestern zu sagen vergessen. Es geht auf Schlieben, der doch immerhin, mit den übrigen deutschen Beamten ver-
glichen und auch an sich innerhalb seiner Grenzen, ein ganz passa-
bler Mann ist; er hat etwas Jungenhaftes und, wenn man ihn näher

kennt, auch Kindliches an sich, das weniger erfreuliche Züge über-
pointiert und auch sehr oft korrigiert. Er hat jetzt, zu meiner Freude,
gerade auch dem, sagen wir: kritischen Wesen partout – abgesagt und
geht ehrlich mit Eisner[3] mit; er hat positive Einfälle und fühlt sich
Ihnen verpflichtet. Er ist, *nicht* nur aus persönlichen Gründen, was ja
entscheidet, seit Wochen tief deprimiert: um so härter trifft ihn Ihre
Abwendung von ihm. Sie sprachen früher besser von ihm, und tatsächlich haben Sie mir geschrieben, bevor Sie wegfuhren, daß Sie sich
auch wegen der »Gesandtenfrage«[4] informieren wollten, und weiter
– das muß ebenfalls gesagt werden – haben Sie, als Schlieben, Ball und
ich bei Ihnen waren, prinzipiell nichts dagegen gehabt, mit Schlieben
sogar als Herausgeber der F. Z. gelegentlich hervorzutreten. Ich
habe mich damals darüber gewundert und noch mehr gefreut, weil
dann natürlich die F. Z. manche Mitarbeiter von unerwünschtem
Niveau verloren hätte und selbstverständlich sofort ein anderes
Gesicht bekommen hätte. Was immer auch gegen dieses Blatt zu
sagen ist und so lange quälende Bedenken ich dagegen hatte, darin
überhaupt zu schreiben und darin mit meinem Namen zu schreiben:
es ist doch eine wichtige Bekundung geworden, es hat im Ganzen
eine Linie, die schließlich nicht zur Unehre gereicht. Schlieben zeigte
mir auch eine große Zahl von Zuschriften letzter Zeit aus Deutschland, aus allen möglichen Kreisen, die zeigen, daß die Zeitung dort
nicht überall so ungünstig wirkt, wie Sie in München, in einem vielleicht nicht ganz umfassenden Milieu, erfahren haben. Arbeiter, Studenten, Schüler im theologischen Stift Osnabrück, auch Gerlach[5],
auch Harden[6] haben Briefe geschrieben, in denen ihre Sympathie
ausgedrückt ist; desgleichen zahlreiche deutsche Kriegsgefangene in
Frankreich. Doch darum handelt es sich hier nicht, ich möchte nur
über ganz Persönliches schreiben. Schlieben weiß nicht, weshalb
Ihre nicht unfreundlich gewesene Gesinnung gegen ihn und die F. Z.
(nachdem Sie doch Mitherausgeber werden wollten) sich ins Gegenteil gewandelt hat, was er aus Ihrer Abneigung, mit ihm zu sprechen,
ableitet. Er weiß nichts von diesem Brief, ich sagte ihm auch kein
Wort von dem, was in unserer Unterhaltung ihn und die F. Z. betraf,
selbstverständlich schreibe ich ganz »uninteressiert« und ohne
irgendeinen »Auftrag«. Er tut mir leid, und ich weiß, daß er – mit
Recht oder Unrecht – eine plötzliche Wendung fühlt und daß ihm ein
Unrecht getan wird. Gewiß haben Sie nie etwas mit der F. Z.

gehabt, und sie wird sich ebenso niemals Ihnen aufdrängen oder von Ihrem Namen unanständigen Gewinn erzielen wollen. Aber Schlieben, der offenbar immer noch unter dem Eindruck der letzten Zusammenkunft zu viert steht, fühlt doch oder möchte einen sittlichgeistigen Zusammenhang fühlen, eine Hilfe und eine Information um der *Sache* willen. Das wollte ich nur sagen, vielleicht erfreuen Sie Schlieben doch bald mit einer kurzen Zusammenkunft.

Der jedesmal so sehr begrüßte Bankbeamte hat sich übrigens noch nicht sehen lassen. Hier schicke ich Ihnen einen Artikel von mir mit, den Sie vielleicht nicht gelesen haben und der einiges über das Mat[erialismus]-Problem enthält.[7] Im Novemberheft der »Neuen Rundschau«[8] ist eine Rezension meines Buches erschienen, die ich Ihnen, wenn Sie wünschen, senden werde, sobald ich das Heft habe.[9]

Ihnen aufrichtig und dankbar ergebener

Ernst Bloch

1 Jesaja(s), jüdischer Prophet, wirkte etwa 740-701 v. Chr.

2 Griech.: im Wettkampf.

3 Kurt Eisner (1867-1919), Sozialist. Zunächst bejahte er den Burgfrieden und entwickelte sich dann zum vehementen Kriegsgegner; im November 1914 trat der dem pazifistischen »Bund Neues Vaterland« (BNV) bei, 1915 der »Deutschen Friedensgesellschaft« (DFG); 1917 wurde er Vorsitzender der USPD in München; an den Januarstreiks 1918 führend beteiligt, wurde er vom 31. 1. bis 14. 10. 1918 inhaftiert; am 7. 11. 1918 wählten ihn die Arbeiter-, Bauern- und Soldatenräte zum Präsidenten; zusammen mit Felix Fechenbach (ermordet 1923) rief er die Republik aus und setzte das Haus Wittelsbach ab; in der Provisorischen Regierung war er Ministerpräsident und Minister des Äußeren. Am 23. 11. 1918 veröffentlichte er den Bericht der Bayerischen Gesandtschaft aus Berlin vom 18. 7. 1914, der die Absichten der Reichsleitung klar erkennen ließ, den Krieg zu beginnen; damit geriet Eisner in Kollision zum Rat der Volksbeauftragten in Berlin, vor allem zu Ebert, aber auch zu Ludwig Quidde: »Damit erreicht man ... nur die Verachtung unserer Feinde«. Eisner führte eine Regierung aus je drei Vertretern von USPD und SPD, deren Führer Auer ihm nur Knüppel zwischen die ohnehin schwachen Beine warf; ein erster Attentatsversuch auf Eisner erfolgte am 1. 12. 1918; am 2. 12. 1918 desavouierte ihn sein Schweizer Gesandter F. W. Foerster; einzig die *FZ*, H. v. Gerlach und G. Nicolai nahmen für ihn Partei. Auf der Internationalen Arbeiter- und Sozialistenkonferenz in Bern im Februar 1919 verfaßte Eisner die »Resolution über Demokratie und Diktatur«: für Sozialismus und Demokratie, gegen die Revolution einer Minderheit. Seine Unentschiedenheit zwischen Parlamentarismus und Rätesystem ließ zunehmend alle

Parteien seinen Rücktritt fordern; nicht zuletzt durch Pressekampagnen von Ultra-Rechts bis zum *Vorwärts* errang seine USPD bei der Landtagswahl vom 12. 1. 1919 nur drei von 180 Sitzen. Auf dem Wege zur Eröffnung des Landtages und zu seiner Rücktrittserklärung wurde er am 21. 3. 1919 ermordet; sein Begräbnis geriet zu einer Massendemonstration. Vgl. auch E.B., GA Bd. 9, S. 25-27.

4 Vgl. Brief Nr. 9, Anm. 2.

5 Hellmut von Gerlach (1866-1935), deutscher Pazifist; bis Ende der achtziger Jahre Antisemit; 1896 Trennung vom Konservativismus und Bruch mit A. Stoecker; Mitbegründer des Nationalsozialen Vereins mit Naumann und Weber, der innenpolitisch mit der SPD, außenpolitisch mit den Alldeutschen konkurrierte, und als dessen Vertreter 1903-1906 Mitglied des Reichstags in der »Freisinnigen Vereinigung«; 1898-1901 und 1906-1930 Chefredakteur der Berliner Wochenzeitung *Die Welt am Montag*; 1908 Mitbegründer der Demokratischen Vereinigung, die gegen den Bülow-Block mit der SPD zusammenarbeitete; 1914 Mitglied der Deutschen Friedensgesellschaft und Mitbegründer der Zentralstelle Völkerrecht; März 1919 Unterstaatssekretär im preußischen Innenministerium und Leiter des Polendezernates; 1918 Mitbegründer der DDP (Deutsche Demokratische Partei), Mitglied bis 1922; bis 1927 Vorstandsmitglied der Deutschen Friedensgesellschaft, des Deutschen Friedenskartells und der Deutschen Liga für Menschenrechte; 1933 Emigration nach Frankreich.

6 Maximilian Harden (1861-1927), eigentlich Maximilian Felix Ernst Witkowski, Bruder des Pazifisten Richard Witting (1856-1923); politischer Publizist; Begründer und Herausgeber der Ein-Mann-Wochenschrift *Die Zukunft* 1892-1922; obwohl ursprünglich Bismarckianer gegen Wilhelm II. und Befürworter des deutschen Imperialismus, wandelte er sich während des Krieges zum Pazifisten und radikalen Sozialisten; 1922 wurde er durch einen kaum gesühnten Anschlag rechtsextremistischer Täter schwer verletzt und ging 1923 in die Schweiz.

7 Nicht ermittelt.

8 Zu dieser Zeitschrift vgl. Anm. 7, Brief Nr. 5 an Klaus Mann.

9 Friedrich Burschell, *Geist der Utopie* (Rezension), in: *Neue Rundschau*, Nr. 29 (1918), S. 1483-1487; auch in: *Ernst Bloch zu ehren*, herausgegeben von S. Unseld, Frankfurt/M., Suhrkamp 1965, S. 375-381.

Nr. 12
Bloch an Muehlon

Interlaken, Jungfraustraße 70
3.12.[19]18

Sehr geehrter Herr Doktor!
Durch Ball hörte ich telefonisch, daß Sie wieder zurück sind. Kann ich Sie einmal sprechen? Ich bin von Wissensdurst gequält, obwohl das Objekt unseres Wissens so wenig einladend ist. Vor kurzem habe ich an Lederer[1] einen großen Bericht über unseren Aspekt auf

Deutschland geschickt, den dieser Kautsky[2], mit dem er in der »Sozialisierungskommission«[3] sitzt, zu lesen gab. Aber am Wissen fehlt es wohl nicht, es fehlt am anderen. Der Völkerbund wird in Deutschland, geschieht kein Wunder, eine Leiche zu begraben haben. Wer eine unsterbliche Seele bewahrt hat, mag sich nach Paris retten; – Welch ein Symbol ist Eisners Schicksal! Ich habe eigentlich gar keinen Wissensdurst, sondern glaube schon viel zu viel zu wissen; aber ich möchte Sie sehr gerne trotzdem sprechen. Vielleicht auch finden Sie Zeit, mir einige Worte zu schreiben oder mich vormittags (von 11.00 Uhr ab) anzurufen. –

Herzlichen Gruß Ihr ergebenster

Ernst Bloch

1 Emil Lederer (1882-1939), 1919 Mitglied der Sozialisierungskommission; Mitherausgeber des *Archivs für Sozialwissenschaft und Sozialpolitik*, für das E. B. den hier angesprochenen Aufsatz »Über einige politische Programme und Utopien in der Schweiz« schrieb (erschienen in Bd. 46, Tübingen 1918/19, S. 140-162); Mitarbeiter der *Weißen Blätter* René Schickeles und ihr Herausgeber im Jahre 1921 (darin von E. B. »Über den sittlichen und geistigen Führer«, *Neue Folge*, 1. Heft, Berlin 1921, S. 8-15). Weitere Angaben vgl. Anm. 5, Brief Nr. 47 an Georg Lukács.

2 Karl Kautsky (1854-1938), Sozialdemokrat; ab 1900 nahm er gegen Bernstein Stellung, ab 1910 gegen Rosa Luxemburg und ab 1912 gegen Lenin; er befürwortete die Oktober-Revolution als Befreiung vom Feudalismus, bestritt aber ihren sozialistischen Charakter und die dafür notwendige »Reife des Proletariats« und warnte vor einer »Diktatur einer Partei innerhalb des Proletariats« (Sommer 1918); Ostern 1917 schloß Kautsky sich der USPD an und war Ende 1918 bis zum Frühjahr 1919 neben Solf Unterstaatssekretär im Auswärtigen Amt; überzeugt von der deutsch-österreichischen Schuld am Kriege, stellte er die »Deutschen Dokumente zum Kriegsausbruch« zusammen; er war Vorsitzender der Sozialisierungskommission; 1883-1917 gab er *Die neue Zeit* heraus, das erste wissenschaftliche Organ der Sozialdemokratie; 1919 ging er zur Unterstützung der Menschewiki nach Georgien und nach dem Sieg der Bolschewiki nach Wien. 1936 emigrierte er nach Prag, 1938 nach Amsterdam. Seine Familie starb im KZ.

3 Entsprechend dem Beschluß der Konferenz der Arbeiter- und Soldatenräte in Berlin vom 16. bis 21. 12. 1918 sollte die Sozialisierungskommission die teilweise oder völlige Vergesellschaftung einzelner Wirtschaftsbereiche überprüfen und vorbereiten, so der Montanindustrie, der Versicherungen und der Hypothekenbanken bei Entschädigung der Besitzer. Vorsitzender war Kautsky, Mitglieder unter anderem Lederer, Hilferding und Rathenau. Im Februar 1919 trat die Kommission zum ersten Mal zurück, weil ihr die Arbeit besonders von seiten des Reichswirtschaftsamtes unmöglich gemacht wurde; am 7. 4. 1919 demissionierte sie endgültig; vgl. Jörg Berlin, *Die deutsche Revolution 1918/19*, Köln 1979, S. 246-268.

Nr. 13
Bloch an Muehlon

13.12.[1918]

heute[1] morgen erhielt ich diesen Brief von Frau von Bendemann. Ich schicke ihn Ihnen. Er wird Sie interessieren, erbitte ihn wieder zurück. Es scheint doch dringend eine Z[ei]t[un]g dort notwendig zu sein. Die F.Z. muß Rösemeier[2] und Stilgebauer[3] vor allem unbedingt ausschiffen. Sie muß durchaus positiv werden, die Steine mag und muß sie beibehalten, wenn erbärmliche Subjekte nicht anders fortzuscheuchen sind. Hauptsache aber: Brot. Der Ton wird sich wohl ohnedies schon verändern, wenn sie in München oder Frankfurt oder Berlin erscheint. Breitere Basis in Sittlichkeit und Geistigkeit, wie Sie sagen, unbedingt notwendig. Aber Name, Kontinuität zu dem *Guten*, das sie bisher enthielt, soll bleiben. Schlieben darf nicht mehr einziger Herausgeber, überhaupt nicht spiritus rector bleiben. Bitte geben Sie mir Ihren Rat. Meine größte Freude wäre, wenn Sie doch noch dazu bereit wären, dieses Organ umzuschaffen. Frau Bendemanns Brief hat mir doch starken Eindruck gemacht; er wird vielleicht auch Ihnen noch Neues geben können.

Ihr E. Bloch

---

1 Der Brief beginnt ohne Anrede und mit Kleinschreibung.
2 Hermann Rösemeier (1870-?), Journalist, seit 1915 in der Schweiz; verfaßte Propagandabroschüren gegen Deutschland; seine mehrfach beabsichtigte Ausweisung konnte durch amerikanisches Eingreifen verhindert werden; für die *FZ* schrieb er vom 27.6.1917 bis zum 16.2.1918 41 Artikel.
3 Eduard Stilgebauer (1868-1936), Journalist und Schriftsteller, für die *FZ* schrieb er vom 30.5.1917 bis zum 18.2.1920 67 Artikel.

Nr. 14
Bloch an Muehlon

11.12.[1918]

Lieber, von ganzem Herzen verehrter
Herr Doktor Muehlon!

Ich danke Ihnen sehr für Ihre Zeilen. Jetzt verstehe ich auch besser,
warum Sie Schlieben bisher nicht zu sehen wünschten; besonders,
nachdem ich Ihre Ausführungen im »Bund«[1] gelesen habe. Sie sagten mir doch noch viel Neues; besonders ergreifend in seiner, Ihnen
vor allem eigentümlichen sittlichen Sachlichkeit ist der Schlußsatz.
Aber selbst Jesus kannte als einzigen Affekt, der nicht unbedingt
vor der unendlichen Liebe wich, den Zorn, den sittlichen Zorn
gegen die Wechsler und Schänder und das Otterngezücht und die
übertünchten Gräber, und er stieß ihnen die Tische um, statt sie zu
umarmen.[2] Dieser heilige Zorn darf freilich nichts von Rache an
sich haben, und noch weniger darf er zur Ideologie für Nutzen werden; und ebenso ist er durchaus nur ein Vorletztes, und die Liebe
über aller Gerechtigkeit ist das unbedingt Höchste. Aber eben
Deutschland muß sich diese Liebe und Versöhnung zum gemeinsamen Reiner- und Besserwerden mehr entgegenbringen als alle anderen Völker; denn es ist viereinhalb Jahre lang die Waffe und das
Symbol aller Gemeinheit gewesen. Das aber kann und darf man
freilich nicht mehr von hier aus sagen, sondern ich bin begierig,
jetzt in Deutschland zu sein. Am Glanz des Ludendorffregimes[3]
durfte man nicht partizipieren, aber am Elend und am Jahr I muß
man wohl teilnehmen. Es war meine Sünde, und ich habe sie im
letzten Artikel, den ich vorerst der F.Z. noch schickte[4] (einen Brief
an einen deutschen Freund[5], den ich, mit Weglassung des allzu Persönlichen, zum Druck gab), bekannt, und sie wird mich stark
»beschäftigen«: daß ich nach Brest[6] als Freiwilliger nicht ins französische Heer eintrat. Der Druck in mir wird nicht weniger schnei-
dend dadurch, daß vielleicht mehr Objektives als Subjektives dagegen sprach: Konflikt der Pflichten, das Grauenvolle der »Arbeitsteilung« im Krieg (dies *Objektiv*, nur dieses, gilt dann auch für Wilson[7] usw.).
Für die Sünde, beim jetzigen Deutschland *außen* zu kämpfen, gibt
es aber keine mögliche objektive Problematisierung.
Verzeihen Sie, wenn ich Ihnen immer so lange Briefe schreibe. Aber

Sie sind die gute, reine Luft dieser Welt. Eines erschreckt mich, und
vielleicht darf ich Sie bitten, mir darüber gelegentlich ein kurzes
Wort zu schreiben. Ich schrieb in der F.Z. Ich war völlig unge-
wohnt, das zu tun; und glaubte niemals, mich »verständlich« ausdrücken zu können. Während mich 500000 Lokomotiven in der
Philosophie, in Fragen metaphysisch religiöser Weltanschauung
nicht einen Strich von der eingeborenen Richtung, Wendung abfal-
len lassen könnten, bin ich als »Publizist« (niemals dachte ich daran,
einer zu werden, einer überhaupt sein zu können) natürlich beein-
flußbarer. Auch nicht im Pathetischen und erst recht natürlich nicht
im Prinzipiellen: sondern eben in der Art, wie das »dargeboten«,
breiterem Publikum gegenüber »herabgeschraubt« wird. Kurz und
gut: eine, unbewußte, Anpassung an irgendetwas in der F.Z., das
mir nicht gemäß ist, könnte aber wohl stattgefunden haben. Denn
ich schickte einige meiner Sachen an einen Freund in Deutschland,
der mich nur als Philosophen kennt: der Freund ist offenbar
bestürzt, und vieles kommt ihm ganz fremd vor, unverständlich, er
dringt nicht zu mir durch. Ich befürchtete das bisher nicht und
wollte meine Artikel, herausgehoben aus der unerwünschtesten
Gesellschaft Rösemeiers, baldigst sammeln und stilistisch überarbeitet bei S. Fischer[8] oder Kurt Wolff zum Druck geben (»1789 für
Deutschland«).[9] Meine Freundin, Frau Bendemann, kannte alles
bis zu ihrer Abreise; sie fand nichts Fremdes darin, auch ihr Mann
nicht, der einiges las, als er hier war. Und dieses vor allem, daß Frau
v. B[endemann], diese allerreinste Seele, dieses Edelschwarz, nichts
störte, daß sie Hohn und Kälte als homogene, einzig konstitutive
Reaktion auf Gemeinheit und Niedertracht, als »Zeitungsform« des
großen »Zorns« (nicht »Haß«, nicht »Rache«) nicht einmal nur
»Gerechtigkeit« empfand, machte mich bisher sicher. Bitte, verehrter Herr Dr. Muehlon, schreiben auch Sie mir jetzt kurz und offen
Ihre Meinung: sie wird für mich entscheidend sein. Liegt in den
Sachen, die ich schrieb (einzelnes, stilistisch Unzulängliches, vom
Klischee eilig Angestecktes, selbstverständlich auch alle die unver-
meidbar gewordenen, unabstellbaren »redaktionellen« Retouchen
durch Schlieben; so weit es geht: auch unbewußte Anpassung wird
entfernt, überarbeitet, sonst natürlich nichts), liegt aber dann im
Wesen der Artikel eine konstitutionelle Lenkung? Mein Werk,
Lebenswerk wird viele Kammern haben, obwohl es überall identi-

sches Haus, identischer genius loci sein soll: glauben Sie, daß die Kammer meiner zahlreichen Kriegsaufsätze fremd und ungemäß sein wird? Recht zu verstehen: das geht selbstredend nicht auf meine Stellungnahme, auf alles Prinzipielle meiner Haltung: die ist in meinem Gewissen und Verstand wohl durchdacht und durchgefühlt, war nur evident und stets außer aller Wahl, hier ist mein ganzes Subjekt drin und wird als solches sich der Geschichte und Geschichte der Philosophie stets zur Verantwortung stellen und hält den Anspruch, lehrend und führend zu sein. Unsicher bin ich nur in der Äußerung, im Anblick der nicht jedesmal deutlich philosophisch gefärbten Artikel; auch oder nicht in meiner Gesinnung und Subjektivität, in dem, was ich wollte und achte, sondern in dem, wie es nun so zeitungshaft geworden ist und doch in meinem Werk stehen soll. Bitte sagen Sie mir, wie immer es Ihre jetzt freilich zu Wichtigerem besetzte Zeit zuläßt, gelegentlich Ihre Meinung darüber; bevor ich die Sammlung einem Verlag antrage. –

Bevor ich selbst in Deutschland war, werde ich nicht mehr für die F. Z. schreiben (es erscheint noch das bereits Gesetzte). – Wäre es nicht einfach, die Bank zu beauftragen, meiner *Frau ohne weiteres bis auf Ihren Widerruf* die 200 Franken an jedem Ersten auszuzahlen? Ich hoffe, daß wir es nicht mehr lange brauchen; und könnte, nachdem ich nichts mehr vorerst für die F. Z. schreibe und wir keinen Pfennig Kapital irgendwo mehr liegen haben, der Monatswechsel nicht auf 300 Franken erhöht werden? Ich wäre Ihnen sehr dankbar dafür. Meiner Frau (die Sie so sehr gern einmal sprechen möchte, hoffentlich kommt es gelegentlich dazu) möchte ich das Geld übertragen lassen, damit sie es bekommt, wenn ich in Deutschland bin. Ich plane für Deutschland auch eine eigene Zeitschrift, von mir geschrieben in jeder Zeile, die den Titel haben wird: »Rot und Gold«.[10] Worin nicht nur Politik, sondern auch Meta-Politik stehen soll, ferne Richtung und immer der Stern dazu. Bewährung der Philosophie am neuen sittlich-geistigen Leben und Erneuerung, Durchleuchtung dieses Lebens durch die Philosophie. Ich fühle mich wie Philon[11], der dem Christentum geistig den Weg bereitete: so fühle ich mich mit dem neuen Medium meines Gedankens dem Messias zugeboren. Wir werden jetzt nicht nur einen neuen Weg in der alten Wirklichkeit und

Neuwelt gehen, sondern ich bin sicher: wir werden bald Zeichen
sehen, daß die alte Wirklichkeit selbst aufgelockert und nahe an
neuer Geburt geworden ist.
Aber das ist ein weites Feld. Die allerherzlichsten Grüße!
In steter Liebe, Treue und Verehrung

Ihr Ernst Bloch

1 J. W. M.s Artikel erschien unter dem Titel: »Zur Lage in Deutschland« formatfül-
lend auf der ersten Seite und in Teilen auf der zweiten Seite in: *Der Bund. Organ der
freisinnig-demokratischen Politik. Eidgenössisches Zentralblatt und Berner Zeitung.*
69. Jg., 10. Dezember 1918. Der letzte Absatz lautet: »Möge die Not der Zeit nicht
ein demoralisiertes und verzweifelndes Deutschland finden, sondern der Anlaß zu
einem neuen Schwung, zu einer opferwilligen Begeisterung sein, die auch die bisherigen Gegner mitreißt und uns alle von einem Rückfall in Gesinnungen und Berech-
nungen fernhält, die während 2000 Jahren in Europa immer neue Verstrickungen
von Schuld und Sühne, aber keinen bleibenden Friedensschluß geschaffen haben.
Bern, den 6. Dezember 1918. W[ilhelm] M[uehlon].«
2 Vgl. im *Neuen Testament*: Matthäus 23,12-17; Lukas 19,45-48; Johannes 2,12-17;
Markus 11,15-19. Vgl. auch E.B., »Haß oder Zorn?« in: *Tendenz, Latenz, Utopie.*
Ergänzungsband zur GA, S. 185-187.
3 Die faktische Diktatur Erich Ludendorffs (1865-1937) begann 1916 mit seiner
Ernennung zum Generalquartiermeister und endete mit seiner Entlassung am 26. 10.
1918 (ohne daß er danach einflußlos geworden oder gar zur Rechenschaft gezogen
worden wäre).
4 In der *FZ* erschienen von E.B. noch: »Verbrechen und Sühne« (14. 12. 1918);
»Zur Ankunft Wilsons in Europa« (21. 12. 1918) und »Aufruf für Georg Lukács in
Budapest« (27. 8. 1919).
5 Nicht ermittelt.
6 Im Frieden von Brest-Litowsk zwischen der Sowjetregierung und den Mittelmächten vom 3. 3. 1918 verlor Rußland 60 Millionen Menschen und 75 % der Montanindustrie; im Zusatzvertrag vom 27. 8. 1918 wurde Rußland zur Zahlung von
sechs Millionen Goldmark Reparationen verpflichtet; beide Verträge wurden im
November 1918 ungültig.
7 Thomas Woodrow Wilson (1856-1924), 27. Präsident der USA 1913-1921; siehe
auch E.B., *Geist der Utopie*, GA Bd. 16, S. 298 und 398, und GA Bd. 11, S. 205 bis
213.
8 Samuel Fischer (1849-1934), Verleger; E.B. verhandelte im März 1920 mit dem
Fischer-Verlag; Näheres konnte nicht ermittelt werden.
9 Der Verlag Kurt Wolff kündigte im Herbst 1921 beim Erscheinen von *Thomas
Münzer als Theologe der Revolution* (jetzt GA Bd. 2) von E.B. an: *Frühe Schriften,
Parerga zum 1. Mai* und *1789 für Deutschland*; alle nicht erschienen.
10 Nicht erschienen.
11 Philo von Alexandria (30/20 v.Chr.-40/50 n.Chr.), jüdisch-hellenistischer Phi-

losoph. Er versuchte, das jüdische Gesetz mit der hellenistischen Philosophie zu verbinden; seine Theorie des »Logos«, der zwischen Mensch und Gott vermittelt, gewann im 2. Jahrhundert großen Einfluß auf die christliche Philosophie.

Nr. 15
Bloch an Muehlon

Interlaken
16.12.[1918]

Lieber Herr Doktor Muehlon!
Seit gestern bin ich mit Schlieben und der F.Z. entzwei[1], aus einem für Schlieben nicht schönen Grund; weitere Mitarbeit ist mir nun in jeder Beziehung durchaus unmöglich. Ein Schlimmes ist, außer manchem anderen: ich habe nun kein Geld, um nach Deutschland zu fahren, mich dort umzusehen. Ich bitte Sie nicht *darum*. Ich bin sehr betrübt, daß es mit den Finanzen so steht. Aber ich möchte fragen: kennen Sie nicht jemanden, der mir für die nächste Zeit etwas Geld zum Leben gibt? Ich habe nun kein Organ mehr; Helfendes, Schönes, Gutes, Tiefes möchte ich schaffen; ohne Korrektur, ohne Zensur, ohne irgendwelche – wenn auch nur stilistische – Rücksicht. Das Geld, das ich mit meiner Frau (sie hat Grundstücksanteil und Häuseranteil in Riga, der im Frieden mindestens eine Million Rubel betrug; nichts davon ist zerstört, aber wir bekommen kein Geld darauf) zum Leben brauchte für die nächste Zeit, fiele also mit dem Geld für die geplante, von mir allein geschriebene und gewiß nicht untergehende, gewiß nicht wirkungslose Zeitschrift[2] zum Teil zusammen. Es wäre auch nicht verloren; jeder solide Handwerker bekommt Bankkredit. Es gibt so viel Geld immer noch in der Welt: wissen Sie zu dem für meine Zeitschrift und für mein Leben um diese Zeitschrift herum irgendeinen Weg?
Ihr Ihnen in Liebe und Verehrung ergebener

Ernst Bloch

1 Warum E.B. und Schlieben sich entzweiten und wann J.W.M. die Zahlungen an E.B. einstellte, konnte nicht ermittelt werden. Über die Not der Blochs im August 1919 gibt ein Brief Frieds an Muehlon Auskunft:

»Interlaken, Villa Jungfraublick,
den 27. August 1919.

Mein lieber Doktor Muehlon!

[...]

Ich will Ihnen aber heute über etwas anderes schreiben; über etwas, das abseits von der Hohen Politik liegt, aber doch deren Folge ist. Ich tu es widerstrebend. Weiß ich doch selbst aus Ihrem Munde, noch anläßlich unseres letzten Beisammenseins haben wir davon gesprochen, daß Sie der Angelegenheit ratlos gegenüber stehen.

Es handelt sich um *Bloch*.

Durch mein Hiersein und nähern Umgang mit Bloch habe ich einen tiefen Blick in dessen Verhältnisse machen können. Diese sind grauenvoller Art. – – – – Die beiden Leutchen haben buchstäblich nichts zum Leben. Haben seit Monaten keine Miete mehr bezahlen können, können nur dann etwas kochen, wenn sie es von den Händlern geborgt bekommen. die Rechnungen türmen sich, und die Geduld der Borger bricht allmählich zusammen.

Aber daneben läuft ein Mann wie Bloch ohne jeden Pfennig in der Tasche herum. Gerade gestern war ich Zeuge einer Szene, die in mir den Entschluß reifen ließ, an Sie zu schreiben. Meine Frau und Frln. Schwalb waren bei Frau Bloch, die einige Tage krank war. Ich holte sie ab. Dr. Bloch war angezogen, um sich mit jemandem, mit dem er eine Unterredung vor hatte, zu treffen. Da verlangte er von seiner Frau etwas Geld, für's Café. Die gute Frau suchte in allen Schubladen, in allen möglichen alten Portemonnaies und brachte schließlich mit Messing und Kupfer 70 Rappen zusammen. Darob war Bloch sehr verärgert, er meinte, die Frau müsse doch für »mindestens drei Franken« immer vorgesehen sein, er könne nun nicht fortgehen, etc. Alles vor uns! Natürlich sprangen wir ein. Aber die Szene machte einen furchtbaren Eindruck auf mich. Hier *muß* etwas geschehen. Was, weiß ich nicht. Aber ich dachte, daß Sie, wenn Sie ja selbst nicht in der Lage sind, vielleicht doch 5 oder 6 Leute kennen, bei denen man ein paar hundert Franken zusammenbringen könnte. Das müßte doch gehen? – – Leider bin ich selbst jetzt gar nicht in der Lage, etwas dazu beizutragen. Sie begreifen: Der Stand der österreichischen Valuta ist auch mein Bankerott. Aber es gibt noch genug Leute, die nicht darunter leiden. Und Sie kennen so viele.

Bloch ist wirklich ein phänomenaler Geist, der seinen Weg machen wird. Ich habe noch nie einen so vielwissenden klugen Kopf gesehen wie ihn. Der wird sicher einmal alles zurückbezahlen, und auch seine Frau wird wohl einmal von den Millionen ihres Vaters in Riga, der noch immer verschollen ist, etwas retten.

Vielleicht wissen Sie einen Weg.

Ich schreibe Ihnen ganz aus eigenem Antrieb. Bloch hat keine Ahnung davon, das versichere ich Ihnen auf Ehrenwort. Und ich will auch nicht, daß Sie, sollten Sie etwa direkt an ihn schreiben, mich und diesen Brief erwähnen.

Erlassen Sie mir für heute, noch mehr zu schreiben. Es wären ja doch nur unerquickliche Dinge. Ich begrüße Sie und Ihre l[iebe] Frau wie die Kleinen aufs herzlichste.

Ihr sehr ergebener

Dr. Alfred H. Fried«.

2 Vgl. Brief Nr. 14 bei Anm. 10.

Brief an Max Scheler 1919

Herausgegeben
und mit Anmerkungen versehen
von Uwe Opolka

Vorbemerkung

Auch nach der Veröffentlichung dieses einzigen erhaltenen Briefes bleiben viele Einzelheiten in den persönlichen Beziehungen zwischen Max Scheler und Ernst Bloch weiterhin ungeklärt. Gewiß ist nur, daß sie sich im November 1916, als Bloch noch in Grünwald/ Bayern lebte, bereits seit geraumer Zeit kannten (vgl. Brief Nr. 100 an Georg Lukács). Bloch kleidet dort seine Distanz zu Schelers damaligem Bekenntnis zur katholischen Kirche in ein drastisches Bild, wenn er von den »eitlen, heiteren, scheißfidelen neukatholischen Leichenwäscher[n]« spricht (a. a. O.).

Politisch gab es schon zu dieser Zeit spürbare Differenzen, die sich durch Blochs Hinwendung zum Marxismus später verschärften. Während der Pazifist Bloch in die Schweiz emigrierte, setzte Scheler auf den Sieg der Mittelmächte, den er auch publizistisch propagierte, vor allem in seiner Schrift *Der Genius des Krieges und der Deutsche Krieg* (Leipzig 1915). In den beiden letzten Kriegsjahren war Scheler im Auftrag des Berliner Auswärtigen Amts im neutralen Ausland – in Holland und der Schweiz –, das er für Deutschland gewinnen sollte. »Im Sommer 1917 wurde Max Scheler vom Auswärtigen Amt nach Bern geschickt, um mit dem Schweizer Katholiken Kontakt aufzunehmen, ohne jedoch als Beauftragter der Deutschen dort offiziell in Erscheinung zu treten. (Er hat in diesen Monaten übrigens viele Gespräche mit dem jungen Ernst Bloch geführt.)« (Wilhelm Mader, *Max Scheler in Selbstzeugnissen und Bilddokumenten*, Reinbek bei Hamburg 1980, S. 76)

In diese Zeit fällt ein Aufsatz Blochs, betitelt »Der Weg Schelers« (in: *Die »Friedens-Warte«*, XIX. Jg., Nr. 9, Zürich, Oktober 1917, S. 274-276), eine kritische Auseinandersetzung mit Schelers Haltung zum Ersten Weltkrieg: »... es besteht kein Zweifel, dieses Buch über den Genius des Krieges ist eine Schande und eine Verruchtheit, nicht nur nach seiner verderblichen Wirkung angesehen, nicht nur, weil hier philosophische Gründe prostituiert werden, um das nackteste Verbrechen ins Recht zu setzen und es auf die gefährlichste Weise mit Idee zu amalgamieren, so daß der, welcher auf den Krieg spie und nur mit Fußtritten und Erbrechen an ihn denken konnte, auch die Idee zu verwerfen schien. Je fauler die Sau, desto größer der Dreck, sagt schon der alte Mystiker Sebastian Franck, aber niemals war, nach Schelers Zutreiberdiensten, der ideologische Unrat am Krieg so schwierig als solcher zu diagnostizieren gewesen« (a. a. O., S. 274). Bloch konstatiert dann aber, wenn auch weiterhin reserviert, Scheler habe sich zwischen 1915 und 1917 gewandelt: »Aber es scheint uns eine schwere Ungerechtigkeit, Scheler immerfort zurückzudatieren, wo er selber vorwärts will, einen bedeutenden und höchst gedankenreichen Schriftsteller in Ewigkeit die Ketten eines opportunistischen, diplomatischen Sündenbuchs tragen zu lassen ...« (a. a. O., S. 275).

Die sich in diesen beiden Zitaten aussprechende ambivalente Einstellung Blochs zu Scheler vermag vielleicht auch den merkwürdigen, zwischen verzweifeltem Galgenhumor und Ironie schillernden Ton des Briefes vom 3. September 1919 erklären. Bloch war in dieser Zeit in einer fast ausweglosen Situation: Seine Frau war schwer krank, die wirtschaftlichen Verhältnisse desolat (vgl. die Briefe an Johann Wilhelm Muehlon, vor allem Anm. 1, Brief Nr. 15). Es erübrigt sich fast die Feststellung, daß Blochs Wunsch nach einem Extraordinariat in Köln sich nicht erfüllte.

In den bisher erschienenen elf Bänden der Gesamtausgabe von Schelers Werken fällt der Name Bloch kein einziges Mal. Das Scheler zugeschriebene Diktum, *Geist der Utopie* sei ein »Amoklauf zu Gott«, ist nicht nachweisbar. – Auch in Blochs Werk wird Scheler nicht allzu häufig und fast immer nur kritisch erwähnt, am ausführlichsten noch in dem Kapitel »›Ontologien‹ der Fülle und Vergänglichkeit« in *Erbschaft dieser Zeit* (GA Bd. 4, S. 302-311), wo Bloch aus seiner Perspektive kurz den Gang von Schelers philosophischer Entwicklung nachzeichnet. –

Die Fotokopie des Briefmanuskripts stammt aus dem Max Scheler Archiv in der Bayerischen Staatsbibliothek München. Das Brieforiginal befindet sich nach Mader (a. a. O., S. 138) im Besitz von Max G. Scheler. In Schelers Nachlaß befinden sich weder weitere Briefe Blochs noch Entwürfe von Briefen Schelers an Bloch, da der größte Teil der Schelerschen Korrespondenz nach dem Zweiten Weltkrieg abhanden kam.

3. Sept[ember] [19]19
Interlaken, Jungfraustraße 70

Lieber Scheler! vor wenigen Wochen schrieb ich Ihnen. Ich weiß
nicht, ob Sie die Karte bekommen haben. Damals, als ich Ihnen
Glück zum Lehrstuhl Eckhardts[1] wünschte, dachte ich noch nicht
an das, was mir heute Nacht plötzlich über die Maßen einleuchtend
geworden ist. Nämlich Sie zu fragen, ob Sie mich nicht auf ein
(irgendwie bezahltes) Extraordinariat für Philosophie nach Köln
berufen lassen wollen. Sie wissen, wer ich bin, und ein Kollegium
kann sich an dem, was von meiner Philosophie vorliegt, leichtwillig
davon überzeugen, wer ich bin und daß ich einer neuen Universität
zur Ehre gereiche. Irgendwie muß auch der Driesch gutgemacht
werden, der bei seinen Seezungen hätte bleiben sollen.[2] Ich würde
vor allem Ästhetik als Vorlesungs-»Fach« nehmen, da erstens darüber wahrscheinlich in Köln bislang niemand liest, und zweitens
mein »Geist der Utopie« ja sehr sichtbar zwei große ästhetische
Kapitel enthält.[3] Aber darüber ließe sich reden; ohnedies wird bei
mir ja alles zur Metaphysik, und wir zwei könnten, gegenseitig
außer Konkurs, einen schönen Glockenklang geben.
Vom »Geist der Utopie« (der sowohl ein Pamphlet wie eine Reihe
überschwänglicher Rezensionen hervorgerufen hat)[4] erscheint jetzt
eine zweite, gestärkte und systematisch völlig auskristallisierte Auflage und Ausgabe[5] (auch eine amerikanische Ausgabe steht bevor).[6]
Diese, scheint mir, könnte die Grundlage meines Bewerbs abgeben.
Als eigentliches Eintrittsbillet zur akademischen Laufbahn habe ich
eine 250 Seiten große, vollendete Arbeit: »Probleme der formalen
Logik«[7] vorzulegen. Gegenwärtig arbeite ich an meinem »System
des Messianismus«[8]; Teile daraus werde ich jeweils einzeln vorher
veröffentlichen; so ist im Augustheft der »Weißen Blätter« »Über
das noch nicht bewußte Wissen«[9] erschienen; im Almanach der
»Argonauten« wird das höchst interessante Bruchstück erscheinen:
»Die astrologische und die mystische Orientierung in den bisherigen Staatsromanen«[10] (Zwang und Freiheit, auch am Marxismus,
auf sonderbare, ganz vergessene Prinzipien gebracht). Klar, wenn
irgend etwas wieder erscheint, das der »Summa« entspricht, werde
ich es schicken: »Über das Problem der göttlichen Transzendenz«[11]. Dem »Logos« schicke ich in einigen Tagen: »Malebranche

oder über die Erkennbarkeit der Objekte«.[12] Kurz, Sie sehen, meine Geister blühen weiter, und ich sehne mich nach »nichts als« nach einer Sinekure, um mein System schaffen zu können. Mein Leben lang werde ich wohl kaum bei der Universität bleiben; steht die Philosophie groß und fest, dann gehe ich in die Politik, aber nicht nur die deutsche, und wer weiß, was alles kommt und wie das heißt, was in mir und über mir [summert].[13] Zuerst aber möchte ich einen Katheder; aber habilitieren als Privatdozent möchte ich mich nicht, das ist mir zu armselig, da fange ich lieber gar nicht an, ich möchte sogleich auf ein Extraordinariat gerufen werden, wenn kein Ordinariat zu haben ist.

Es wäre nicht nett, sondern wahrhaft abscheulich von Ihnen, wenn Sie mir auch diesen Brief nicht beantworteten. Aber nicht wahr, Sie schreiben mir gleich, was sich machen läßt. Wir, meine Frau[14] grüßt Sie beide herzlich, kommen Anfang Oktober nach München, vielleicht auch gleich nach Köln. Grüßen Sie Ihre liebe Frau[15] sehr. Ihnen in alter Zuneigung ergeben Ihr Ernst Bloch. –
Wann erscheint die »Religiöse Erneuerung«?[16] Hier ist Rhodos.[17]

1 Gemeint ist wahrscheinlich der Nationalökonom Christian Eckert (1874-1952), der seit 1902 Professor an der Handelshochschule Köln war und maßgeblichen Anteil an deren Ausbau zur Universität Köln hatte. Zusammen mit Leopold von Wiese formulierte er 1918 eine Denkschrift, in der die Aufgaben des zukünftigen Instituts für Sozialwissenschaften umrissen waren. Drei Abteilungsdirektoren sollten kollegial das Institut leiten. Auf Betreiben des damaligen Kölner Oberbürgermeisters Konrad Adenauer wurde M.S. als Exponent katholischen Denkens im Sommer auf einen dieser Direktorenposten berufen und nahm im Januar 1919 seine Tätigkeit auf. Daneben erhielt er noch eine Professur für Philosophie und Soziologie an der Universität Köln.
2 Hans Driesch (1867-1941), Biologe und Philosoph. Arbeitete zunächst von 1891 bis 1900 als Privatgelehrter an der Zoologischen Station in Neapel und in Triest. Durch die vitalistische Interpretation seiner berühmten Versuche zur Embryologie des Seeigels (hierauf bezieht sich vermutlich E.B.s ironische Bemerkung »Seezungen«) geriet er in Widerspruch zu seinem Doktorvater Ernst Haeckel. Nach der Jahrhundertwende konzentrierte er sich auf philosophische Fragestellungen und wurde Professor an den Universitäten Heidelberg (1911), Köln (1920, berufen wurde Driesch Sommer 1919, hierauf spielt E.B. an) und Leipzig (1921). Hauptwerke: *Vitalismus als Geschichte und Lehre*, Leipzig 1905; *Philosophie des Organischen*, 2 Bde., Leipzig 1909; *Ordnungslehre*, Jena 1912; *Wirklichkeitslehre*, Leipzig 1917; *Metaphysik der Natur*, München 1927.
3 In der Erstausgabe 1918 von *Geist der Utopie*, jetzt GA Bd. 16, die Kapitel »2. Die Erzeugung des Ornaments« (a.a.O., S. 17–52) und »4. Philosophie der Musik«

(a. a. O., S. 79-234). Das 3. Kapitel »Der komische Held« rechnete E. B. wohl zur Philosophie, nicht zur Ästhetik.

4 Bei dem »Pamphlet« handelt es sich wahrscheinlich um Paul Bekkers Rezension »Musik und Philosophie« in der *Frankfurter Zeitung* vom 8. 4. 1919, auf die E. B. in *Durch die Wüste* (Berlin 1923, S. 56-59) scharf replizierte. Margarete Susman schrieb in der *Frankfurter Zeitung* vom 12. 1. 1919 eine positive Besprechung (wieder in: *Ernst Bloch zu ehren*, herausgegeben von Siegfried Unseld, Frankfurt/M. 1965, S. 383-393), ebenso Friedrich Burschell in der *Neuen Rundschau* (Nr. 29, 1918, S. 1483-1487, wieder in: a. a. O., S. 375-381). Weitere Rezensionen von *Geist der Utopie* (von Hermann Bahr, Hermann Schmalenbach und Ernst Blaß) sind wieder abgedruckt in: *Materialien zu Ernst Blochs »Prinzip Hoffnung«*, herausgegeben von Burghart Schmidt, Frankfurt/M. 1983, S. 61-67.

5 Die zweite veränderte Fassung von *Geist und Utopie* erschien 1923. GA Bd. 3 ist eine Bearbeitung dieser Fassung.

6 Der Text in Klammern steht zwischen den Zeilen. Eine englische oder amerikanische Ausgabe von *Geist und Utopie* ist bis heute nicht erschienen.

7 E. B. arbeitete in der Tat im Rahmen seines mehrbändig geplanten »Systems einer axiomatischen Philosophie« an einer Logik, die in den »Einleitenden Teil« kommen sollte. Vgl. dazu vor allem die Briefe Nr. 8, 9, 18, 72 (besonders Anm. 29) und 103 an Georg Lukács. In Brief Nr. 37 vom 20. 8. 1912 an Lukács spricht E. B. von seiner »logischen Arbeit«.

8 Vgl. die Hinweise in Anm. 7.

9 Im 6. Jg., Nr. 8, August 1919, S. 355-366 (jetzt in: GA Bd. 10, S. 115-122). Zu den *Weißen Blättern* vgl. Anm. 1, Brief Nr. 10 an Johann Wilhelm Muehlon.

10 Zu den *Argonauten* vgl. Anm. 12, Brief Nr. 21 an Georg Lukács. Der genannte Aufsatz erschien dort nicht; wohl aber verweist der von E. B. genannte Titel des »Bruchstücks« deutlich auf das Kapitel 38 »Freiheit und Ordnung. Abriß der Sozialutopien« des erst rund 20 Jahre später begonnenen *Prinzip Hoffnung* (GA Bd. 5, S. 547-729).

11 Vgl. die Hinweise in Anm. 7, außerdem die Briefe Nr. 10 und 12 an Georg Lukács.

12 *Logos. Internationale Zeitschrift für Philosophie der Kultur*, Tübingen 1 (1910/11) -22 (1933); Herausgeber waren Georg Mehlir und Richard Kroner. Dort ist niemals ein Text von E. B. erschienen. Der Aufsatz über Malebranche ist nicht nachweisbar, Ausführungen über den französischen Philosophen finden sich aber etwa in E. B.s *Materialismusproblem* (GA Bd. 7, vor allem S. 172 ff.).

13 Lesung des Wortes unsicher.

14 Else Bloch-von Stritzky.

15 M. S. war damals in zweiter Ehe mit Märit Furtwängler (1891-1971) verheiratet.

16 Ein Aufsatz von M. S. mit dem Titel »Zur religiösen Erneuerung« erschien in: *Hochland* XVII, 1918/19, Bd. 1, S. 5-21. Gemeint sein könnte hier aber auch *Vom Ewigen im Menschen*, Leipzig 1921, wieder in: *Gesammelte Werke* Bd. 5, herausgegeben von Maria Scheler, Bern ⁴1954. Dort lautet eine Kapitelüberschrift: »Probleme der Religion. Zur religiösen Erneuerung« (a. a. O., S. 101-354).

17 Nach dem lateinischen Sprichwort »Hic Rhodus, hic salta!« – »Hier ist Rhodus, hier tanze!«, so viel wie: »Hier, bei mir (E. B.) gilt es, zeige, was du vermagst.«

Briefwechsel
Siegfried Kracauer – Ernst Bloch
1921-1966

Herausgegeben
und mit Anmerkungen versehen
von Inka Mülder

Vorbemerkung

Von seiner »ersten richtigen Begegnung« (siehe unten, S. 406) mit Siegfried Kracauer, Mitte der zwanziger Jahre in Paris, hat Bloch selbst berichtet. Er traf ihn eines nachmittags zufällig in einem kleinen Café an der Place de l'Odéon. Nach der scharfen öffentlichen Kontroverse um *Thomas Münzer und den Geist der Revolution*, die er einige Jahre zuvor mit ihm ausgetragen hatte, nunmehr zum versöhnlichen Gespräch bereit, ging er auf den völlig Überraschten zu, gab ihm die Hand und setzte sich an seinen Tisch. Man blieb bis spät in die Nacht zusammen. »Ein Wort gab das andere, und seit diesem Abend waren wir dicke Freunde. Also ein sonderbarer, nicht einmal dialektischer Umschlag.« (E. B., *Tagträume vom aufrechten Gang. Sechs Interviews*, herausgegeben von A. Münster, Frankfurt/M. 1977, S. 48.)

Wenngleich die Freundschaft tatsächlich nicht ganz so unvermittelt geschlossen wurde, wie Bloch es später pointierte, so scheint doch die erinnerte Form charakteristisch für eine Beziehung, die über vierzig Jahre aufrecht erhalten werden konnte, aber nie die stabile Selbstverständlichkeit der Gewohnheit annahm, sondern von Unterbrechungen und ›sonderbaren Umschlägen‹ geprägt blieb.

Flüchtig begegnet sind sich Bloch und Kracauer möglicherweise schon vor dem Ersten Weltkrieg in Berlin, im Kreis Georg Simmels, dessen Vorlesungen auch Kracauer – der damals im Hauptfach Architektur studierte – besuchte. Um 1920 gab es, wie der einzige erhaltene Brief Blochs aus dieser Zeit bezeugt, zumindest eine lockere Verbindung, die allerdings zwei Jahre später mit Kracauers polemischem Verriß des *Thomas Münzer* und Blochs nicht minder polemischer Replik ein jähes Ende fand. Kracauer vermochte im *Münzer*-Buch nichts als leere »Botschaft« zu sehen, das scheinhaft-verführerische »Prophetentum« – so der Titel seiner in der *Frankfurter Zeitung* veröffentlichten Besprechung – eines »Romantikers (...), dessen unbeschwerte Dämonie substanzhaltige Leidenschaft wahrlich nicht zu ersetzen vermag« (»Prophetentum«, in: *Frankfurter Zeitung* vom 27. 8. 1922). Bloch forderte »Genugtuung« in Form einer Gegendarstellung am gleichen Ort und konterte, nachdem ihm diese versagt blieb, indem er seinerseits – auf den existenz-

philosophischen Hintergrund der Kritik Kracauers anspielend – die
Authentizität des Rezensenten anzweifelte, der »von der Leiden-
schaft und Metaphysik des sich in Existenz Verstehens nie einen
Hauch verspürte, aber dennoch ein kleiner Kierkegaard sein
möchte, wie er seinen Hegel sucht« (*Durch die Wüste*, 1. Aufl.,
Berlin 1923, S. 61).

Voraussetzung der Wiederannäherung, bei der Walter Benjamin
vermittelte, war die theoretische Neuorientierung, die Kracauer
Mitte der zwanziger Jahre im Zusammenhang seiner beginnenden
Rezeption des Marxismus vollzog. Der neue, materialistische
Ansatz wurde erstmals programmatisch formuliert in dem Essay
»Die Bibel auf Deutsch«, einer kritischen Analyse des ersten Bandes der Bibelübersetzung Martin Bubers und Franz Rosenzweigs.
Diesen Essay nahm Bloch zum Anlaß, Kracauer von Paris aus zu
schreiben, um seine sachliche Übereinstimmung in allen wichtigen
Punkten der Übersetzungskritik zu betonen und um die Zusendung
weiterer Arbeiten Kracauers zu bitten. Der nun folgende Briefaus-
tausch, der der Erläuterung von Positionen und der Skizzierung
theoretischer Absichten dient und in dessen sachliches Zentrum
bald die Diskussion von Georg Lukács' *Geschichte und Klassenbewußtsein* rückt, bereitet gewissermaßen die zufällige Begegnung in
Paris im Spätsommer 1926 vor.

Wenig später wurde Bloch durch die Vermittlung Kracauers, der
nach dem Ersten Weltkrieg den Brotberuf des Architekten aufgegeben hatte und in die Redaktion der *Frankfurter Zeitung* eingetreten
war, zum Mitarbeiter dieses »Urblatts der Gediegenheit« (siehe
unten, S. 309), in dessen Feuilleton bis Ende der zwanziger Jahre,
zuweilen in kaum kaschierter Form, materialistisch argumentiert
werden konnte. Die »Angst des Ingenieurs«, im Frühjahr 1928
erschienen, war – von einer Publikation im Jahre 1916 abgesehen
(»Ein alter Krug«, in: *Frankfurter Zeitung* vom 15. 8. 1916) –
Blochs erste Veröffentlichung in der *Frankfurter Zeitung*. Bis 1933
folgten ihr zahlreiche weitere Essays und kleine Prosatexte, von
denen viele in die *Spuren* oder in *Erbschaft dieser Zeit* wieder aufgenommen wurden.

Die Bedeutung der Freundschaft mit Kracauer erschöpfte sich für
Bloch freilich nicht darin, daß dieser ihm Publikationsmöglichkeiten verschaffte. Vielmehr lernte er das, was ihm im Zusammenhang

der *Münzer*-Debatte noch als unüberwindliches, jedes Gespräch verhindernde »Fremdheit zu dem Tenor [s]einer Philosophie« (siehe unten, S. 265) erschienen war, als fruchtbare Distanz schätzen. Bloch respektierte Kracauers emphatischen Realismus, dem ein tiefes Mißtrauen gegen die Gewaltsamkeit theoretischer Wirklichkeitsabstraktion entsprach, und er suchte das Urteil des anderen als Kontrolle und mögliches Korrektiv. Dies besonders in den ersten Jahren der Freundschaft, als er in Kracauers Schriften auch Interessen, Motive und Ansätze finden konnte, die sich mit den seinen aufs engste berührten: das Interesse an vernachlässigten Traditionen und kulturellen Randzonen; den »Sinn fürs Nebenbei« (Bloch, *Tagträume vom aufrechten Gang*, a. a. O., S. 48), für die unscheinbaren Phänomene unserer alltäglichen Merkwelt, an denen die materialistische Analyse sich zu konkretisieren sucht; nicht zuletzt die Faszination durch das Dissoziierte, die sich in der leitmotivartig wiederkehrenden Denkfigur einer produktiven Negativität reflektiert, eines Zerfalls, in dessen »Sprungstellen (...) Improvisationen einnisten können, die kein Kulturwille ahnt« (Bloch, GA Bd. 4, S. 211).

Die Differenzen freilich, die von beiden Seiten als Unterschiede des philosophischen Temperaments und Stils gelegentlich wohl unterschätzt wurden, blieben bestehen und brachen Anfang der dreißiger Jahre in neuen Auseinandersetzungen wieder auf. Die Briefe – sie werden nun seltener, da Kracauer 1930 die Feuilleton-Redaktion der *Frankfurter Zeitung* in Berlin übernahm und sich so häufiger die Gelegenheit zum mündlichen Gespräch ergab – legen davon fragmentarisch Zeugnis ab. Es scheint vor allem Bloch gewesen zu sein, der sich zunächst bemühte, das ›Persönliche‹ vom ›Sachlichen‹ zu trennen, um die Freundschaft, allen Meinungsverschiedenheiten zum Trotz, aufrechtzuerhalten. Doch gewannen die Differenzen mit der sich zuspitzenden gesellschaftlichen Krise bald eine Dimension, in der diese Trennung zu einer künstlichen wurde.

Vor allem in den Auseinandersetzungen um Brecht und um Tretjakov (siehe unten, S. 353 ff.) zeichnet sich rückblickend schon die Entfremdung ab, die die Jahre des gemeinsamen Exils in Frankreich und später in den USA bestimmte. Die Gründe dieser Entfremdung, über die beide Seiten weitgehend Stillschweigen gewahrt haben, dürften politischer Art gewesen sein. Der Bruch jedenfalls, der – »unausgesprochen«, wie Bloch sich später erinnerte (siehe unten, S. 392) – wohl schon 1935 vollzogen wurde, war so tief, daß er auch zwischen 1941 und 1949, als Bloch in Cambridge am *Prinzip Hoffnung* arbeitete und Kracauer in New York die Publikation seiner Filmgeschichte *Von Caligari zu Hitler* vorbereitete, nicht geheilt werden konnte.

Erst 1959 nimmt Bloch dann von Leipzig aus die Verbindung wieder auf. Drei Jahre später kommt es in München zum ersten und letzten Wiedersehen. Die Korrespondenz, die, ohne die sachliche Intensität der frühen Briefe zu erreichen, von Sympathie und Vertrautheit geprägt ist, wird bis zum Tod Kracauers im November 1966 fortgesetzt.

Die Originale des Briefwechsels Ernst Bloch – Siegfried Kracauer befinden sich im Nachlaß Kracauers im Deutschen Literaturarchiv, Marbach am Neckar. Die Mehrzahl der Briefe stammt von Bloch, doch haben sich in Abschriften bzw. Durchschlägen auch einige Briefe Kracauers erhalten. Das noch vorhandene Material macht freilich nur einen Teil der ursprünglichen Korrespondenz aus. Nicht nur die meisten Briefe Kracauers, sondern auch viele von Bloch müssen als verloren gelten.

Während die Korrespondenz der Jahre 1921 bis 1935 vollständig veröffentlicht wird, hat die Herausgeberin unter den späten Briefen eine Auswahl getroffen. Nicht berücksichtigt wurden Briefe mit ausgesprochen familiärem Charakter, die an die Ehepartnerinnen mitadressiert sind, teilweise auch von Karola Bloch oder Elisabeth Kracauer selbst geschrieben wurden. In Anbetracht ihrer Bedeutung schien es dagegen gerechtfertigt, zwei Briefe, die den Kriterien der Auswahl strenggenommen nicht entsprechen, mit aufzunehmen. Es sind dies der als Glückwunsch zu Blochs 80. Geburtstag formulierte erste Teil von Kracauers Aufsatz »Zwei Deutungen in zwei Sprachen«, der in dem Band *Ernst Bloch zu ehren*, herausgegeben von Siegfried Unseld, Frankfurt/M. 1965, veröffentlicht wurde, sowie der Brief an Elisabeth Kracauer, den Bloch zum Tod Kracauers schrieb.

Zwei redaktionelle Anmerkungen: Bei Hervorhebungen im Original (im Druck kursiv) ließ sich nicht immer eindeutig feststellen, ob diese vom Absender oder vom Adressaten stammen; in Zweifelsfäl-

len wurde die Hervorhebung beibehalten. Beibehalten wurde ebenfalls die Schreibweise von Namen im Brieftext, auch dort, wo diese
uneinheitlich ist.
Zur Kommentierung der Briefe habe ich von vielen Seiten Hinweise
bekommen, für die ich mich an dieser Stelle bedanken möchte.
Mein besonderer Dank gilt Frau Frederike Brüggemann vom Deutschen Literaturarchiv sowie Herrn Dr. Karlheinz Weigand vom
Ernst-Bloch-Archiv der Stadt Ludwigshafen.

Abkürzungen

FZ	*Frankfurter Zeitung.*
S. K., *Ornament*	Siegfried Kracauer, *Das Ornament der Masse. Essays*, mit einem Nachwort von Karsten Witte, Frankfurt/M. 1977.
S. K., *Straßen*	Siegfried Kracauer, *Straßen in Berlin und anderswo*, Frankfurt/M. 1964.
S. K., *Kino*	Siegfried Kracauer, *Kino. Essays, Studien, Glossen zum Film*, herausgegeben von Karsten Witte, Frankfurt/M. 1974.

Nr. 1   Heidelberg, Gaisbergstr. 16a
                                                [wahrscheinlich 1921]

Sehr geehrter Herr Doktor!
anbei schicke ich Ihre Arbeit[1] mit aufrichtigem Dank zurück. Auf
Ihre angekündigten erkenntnistheoretischen Untersuchungen zur
Soziologie[2] bin ich gespannt; vermutlich wird das Problem αγων-
caritas[3] dort in breiterem Raum erleuchtet werden. Wie Sie wissen,
ist derzeitig fast kein Verlag bereit, sich zur Übernahme eines Buchs
festzulegen. Doch (wenn ich Ihnen raten darf) vielleicht haben Sie
Lust zu einer Anfrage bei dem neugegründeten Sibyllen Verlag,
Dresden (Geschäftsstelle Berlin W 9, Potsdamerstr. 139), der
Manuskripte sucht, Niveau zu halten und anständig zu honorieren
verspricht.[4]

                                        Mit dem Ausdruck aufrichtiger
                                        Wertschätzung Ihr ergebener
                                        Ernst Bloch

Verzeihen Sie bitte vielmals, daß ich das Manuskript so lange behielt. Aber ich hatte Ihren Brief[5] mit der Adresse verlegt, und Frau v[on] Bendemann[6], die ich nach der Adresse mehrmals fragte, vergaß sie mir leider mitzuteilen. Heute nun habe ich Ihren Brief doch gefunden; leider kann ich das M[anus]kript bei keiner Zeitschrift unterbringen. Die Lage auf dem Buchmarkt selbst hat sich noch nicht verändert, doch besteht für den Herbst Aussicht zu größerem verlegerischem Wagemut. Simmels[7] Verlag Duncker und Humblot dürfte sich doch wohl für Ihr Simmelbuch[8] interessieren; S. Fischer kommt dafür kaum in Betracht.

1 Um welche Arbeit es sich handelt, ist nicht sicher auszumachen; E.B.s nachfolgender Hinweis auf »das Problem agon – caritas« und seine Charakterisierung der Arbeit als Zeitschriften-Manuskript lassen jedoch die Vermutung zu, daß S.K.s Aufsatz »Nietzsche und Dostojewski« (in: *Vivos Voca*, Jg. 2, 1921, S. 211-225) gemeint sein könnte.

2 Vgl. S.K., *Soziologie als Wissenschaft. Eine erkenntnistheoretische Untersuchung*, Dresden 1922. Wieder in: S.K., *Schriften 1*. Frankfurt/M. 1971, S. 8-101.

3 Griech.: *agon*, Spiel, öffentliches Fest, bei dem Wettkämpfer um einen Preis stritten; hier von E.B. in der Tradition der von Burckhardt und Nietzsche formulierten Theorie des Agonalen als Bezeichnung eines pädagogischen und politischen Prinzips antiker Kultur verwendet und dem christlichen Mitleiden (*caritas*) gegenübergestellt. S.K. interpretiert in seinem oben genannten Aufsatz Nietzsche und Dostojewski als idealtypische Repräsentanten des antiken und des christlichen Ethos.

4 In diesem Verlag erschien die erste Ausgabe von *Soziologie als Wissenschaft*, siehe Anm. 2.

5 Dieser Brief ist nicht erhalten.

6 Die Schriftstellerin und Theologin Margarete Susman (1874-1966), verh. von Bendemann; vgl. Brief Nr. 3, Anm. 2 an Georg Lukács.

7 Georg Simmel (1858-1918); vgl. Brief Nr. 4, Anm. 7 an Georg Lukács.

8 »Georg Simmel. Ein Beitrag zur Deutung des geistigen Lebens unserer Zeit« (Typoskript im Nachlaß S.K.s, Deutsches Literaturarchiv). Das erste Kapitel dieser Schrift erschien in der Zeitschrift *Logos*, Bd. 9, 1920, H. 3; jetzt in: S.K., *Ornament*, S. 209-248. Die übrigen Teile sind unveröffentlicht.

München, Pension Hausenstein,
                                                                        Schachstraße
                                                                1. Sept[ember] [19]22

Sehr geehrter Herr Kracauer!

gestatten Sie mir einige Worte zu Ihrer Besprechung.[1]
Sie hat mich nicht wesentlich überrascht, da ich sowohl das bisherigen grundsätzliche Übelwollen der Frankfurter Zeitung[2] wie auch
Ihre eigene Fremdheit zu dem Tenor meiner Philosophie kannte.
Über das letztere ist nicht zu disputieren, solange es sich um eine
Sache des Soseins und des Durchbruchs[3] handelt; möge er Ihnen
werden. Ein anderes aber ist, ob Sie dann ein Buch von mir überhaupt anzeigen können. Es fehlt die Wahlverwandtschaft, und so
kann weder das Positive noch auch das Negative bei so großer Dis-
homogeneität des Rezensenten getroffen werden. Und noch ein
anderes ist, ob Sie eine Rezension, die Ambivalenz der Gefühle und
Wertungen, innere Widersprüche aller Art aufweist, in einer Tageszeitung vor überwiegend urteilslosem Publikum drucken lassen
durften, statt in einer Zeitschrift, wo mir außerdem Gelegenheit
gegeben wäre, Ihnen zu antworten. (So wie Alfred Döblin etwa im
»Neuen Merkur« auf eine mißverständliche Rezension Burschells
erwiderte, vor gleichem Publikum und in durchaus angemessener
Form).[4] Was die Widersprüche angeht, so will ich nur die gröbsten
notieren[5]: einmal bin ich Ihnen ein »Schwärmer«, der zu wenig
Wirkliches sieht, dann bin ich wieder ein »Bildungsträger«, der
zuviel Wirkliches sieht, dann wieder »fege« ich durch das Wissen
hindurch, dann wieder bin ich belastet mit »Wissensballast«, dann
wieder bin ich ohne allen Ernst, »Pseudo-Chiliast literarischen
Gepräges«, dann wieder »aufblitzender Erkenntnisse« voll: es ist zu
viel auf einmal, Herr Kracauer, und ins Zentrum der Sache sind Sie
nicht gedrungen; man merkt auch nicht, daß Sie mir einmal von den
tiefen Erschütterungen geschrieben haben, die der »Geist der Utopie« Ihnen brachte.[6] Glauben Sie übrigens tatsächlich, daß Gottfried Arnold[7], Sebastian Franck[8], die beide Ketzergeschichten
geschrieben haben, deshalb, wegen ihrer Suche nach Zeugen in der
Vergangenheit, nach Tradition des Funkens, des in der Welt umgehenden, keinen »religiösen Ernst« besaßen? Von Paulus, Augustin,
Thomas [von Aquin], selbst noch Hegel zu schweigen, die doch
insgesamt weltlich-überweltliche, konkret-idealische Beziehungen

ohne Unterlaß knüpften? Ihnen etwa sagt Pepuza[9] nichts, mir sagt es unendlich viel, und die Intention des Montanus[10] hallt in meinen Zusammenhängen wider.

Auch zu meiner Sprache fehlt Ihnen der erwünschte Zugang. Kein einziger Satz ist »zügellos«; wenn Ihnen meine Arbeiten zur Sprachlogik[11] einmal zu Gesichte kommen, wird Ihnen dies Mißverständnis aufgehen. Auch meinen Ort im Zusammenhang des revolutionären Tuns haben Sie nicht gesehen; ich bitte Sie, im letzten erschienen[en] Heft der Weißen Blätter (von Emil Lederer herausgegeben) einmal meinen Aufsatz »Über den sittlichen und geistigen Führer« nachzulesen[12]; dort ist einiges darüber zu finden. Sie gehen des weiteren fehl in der Annahme, daß Sie es nötig hätten, das Publikum vor meinen Büchern zu warnen[13]; dem sind Sie vorerst noch zu entlegen, sie sind den Denkgewohnheiten der jetzigen Generation zu fremd, und erst in einem neuen Geschlecht finden sie Boden. Heute steht zu ihnen leider erst eine kleine Schicht, allerdings eine solche der besten Männer; und ich kann Ihnen versichern, daß Ihre Rezension in Berlin, wo ich gerade im Kreis Döblins und Lukács' war, das erstaunlichste Schütteln des Kopfes auslöste und die Frage, wie ein solches denn überhaupt noch möglich wäre. Ihre Aufgabe, scheint Unterrichteten, sollte eine andere sein; Sie sind nicht dazu in die Welt gekommen, um ein[em] Licht, das sich trotz alles Elends regt, den Weg zu verlegen, um dem schlechten Bürger (mit dem Ihre Meinung doch nichts gemein hat) [ideologisch?] zu seiner Schlafsucht und Hämischkeit zu bringen. Auch daß Sie mich stets nur als nach außen gerichtet, als »Abenteurer« zeigen, dürften Sie sich nicht hingehen lassen; wenigstens kann ich nicht glauben, daß ein Mann, den ich als ernsthaft bekümmert und überdenkend seinerzeit schätzen mochte, von der »Inwendigkeit« meiner Philosophie keinen Hauch verspürt haben soll. – Schließlich: ich frage an, in welcher Weise Sie mir Genugtuung geben wollen. Denn ich möchte, wie ich schon Herrn Simon[14] schrieb, die Sache nicht unbemerkt vorübergehen lassen und meine Freunde haben mich in dieser Absicht bestärkt. Am einfachsten denke ich mir, daß Sie als Redakteur an der Frankfurter Zeitung einem anderen (hier käme nur ein Mann von Rang in Betracht) oder mir (doch will ich mir das noch überlegen) Gelegenheit zu einer ausführlichen Erwiderung geben[15]; in Parallele zu dem angezoge-

nen Fall Döblin–Burschell im »Neuen Merkur«. *Sie sollen gewiß in
keiner Weise desavouiert werden*; doch scheint mir notwendig, daß
in einem so einflußreichen Organ auch ein anderer Standpunkt zu
Wort kommt, zumal wenn dieser Standpunkt der Überzeugung des
besten geistigen Deutschland entspricht. Durchbruch, Herr Doktor Kracauer; Sie sind zu gut und reinlich, um in Ewigkeit auf der
Seite Beckmessers zu stehen.
Mit vorzüglicher Hochachtung

Dr. Ernst Bloch

1 S. K.s Besprechung von *Thomas Münzer als Theologe der Revolution* erschien
unter dem Titel »Prophetentum« in der *FZ* vom 27. 8. 1922.
2 E. B. denkt hier wohl vor allem an Paul Bekkers Aufsatz »Musik und Philosophie«
(FZ 8. 4. 1919), der eine scharfe Kritik an den musikphilosophischen Ausführungen
im *Geist der Utopie* enthält. E. B. antwortete auf diese Kritik in *Durch die Wüste*,
1. Aufl., Berlin 1923, S. 56-59.
3 S. K. hatte sich in seiner Rezension insbesondere dagegen gewendet, daß E. B. den
»›Durchbruch des Reichs‹«, der als jäher Einbruch der Transzendenz in die
Geschichte in »passiver Bereitschaft« erwartet werden müsse, als einen »ganz auf die
Aktivität des Menschen« gestellten Abschluß einer innerweltlichen Entwicklung
denke.
4 Gegenstand dieser Kontroverse im *Neuen Merkur* – einer von Efraim Frisch herausgegebenen Zeitschrift, in der auch E. B. publizierte – war Alfred Döblins (1878-
1957) 1920 erschienener Roman *Wallenstein*. Der Kritiker Friedrich Burschell
(1889-1970) bemängelte, daß Döblin in diesem Buch in unentschiedener Weise zwischen der ›authentischen‹ Darstellung historischen Geschehens und dessen ›legen-
denhafter‹ Umdichtung schwanke (vgl. Burschell, »Geschichte und Legende in
Döblins Wallenstein«, in: *Der Neue Merkur*, Jg. 4, 1920/21, S. 787-790). Döblin
erwiderte ausführlich in seinem Aufsatz »Der Epiker, sein Stoff und die Kritik« (in:
Der Neue Merkur, Jg. 5, 1921/22, S. 56-64).
5 Wo E. B. im folgenden Formulierungen aus S. K.s Rezension aufgreift, ohne sie
als Zitate zu kennzeichnen, wurden die Anführungsstriche zur Verdeutlichung er-
gänzt.
6 Dieser Brief S. K.s ist nicht erhalten.
7 Gottfried Arnold (1666-1714), Theologe und Schriftsteller. Von großem Einfluß
auf Literatur und Philosophie der Aufklärung wurde Arnolds *Unparteiische Kir-
chen- und Ketzerhistorie vom Anfang des Neuen Testaments bis 1688* (4 Bde., 1699/
1700), die, in radikal-spiritualistischem Geist, die Außenseiter, Märtyrer und Ketzer
gegen die Institution Kirche und die offizielle kirchliche Geschichtsschreibung rehabilitiert.
8 Sebastian Franck (1499-1542), mystischer Prediger und Schriftsteller (*Chronica,
Zeytbuch und Geschycht Bibel*, 1531; *Paradoxa*, 1534). E. B. beruft sich in seiner
Darstellung Münzers verschiedentlich auf Franck (der selbst ein entschiedener Kriti-

ker Luthers war) und stellt an ihm den Typus des neuzeitlichen Ketzers heraus: »die Gestalt des einsamen Geistigen, des individuellen Mystikers, des gottsuchenden Anachoreten« (GA Bd. 2, S. 172). Vgl. auch »Aus Sebastian Francks Paradoxa«, in: GA Bd. 10, S. 65-72.

9 Phrygische Wüstenstadt, im 2. Jahrhundert Versammlungsort der Montanisten (siehe Anm. 10). S.K. polemisiert in seiner Rezension gegen E.B.s Vergleich zwischen Pepuza und der Wiedertäuferstadt Münster (vgl. GA Bd. 2, S. 90) als »überflüssiger historischer Reminiszenz«.

10 Montanus (um 150), Gründer der nach ihm benannten, prophetisch-eschatologischen Bewegung des Montanismus; trat mit dem Anspruch auf, der im Neuen Testament angekündigte Paraklet zu sein.

11 Ein frühes Manuskript zur Logik, das in der Zeit des Ersten Weltkriegs entstand (vgl. dazu vor allem die Briefe Nr. 8, 9, 12, 18 und 103 an Georg Lukács) ist im Exil verschollen. Möglicherweise spielt E.B. hier aber auch auf das sogenannte Zehlendorfer Manuskript »Selbstverständigung und ihr Draußen« von 1923 an (Bloch-Archiv, Tübingen, Mappe 1, 1Md./1085), von dem einiges in das Sprachkapitel von *Experimentum Mundi* (vgl. GA Bd. 15, S. 32ff.) eingearbeitet wurde.

12 Vorabdruck aus der 2. Auflage von *Geist der Utopie*, in: *Die Weissen Blätter*, N.F., H. 1, 1921, S. 8–15; wieder in: GA Bd. 10, S. 204-210.

13 Die »Wesenlosigkeit« der Blochschen »Botschaft« zu »entlarven«, so hatte S.K. geschrieben, sei »schon allein um deswillen Pflicht, weil zu befürchten ist, daß der gleißnerische Schimmer, der sie umwebt, auf empfängliche Seelen eine gefährliche Verführungskraft« ausüben werde.

14 Heinrich Simon (1880-1941), Mitinhaber und Verleger der *FZ*, Vorsitzender ihrer Redaktionskonferenz.

15 E.B. selbst hat der *FZ* eine Erwiderung geschickt, die aber von der Zeitung nicht veröffentlicht wurde. Der Schlußpassus dieser Zuschrift wird am Ende jenes – in späteren Auflagen gestrichenen – Abschnitts von »Einige Kritiker« zitiert, in dem sich E.B. mit S.K.s Rezension auseinandersetzt. Es heißt hier: »Manches [in der Besprechung] ist nicht einmal falsch, so wenig ist es wahr, so wenig auch möchte ich hier in einige Tiefen gehen. Ist jedoch, nach Schopenhauer, das Geschäft der Buchanzeiger die verständige Exposition des Inhalts, so finde ich leider nicht, daß Herrn Kracauer dieses gelungen sei. Die Gedanken und Werke, die uns erwarten, die in zerreibendster und mächtigst absorbierender Arbeit aus der Tiefe des kollektiven Bewußtseins jetzt geschaffen werden müssen, haben mit den Denkgewohnheiten der letzten und vorletzten Generation kaum das Geringste noch gemein. Diese Fremdheit zum Gewohnten aber entschuldigt zwar einen Leser, wenn er vorerst irrt und mißversteht, niemals jedoch einen Rezensenten, dessen Ehre gerade die Wegbahnung des Neuen und noch Schwierigen in die Sphäre der Rezeptivität sein sollte. Denn die Schlafsucht und die Hämischkeit der Meisten ist in sich selbst genug; sie braucht weder einen Gassenhauer noch eine Ideologie« (E.B., *Durch die Wüste*, Berlin 1923, S. 64f.).

Nr. 3   Paris, Hotel du Midi
                                                 4, Avenue du parc Montsouris
                                                          20. Mai 1926

Sehr geehrter Herr Kracauer!

Benjamin gab mir Ihre Anzeige der Buberschen Bibel[1] nebst den
verschiedenen Erwiderungen.[2]

Ich las auf diese Weise zum ersten Mal nach längerer Zeit etwas
von Ihnen. Es war mir nicht nur deshalb wichtig, weil ich, was
Ihre Einwände und deren Begründung angeht, fast vollkommen
Ihrer Meinung bin. Sondern weil ich jetzt zum ersten Mal zu verstehen glaube, was Sie bei der Besprechung meines Münzerbuchs
substantiell eigentlich gemeint haben, d. h. aus welchen objektiven, nicht nur objektiv eingekleideten Hintergründen eigentlich
die Kritik kam. Sie ist mir im Einzelnen nicht mehr gegenwärtig,
aber ich erinnere mich noch an die Intensität, mit der Sie die
geschichtlich-übergeschichtliche Verbindung ablehnten, ja aus-
führten, daß man, mit solcher Versträhnung, von »marxistisch-
Hegelscher Geschichtsdialektik« nicht mehr weit sei (ich glaube,
so war der Wortlaut[3]). Diese Ihre, wie ich annehme, damalige
Stellung hinderte mich, zu begreifen, was Sie wollen; nicht weit
genug wollten Sie ja chiliastisch-religiöse von kommunistisch-rea-
len »Gedankengängen« entfernt halten, dazu noch in der Darstellung einer Bewegung, in der beide doch nun einmal historisch
gegebene Einheit waren. Ich konnte daraus nicht entnehmen, daß
Sie grade den schmalen Weg des scheinbar Äußerlichen, Praktischen, Glanzlosen meinen, der grade der Weg des *Marxismus* ist;
daß auch für Sie alle Wahrheit sich an dieser bedürftigen, bewegten Aktualität zu bewähren, im Lukács'schen Sinn allein ihre
Totalität zu gewinnen hat.[4] Zu dieser Totalität gehört dann freilich wesenhaft die Ganzheit des Menschen und des von Menschen je ganz Gemeinten, also nicht nur »Ökonomie« im vulgär-
marxistischen Sinn (Askese, die sich *darauf* zurückzieht, zieht
sich auf eine rein bürgerliche Begriffsfraktion zurück), sondern
die unnachläßliche Gesamtströmung des Überhaupt, von der uns
keine Zeit dispensiert, aus der es keine Fahnenflucht gibt. Indes
freilich muß diese Totalität gänzlich uneitel, gänzlich aktuell,
gänzlich mitlebendig in und an der Notdurft, der konkreten
Situation der Zeit vermittelt sein, nirgends ins Private, Genießeri-

sche, historisch Behütende und also Reaktionäre überhängen oder vielmehr abgetrennt stagnieren.

Wäre damals nicht das offenbar unglückliche Wort gegen den Marxismus gefallen, so hätte ich Ihre Besprechung nicht als bloß mittelständisch empfunden, folglich als sowohl bewegungs- wie metaphysikfeindlich. Ich hätte sie als einen grade marxistischen Protest gegen das *anarchistisch* Manifesthafte, gegen die weiterschwingende Theologie im »Münzer« aufgefaßt; so wie ja leider auch Lukács Angriffe über Angriffe wegen der Geist- und Metaphysik-Überlastung seines Marxismus erfährt.[5] Zweifellos ist die Gefahr groß, daß die revolutionäre Bewegung die Totalität (im Lukács-schen Sinn) einbüßt, statt sie sich in jedem Augenblick gegenwärtig zu halten, statt den Augenblick ebenso an der Totalität zu messen wie die Totalität am Augenblick.

Kurz und gut, es wäre dann in Ihrer Anzeige vielleicht der mir unsachlich erscheinende Rekurs auf die Echtheit oder Nicht-Echtheit der *Person*, mitsamt den ambivalent gesprenkelten Schlußbemerkungen[6], nicht notwendig gewesen. Das Buch war mitten in den Bewegungen von 1918 konzipiert, ist mitten in Bedrängungen und Bewegungen der Identifizierung entstanden, die eine, wie stets, unzureichende Privatperson auf die Sache selbst hingeordnet haben *müssen*. Doch ich möchte hier gar nichts weiter sagen, als daß ich aus Ihrer Buberkritik das [von] Ihnen damals, obzwar offenbar noch nicht völlig klar, Gemeinte begriffen zu haben glaube. Dieses Ihnen mitzuteilen, ist mir notwendig. In der Forderung nach Jetzt-Deckung alles Gesagten, zu Sagenden bin ich mit Ihnen »einig« (ein ebensowohl zu schwaches wie zu starkes Wort für dieses Urevidente); und ich begrüße es, daß Sie in einer großen bürgerlichen Zeitung dem leblosen und kontemplativen Bildungsgeschwätz der Bourgeoisie ein schlechtes Gewissen machen. Ein nicht nur moralisch schlechtes Gewissen à la Kierkegaard[7], über den ja die Bourgeoisie gleichfalls höchst unbeschädigt seit langem diskutiert, sondern ein Wegziehen des Bodens, auf dem die unaktuelle, wirklichkeitsverzögernde Phrase steht.

In diesem höchst entsprechenden Sinn wäre ich Ihnen, jenseits aller persönlichen Differenz, für die Zusendung Ihrer Essays sehr verbunden; wie es ja auch bei Herrn Benjamin geschieht. Wie die unter- und übergehende Soziologie, so trägt auch die unter- und

übergehende Ideologie des Bürgertums durchaus dialektisch zum
Aufbau der neuen Welt bei.
Mit bestem Dank und vorzüglicher Hochachtung!

Dr. Ernst Bloch

1 S. K.s Besprechung des ersten Bandes von Martin Bubers (1878-1965) und Franz
Rosenzweigs (1886-1929) Übersetzung des Alten Testaments erschien unter dem
Titel »Die Bibel auf Deutsch« in der *FZ* vom 27. und 28. 4. 1926; wieder in: S. K.,
Ornament, S. 173-186.
2 Vgl. Buber/Rosenzweig, »Die Bibel auf Deutsch. Zur Erwiderung«, *FZ* vom 18.
5. 1926, sowie S. K.s abschließende Stellungnahme: »Gegen Wen? Duplik«, *FZ* vom
18. 5. 1926.
3 Wörtlich hatte S. K. geschrieben: »Bloch weicht von seinem religiösen Urbilde
auch darin ab, daß er den Anbruch des Reichs an den Erfolg der kommunistischen
Revolution knüpft; (...) das Wunder wird reguliert, der Sprung zum Prozeß, und
man ist glücklich bei der Geschichtsdialektik, bei Hegel und Marx angelangt« (S. K.,
»Prophetentum«, *FZ*, vom 27. 8. 1922).
4 Die Hinweise auf Lukács beziehen sich hier wie auch in den folgenden Briefen auf
dessen 1923 erschienene Untersuchung *Geschichte und Klassenbewußtsein*. Zum
Begriff der Totalität vgl. hier besonders die Aufsätze »Was ist orthodoxer Marxismus?«, »Rosa Luxemburg als Marxist« sowie »Die Verdinglichung und das Bewußtsein des Proletariats«.
5 Auf dem V. Weltkongreß der Kommunistischen Internationale (1924) war Lukács
der »Linksabweichung« beschuldigt worden. Wenig später griffen ihn der sowjetische Philosoph Deborin (»Lukács und seine Kritik des Marxismus«, in: *Arbeiterliteratur*, Jg. 1, 1924, H. 10) sowie sein früherer Kampfgefährte László Rudas (»Orthodoxer Marxismus«, in: *Arbeiterliteratur*, Jg. 1, 1924, H. 9; »Die Klassenbewußt-
seinstheorie von Lukács«, a. a. O., H. 10) wegen der vermeintlich »idealistischen«
und »mystischen« Tendenzen seiner Marxismus-Interpretation an.
6 Ungeachtet seiner schroffen Kritik der E. B.'schen Philosophie hatte S. K. am
Ende seiner Besprechung dem »Phänomen Bloch selber« die Anerkennung nicht
versagen wollen.
7 Sören Kierkegaard (1813-1855), dänischer Philosoph und Theologe. Der radikale
Subjektivismus Kierkegaards, der Wahrheit als Gewißheit des Individuums versteht
und sich mit der Forderung nach ethischer »Entscheidung« an den einzelnen, »konkret existierenden« Menschen wendet, gewann nach dem Ersten Weltkrieg zuneh-
mende Bedeutung für die zeitgenössische »dialektische Theologie« und, in modifi-
zierter Form, für die Existenzphilosophie.

Nr. 4
Kracauer an Bloch

Frankfurt a/M., den 27. Mai 1926

Sehr geehrter Herr Bloch,

ich danke Ihnen sehr für Ihren Brief, der mir in einem guten Sinne eine Bestätigung ist. Sie interpretieren darin meine damalige Besprechung Ihres Münzer-Buches tiefer und humaner, als ich selber es vermöchte, zeigen mir den Zusammenhang zwischen dem Damals und dem Heute, den ich selber nicht sah ...[1] Insofern meine Kritik von diesem vorschnell eingeführten Begriff (der Existenz) getragen war, gebe ich sie preis (wenn ich auch Ihrem Aufsatz im »Neuen Merkur« »Das wahre Gesicht der großen Männer« – so hieß er doch[2] – nicht ganz zustimmen kann, da er seinerseits, nach meiner Erinnerung wenigstens, die periphere moralische Stimmigkeit der Existenz zu sehr en bagatelle behandelt. Aber vielleicht war das polemisch gemeint). Enthalten freilich mochte in der Kritik auch die von Ihnen nun bezeichnete Wendung gegen eine Positivität sein, der ich in unserer Situation den Glanz nicht zugestehen wollte...

Es ist mir wichtig und wertvoll, daß Sie mit dem Aktualitätsbegriff einverstanden sind, den ich meiner Auseinandersetzung mit dem Buberzirkel zugrundelegte ... Ich knüpfe an den Satz Ihres Briefes an, in dem Sie die »weiterschwingende Theologie« Ihres »Münzer« hervorheben und sich mit Lukács zusammenstellen, gegen dessen Geist- und Metaphysik-Überlastung sich auch gerade von marxistischer Seite der Angriff richte. Zunächst wäre zu sagen, daß nach meinem Ermessen zwischen Ihrer Position, soweit ich sie kenne, und der von L[ukács] ein großer Unterschied besteht. L[ukács] hat ... auf den Einbau der von der Theologie bezeichneten Tatbestände in seinem Marxismus bewußt verzichtet; aufgrund seiner Auffassung von unserer aktuellen Stellung im dialektischen Prozeß, wie ich aus Gesprächen meines Freundes Wiesengrund[3] mit ihm weiß. Er knüpft nach seiner Meinung genau an dem Punkte an, wo wir heute aus dem zu Ende getriebenen Idealismus austreten müssen, und will auch mit diesem Argument, wie man hört, seine Position gegenüber den kommunistischen Oberbonzen Rudas und Deborin[4] begründen. Nun, mir scheint, er habe zwar den leer- und abgelaufenen Idealismus aufgegriffen, ihn aber nicht transzendiert, sondern sich wieder in ihm verloren. Sein ob der eigenen Formalität verzweifelter Totalitätsbegriff hat mehr Ähnlichkeit mit Lask[5] als mit Marx. Statt den Marxismus mit Realien zu durchdringen, führt er ihm Geist und Metaphysik des ausgelaugten Idealismus zu und läßt dabei noch unterwegs die materialistischen Kategorien fallen, die zu interpretieren gewesen wären. Rudas und Deborin, so entsetzlich flach sie auch sind, unbewußt haben sie in vielem gegen L[ukács] recht. Er bringt seine Opfer umsonst, er ist philosophisch – ich hüte mich, es öffentlich zu sagen – ein Reaktionär. Denken Sie etwa bitte an seinen Persönlichkeitsbegriff[6].

Während L[ukács] aus Gründen der Aktualität dem Marxismus eine zuletzt doch schlecht-abstrakte Geistigkeit einlegt, glaube ich den Sinn Ihres bisherigen Schrifttums darin erblicken zu können, daß Sie die *materialen geistigen Bestände*, die der heutige theoretische Marxismus nur verdrängt, nicht aufnimmt, in ihrer aktuellen Form, gesättigt mit den ihnen innewohnenden revolutionären Energien, darstellen möchten. Daß man sich diese materiale Totalität nicht verkümmern lassen dürfe, darin stehe ich mit Ihnen (und gewiß auch mit Benjamin ...) – gegen L[ukács]. Auch ich meine, es sei die aktuellste Forderung, die es überhaupt gibt: den Marxismus, der als Philosophie inaktuell geworden ist und unter den Händen der offiziellen Sowjetphilosophen (von dem einzigen Lenin abgesehen) vollends verdirbt – sie können es sich leisten, da das russische Volk hinter ihnen steht – von neuem mit den echten Wahrheitsgehalten zu konfrontieren und damit zu einer großen revolutionären Theorie zu machen, vor der die europäische Intelligenz zittern muß; zu einer Theorie, die auch der Kirche, wie überhaupt den positiven Bekenntnissen, erst wirklich die böse Stunde bereitet.

Die Frage ist nur, welcher Weg zu diesem Ziel führt. L[ukács] gibt um der Aktualität willen die Möglichkeit der Dissoziierung des Marxismus nach den Realitäten hin zugunsten seiner an den Idealismus fixierten formalen Systematisierung preis. L[ukác]s' Koinzidenz von Theorie und Praxis ist keine, da er die Praxis überhaupt nicht gewahr wird. Bei Ihnen fand ich als eines der Hauptmotive ... das Bestreben, die einzelnen Wahrheitsgehalte in der überlieferten theologischen Gestalt mit der marxistischen Revolutionstheorie zu verbinden. Jene Wahrheitsgehalte werden bei Ihnen mit »religiösen« Mitteln dargestellt, in Kategorien, die von den gemeinten

Gehalten vielleicht ablösbar sind und der Zeitlichkeit verfallen –
wenigstens empfand ich es damals so, als ich eine Vermischung der
religiösen und der profanen Sphäre in ihrem »Münzer« feststellte
und ahnungsweise gegen sie polemisierte.

Ein dritter Weg zur Verwirklichung der Revolutionstheorie scheint
sich mir zu bieten, den ich wenigstens andeuten möchte. Es wäre
denkbar, daß man die verborgenen Wahrheitsbestände, die einmal
von der theologischen Sprache in naiver Unkenntnis ihrer mannig-
fachen unteren und äußeren Bedingtheiten getroffen worden sind,
aus ihren mythologischen Hüllen herausrisse und an ihren heutigen
Ort stellte; das heißt also, daß man die aktuelle und damit einzig
reale Gestalt dieser Wahrheitsbestände in dem Marxismus wieder-
fände; was unter der Voraussetzung einer materialen Geschichtsphilosophie möglich wäre, die eine fortschreitende Entmythologisierung der die Wahrheit bergenden Kategorien annähme, eine
reelle Wanderung und Wandlung dieser Kategorien im Verlauf des
Geschichtsprozesses, bis sie dem Anblick der niedersten Bedürf-
nisse und des Alleräußerlichsten standhalten; dann nämlich erst
sind sie an ihrem Ende. Die Formulierungen der Bibel sind nicht die
letzten, das Messianische wird noch in Bildern bloßer Naturhaftigkeit gedacht. Man müßte der Theologie im Profanen begegnen, dessen Löcher und Risse zu zeigen wären, in die die Wahrheit herabge-
sunken ist. Man müßte die Religion ausrauben und die geplünderte
ihrem Schicksal überlassen.

Praktisch gesprochen: im Marxismus wird die wirkliche und recht-
mäßige Benennung der großen Wahrheitsgehalte heute anzutreffen
sein. Sein Begriff des Menschen und der Natur, seine Ausstoßung
der Ethik, sein flüchtiger Traumblick auf den Anarchismus des
Märchens, seine dunkle Kategorie der Produktivkräfte – das alles
sind Zeichen, die auf die Wahrheit in noch unbewohnten Kellern
und Mansarden deuten. Der junge Marx sagt einmal: »Wir entwik-
keln der Welt aus den Prinzipien der Welt neue Prinzipien.«[7] Sie
sehen nun vielleicht auch, daß ich nicht aus irgendwelchen pragma-
tischen Gründen den Glanz auslöschen möchte oder der Totalität
uneingedenk bleibe, nur soll der Glanz keiner von Kerzen oder ein
nur innerer sein, und das Gedenken der Totalität nicht über die
Fallen des äußeren Lebens hinwegtäuschen. Der Ansatz beim
Materiellen und Äußerlichen scheint mir aus einer echten Revolu-

tionstheorie nicht zu exstirpieren; das Materielle ist nur dann nicht
ein Letztes, wenn es – zunächst einmal – als Letztes gedacht wird.
Ich bitte Sie, diese Andeutungen lediglich als dürftige Hinweise zu
nehmen, über die ich selber materialiter kaum hinaus bin ...
Ich grüße Sie als ihr sehr ergebener[8]

NB. Ich trage nur noch nach, daß mir nach Ihrem Briefe ein Zusammentreffen unserer Wege als sehr möglich erscheint.

1 Die Punkte wurden hier und im folgenden vom Original übernommen. Was sie
bedeuten, ließ sich nicht klären.
2 Gemeint ist E. B.s Aufsatz »Das Bild bedeutender Menschen und die Identität«,
in: *Der Neue Merkur*. Jg. 7, 1924, S. 926-932.
3 Theodor Wiesengrund Adorno.
4 Vgl. Brief Nr. 3, Anm. 5.
5 Emil Lask (1875-1915), vgl. Anm. 5, Brief Nr. 4 an Georg Lukács. Lukács lehnt
sich in *Geschichte und Klassenbewußtsein* zumindest terminologisch an Lask an und
zitiert verschiedentlich dessen Hauptwerke *Logik der Philosophie und Kategorien-
lehre* (1911) und *Lehre vom Urteil* (1912).
6 S. K.s Kritik richtete sich gegen den Begriff der »Gesamtpersönlichkeit« bzw.
»organischen Einheit der Person«, den Lukács an einigen Stellen seiner Kritik der
Verdinglichung zugrundelegt. Vgl. Lukács, *Werke. Frühschriften II. Geschichte und
Klassenbewußtsein*, Neuwied und Berlin: Luchterhand 1968, S. 262ff., S. 495ff.
7 Marx-Engels–Werke, Bd. 1, Berlin: Dietz 1956, S. 345.
8 Da es sich bei den Briefen S. K.s in der Regel um Durch- bzw. Abschriften handelt, fehlt ihnen zumeist die Unterschrift.

Nr. 5   Paris, Hotel du Midi,
                                               4, Avenue du parc Montsouris
                                                             6.6.[19]26
Sehr geehrter Herr Kracauer!
mit großem Anteil habe ich Ihren Brief und Ihre Zusendungen gelesen.
Völlig einheitlich geht daraus ein Begriff der »Aufrichtigkeit«[1] hervor, den ich für äußerst fruchtbar und für eine richtige Übersetzung
von Aktualität halte. Das Psychologistische, selbst noch Moralisie-
rende ist daraus entfernt, ebenso die innerweltliche Askese, die ja
auch in Lukács' Pflicht der Stunde[2] noch eine gewisse Rolle spielt.
Dagegen steckt nicht nur eine merkwürdige Allianz zum objektiv

Konkreten in diesem vordem weit subjektiveren Wort, sondern
eben auch, statt der Trauer derer, die in »Kultur« ihr Schibboleth
haben, eine höchst gemäße Gewißheit: gerade am Nichts, an der
unverstellten oder durch nichts Halbes, schön Gerundetes befrie-
digten Notdurft, an der jetzt erst aufrichtig entsprungenen Leere
den eigentlichen Ort der *substanziell* möglichen Frage, möglichen
Antwort zu haben. Sie deuten diesen Gedanken fast gleichmäßig an
Film, Revue[3], Katholikentag[4], Buber[5]; und fast scheint mir, als ob
auch Ihnen unsre, aus allen Ideologien und Mythologien einer
abgelaufenen Kultur nackt heraustretende Armut selbst das Bil-
dungsgut in seiner Blütezeit nicht zu beneiden brauchte. Ihr skiz-
zierter Geschichtsprozeß der Entmythologisierung steht mir so
nahe, daß ich ihn in den Arbeiten meiner letzten Jahre selbst, fast
mit genau den gleichen Worten, durcherfahren [habe] und weiter
aushüllen möchte: in einem Buch, das aus dem Nebel und Fern-
schein der Abstände, Ideologien, Mythologien überall das konkret
Gemeinte, seinen umkreisten Inhalt, seine aus Nichterfassung des
Erzeugers bloß ideologisch symbolisierte Materie herzeigen
möchte; und die Losung »Materialismus« auch auf seinem Titel
führen wird.[6] Vielleicht darf ich in diesem Zusammenhang an die
zwei Grundbegriffe im Kapitel von der unkonstruierbaren Frage
(»Geist der Utopie«)[7] erinnern: an das Dunkel des gelebten Augenblicks, dessen Urnähe alles bewegt und alles verbirgt, und an die
unkonstruierbare Frage, die als die Urfrage nach uns selbst länger
anhält als alle ihre auf Bildungsstoff konstruierte, das heißt, weltin-
haltlichen Lösungen von unterwegs; die unbetrüglich ist, und an
deren Substanz die Nadel der Intention nicht mehr länger fernzeigt,
sondern niederschlägt, als an ihrem Pol. Die das sich selbst in Existenz sein, das Einwirklichen der bedürftig dunklen Intention, ihres
sich allernächsten Dunkels, allein garantiert, die die Geburt der
Materie garantiert aus den durchschauten Spiegelungen, Hilfskon-
struktionen von unterwegs, aus der sowohl nach ihrer bloßen Ideologie analytisch, wie nach ihrer umkreisten Substanz intuitiv durch-
gehörten Subjekt–Objekt-Beziehung, Subjekt-Objektivierung, als
die sich der Geschichtsprozeß dialektisch darstellt.
Von hier aus erscheint auch Lukács, bei dem die Subjekt–Objekt-
Beziehung eine so große und, wie ich weiß, durchaus nicht idealistische Rolle spielt. Das ist bei ihm doch in nichts mehr die bloße

Philosophie des Selbstbewußtseins; sogar das Wort Klassenbewußtsein ließe sich hier noch eliminieren. Ich gebe zu, daß die
unglückliche Rickert[8]- oder selbst Lask-Terminologie, der Lukács
seinen philosophischen Ausdruck entnimmt, formalistisch nach-
wirkt; aber es wirken doch auch, hinter all dem idealistischen Heidelberg[9], aus dem praktisch keiner als Lukács stärker heraustrat,
materiale Tiefen, die der bloß aufgeklärt reflexive Materialismus
seiner subalternen Kritiker am allerwenigsten kritisch erreicht.
Selbst der überraschende Terminus der Reaktion (dessen Schärfe
durchaus einem kühnen Sachbewußtsein entstammen kann) dürfte
sich doch nur dann anwenden lassen, sofern man im spekulativen
Idealismus nichts als Ideologie erblickt, die, nachdem sie durchschaut wurde, nun gänzlich ins Abstrakte zurücksinkt oder vielmehr ihre Konkretheit allein daran hat, einen undurchschauten
Zustand ihrer Zeit so konkret abstrakt als möglich ausgedrückt zu
haben. Danach würden also religiös-theologische oder, bei Lukács,
idealistisch-metaphysische Formen der Totalität auf jeden Fall (und
nicht nur bei einer nicht völlig »gegenwärtigen« Erscheinung)
abstrakt bleiben müssen, auf ein überhaupt Gemeintes unbezüg-
lich; sie stellten sich nicht so sehr als übergeschichtlich, sondern als
hintergeschichtlich dar, sobald nur überhaupt noch ein Terminus
fiele, der dem religions- oder philosophie-»historischen« Erfah-
rungskreis entstammte. Eine Anschauung, die Ihnen substantiell
wohl durchaus fernliegt, wenn ich den Ausdruck von der auszurau-
benden und dann ihrem Schicksal zu überlassenden Religion in seiner ganzen Dialektik von Tradition und Aktualität nehme, so
nehme, wie er genommen sein muß. Nicht nur der revolutionäre
Impetus der Hegelschen Philosophie (Korsch: »Marxismus und
Philosophie«[10]), sondern eben auch die Sachidentität des durch
sämtliche historische Ideologien bezeichneten Gemeinten zwingt,
die goldenen Gefäße der Ägypter zu stehlen und dem Dienst des
wahren Gottes zu weihen; sonst bedürfte es ja überhaupt keiner
Geschichtsphilosophie, noch der raubenden Gelehrsamkeit der
Er-innerung auf dem Zug ins geahnt Wirkliche, in den Kern, der
sich erst bildet. Wobei mir allerdings, im Unterschied Lukács, nach
wie vor Sphären der Subjekt-Objektivierung zu bestehen scheinen,
keineswegs nur der kapitalistischen Arbeitsteilung entstammend (sie
sind ja auch viel älter); als eine gleichsam räumliche Notform des

sonst zeitlich distrahierten Prozesses. Eine politische Sphäre der Selbstergreifung des Proletariats (hier hat sich in der Tat alles, endlich, zuerst zu bewähren); eine religiöse Sphäre der Selbstergreifung des »Volk Gottes« (ich setze hier einen Ausdruck Benjamins, der in diesem schwierigen Feld wohl allseitig zunächst verbindet); eine noch fast völlig dunkle Sphäre des historisch an sich selber fast noch völlig Unvermittelten, Uneingegangenen, des schlechthinnigen Horizontproblems von »Natur« (die Herder-Hegel so frisch »vor« die Geschichte gelegt hatten, wie die ägyptische Sphinx vor das alles lösende Griechenland).[11] Vielleicht übrigens darf ich in diesem Zusammenhang auf die kurzen Schlußbemerkungen zu dem andeutenden Exzerpt aus Lukács' Buch hinweisen, das ich im Neuen Merkur (etwa Frühjahr 1925) veröffentlicht habe.[12]

Ich danke Ihnen auch für die mitgesandten Grotesken[13], deren Schnittmusterallee ja eng in die gekommene philosophische Intermittenz, in die glückliche Verabschiedung der nichts durchbohrenden Systemfassade eingebaut ist. Hätte man nur einen Namen für die neue Form, die keine mehr ist, und die vor allem die Gewalt ihres Gelingens daran hat, keine zu bleiben, dann könnte man die Intermittenz überall mit der rechten Hand leisten.

Auch dieser, leider, im schlechten Sinn formlose Brief würde dann klarer. Ich würde mich aufrichtig freuen, führte Sie ihr Weg in Bälde einmal nach Paris. Es ist mir jedenfalls jetzt schon eine tiefe Freude, einen Feind des Gemeinten verloren und einen neuen schaffenden Herd verstanden zu haben. Ich möchte mich mit Ihnen in der Aufrichtigkeit der Nähe weiter verbunden fühlen; hier ist nicht nur die bare Not, sondern auch das einzig frische Wasser, nach Abzug aller subjektfernen Genuß- oder Kontemplationskulturen. Wobei ich Ihnen selbst hinsichtlich der achten Symphonie[14] recht gebe, nur mit der Einschränkung, daß ich meine, man *dürfe* das Lied von der Erde[15] ebensowenig unrevolutionär singen, wie man die achte Symphonie nur revolutionär, als ein mystisches ça ira, singen *kann*.

Ich begrüße Sie als Ihr sehr ergebener

                                                        Ernst Bloch

1 Vgl. S. K., »Kult der Zerstreuung«, *FZ* vom 4. 3. 1926; wieder in: S. K., *Ornament*, S. 311-317.

2 Vgl. ähnlich die Kritik in E.B.s Besprechung von *Geschichte und Klassenbewußt-sein*: »Tiefer in den Grund des Fragmentarischen [von Lukács' Studien, I.M.] führt [...] eine andere Gesinnung, eine solche, die sich lange und ausschließlich dazu verpflichtet fühlte, ein kommunistischer Führer zu sein, ein Praktiker der Theorie, weniger ein Theoretiker der Praxis [...]. Dieses geschah im Sturm des unmittelbaren Wesens, als scheinbar einziger Möglichkeit, der Pflicht des Tages, der Höhe der Zeit zu genügen [...]« (GA Bd. 10, S. 617). Lukács spricht vor allem im letzten Kapitel von *Geschichte und Klassenbewußtsein* verschiedentlich vom »Gebot der Stunde« bzw. den »Entscheidungen« oder »Forderungen des Tages«. Vgl. G. Lukács, *Geschichte und Klassenbewußtsein*, a.a.O., S. 402, 504.

Die Quelle dieser im Wortlaut variierten, inhaltlich jedoch identischen Wendungen ist Goethes Spruch aus den *Wanderjahren*: »Was aber ist deine Pflicht? Die Forderung des Tages« (Goethe, *Werke* Bd. VIII, Hamburger Ausgabe, S. 283). Seitdem der Reichskanzler Heinrich von Bülow diesen Spruch in einer Rede zitiert hatte, wurde er in politischen Schriften der Zeit, so etwa auch in den politischen Aufsätzen Max Webers – auf den E.B. ja in seinem Brief an Kracauer anspielt –, immer wieder aufgegriffen.

3 Vgl. S.K., »Die Revuen«, *FZ* vom 11. 12. 1925, und »Revue Contetti«, *FZ* vom 17. 4. 1926, Stadtblatt.

4 Vgl. S.K., »Die Krise des deutschen Katholizismus«, *FZ* vom 3. 1. 1926.

5 Vgl. Brief Nr. 3, Anm. 1.

6 E.B. hat dieses Vorhaben in der hier skizzierten Form nicht ausgeführt. Aus dem »einen Buch« wurden mehrere, in denen das angedeutete, für seine Philosophie zentrale Problem Materie–Erzeugung–Symbolinhalt unter verschiedenen Gesichtspunkten aufgefächert wird. In Anbetracht der Entstehungszeit des Briefes ist, trotz des scheinbar eindeutigen Hinweises auf *Das Materialismusproblem, seine Geschichte und Substanz* (vgl. GA Bd. 7), an dieser Stelle zunächst und vor allem an *Erbschaft dieser Zeit* (GA Bd. 4) zu denken.

7 Vgl. GA Bd. 3, S. 209-287.

8 Heinrich Rickert (1863-1936), Philosoph, vgl. Anm. 8, Brief Nr. 5 an Georg Lukács.

9 Die Heidelberger Universität war vor und während des Ersten Weltkrieges Zentrum des südwestdeutschen Neukantianismus. Lukács, der sich, mit Unterbrechungen, von 1913 bis 1917 in Heidelberg aufhielt, hörte hier unter anderem bei Wilhelm Windelband, Rickert und Lask.

10 Karl Korschs (1886-1961) Studie erschien 1923, im selben Jahr wie *Geschichte und Klassenbewußtsein*. Sie gehörte zu den bedeutendsten zeitgenössischen Versuchen einer philosophischen Erneuerung des Marxismus als umfassender »Theorie der sozialen Revolution«.

11 In seinem wenig später entstandenen Aufsatz »Um den Brocken« (GA Bd. 9, S. 433-439, hier unter dem Titel »Ausgrabung des Brocken«) greift E.B. das »Horizont«- und »Zeit«-Problem der »Natur« in ähnlichen Formulierungen wie in diesem Brief wieder auf.

12 »Aktualität und Utopie. Zu Lukács' Philosophie des Marxismus«, in: *Der Neue Merkur*, Jg. 7, 1923/24, S. 457-477; wieder in: GA Bd. 10, S. 598-621. Im Schlußab-

schnitt dieses Aufsatzes merkt E.B. kritisch an, daß die »Praxis der Lukácsschen
Konkreszierung (...) dem empfindlichen, unendlich experimentellen Wesen der
Geschichte, den reichverschlungenen Tiefenbeziehungen des Wirklichkeitsprozes-
ses nicht völlig gerecht« werde. Gegen Lukács' »Neigung zur Homogeneisierung«
fordert E.B. die »Erschwerung der Totalität« durch den auch in diesem Brief an S.K.
verwendeten »Begriff der Sphäre«. Ein Begriff, der nicht nur der Arbeitsteilung
kapitalistischer Gesellschaft entspringt, sondern »ein im Prozeß selbst gesetzter
Ausdruck verschiedener Subjekt–Objekt-Niveaus ist«, »eine Folge der Mühselig-
keit der Reichsgründung, welche sich im Prozeß zeitlich, in der Sphärensetzung
gleichsam räumlich ausdrückt und verteilt« (vgl. GA Bd. 10, S. 618f.).
13 Um welche Texte S.K.s es sich handelt, ist nicht sicher zu ermitteln. Die
Bezeichnung »Groteske« läßt auf Stücke in der Art von »Das Klavier« (*FZ* vom 23. 2.
1926; wieder in: S.K., *Straßen*, S. 103-109), »Der Tanzanzug« (*FZ* vom 21. 5. 1926)
oder »Das Mittelgebirge« (*FZ* ca. 1926; wieder in: S.K., *Straßen*, S. 122-123)
schließen.
14 Die 8. Symphonie von Gustav Mahler (1860-1911), 1906/07 entstanden, mit Texten unter anderem aus der Schlußszene von Goethes *Faust, 2. Teil*. Auf welche
Bemerkung S.K.s sich E.B. bezieht, war nicht festzustellen.
15 Symphonie für Tenor- und Altstimme und Orchester (1907/08) von Mahler.

Nr. 6
Kracauer an Bloch
                                                          An Ernst Bloch
                                           Frankfurt a/M., den 29. Juni 1926
Sehr geehrter Herr Dr. Bloch,
gegen meine Absicht kann ich erst heute schreiben. Pflichtarbeit
kam dazwischen, auch eine kürzere Reise, u.s.w. Ihre Interpretation meines Begriffes der Aktualität entspricht durchaus meinen
Intentionen. Auch darin stimme ich, wie Sie es selber schreiben, mit
Ihnen überein, daß mir keine Kultur, keine geschlossene Lebensform neidenswert erscheint. Je durchlöcherter die Lebensformen
sind, desto mehr mögen die wahren Verhältnisse hindurch leuchten. Ich bin im letzten Anarchist, freilich skeptisch genug, um den
faktischen Anarchismus auch für eine Verstellung des Gemeinten
zu halten. Was heute unter dem Wort »Gemeinschaft« verstanden
und ersehnt wird, ist bare Mythologie, die glaubt, unter Einschluß
der Natur den consensus erreichen zu können und an der Gestalt ihr
Idol hat. Der Begriff der Gemeinschaft ist von dem Gegenbegriff
der »Gesellschaft« her konstruiert, der zwar die natürlichen Bindungen der Gemeinschaft auflöst, aber nicht den realen Menschen
einsetzt, sondern den verdinglichten.[1] Der Traum, die äußerste

Bestimmung des echten Anarchismus ist der: »Verein freier Menschen« (Marx).[2] Belastet man diese Worte so schwer, wie sie es verdienen, so hat man an ihnen eine Norm, von der aus die Begriffe der
Gemeinschaft und der Gesellschaft der Kritik unterliegen. Weder
die kulturelle, gewachsene Einheit noch die gesellschaftliche Organisation kann von dieser Norm her zu ertragen sein. Je mehr Löcher
und Spalten, desto unverstellter ist der Blick. Die Frage ist nur, ob
und wie die Annäherung an die von dem Anarchismus gemeinte
Realität möglich sei. Hier erfüllt mich, gerade weil ich glaube, ein
Unglaube, dem Kafkas gleich, und mir scheint, als ob die Wahrheit
in ihrer Realität immer genau an der Stelle läge, über die wir gerade
geschritten sind (freilich auch an der kommenden). Ich weiß sehr
wohl die Bedeutung der Hinweise zu würdigen, die Sie auf das
Kapitel von der unkonstruierbaren Frage machen. Auch der
Schlußbemerkungen Ihrer Lukács-Kritik, die mir seinerzeit durchaus einleuchtete, erinnere ich mich noch. Verstehe ich Ihre Absicht
recht – auch die Absichten, die Sie mit Ihrem in Arbeit befindlichen
Buche verknüpfen –, so haben Sie bei der Durchdringung der vorhandenen Intentionen und Ideologien sowohl das Ziel des Ent-
schleierns wie das des Bewahrens. Entschleiern wollen Sie das oft in
mythologische Hüllen gekleidete Gedankengebilde und das im
Konkreten geborgene Erlebnis, indem Sie die Bedingtheiten des
Gegebenen darstellen und das Noch-Nicht-am-Ziele-Sein. Bewahren wollen Sie das Gegebene, indem Sie es als jeweils gültige
Ahnung des Gemeinten in den Prozeß einstellen und uns, die wir
reiner schon vielleicht auf ein Ende schauen, mit den vielen Formen
des Gewesenen und Seienden verbinden, indem Sie das Gewesene
und Seiende auch zu unserem Teile machen, an dem wir nicht vorüber können, den wir mit uns nehmen, mit uns verwandeln müssen,
der Erlösung wegen. Gerade das Entschleiern und Bewahren
zusammen erscheint auch mir als das von einem letzten Aspekt aus
Geforderte, und als das große Motiv dieser Art von Geschichts-
Philosophie würde ich das Postulat ansprechen, daß nichts je vergessen werden darf und nichts, was unvergessen ist, ungewandelt
bleiben darf. Das Motiv der Verwandlung spielt für mich eine entscheidende Rolle. Als besonders wesentlich erachte ich es, daß Sie
die »Natur«, die noch kaum je bewußt und von einem rechten
Materialismus aus durchdrungen worden ist, abzuheben und der

Analyse zu unterwerfen beabsichtigen. Über den Lukács vermag
ich mich noch nicht mit Ihnen zu einigen. Zunächst ganz äußerlich:
Sie erwähnen Korsch in einem positiven Sinne. Ich habe mich im
Januar mit ihm im Reichstag über »L« unterhalten. Er hat meine
Argumente gegen L[ukács] sämtlich gebilligt und erklärt, daß er nur
aus, freilich sehr gewichtigen, taktischen Gründen, zu schweigen
beabsichtigt, was ich, zunächst, auch für das Richtige halte. Vor
allem wird abzuwarten sein, was Lukács in seiner neuen, noch nicht
erschienenen Schrift gegen seine Widersacher zu Felde führt.[3] In
einem bejahe ich, – verzeihen Sie, daß ich noch einmal auf L[ukács]
ausführlicher zurückkomme, – die Methode L[ukác]s' durchaus.
Ich bejahe sein Anknüpfen an unsere faktisch gegebene, geistige
Situation. Er entspricht darin den Anforderungen der realen Dialektik, daß er den Idealismus selber aufgreift und au fond keine
andere Terminologie einläßt als die idealistische und in bescheide-
nem Maße die materialistische. Die Verbannung des theologischen
Vokabulars ist bei ihm gewiß sehr tief gemeint. Sind die Sachge-
halte, auf die das theologische Denken hinzielt, in seinem Werke
vorhanden, so müssen sie sich unserer geschichtsphilosophischen
Situation entsprechend ohne jenes mythologische Vakabularium
darstellen können. Die Frage ist nur, ob sie es tun. Ich kann, anders
als Sie, diese Frage doch nur in sehr eingeschränktem Maße bejahen.
L[ukács] verdeckt durch seine Rezeption Hegels die eigentliche
Quelle der Grundbegriffe Marxens in verhängnisvoller Weise.
Marx kommt, viel entscheidender als L[ukács] darlegt und vielleicht
weiß, von der französischen Aufklärung des 18. Jahrhunderts her,
und zwar von jenem Zweig der Aufklärung, der auf Locke[4] zurück-
geht und durch die Namen Helvetius[5] und Hollbach[6] [sic!] repräsentiert wird.[7] Das will heißen: entscheidende Kategorien des Marxismus, wie etwa sein Begriff des »Menschen« oder der »Moral«,
sind überhaupt nur zu verstehen, wenn man gleichsam einen Tun-
nel unter dem Bergmassiv Hegel von Marx bis etwa zu Helvetius
hin gräbt. (Kant hat die bei Marx rezipierten Begriffe in noch viel
größerer Distinktheit, als sie bei Hegel sich finden.) Dieser historische Hinweis erfolgt keineswegs aus bloß historischem Interesse,
sondern in der Meinung, daß dort, wo die Hauptbegriffe der Revo-
lutions-Theorien Marxens in ihrem Ursprung zu finden sind, der
eigentliche Sinn dieser Begriffe sich ergibt, ein Sinn, der sehr

abweicht von dem ihnen von Hegel erteilten. Hätte L[ukács] klarer gesehen, so wäre es ihm nicht möglich gewesen in dem Schluß-Kapitel seines Buches, das von der Organisation handelt[8], einen schlechten Begriff der Persönlichkeit einzuführen; er hätte dann auch keineswegs so über den Materialismus hinweggesprochen, der bei Marx selber zuerst unter dem Namen des »realen Humanismus«[9] auftritt. Ich halte es für etwas, das gegen L[ukács] spricht, wenn man, wie Sie sagen, bei ihm den Begriff des »Klassenbewußtseins« fast eliminieren kann. Das bewiese doch nur, daß er tatsächlich in den Idealismus hineingeraten ist, den er hätte »entschleiern und bewahren« sollen. Denn freilich, auch ich glaube ja gewiß nicht, daß Hegel und mit ihm der spekulative Idealismus verworfen sei. Aber er ist es nur dann nicht, wenn man seine Naivität enthüllt und ihn auf der Basis des richtigen Materialismus transformiert. Das hat Lukács leider nicht getan, oder er hat es doch nur ungenügend getan. Statt eine Hegelkritik zu geben, die übrigens Marx bereits explizit geleistet hat, hat er dem von ihm uninterpretierten, unverstandenen Materialismus dem uninterpretierten Hegel unverständig eingeflößt. Ich möchte wirklich wissen, wo nach Ihrer Überzeugung die materialen Intentionen L[ukác]s' zu placieren wären. Es bleibt ja kein Raum in den Gängen dieser formalen Dialektik, die so glatt zur leeren Totalität fortschreitet. Manchen Satz von Marx könnte ich Ihnen nennen, der dieser Dialektik das Urteil spricht. Sie bedeutet einen Rückschritt gegenüber Marx. Darum auch habe ich sie als reaktionär bezeichnet. Der Weg heute geht nur durch den planen Materialismus hindurch, nicht über ihn hinweg. L[ukács] ist in einiger Hinsicht, selbstverständlich viel feiner und tiefer, ein Bruno Bauer redivivus.[10] Allein die Tatsache seiner Umkehr, die Tatsache, daß der Verfasser der Romantheorie[11] einige Jahre später »Geschichte und Klassenbewußtsein« geschrieben hat, wäre zu interpretieren, aber das hieße transzendente Kritik treiben. Glauben Sie übrigens nicht, daß ich die Bedeutung des Buches verkenne, zumal das Kapitel über die Verdinglichung[12] enthält unerhörte Stellen.

Ich danke Ihnen für die freundliche Aufnahme, die Sie meinen Grotesken gewährt haben. Eine kleine Folge von Geschichten gehört zu meinen kommenden Arbeiten.[13] Im September will ich nach Paris kommen. Werden Sie dort sein? Es würde mich sehr freuen, Sie

dort zu treffen und auf einem glücklich veränderten Grund nun
mich mit Ihnen zu begegnen. Auch mir ist, wie Ihnen, unsere jetzige Annäherung eine Genugtuung außerordentlicher Art.
Um Ihnen gerade noch etwas über eine geplante Arbeit von mir zu
sagen: ich beabsichtige ungefähr in einem halben Jahre eine kleine
Abhandlung über den Begriff des Menschen bei Marx zu schreiben.[14] Hoffentlich höre ich bald wieder von Ihnen.
Mit freundlichen Grüßen
Ihr sehr ergebener

1 S. K. zitiert mit diesem Begriffspaar das in der zeitgenössischen Soziologie außerordentlich einflußreiche Werk von Ferdinand Tönnies (1855-1936).: *Gemeinschaft
und Gesellschaft* (1887).
2 Marx-Engels–*Werke*, Bd. 23, Berlin 1962, S. 92.
3 Lukács nahm in seiner 1926 veröffentlichten Untersuchung »Moses Hess und die
Probleme der idealistischen Dialektik« nicht direkt zu den Vorwürfen seiner Kritiker Stellung. Er hat später, 1933/34 in der Sowjetunion, *Geschichte und Klassenbewußtsein* offiziell widerrufen.
4 Der englische Philosoph John Locke (1632-1704) war der bedeutendste Exponent
des Empirismus des 17. Jahrhunderts. Sein *Essay concerning human understanding*
(1690) bildet das Fundament der Erkenntniskritik der Aufklärung.
5 Claude Adrien Helvétius (1715-1771), französischer Aufklärungsphilosoph. Sein
Hauptwerk, *De l'esprit* (1758), formuliert eine praktische Philosophie auf radikal
sensualistischer Grundlage.
6 Paul Henri Thiry d'Holbach (1723-1789) war, wie Helvétius, ein Vertreter des
materialistischen Zweigs der französischen Aufklärung, dessen Grundgedanken er
zusammenfaßte und systematisierte (*Système de la nature ou des lois du monde physi-
que et du monde moral*, 1770).
7 S. K. faßt hier sehr knapp zusammen, was Marx selbst zur Tradition des Materialismus in der *Heiligen Familie* ausführt (vgl. Marx-Engels–*Werke*, Bd. 2, Berlin
1957, bes. S. 131-142).
8 »Methodisches zur Organisationsfrage«, in: Lukács, *Geschichte und Klassenbewußtsein*, a. a. O., S. 471-517.
9 Marx-Engels–*Werke*, Bd. 2, a. a. O., S. 7.
10 Bruno Bauer (1809-1892), Philosoph und Theologe, Junghegelianer. In der *Heiligen Familie* (der Titel der Schrift ist eine ironische Bezeichnung für die Mitarbeiter
der von Bauer herausgegebenen *Allgemeinen Literaturzeitung*) und der *Deutschen
Ideologie* entwickeln Marx und Engels Grundgedanken ihrer materialistischen
Gesellschaftstheorie in zum Teil polemischer Auseinandersetzung mit dem »spekulativen Idealismus« und »Spiritismus« Bauers und anderer Junghegelianer. *Redivivus:* lat. wiedergekehrt.
11 Die *Theorie des Romans* (1916/20) ist die letzte Schrift aus der vormarxistischen
Phase von Lukács. S. K. hatte sie außerordentlich positiv rezensiert. Vgl. »Georg

von Lukács' Romantheorie«, in: *Neue Blätter für Kunst und Literatur*, Jg. 4, 1921/
22, S. 1-5.
12 »Die Verdinglichung und das Bewußtsein des Proletariats«, in: Lukács,
Geschichte und Klassenbewußtsein, a. a. O., S. 257-397.
13 S. K. hat diese Vorhaben nicht ausgeführt; er schrieb zwar eine Vielzahl einzelner
Kurzprosastücke, Städtebilder und ähnliches, doch keine zusammenhängende
»Folge von Geschichten«.
14 Diese Abhandlung ist nicht erhalten. Ob sie überhaupt aus- bzw. zu Ende
geführt wurde, ist ungewiß.

Nr. 7   z. Zt. *Ragusa*, Hotel Laped
                                              28. Sept[ember] [19]27

Lieber Herr Kracauer!
verzeihen Sie, daß ich so spät antworte. Aber ich habe Ihre Sendung
hier erst so spät bekommen, daß es keinen Sinn mehr gehabt hätte,
sie nach Marseille zu schicken.[1]
Sie geht Ihnen nun nach Frankfurt zu. Ich fand vieles in Ihrem Aufsatz[2] ganz außerordentlich; scharf, hart, eine echte Frucht, oft
höchst paradoxes Spalierobst aus unserem Hohlraum, S. 28 konnte
ich eine kleine Randbemerkung nicht unterdrücken, freilich. Macht
man die Intention aufs »Monogramm«[3] nicht ganz tief, so wird es
bestenfalls heroisch-typisch, aber nicht »kollektiv«. Vieles ist
unheimlich darin, so der Passus über die Todesfurcht in der Photo-
graphierlust.[4] Mehr als je kam in mir der Wunsch, dies alles im
Zusammenhang seiner Zusammenhangslosigkeit einmal zu lesen.
Es wird ein einzigartiges Ornament der Zerstreuung sein, wie sie ist
und nicht ist. Sie müssen diese Aufsätze sammeln; nach dem intellektuellen das metaphysische Schwejk-Buch.[5]
Sie müssen ja eine gute Reise hinter sich haben. Waren Sie in den
Pyrenäen? In Berlin bin ich Dezember wohl kaum (aber man kann
nicht wissen). Jetzt gehe ich jedenfalls nach *Salzburg* und will dort
vieles Begonnene und Fertiggestellte abschließen und im Buch hinter mich, über mich bringen.[6] Eine kleine Sache schicke ich hier mit:
»Konnersreuth in der Presse«[7]. Sein Abdruck in der Fr[ank]f[ur]-
t[e]r Z[ei]t[un]g würde mich sehr freuen. Da es aktuell ist[8], könnte
es ja sogar bald kommen. Gestatten Sie mir einigen anderen Einwänden zuvorzukommen (durch Ihre Möglichkeit, Wirklichkeit in
der Zeitung belehrt). Ist der Schluß schwer, so ist er nicht schwerer

als viele Ihrer Setzungen. Ist er aus einem nicht sichtbaren Hintergrund hervorgetreten, so sind das die Leser bei Ihnen sehr eindringlich gewöhnt. Hat das ganze eine nicht-bürgerliche Tendenz, so ist umgekehrt die Schwerverständlichkeit, das »hohe Niveau« wieder ein Schutz dagegen, auch die gelehrt »betrachtende« Sprache. Ich bitte Sie jedenfalls sehr gerne, sich für die Veröffentlichung einzusetzen, wenn es schwierig sein sollte. Die Verwandtschaft unseres Standorts geht genügend aus dem Aufsatz hervor; wenigstens bis auf den letzten Abschnitt.

Eine Frage wäre noch die Vorbemerkung der Redaktion, die ja nach allem nötig ist.[9] Ganz schamlos bringe ich selbst einen Vorschlag. Etwa derart: »Wir bringen gerne nachfolgende Betrachtung des – Philosophen, die Konnersreuth von einer ganz andren Seite zum Problem stellt (ohne uns mit ihr inhaltlich ganz identifizieren zu wollen).« Den Relativsatz kann man ja auch anders fassen; aber den Hauptsatz müssen Sie einem gekränkten Mann zugute halten, der gerne rehabiliert wird. Über die Ausfüllung des Gedankenstrichs vor »Philosophen« habe ich nichts zu sagen: aber ich bitte Sie hier jedenfalls um einen Vorschlag. Ebenso brauche ich, da ich Ihnen leider kein Maschinen-Manuskript schicken kann, notwendig eine Korrektur (immer vorausgesetzt, daß Sie sie verantworten wollen). In dieser könnte ja auch die redaktionelle Vorbemerkung schon sichtbar sein.

Meine Adresse: *Salzburg, poste restante.*

Dies wären so meine größeren Wünsche und kleineren Vorschläge. Ob ja, ob nein: zwischen uns trübt sich meinerseits nichts mehr. Aber ein Ja würde mich sehr freuen.

Herzlichst Ihnen und der schönen, wahren Lili Ehrenreich[10]!

Ihr Ernst Bloch

1 S. K. war im August/September 1927 in Frankreich gereist.
2 »Die Photographie«, *FZ* vom 28. 10. 1927; wieder in: S. K., *Ornament*, S. 21-39. E. B. las diesen Aufsatz im Manuskript.
3 A. a. O., S. 26. Die von E. B. angegebene Seitenzahl bezieht sich auf die Paginierung des Manuskripts.
4 Vgl. a. a. O., S. 35.
5 Das »intellektuelle Schwejk-Buch« ist *Ginster*, den E. B. hier mit dem Roman *Die Abenteuer des braven Soldaten Schwejk während des Ersten Weltkrieges* (1921-1923) des tschechischen Schriftstellers Jaroslav Hašek (1883-1923) vergleicht.

6 E.B. arbeitete an den *Spuren* (GA Bd. 1).
7 »Konnersreuth in der Presse« erschien nicht in der *FZ*, sondern in der *Weltbühne*,
1927, 2. Hbj., S. 825-829.
8 Aktueller Anlaß des Aufsatzes war der Fall des stigmatisierten Bauernmädchens
Therese Neumann, der in der zeitgenössischen Presse einiges Aufsehen erregte.
9 Nach der Kritik, die er mit seinen ersten Büchern im Feuilleton der *FZ* erfahren
hatte, wollte E.B. seine Mitarbeit an der Zeitung – die mit »Konnersreuth in der
Presse« beginnen sollte – durch eine redaktionelle Vorbemerkung erklärt sehen.
10 Elisabeth (Lili) Ehrenreich (1893-1971), S.K.s Freundin und spätere Frau.

Nr. 8   Berlin W, Landshuterstr. 25
                                                         3. 1. [19]28

Mein lieber Freund! einen Händedruck Ihnen und Lili zum neuen
Jahr und zur alten Verbundenheit. Aber *wie* ist mir der »Ginster« in
der ersten Januarhälfte recht![1] Vielleicht gehe ich um diese Zeit nach
Dessau, eine Freundin zu begleiten, die dort am Bauhaus studiert.[2]
Aber es wird mir alles nachgeschickt oder noch besser: *gehe ich hin*,
so schreibe ich Ihnen gleich meine neue Adresse. Schreibe ich nicht,
so bleibt die alte. Benjamin ist übrigens von Ihrem »Ginster« sehr
enthusiasmiert.
Hier schicke ich Ihnen eine Kleinigkeit, welche ich aus Freundschaft für Klemperer[3] wieder für die Blätter der Staatsoper geschrieben habe, zu seinem »Don Giovanni«, der ungefähr am 19. ds. [die-
ses Monats] steigt.[4] Um diese Zeit herum soll die Sache auch in der
Voss[ischen Zeitung] erscheinen.[5] Könnte sie *gleichzeitig* (also weit
von jedem möglichen Nachdruck entfernt) auch in der Frankfurti-
schen herauskommen?[6] Bitte schreiben Sie mir gleich darüber.
Sachlich sage ich: im größeren Rahmen würde vieles deutlicher werden. Es ist ja nicht alles »Revolution«, was beißt oder selbst brennt.
Zwischen Münzer und Stirner[7] sind Unterschiede, von Marx und
Stirner zu schweigen. Was tragisch »gleich« ist, ist revolutionär
nicht gleich. Dennoch ist Don Giovanni revolutionär, in einem
Zusammenhang, den ich hier nicht ausführen konnte, auch nicht
auszuführen brauchte. Ich bitte mir den Zusammenhang vorerst zu
glauben.
Stets herzlich Ihnen und Lili Ihr Bloch
oder schreiben wir, wie ich es Ihnen gegenüber fühle: Ernst

In der letzten Weltbühne (3. Januar) steht in den »Bemerkungen« eine kleine verärgerte Kanonade aus »meiner Feder«: *Berlin nach zwei Jahren.*[8]

1 E. B. las den *Ginster* im Manuskript; vgl. auch die folgenden Briefe.
2 Karola Piotrkowska (Bloch), die E. B. 1927 kennengelernt hatte. Karola war kurze Zeit in Dessau, um sich über das Bauhaus zu informieren, entschloß sich dann aber doch, an der Technischen Hochschule Berlin zu studieren.
3 Der Dirigent Otto Klemperer (1885-1973), ein enger Freund E. B.s, leitete von 1927-1931 die Krolloper (wie die Staatsoper am Platz der Republik inoffiziell hieß). Vgl. die Briefe E. B.s an ihn in diesem Band.
4 E. B.s Besprechung von Klemperers »Don-Giovanni«-Inszenierung, die am 11. 1. 1928 Premiere hatte, erschien unter anderem im Januarheft der *Blätter der Staatsoper* (vgl. auch GA Bd. 5, S. 1180-1188: »Don Giovanni, alle Frauen und die Hochzeit«). Zuvor hatte E. B. schon über Klemperers »Fidelio« geschrieben. (»Zu Fidelio«, in: *Blätter der Staatsoper*, November 1927; unter dem Titel »Marseillaise und Augenblick in ›Fidelio‹« wieder in: GA Bd. 5, S. 1295-1297).
5 Die *Vossische Zeitung* veröffentlichte E. B.s »Don-Giovanni«-Aufsatz in ihrer Ausgabe vom 14. 1. 1928.
6 Die *FZ* hat den Aufsatz nicht publiziert; Klemperers »Don Giovanni« wurde von einem anderen Kritiker besprochen (vgl. Hermann Springer, »Oper in Berlin«, *FZ* vom 16. 1. 1928).
7 Max Stirner, eigentlich Johann Kaspar Schmidt (1806-1856), Philosoph im Umkreis des Junghegelianismus; Verfasser der Schrift *Der Einzige und sein Eigentum* (1845), die eine Ethik des radikalen Egoismus propagiert.
8 Vgl. *Die Weltbühne*, 1928, 1. Hbj., S. 32-33. Die »Kanonade« richtete sich gegen Berlins prätentiöse Modernität und scheinbar stabilisierte Sachlichkeit.

Nr. 9
Kracauer an Bloch

[Frankfurt am Main]
[Anfang Januar 1928]

Mein lieber Freund Ernst, ich bin sehr glücklich, daß Sie mir Ihren Vornamen anvertrauen. Schon längst hätte ich Ihnen gerne den meinen übergeben, aber ich besitze keinen mehr. Der offizielle »Siegfried« scheidet von vornherein aus, und der private »Friedel« ist von früher her – ich muß Ihnen das einmal mündlich erzählen – mit einer Reihe so unangenehmer Assoziationen belastet, daß ich mich nicht unter ihm fassen kann. Die Menschen, die ihn noch gebrauchen, ragen aus der Vergangenheit mehr oder weniger in die Gegenwart hinein. Lili hat zu Friedel nie eine Beziehung gehabt, sondern für ihn einen Katalog von Namen erfunden, die freilich patentrechtlich geschützt sind. Bitte, sagen Sie Krac zu mir. Es ist das der Eigenname, den die paar mir heute nahe stehenden Menschen verwenden, ich fühle mich bei ihm wohl und möchte mich gerne von Ihnen so genannt hören. Übrigens habe ich in meiner Pedanterie den Helden des Romans aus der Abneigung gegen meinen Vornamen heraus auf die Formel Ginster gebracht. Herzlichst

Nr. 10
Kracauer an Bloch

Frankfurt, den 5. Januar [1928][1]

Lieber Freund,
Ich habe eben die 7 fertig gestellten Kapitel meines »Ginster« als Drucksache, eingeschrieben, durch Eilboten an Sie abgeschickt. Bitte, bestätigen Sie mir den Empfang, ich bin in diesem Punkt leider etwas hysterisch. Und bitte, lesen Sie doch das Manuskript möglichst rasch, und seien Sie weiterhin so lieb und schicken Sie es mir zwischen zwei Kartons ungeknickt ebenfalls eingeschrieben per Eilboten wieder an die Zeitung zu (Die Häufung der Sondervermerke und roten Striche auf dem Kuvert beeinflußt die Post). Damit Sie wissen, wie der Roman weitergeht: es folgen die zwei Kapitel Militär mit der Drückebergerei; dann ein Kapitel Osnabrück mit dem Ausbruch der Revolution, die Ginster übrigens genau so unverständlich ist wie der Krieg; dann das Schlußkapitel, 6 Jahre später in Marseille nach beendeter Inflation. Hier, in Marseille, fühlt sich Ginster des internationalen Drecks und der Bahnhofshaftigkeit wegen wohl, die ihm als das einzig Positive erscheint; er ist eben ein lautloser Anarchist. Hier trifft er auch Frau van C., die von ihrem Mann geschieden und ganz rabiat geworden ist (Modell: die mir gut bekannte geschiedene Frau des Ministers Van der Velde). Er liebt sie auf seine Art und sie ihn. Beide wissen, daß die Sache erst jetzt richtig losgeht. Als einziges Revolutionserlebnis erzählt Ginster ihr von seinem Besuch bei einem Mädchen in einem Kölner Bordell, wo er zum ersten Mal den Tod erfuhr. Dieses ganze genau ausgedachte Schlußkapitel soll hell, leicht und schrecklich

strahlen. Kein Pazifismus, kein Kommunismus, sondern die gestaltete Apologie der dissoziierten Welt im Bewußtsein des Tods. So
ungefähr.

Nun zu Ihnen: Ihr Berlin-Artikel[2] – ich las ihn eben in dem uns
zugesandten Bürstenabzug der Weltbühne [–] ist glänzend und so
richtig; er entspricht übrigens den von mir vor 2 Jahren geschriebe-
nen Berliner Aufsätzen[3] haarscharf. Schade, daß in der salonradika-
len Weltbühnenumgebung solche Äußerungen sofort entgiftet werden. Ich habe mich trotz der Aufforderung Tucholskys[4] bisher
immer noch von diesem Podium zurückgehalten; aber schließlich
haben wir ja überhaupt keines. Über den Don Giovanni-Aufsatz
kann ich Ihnen erst schreiben, wenn der kranke Herr Reifenberg[5]
wieder im Büro ist. Ich weiß nicht, wie wir es mit gleichzeitigen
Veröffentlichungen halten, vor allem, wenn die »Voss«[ische Zei-
tung] in Frage kommt. Ob es gehen wird? Ich bin skeptisch.[6]

1 Das Original trägt das Datum »5. Januar 1927«. Der Inhalt des Briefes und sein
Zusammenhang mit den vorangehenden und folgenden lassen jedoch keinen Zweifel, daß es so, wie hier korrigiert, lauten muß.
2 »Berlin nach zwei Jahren.« Siehe Brief Nr. 9, Anm. 8.
3 Vgl. etwa S. K.s Aufsätze »Berlin«, *FZ* vom 2. 1. 1926; »Kalikowelt«, *FZ* vom 28.
1. 1926; wieder in: S. K., *Ornament*, S. 271-278, und »Kult der Zerstreuung«, *FZ*
vom 4. 3. 1926; wieder in: S. K., *Ornament*, S. 311-317.
4 Der Schriftsteller und Kritiker Kurt Tucholsky (1890-1935) war regelmäßiger
Mitarbeiter und, 1926/27, auch kurzfristig Herausgeber der *Weltbühne*. Er hatte
S. K. in einem Brief vom 4. 3. 1927 (Kracauer-Nachlaß, Deutsches Literaturarchiv)
um Beiträge für die Zeitschrift gebeten.
5 Benno Reifenberg (1892-1970) leitete von 1924 bis 1930 das Feuilleton der *FZ*.
6 Die erhaltene Abschrift dieses Briefes bricht hier ab.

Nr. 11

                                                    Berlin, 15. 1. [19]28
Lieber Freund Krac,
wie ich Ihnen schon schrieb[1]: eine spannendere Entspanntheit habe
ich noch nicht gelesen. Der unbeteiligte Held, den nichts angeht,
der alles jetzt Geschehende dadurch zugleich, ganz ohne Pathos,
entwertet. Trotz Schwejk (der immer kurios bleibt, auch ein Bauer
ist, also exul *jeder* Stadt- und Weltgeschichte) ist der Typ neu.
Höchstens vom Film gehen gewisse Züge herüber, von Chaplin und

Buster Keaton; statt schlagender Türen sind es Schlachten geworden oder ihr häuslicher Windzug.

Reich, in vielen Winkeln noch eine Landschaft öffnend, liest man
weiter, reich an Situationen, die für sich selbst sprechen, in ihrer
immanenten Dummheit. Seltsam wirkt dabei die angehaltene
Langeweile des Aspekts; sie vergrößert sowohl verblüffend, als sie
macht das Trostlose irgendwie heiter, als vor allem: sie ist das
Erkenntnisinstrument des Wahren, Konkreten, wirklich damals
Geschehenden. Einige Einwände habe ich hier freilich, einzelnen
Partien, vor allem Otto und dem autobiographisch *Erinnernden* des
Buchs gegenüber. Hier scheint mir einiges aus der Perspektive Ginsters gar nicht so sichtbar zu sein, wie es dennoch dargestellt ist. Es
ist Hinzuerzähltes daran; die vom Beginn der zweiten Kapitels an
nachgeholten Erinnerungen haben Ginster gewiß gebildet, aber es
ist mir an ihnen nicht so klar wie am übrigen, daß er sie auch so
erfahren hat. Sie besitzen zudem im Ton eine gewisse autobiographische *Wichtigkeit*, die Ginster gar nicht liegt. Bin ich schon mal
im Negativen, so ergänze ich: auch die Sanitäterszenen[2] scheinen
mir zum Teil bloß erzählter Stoff zu sein, haben auch etwas konven-
tionellen Humor, nicht den komischen Schein des subjekt-objekt-
haften [Zufalls?], in dem das Hauptbuch steht. Doch das sind kleine
Ausstellungen; gleich darauf steigt der dichterische Blick aus der
Person Ginsters her wieder hoch, zeugt solch großartige Dinge wie
das Hinterzimmer des Architekten[3], überhaupt stets wieder eine
Räumigkeit des Winzigen, ein Leben der toten Dinge und eine ausgleichende Öde des Lebendigen, daß man immer wieder weiß, in
welcher Merkwelt man ist. In welch müde wahrer, flach verzwick-
ter, hohlräumig ineinander gestopfter.

Hundert Stellen wollte ich anmerken, die mir Eindruck machten
und die ich behalten will. Mein Respekt vor dieser Sprache, diesem
schnöden Strömen, diesen bedenkenlos exakten Anakoluthen bloßer Assoziation! Etwa S. 115 [106][4], wo plötzlich die Pflanzen Dr.
Hays auf den Friedhof, das heißt, das Projekt kommen und wieder
verschwinden, weil Ginster froh ist, keine Pflanze zu sein (obwohl
er doch eigentlich eine ist). Auch das Durcheinander von Frost-
schauer, das Wesen, die großen Augen, noch nicht geheizt (S. 128
unten [119] bei Schelers Vortrag). Saloppe Ausdrücke, wunderlich
behalten: »daß er kein Auftreten habe« (S. 6 [12]). Und nun gar

diese Traumschicht eines mystischen Dalberns (S. 6[13]): Geräusch
der Menge, »klein wie der Mond, der groß ist. Ginster blieb. Sein
Nachthemd hatte einen Riß.« S. 7 [13]: auf die gemalten Wiesen
paßte er selber; S. 22 [26] das mit den Tanzenden; S. 38 [38] Landschaften im Speisewagen (hier und oft kommen Benjaminesken aus
Mosaik im Traumfluß), S. 41 [40] Getreide und Volkslieder, S. 43
[41]: »die Häuserfront leuchtete unbeteiligt«, S. 43 [42] der verblüf-
fende Übergang zur »Heimat« (Ankunft), S. 53 [51] die Eltern-
paare, S. 87 [81] der Satz: »Es war früher auch nichts gewesen«, so
isoliert und dumpf genau, S. 88 [81]: »das ganze Heer war sein
Feind«, S. 90 unten [84] das schöne Mädchen (riskant und gelungen), S. 91 [84] das Papier als gesunder Körperteil, S. 110[102f.] das
mit den Gräbern und ihrer Aussicht (hier wie auch sonst oft der
Swiftsche[5] Witz, echt grausig, das ist, als Witz unreflektiert, gesagt
nicht nur, als wäre es so, sondern als müßte es so sein). S. 114: welch
ein Satz diese Schraube! – S. 136 genügend irrational, S. 143 diese
Reihe seltsamer Sätze, S. 144 die Bilder, S. 148 wohl nie geschrie-
bene Beobachtungen, S. 157 [143] der Abendfrieden auch am Tag.
Völlig evident, Ginster in Marseille zu »beschließen«; an dieser
Peripherie der Zeit erkennt man durch Ginster ihr Zentrum. Auch
riecht man (was dem Roman das letzte Schreckliche nimmt) an der
Himmelsschlüsselblume der Verkommenheit. –
Ich danke Ihnen von Herzen, lieber, echter Krac, daß Sie mir das
Bisherige zugeschickt haben. Und wie fabelhaft fortlaufend haben
Sie dran gearbeitet! Man erkennt das; es sind keine andren Löcher
drin als die der Sache selbst. Darf ich das Manuskript der Franziska
Herzfeld[6] zeigen, die sich sehr dafür interessiert? Mein Glück-
wunsch zu diesem breiten Gelingen!

Ich drücke ihnen und Lili die Hand!

Ihr Ernst

P. S. Herr Reifenbergs Brief, auf den ich mich freue, ist noch nicht
gekommen.

---

1 Ein früherer Brief E. B.s zum *Ginster* ist nicht erhalten.
2 Vgl. S. K., *Schriften 7*, Frankfurt/M. 1973, S. 54 ff. S. K. hat die Szenen für die
Buchausgabe noch geändert (siehe Brief Nr. 12).

3 Vgl. a. a. O., S. 61 ff.
4 E. B. hat die von ihm hervorgehobenen Stellen nach der Paginierung des (verlorenen) Romanmanuskripts gekennzeichnet; die entsprechenden Seitenzahlen der
Schriften-Ausgabe wurden, sofern möglich, in eckigen Klammern hinzugefügt.
5 Jonathan Swift (1667-1745), englischer Schriftsteller, Verfasser des berühmten
satirischen Romans *Gulliver's Travels* (1726).
6 Eine gemeinsame Freundin von E. B. und S. K. Frau Herzfeld hatte Literaturwissenschaft und Philosophie studiert, über Husserl promoviert und publizierte philosophische Aufsätze.

Nr. 12
Kracauer an Bloch
                                                    Frankfurt, den 17. Januar [1928][1]
Lieber Ernst,
ich danke Ihnen sehr herzlich für Ihren Brief, die Zustimmung zu
Ginster, die fabelhafte Analyse. Sie ist von einer unerhörten Hell-
sichtigkeit und sagt Dinge aus, die ich kaum im Stillen gedacht habe.
Ein Beweis für viele: Sie sprechen von der Pflanzenhaftigkeit Ginsters. Ich habe die Absicht, den Helden im vorletzten Osnabrücker
Kapitel auf blühenden Ginster stoßen zu lassen und ihm etwa den
Ausspruch in den Mund zu legen, daß er selber gern an Bahndäm-
men geblüht hätte.[2] Was sie über die Art der Langeweile sagen, wie
sie mir den Marseiller Schluß vorausdeuten: das ist mir so, als habe
es mein Doppelgänger gesagt. Sie haben sich meine Lieblingssätze
und -worte herausgefischt, Sie haben mir auch und gerade mit Ihren
Einwänden die Arbeit erst richtig transparent gemacht. Zu diesen
Einwänden: die Sanitäterszenen stehen in Einzelheiten schon auf
dem Änderungsprogramm, ich bin vollkommen Ihrer Ansicht, daß
in ihnen manches nicht auf der Höhe steht. Wie dankbar bin ich
Ihnen für Ihren Hinweis auf die zu große autobiographische Wichtigkeit der Erinnerungen im zweiten Kapitel. Ich will es demgemäß
retuschieren – es ist überhaupt am meisten änderungsbedürftig –,
muß es aber so, wie es ist, im großen und ganzen beibehalten. Aus
folgenden Gründen, die vermutlich erst nach der Lektür des gesamten Romans sichtbar werden. 1) Das Vorhandensein des Kapitels
beweist, daß der Akzent des Buchs nicht auf dem Krieg allein liegt.
2) Eine Absicht des Buchs ist das Verschwinden des Privaten im
Helden; also muß vorher gezeigt werden, wie privat Ginster anfing.

3) Kompositorisch ist das Ausbiegen in die Vergangenheit am Anfang des Romans darum gefordert, weil an seinem Ende in eine sechs Jahre spätere Zukunft hinein gesprungen wird. Das ergibt eine genaue Balance. 4) Die erinnerten Dinge werden samt und sonders im Fortgang der Arbeit heraufgeholt, sie sind konstituierender Art. In der Reinschrift werde ich die in diesem Kapitel noch vorhandenen Reihfäden herausnehmen, so daß die Fakten zuletzt unantastbar dastehen werden.

Lieber Freund, was haben Sie mich glücklich gemacht. Ich bin ja nicht so dumm, daß ich nicht wüßte, die Sache sei etwas, aber mit Ihrem Brief haben Sie mir doch erst die richtige Gewißheit gegeben. Natürlich kann bei der Weiterarbeit noch viel Malheur passieren, doch vielleicht, ja hoffentlich glückt mir die Durchführung bis zuletzt. Es ist mir so lieb, daß Sie jetzt um die Arbeit wissen und ich mit Ihnen darüber sprechen kann wie über irgend ein öffentliches Ereignis. Folgende kleine Geschichte möchte ich Ihnen zu dem Roman erzählen, die Sie sicher interessieren wird: Meine Tante, der ich die Arbeit zu lesen gab – sie ist klug genug, um sie zu verstehen, ohne böse zu werden[3] –, behauptet, daß sie selber nur ganz äußerlich darin getroffen sei, ich aber sei überhaupt nicht wieder zu erkennen! *Sie* werden es wissen – davon bin ich überzeugt –, daß ich in der ganzen Arbeit nichts anderes getan habe, als mich selbst genau wiederzugeben. Jedes Faktum stimmt. (Soviel natürlich auch verändert und dazu erfunden ist.)

Geben Sie doch bitte Fränze Herzfeld das Manuskript und grüßen Sie sie herzlichst von mir. Nur möchte ich es in absehbarer Zeit wieder zurück haben – also bis Anfang Februar spätestens –, weil Ende Februar einige Episoden bei uns abgedruckt werden sollen[4] (ohne Angabe des Autorennamens). Wenn in der Zeit Walter Benjamin noch die ihm unbekannten Kapitel (V bis VII) lesen möchte, wird es mir nur angenehm sein. Aber, wie gesagt, die ersten Februartage wären der äußerste Termin.

Noch eine Bitte: verzeihen Sie mir, daß ich Ihnen immer so kurz geschrieben habe, vor allem in geschäftlichen Dingen, ich habe das Gefühl, als sei das irgendwie störend. Aber ich denke, Sie werden meine knappen Mitteilungen, die gar nicht genug auf die von Ihnen angeschnittenen Dinge eingehen, mit meiner wahnsinnen Überlastung entschuldigen. Jeden Tag habe ich mindestens fünf Stunden

Zeitungsarbeit, und dann erst komme ich an die eigene Sache. Das macht mich sehr müde, und um überhaupt schreiben zu können, muß ich mich jeder Gesellschaft enthalten und beinahe wie ein Asket leben.

Leben Sie wohl. Ich danke Ihnen nochmals sehr, sehr herzlich für Ihren Brief. Ich bin froh über die fast unwahrscheinliche Tatsache, daß Sie mein Freund sind.

Ihr

1 Das Original trägt die Jahresangabe »1927«. Zur Korrektur siehe das zu Brief Nr. 10 Angemerkte.
2 Vgl. S. K., *Schriften 7*, a. a. O., S. 208.
3 Hedwig Kracauer, geb. Oppenheimer; sie war »Vorbild« für die Figur der Tante im Roman.
4 Auszüge aus dem Roman wurden zwischen dem 8. und 27. 4. 1928 in der *FZ* vorveröffentlicht.

Nr. 13   Berlin W, Landshuterstr. 25
4. 2. [19]28

Mein lieber Freund!
auch mich machte es froh, daß Ihnen meine Worte etwas bedeuteten. Außer der herzlichen und also einfühlenden Freundschaft, die ich für Sie fühle, ziehen wir ja doch fast überall am ähnlichen Strang.
Leider finde und finde ich Ihren Brief nicht zur Zeit; den Sie mir grade auf meine Notizen geschrieben haben. Ich kann deshalb nicht genau antworten. Ihren »Ginster« gab ich der Fränze Herzfeld doch nicht. Sie ist gerade hier in Berlin so schludrig, daß ich ihr das M[anu]skript nicht anvertraue. Sie könnte es verlieren, mindestens Blätter daraus. Ist unterdes aber ein neues Kapitel fertig geworden? Wenn ja, dann bitte ich Sie sehr (auch als gespannter Leser der »Fortsetzung«)[1], es mir zu schicken. Ich lasse dann alles zusammen zurückgehen.
Ja vom Persönlichen: da wäre manches zu sagen. Aber was nutzen hier Daten und geschriebene Fakta? Die »individuellen Flausen« sind ja auch nicht so wichtig. Es soll da nichts mehr geben, das abtrennt in die einsame oder zweisame Seele. Derart erlebe ich eine neue Art Liebe mit einer sehr geliebten Frau, einer jungen Polin[2],

die ihre Kindheit in Moskau verbrachte, während der Revolution, einem prachtvollen Exempel junger Generation. –

Hier nun schicke ich Ihnen zur Einsicht meine Anzeige Benjamins, die in der Voss[ischen Zeitung] erscheinen wird.[3] (Hoffentlich ist sie denen dort nicht zu lang oder zu schwer oder zu wichtig nehmend; Benjamin hat in der Voss schwachen Gegenwind). Bitte sagen Sie mir, was Sie davon denken. Ich möchte gern so lange warten, bis ich Ihre Meinung höre. Aber die Voss drängt, sie will wohl Primeurs pflücken. Die Leichen-Betonung habe ich von Ihnen gestohlen[4]; aber sie ist so unbedingt richtig, daß ich nicht anders konnte. Sonst war ich durch den Ort natürlich etwas gehemmt. Ich zeige die Sache vorher noch Benjamin selbst und der Fränze Herzfeld, die für den [Berliner] Börsenkurier das Buch vornimmt; nicht mit größter Sympathie, vielleicht auch nicht mit immer richtigen Kategorien. Aber Benjamin gehört doch zu uns, und wir haben alle etwas von ihm gelernt, scheint mir. Sei dem, wie ihm sein wolle! (Haben Sie Ihre Benjamin-Kritik schon geschrieben?).[5]

Hier nun auch die Korrektur.[6] Wegen der paar Änderungen bitte ich um Nachsicht. Bitte auch sehr um Nachprüfung des Eingefügten im Druck. Aber viel ist ja schließlich gar nicht weggefallen von anti-kapitalistischer Tendenz! Ich habe mir das schlimmer vorgestellt. Es lebe doch die Zeitung, in der man so etwas drucken kann! Sie wollen es besonders schön herausbringen? Dann vielleicht im Ersten Morgenblatt vom nächsten Sonntag? Das wäre schön; ich könnte auch das Geld bald brauchen.

Ja, der Don Giovanni: ich habe noch viel dran gearbeitet. Den Molièreschen Don Juan[7] dazu gelesen, der *genau* Repräsentant des verkommenen Adels ist. Das Stück konnte wegen *dieser* seiner revolutionären Tendenz nicht lange gespielt werden, damals. Da geht etwas noch mehr durcheinander wie bei Don Quixote; höchst wert begriffen zu werden. Aber »Natur?« Ist organische Roheit, freie Liebe »Natur«? Gehört das nicht zu uns, zum Subjekt, ist der Einbruch von daher nicht von »Katastrophen« verschieden, von Ausbrüchen der allemal gegen-menschlichen oder un-menschlichen, kurz *echten*, unorganischen Natur? Zu der ich auch Krisen, Imperialismus-Kriege und so weiter rechne, aber nicht ohne weiteres libido.[8] Dem sei nicht, wie ihm wolle: aber ich muß schlie-

ßen. Grüßen Sie herzlich Lili. Meine schönen Empfehlungen an
Reifenberg. Ihnen stets treu verbunden! Ihr Ernst

1 Siehe Brief Nr. 12, Anm. 4.
2 Karola Piotrkowska; siehe auch Brief Nr. 8.
3 »Revueform in der Philosophie. Zu Walter Benjamins ›Einbahnstraße‹«, in: *Vossische Zeitung* vom 1. 8. 1928; wieder in: GA Bd. 4, S. 368-371.
4 Wahrscheinlich eine Anspielung auf eine mündliche Äußerung S. K.s. E. B. hat die
hier an S. K. geschickte Fassung seines Benjamin-Aufsatzes noch umgearbeitet, so
daß die »Leichenbetonung« – mit der ein zentraler Abschnitt aus Benjamins
Abhandlung *Ursprung des deutschen Trauerspiels* zitiert wird, die E. B. wie S. K. in
ihren Rezensionen mitberücksichtigen – in der Erstpublikation (die ihrerseits von
der in *Erbschaft dieser Zeit* aufgenommenen Fassung stark abweicht) nur noch in
abgeschwächter Form enthalten ist. E. B. spricht hier an einer Stelle von der »Todes-
lust am Mosaik«. Deutlicher heißt es in S. K.s Besprechung (siehe Anm. 5): »Mag er
[Benjamin] auch nicht im ›Reiche der Lebenden‹ weilen, aus den Speichern des gelebten Lebens holt er die dort deponierten Bedeutungen, die des Empfängers harren«
(S. K., *Ornament*, S. 255).
5 S. K.s Aufsatz »Zu den Schriften Walter Benjamins« erschien in der *FZ* vom 15. 7.
1928; wieder in: S. K., *Ornament*, S. 249-255.
6 Die korrigierten Fahnen eines Aufsatzes, der in der *FZ* erscheinen sollte. Der
Aufsatz konnte nicht identifiziert werden.
7 »Don Juan oder der steinerne Gast«, Komödie des französischen Dramatikers
Molière, eigentlich Jean-Baptiste Poquelin (1622-1673).
8 Vgl. zum Verhältnis von Molières und Mozarts Bearbeitung des Stoffs und zum
Problem der Naturhaftigkeit, des »Titanismus«, in der Figur Don Juans auch: GA
Bd. 5, S. 1180-1188.

Nr. 14   [Berlin,] Landshuterstraße 25
                                                        20. 2. [19]28

Mein lieber Freund! das Manuskript[1] werden Sie unterdes hoffentlich erhalten haben. In der Tat war das Gespräch mit Benno Reifenberg zentral[2] und verdient gemeinsamen Neu-Angriff von mehreren Seiten. Es regte mich zu einer Arbeit über das Vielhafte,
Disparate, Telos-Fremde auf [sic!]; über Joyce in diesem »Zusammenhang«, die neue Wichtigkeit von Mach-Avenarius[3] dazu.[4] Darüber werden wir hoffentlich bald ausführlich sprechen.
Äußerlich dies: ich kann erst Ende dieser Woche abreisen. Muß
dann zu einem bestimmten Termin in Ludwigshafen sein, so daß ich
die Fahrt in Frankfurt nicht unterbrechen kann. Komme dagegen in

den ersten Tagen der nächsten Woche von Ludwigshafen hinüber.
Bitte Sie noch dringend, mir doch ja gleich das Honorar für die
»Angst des Ingenieurs«[5] anweisen zu lassen. *Noch hierher*; es käme
mir zur Abwicklung sehr gelegen. Geht das Geld Montag, selbst
Dienstag von Ihnen ab, so erhalte ich es noch. Bitte vergessen Sie
nicht draun [sic!], am schnellsten geht die Sache als Wertbrief, nicht
als Postanweisung. Und wird der Artikel bald erscheinen?
Gestern war ich mit Döblin zusammen. Wiesengrund war dabei
und hatte Eindruck. Es war sehr schön und manche Wogen gingen
hoch. Vorher gab es Kaffee bei Benjamin.
Auf Wiedersehen, lieber Krac! Herzlichst Ihnen und Lili!

Ihr Ernst

P.S. Der Chaplin-Artikel[6] ist sehr schön. Manches Licht auf Ginster drin. Sonderbar: daß er vor Freude beinahe überschnappt. Wie
nahe stehen sich darin Zersplitterung und geheimes Ithaka[7]
(»zurückgefunden«), wir beide überhaupt!
(In der Voss[ischen Zeitung] vom 17. ds. [dieses Monats], Morgen-
ausgabe, Unterhaltungsblatt steht zweite Seite eine kleine Sache von
mir: »Rafael ohne Hände«[8].)
Wichtige Gespräche hatte ich mit Wiesengrund über mein neues
Steckenpferd: Wagner und Karl May, Karl May in Wagner (Spannung, Überrumplung, Bootsmannspfeife, geladene Dialoge,
Breite, dicke Farben, Prärie, Musik im neunzehnten Jahrhundert).
Rettung Wagners von Karl May her.[9]

1 Wahrscheinlich das Manuskript des Aufsatzes »Die Angst des Ingenieurs«, der
zuerst in der *FZ* vom 29. 3. 1928 erschien; wieder in: GA Bd. 9, S. 347-358.
2 E.B. hatte Benno Reifenberg in Berlin getroffen und mit ihm unter anderem über
zukünftige Formen seiner Mitarbeit in der *FZ* gesprochen.
3 Ernst Mach (1838-1916), österreichischer Physiker und Philosoph, gilt zusammen
mit Richard Avenarius (1843-1896) als wichtigster Vertreter des Empiriokritizismus. E.B. hat sich in *Erbschaft dieser Zeit* (GA Bd. 4) und im *Materialismusproblem*
(GA Bd. 7) insbesondere mit Mach kritisch auseinandergesetzt. Vgl. auch E.B.s
Jugendbrief an ihn in diesem Band.
4 Vgl. zu dem hier Angesprochenen – allerdings ohne Hinweis auf Joyce, Mach und
Avenarius – den wenig später entstandenen Aufsatz »Viele Kammern im Welthaus«,
in: GA Bd. 4, S. 387-396. Vgl. auch die Briefe Nr. 19 und Nr. 20.
5 Vgl. Anm. 1.
6 Vgl. S.K., »Chaplin. Zu seinem Film Zirkus«, *FZ* vom 15. 2. 1928; wieder in:
S.K., *Kino*, S. 167-170.

7 Insel vor der Westküste Griechenlands, im griechischen Mythos die Heimat des Odysseus, in die dieser nach seinen Irrfahrten zurückkehrt; von E.B. als Metapher des unbekannten, sich erst bildenden Telos des »Weltodysseus« verwendet, »das sich während der richtigen Fahrt und durch sie (...) erst hebt« (GA Bd. 4, S. 396).
8 Vgl. GA Bd. 1, S. 90-93.
9 Vgl. E.B.s Aufsatz »Rettung Wagners durch Karl May«, in: *Der Anbruch*, 1929, S. 4-10; unter dem Titel »Rettung Wagners durch surrealistische Kolportage« wieder in: GA Bd. 4, S. 373-380. Vgl. auch die Briefe Nr. 1-3 an Theodor W. Adorno.

Nr. 15   Ludwigshafen a[m] Rh[ein], Zollhofstr. 1
                                   [wahrscheinlich März 1928]

Lieber Krac,
leider konnte ich die ganze Zeit nicht kommen. War nicht ganz auf der Höhe, muß vor allem nach Paris. Hoffe sehr, vor der Reise noch in Frankfurt zu sein, bzw. von dort abzufahren.
Hier schicke ich Ihnen eine neue kleine Sache, die mit der »Angst des Ingenieurs« ja zu tun hat.[1] Wollen Sie sie bringen? Bitte antworten Sie mir bald. Herrn Reifenberg schreibe ich gleichzeitig einen Brief, in dem ich ihm Krach mache, wie es sich hier gehört.[2] Unser Ginster bald fertig?
Herzlich stets Ihnen und Frau Lili Ihr Ernst

Schicke Ihnen hier einen kleinen Nachdruck[3] mit, der erst in der Voss[ischen Zeitung] stand.

1 Wahrscheinlich der Aufsatz »Zeittechnik«, den die *FZ* am 21. 8. 1928 veröffentlichte. Unter dem Titel »Exkurs: Über Zeittechnik« wieder in: GA Bd. 10, S. 567 bis 572.
2 Der Gegenstand der Auseinandersetzung ist nicht bekannt.
3 Nicht zu identifzieren.

Nr. 16   Ludwigshafen a[m] Rh[ein]
                                          Zollhofstr. 1
                                          22.3.[1928]

Lieber Krac!
ich möchte um alles in der Welt nicht, daß mir Benno Reifenberg den Artikel[1] zurückschickt. Denn wo sollte ich dann mit ihm hin? Ist der Schluß zu schwer, so bin ich bereit, hier noch etwas ver-

ständlicher auszuführen, und wäre Ihnen für einen redaktionellen Tip sehr dankbar.

Noch eines, mein lieber Freund, und gerade weil Sie mir das sind, schreibe ich darüber: gefällt Ihnen *sachlich* an der »Zeittechnik« etwas nicht? Ich komme darauf, weil Sie so unverbindlich zustimmen (»ich finde den Gedanken einer Zeittechnik sehr schön.« Gedanke? Sehr »schön«?). Vielleicht irre ich mich und Sie sind müde, unlustig, ohne Zusammenhang mit diesem Fall. Aber an der Buberkritik, am Willen zur Aufrichtigkeit, am Haß gegen Mythologie haben wir uns gefunden. An der Bejahung des Märchens, des Wunsch[motivs?], der Utopie als des revolutionären, mythologie-vertreibenden Korrektivs haben wir uns tiefer gefunden. Bitte schreiben Sie mir, ob Sie mythologisches Rauschgift in dem Aufsatz witterten. Das ist mir wichtig. Subjektiv ist mir nichts bewußt, aber Sie haben hier das objektivere Auge.

Und bald, bald die Angst des Ingenieurs! Den Rafael lasse ich Ihnen gern.[2] Es berührt mich menschlich sehr, daß er Ihnen wichtig ist. Der Weltbühne schicke ich eben einen Aufsatz: »Mannheim–Ludwigshafen«[3] (Sie könnten ihn wahrscheinlich nicht drucken). Schreibe soeben eine größere Glosse (wohl auch für die Weltbühne, wohin sonst auch hier?) über Zigarettenreklame und Zeitschriftenmangel.[4]

Herzlichst!

Ihr Ernst

1 »Zeittechnik«. Siehe Brief Nr. 15, Anm. 1.

2 E.B.s Aufsatz »Rafael ohne Hände« wurde, zwei Jahre nach dem Erstdruck in der *Vossischen Zeitung*, noch einmal in der *FZ* vom 31. 8. 1930 veröffentlicht.

3 Zuerst in: *Die Weltbühne*, 1928, 1. Hbj., S. 682-685. Unter dem Titel »Ludwigshafen–Mannheim« wieder in: GA Bd. 4, S. 208-212.

4 Vgl. E.B.s Aufsatz »Zigarettenreklame«, der nicht in der *Weltbühne*, sondern im *Tagebuch*, Jg. 9, 1928, S. 812 f. erschien. Unter dem Titel »Frohe Kunde, ganzseitig« wieder in: GA Bd. 9, S. 14-16.

Nr. 17   Ludwigshafen, Zollhofstr. 1
                                                     27.3.[1928]

Mein Freund!

ich danke Ihnen für Ihre Worte.[1] Es gibt jetzt eine »doppelte Wahrheit«; in ganz anderem Sinn wie zur Zeit der Spätscholastik[2]. Sie
haben recht, »ich« habe nicht Unrecht; man muß wohl beides stets
im Bewußtsein halten. Schwierig, da es hier noch kaum eine Dialektik gibt. Da sich beides eben nicht »widerspricht«, sondern nur
zugleich gehalten werden muß, damit der Impetus nicht in sein
Gegenteil gerät. Ohne Inkonsequenz möchte ich Ihre Worte noch
gerne in den Aufsatz hereinnehmen.

Hier schicke ich Ihnen eine kleine Arbeit, die ich der »Weltbühne«
versprochen habe.[3] Ich bitte sie mir wieder zurückzusenden. Sie
enthält ja sachlich nicht nur Neues, aber die sehr konkrete Versinn-
lichung reizte mich.

                                              Herzlichst stets Ihr
                                              Ernst

P.S. Kommt nun der Ingenieur nach dem 1. April? Grüßen Sie sehr
Benno Reifenberg, dem ich für den Brief danke. In der Tat halte
auch ich das Leserinteresse an dem Thema nach den uferlosen Ausführungen Hausers[4] für geschwächt. Hier hat sie kein Mensch, mit
dem ich sprach, mehr gelesen. Vielleicht setzt die Redaktion eine
Bemerkung vor den Ingenieur-Aufsatz, der das Interesse an ihm
aufstachelt. Solche Vorbemerkungen pflegen, wie ich als Leser
weiß, sehr épatant[5] zu wirken.

1 E.B. antwortet auf einen nicht erhaltenen Brief S.K.s, in dem dieser sich zu E.B.s
Frage nach sachlichen Einwänden gegen den Aufsatz »Zeittechnik« (siehe Nr. 16)
äußerte.
2 E.B. zitiert den Begriff der »doppelten Wahrheit«, der in der spätmittelalterlichen
Philosophie im Zusammenhang der Auseinandersetzung um den Status und das Verhältnis von Glaubenserkenntnissen und philosophischem Wissen geprägt wurde, um
anzudeuten, daß die metaphysische Interpretationsebene seines Aufsatzes über
»Zeittechnik« und die aufklärerisch-materialistische Position, von der her S.K. wohl
seine Einwände gegen diesen Aufsatz formulierte, sich nicht ausschließen, sondern
gleichermaßen notwendig und berechtigt sind.
3 Wohl »Mannheim–Ludwigshafen«, vgl. Brief Nr. 16, Anm. 3 und Nr. 18.
4 Der Schriftsteller Heinrich Hauser (1901-1955), ständiger Mitarbeiter und lang-
jähriger Berliner Korrespondent der *FZ*, Verfasser zahlreicher Technik- und Indu-

striereportagen. Im Februar und März 1928 erschien im Feuilleton der *FZ* seine Serie
»Umgang mit Maschinen«.
5 Franz.: verblüffend.

Nr. 18   Ludwigshafen a[m] Rh[ein], Zollhofstr. 1
                                           [Ende März/Anfang April 1928]
Lieber Krac!
nun ist ja der Aufsatz erschienen.[1] Er macht sich ohne Vorbemerkung übrigens besser, wie mir scheint. Es ist mir ganz recht, daß
dieser Vorschlag zu spät kam.
Wie schön und richtig, daß uns die Seestadt auf dem Land[2] verbindet. (Es ist ja auch vieles von Ihnen darin). Spitze ich meine Ohren
nicht zu fein, so wäre Ihnen dieser Aufsatz[3] wohl lieber als die Zeittechnik gewesen. Ich gab ihn der Weltbühne, weil ich eben bei
Ihnen, mindestens in der ersten Zeit, eine gewisse Kontinuität halten wollte. Vielleicht auch aus einem altmodischen Respekt vor der
»vornehmen« Fr[ank]f[ur]ter Z[ei]t[un]g, in der Theoretisches erscheinen soll, sozusagen nur Akademiekonzerte der Philosophie.
Wollen Sie lieber Gebilde »konkreterer« Art?
Ich schreibe »konkreter« in Anführungszeichen, weil ich mit Ihnen
in der derzeitigen Ablehnung »theoretischer Interpretation« nicht
konform gehe. Wer sich der Einsamkeit ergibt, ist auch heute bald
allein. Ich meine: ohne fortdauernde Selbstinformation unseres
aktuellen Instinkts (dies Wort gerade im tiefsten Sinn gemeint) werden wir aktuell leicht schief greifen oder uns – bestenfalls – in Wiederholungen ergehen. Daß etwas bloße »Interpretation« werde,
davor brauchen *wir* doch keine Angst zu haben. Jetzt schreibe ich
einen Aufsatz »Programm und Leben«[4], der viel mit Benno Reifenbergs und meiner Unterhaltung in Berlin zu tun hat. –
Sie schreiben mir gar nichts mehr vom »Ginster«. Überhaupt fühle
und fürchte ich, es geht Ihnen zur Zeit nicht besonders. Dabei
haben Sie so etwas Schönes geschrieben.[5] Fast in jedem Satz so kost-
bar wie ein guter Vers; und dabei diese Breite, Eingehaltenheit des
Tons! Lieber Krac, ich möchte Sie so gerne sehen. Ich kann jetzt
nicht nach Frankfurt kommen. Wollen Sie mit Lili Ehrenreich nicht
Samstag-Sonntag hierher fahren? Ich grüße Sie herzlich in Freundschaft und Liebe!
                                                        Ihr Ernst

Karl Mannheim, der Sie grüßen läßt, schreibt jetzt eine Arbeit: »Das utopische Bewußtsein«.[6]

P.S. Ich möchte wohl gerne meine »Erzählungen«, meine experimentellen »Essays« (wozu Mannheim–Ludwigshafen gehört) herausgeben.[7] Aber ich habe keinen Verlag. Beck–München hat jetzt ambivalent, aber wörtlich abgelehnt. Wissen Sie einen Verlag, wo ich Aussicht hätte?[8]

1 »Die Angst des Ingenieurs« erschien in der *FZ* vom 29. 3. 1928.

2 Ein Zitat aus »Mannheim–Ludwigshafen«. Vgl. GA Bd. 4, S. 211.

3 Nämlich: »Mannheim–Ludwigshafen«.

4 Ein Aufsatz dieses Titels ist nicht bekannt.

5 E.B. spielt vermutlich auf S.K.s Aufsatz »Anmerkungen zum Film: Das Ende von St. Petersburg« an; in: *FZ* vom 30. 3. 1928; wieder in: S.K., *Kino*, S. 79-81.

6 »Das utopische Bewußtsein« ist ein Teil der 1929 erschienenen Studie *Ideologie und Utopie* des Soziologen Karl Mannheim (1893-1947). Zu E.B.s Reaktion auf diese Studie siehe Brief Nr. 25.

7 E.B. hat seine »Erzählungen« und »Essays« der zwanziger Jahre teils in die *Spuren* (1930; GA Bd. 1), teils in *Erbschaft dieser Zeit* (1935, GA Bd. 4), teils auch in die *Literarischen* und *Philosophischen Aufsätze* (GA Bde. 9 und 10) aufgenommen.

8 Der Verleger Paul Cassirer, an den E.B. seit 1922 durch einen Generalvertrag gebunden war, hatte sich 1926 das Leben genommen. Sein Verlag wurde weitergeführt, doch versuchte E.B. zunächst, zu einem größeren zu wechseln. Im Gespräch waren unter anderem der Münchner Beck-Verlag und die Frankfurter Societäts-Druckerei (siehe Brief Nr. 38). Am Ende blieb er bei Cassirer, der 1930 die *Spuren* herausbrachte.

Nr. 19   Berlin W 30, Landshuterstr. 25

                                                        16. 5. [19]28

Mein lieber Krac,

wollen wir auch hier ins Ganze gehen. Auch in der neuen Schluß-Fassung macht also die »Zeittechnik« viel redaktionelle Mühe. Ob sie in dem Grade schwer verständlich ist, wie Sie angeben, kann ich natürlich nicht beurteilen. Aber ob die Worte »Prozeß«, »Substanz«, »Reich« wirklich so dunkel sind, Hegelsche Worte, die doch fast schon in den gebildeten Sprachgebrauch übergegangen sind?

Wie dem auch sei, ist die Arbeit schwer, so will ich Ihnen gewiß keine Schwierigkeiten machen. An sich ist die Arbeit ja bereits angenommen, laut Brief von Herrn Reifenberg; das war bereits ein endgültiger Bescheid. Dennoch bin ich bereit, sie zurückzuziehen, obwohl ich sie ja nirgends sonst veröffentlichen kann, bei der Zeitschrift-Lage, die wir haben.[1] Ein anderes Manuskript möchte ich Ihnen dann anbieten, entweder »Das Straßburger Münster«[2] oder eine Sache, die ich jetzt auf der Maschine habe: »Viele Kammern im Welthaus«[3]. Dies letztere ist zwar auch stellenweise nicht leicht, desgleichen kommt Marx vor (wie auch nicht?), freilich zuweilen »kritisch«, so daß man also hier die umgekehrten Bedenken haben könnte: darf man in einer bürgerlichen Zeitung überhaupt ein nachdenkliches Wort über Marx schreiben? Doch glaube ich, daß diese Bedenken zu beheben wären.

Damit ich nun nicht triefe vor Edelmut (eine bereits angenommene Arbeit zurücknehmend), hole ich zu folgendem aus. Hier in Schriftstellerkreisen läuft eine Beschwerde gegen die Fr[ank]f[ur]-t[e]r Z[ei]t[un]g um, geht natürlich nur aufs Honorar. Mitarbeiter fühlen sich schlecht bezahlt, schlechter jedenfalls als in der Voss[i-schen Zeitung], vom [Berliner] Tageblatt zu schweigen. Öl ins Feuer ist der Klatsch, daß einige wie Frisch[4], Hausenstein[5] und wer weiß ich ein Minimum von M[ar]k 200 für jeden Aufsatz garantiert erhalten haben sollen; ist der Aufsatz »länger«, dann erhalten sie entsprechend mehr. Meine Verbundenheit mit Berliner Schriftstellern ist so gering, daß sie mit Hausenstein in diesem Fall größer ist, kurz, ich möchte mich auch als etwas Gutwertiges betrachten. Und schließe die Erpressung mit dem Wunsch, auch nicht mehr so lange auf Abdruck warten zu müssen.

Damit schließe ich zugleich diesen gesprenkelten Brief. Er ist vom üblichen Kriegsgeschrei des Autors gegen Redakteur oder Verleger erfüllt, edelmütig schlau. Sehr haben mich noch die freundlichen Worte Reifenbergs gefreut, sein Wunsch, daß wir zusammen arbeiten. Dann möchte ich aber nicht mehr zerstreute Aufsätze geben, gerade auch in unserem gemeinsamen Interesse, sondern irgendwie einen Themenkreis vorschlagen, der jeweils etwa serienhaft erscheinen könnte. Dann brauchte ich auch nicht mehr so abgekürzt und summarisch zu schreiben, hätte längeren Atem, mehr Platz. Wäre das zu machen und welcher Art könnte eventualiter dieser Serien-, Themenkreis sein? – (Eine »Serie« habe ich in Arbeit: »Bodenständigkeit und Utopie«. Ist dialektisch, jeder Aufsatz darin ein Für, dann ein Wider, dann ein Für. Titel der Unter-Aufsätze: Das Mär-

chen. Die Sage. Die Kolportage.[6] Hebel, Gotthelf und das bäuri-
sche Tao.[7] Die Bodenständigkeit als Blasphemie.[8] Der Jahrmarkt[9]
(dies letztere eine Synthese).

Kommen Sie bald nach Berlin, lieber Krac? Kann ich bei Fischer
etwas für Sie tun?[10] Eben erhielt ich folgenden Brief von Kayser[11],
das »Straßburger Münster« betreffend (bin zu faul, ihn abzuschrei-
ben, schicke ihn mit der Bitte um Rückgabe mit). Ich stehe also mit
den Leuten wieder in Fühlung. Will übrigens nicht bis »Winter« mit
dem Abdruck warten; *erlange ich keinen früheren Termin*, so
möchte ich Ihnen das Münster vorlegen. Freilich als Katze im Sack,
denn mein Duplikat habe ich nach Polen geschickt; aber ich kann
sagen, die Arbeit ist leicht und hat es doch in sich. Wieder bin ich
schlau, aber ich kann ja auch nicht aufs Geratewohl von der
[Neuen] Rundschau, geht sie nicht auf früheren Termin ein, das
Manuskript abholen.

Damit höre ich endgültig mit diesen Egoismen auf, es ist uns beiden
wohl unangenehm, als Arbeitnehmer und Arbeitgeber mit einander
zu sprechen. Ich schwenke ab und grüße Sie in alter, immer neuer
Herzlichkeit, gebe Ihnen und Reifenberg die Hand.

Ihr Ernst

Im letzten Heft des »Tagebuch« steht die Glosse »Zigarettenreklame«, von der ich Ihnen sprach.[12] Vielleicht sehen Sie sie an. Ja so
leicht möchte ich Philosophie schreiben können!

Ihren Brief, der sehr gefährlich ist wegen des »geheimen Marxismus« in der Fr[ank]f[ur]t[e]r Z[ei]t[un]g, zerreiße ich in diesem
Augenblick, damit er nicht irgendwie gelesen werden kann.[13] Das
würde Hugenberg[14] in der Wahlzeit[15] so passen!

1 Die *FZ* hat den Aufsatz schließlich doch veröffentlicht. Siehe Brief Nr. 15,
Anm. 1.

2 Zuerst in: *Die Neue Rundschau*, 1928, S. 450-455; unter dem Titel »Am Straßburger Münster« wieder in: GA Bd. 9, S. 481-488.

3 Zuerst in: *FZ* vom 15. 2. 1929; wieder in: GA Bd. 4, S. 387-396.

4 Efraim Frisch (1873-1942), Journalist, Herausgeber des *Neuen Merkur*, später der
Europäischen Revue, publizierte als freier Mitarbeiter in der FZ.

5 Wilhelm Hausenstein (1882-1957), Schriftsteller, Kunstkritiker und Politiker, seit
1917 Mitarbeiter der *FZ*.

6 Vgl. »Über Märchen, Kolportage und Sage« (eine Zusammenfassung und Erwei-

terung der in der *FZ* vom 31. 3. 1929 und 22. 1. 1933 erschienenen Aufsätze »Über Karl Mays sämtliche Werke« und »Märchen und Sage«), in: GA Bd. 4, S. 168-186.

7 Vgl. GA Bd. 9, S. 365-384.

8 Diesen Aufsatz hatte E. B. zuerst im *Neuen Merkur*, Jg. 4, 1920, S. 704-713 veröffentlicht. Wieder in: GA Bd. 11, S. 74-83.

9 Vgl. den Abschnitt »Trauschein, Jahrmarkt und Kolportage« aus »Über Märchen, Kolportage und Sage« (siehe Anm. 6).

10 S. K. verhandelte wegen der Publikation des *Ginster* mit dem S. Fischer-Verlag. Dieser veröffentlichte den Roman im Herbst des Jahres.

11 Rudolf Kayser (1889-1964) war von 1922 bis 1932 verantwortlicher Redakteur der literarisch-kulturpolitischen *Neuen Rundschau* des Fischer-Verlags.

12 Vgl. Brief Nr. 16, Anm. 4.

13 Dieser Brief S. K.s ist nicht erhalten.

14 Alfred Hugenberg (1865-1951), Großindustrieller und Politiker; Abgeordneter, seit 1928 Parteivorsitzender der Deutschnationalen Volkspartei. Im Spektrum der bürgerlichen Presse gehörte die traditionell linksliberale *FZ* zu den entschiedensten Gegnern der Deutschnationalen.

15 Die Wahlen zum Reichstag fanden am 20. 5. 1928 statt; ihr parlamentarisches Resultat war eine neue Koalition aus SPD, Zentrum und Deutscher Volkspartei unter dem sozialdemokratischen Reichskanzler Hermann Müller (1876–1931). Die Deutschnationalen erlitten eine deutliche Niederlage.

Nr. 20   Berlin NW, In den Zelten 9a
                                                2. August [1928]

Teurer Krac! ich war froh, von Ihnen unmittelbar etwas zu hören. Jedes Wort, das Sie mir schreiben, ist mir wertvoll. Sind Ihre Einwände auch nur zeitungstechnisch formuliert, so treffen Sie doch in manch Wichtigem die Sache.[1] Was Sie über das allzu Abgekürzte der Angestellten-Stelle sagen: genau das hatte ich selber gestrichen und wollte es an dem zugeschickten M[anu]skript ebenfalls streichen. Die Suche nach »Vollständigkeit« (in der bloßen Art eines Katalogs des Ausgelassenen sozusagen) ließ auch das nennen wollen; aber aus sonderbaren, mir völlig einleuchtenden, obzwar nicht ganz reflektierbaren Gründen geht das in der Tat nicht so kataloghaft.

Den theoretischen Teil lasse ich weg für die Zeitung. Im Essaybuch, wohin das Ganze einmal kommen mag, wird er vielleicht Stützung durch so vieles andere haben, das in die gleiche Kerbe haut (z. B. »Konnersreuth in der Presse«). Zudem stellte ich ihn fürs »Buch« in

die Mitte, mit einigen Vorbemerkungen.[2] – Dagegen auf S. 6-8
möchte ich nicht gerne verzichten. (Einiges dort wie auch vorher
habe ich übrigens konkreter ausgeführt.) Nachdem Ihr Einwand
gegen den Angestellten-Passus gegenstandslos wurde, ist ja wohl
auch kein Grund vorhanden, die 2¼ Seiten nicht zu bringen.
Gerade die Dienstmädchen treiben auf der ausgelassenen Seite ihr
Wesen. Und der Natursatz auf S. 8: hat er schon Pathos, so möchte
er doch ein rechtes und erfahrenes haben. –
Wie gerne möchte ich von Ihnen persönlich etwas Gutes hören.
Macht das Leben wieder seine soi-disant[3] Freude? – Ändert sich am
Roman noch manches? – Hat der neue[4] schon ein Gesicht?
Grüßen Sie herzlich Lili! Ja, die Polin ist gestern gekommen. Die
Freude war sehr groß. Ich schickte ihr Ihre Benjaminkritik[5], die ihr
außerordentlich Eindruck machte. Karola läßt Sie beide sehr grü-
ßen. Und ich bleibe Ihrer beider alter Freund.

Ernst.

Meine (veränderte) Benjaminkritik ist gestern in der Voss[ischen
Zeitung] (Erstes Morgenblatt, 1. August) erschienen.[6]
Reifenberg schickte ich vorgestern einen neuen Aufsatz: »Die Felstaube und der wirkliche Mensch«[7]. Vielleicht sehen Sie ihn sich bald
an. Er scheint mir wesentlich und doch nicht so abbreviaturisch, für
eine haute-volée, die der Teufel holen soll. Für diese möchte ich
natürlich nicht schreiben. Sonderbarer Zirkel.

1 Die folgenden Bemerkungen beziehen sich auf das Manuskript des Aufsatzes
»Viele Kammern im Welthaus«, gegen dessen erste Fassung S.K. in einem nicht
erhaltenen Brief an E.B. offenbar Einwände erhoben hatte.
2 Der Aufsatz wurde in *Erbschaft dieser Zeit* aufgenommen. Vgl. GA Bd. 4, S. 387
bis 396.
3 Franz.: sogenannte.
4 Der »neue Roman«, von dem in der folgenden Zeit immer wieder gesprochen
werden wird, ist *Georg*; Erstveröffentlichung in: S.K., *Schriften 7*, a.a.O.
5 Vgl. Brief Nr. 13, Anm. 6.
6 »Revueform in der Philosophie.« Vgl. Brief Nr. 13, Anm. 3.
7 Vgl. »Die Felstaube, das Neandertal und der wirkliche Mensch«, in: GA Bd. 9,
S. 462-470.

Nr. 21   [Berlin] 3. August [1928]

Teurer Krac, Sie vergessen, daß ich Ihnen nicht einen Aufsatz angeboten habe, obwohl so viel noch bei Ihnen liegt. Sondern daß Herr
Reifenberg sein Optionsrecht so formulierte: ich schicke Ihnen
zuerst alle Manuskripte zu, und Sie werden entscheiden, ob Sie
eines zu erwerben wünschen. – Ob die Ähnlichkeit des Blickpunkts
an dem Ihnen Gesandten zeitungsmäßig so falsch ist: das kann ich
natürlich nicht beurteilen. Mir als Leser erschiene vielleicht angenehm, zweifach oder dreifach in die gleiche Kerbe gehauen zu
sehen; es ist ja doch nie die gleiche Kerbe. Auch unterbricht doch
schon die »Wasserscheide«[1]; und das alles ist ja überhaupt vielleicht
nicht so wichtig, denn diese Art Melodie ist ja noch nicht sehr abge-
spielt, wieso ihr nicht einige Pendants geben? (Persönlich allerdings, wie Ihnen schon gesagt: ich habe bei der Fr[ank]f[ur]t[e]r
Z[ei]t[un]g eine Art vornehmen Ticks. Das ist wohl ein Trauma von
der Kinderzeit her. Wer sollte das verstehen, wenn nicht Sie?)
Mit dem geschickten Benz[2] kann ich nicht viel anfangen. Kann ich
das Buch Benjamin geben, der es anzuzeigen wünscht?[3] Vor allem
wäre mir angenehm zu erfahren, welche Frist man zu einer Anzeige
jeweils hat.
Und bitte, lieber Krac: ich schickte Herrn Reifenberg noch zwei
oder drei veränderte Seiten zu der Felstaube nach. Mit der Bitte, sie
in das Manuskript einzulegen. Bitte fragen Sie ihn doch danach und
schicken Sie mir diese Seiten. Denn ich möchte das Manuskript jetzt
anderswohin schicken, und die veränderten Seiten bei Ihnen sind
mein einziges Duplikat. Bitte lassen Sie sie mir *rasch* schicken. –
Und viele herzliche Grüße! Ihr Ernst.

Gestern schickte ich Ihnen die gekürzten, stellenweise weiter kon-
kretisierten Kammern zu.

1 E.B.s gleichnamiger Aufsatz war am selben Tag in der *FZ* erschienen. Wieder in:
GA Bd. 1, S. 36-39.
2 Vielleicht der Kunsthistoriker und Kulturphilosoph Richard Benz; um welches
Buch es sich handelt, ist nicht bekannt.
3 Von Benjamin gibt es keine Rezension eines Buchs dieses Autors.

Nr. 22   [Berlin] NW, In den Zelten 9a
                                       5. August [1928]
Lieber Krac,
seien Sie nicht böse, wenn schon wieder etwas kommt.[1] Es ist ja
eben nur zur Einsicht, der »Option« gemäß. Im übrigen glaube ich
mit dem heiteren Wesen den vornehm-schwierigen Bann gebrochen
zu haben, den das Urblatt der Gediegenheit auf mich ausübte.
Gefällt Ihnen der Ulk, so soll es mich sehr freuen.
Darüber habe ich nachgedacht, ob in Ihrem letzten Brief nicht nur
eine zeitungstechnische, sondern auch eine substanzielle Kritik
meiner kleinen Chosen von unterwegs enthalten ist. Ist das – wie
wahrscheinlich – der Fall, so bitte ich Sie, lieber Krac, es mir immer
ganz unverschleiert zu sagen. Ich bin nicht empfindsam, und zwischen uns soll immer Offenheit herrschen. Das Kritischste, was Sie
anderen über diese Dinge sagen, mögen Sie noch kritischer mir
sagen. Gerade bei unserer großen Verschiedenheit und tiefen letzt-
hinnigen Verbundenheit ist das nützlich und wichtig. Wenn Sie einmal Zeit dazu finden. Vor allem bitte ich mir zu sagen, ob Sie eine
Spur von »falschem Ton« riechen. Von der »Redlichkeit« will ich
kein Aufhebens machen, aber an der Luft kann sich da etwas verändern, vor allem an der Luft dieser Zeit. Besonders bei der großen
Emotionalität, die ich in diesen kleinen Sachen komprimitierte. Ich
wäre Ihnen dankbar. – Haben Sie übrigens den Aufsatz »Der ver-
hinderte Osten« in der vorletzten Weltbühne gesehen?[2]

                                       Stets herzlich!
                                       Ihr Ernst

Ich bitte Sie nochmals, lieber Krac, mir doch umgehend die Blätter
noch schicken zu lassen, die ich an Herrn Reifenberg als Ergänzung
zu der »Felstaube usw.« gehen ließ.

1 Vielleicht »Der Gruß«, *FZ* vom 23. 9. 1928. Unter dem Titel »Gruß und Schein«
wieder in: GA Bd. 1, S. 175-179.
2 Vgl. *Die Weltbühne*, 1928, 2. Hbj., S. 126-130.

Nr. 23   [Berlin] NW / In den Zelten 9a
                                              Montag, 22. Okt[ober] [1928]

Teurer Krac, hier eine kleine Plauderei[1], die wegen ihres geringen
Umfangs nach Zeitungen gerne nehmen und auch früher drucken
als leider Gottes das andere. Ihr Schluß mußte scheinbar etwas
»christlich« geraten, aber das liegt am Kontrast, wenn es dafür
überhaupt einer »Entschuldigung« braucht. Die Bibel war im Nor-
den die erste, obzwar selber nur innermythologische Überwindung
des Naturmythos; diese Funktion immerhin hat sie.
Bitte legen Sie für die kleine sonderbare Sache ein gutes Wort ein.
Wenn Sie bei Ihnen nicht gedruckt wird, bringe ich sie natürlich
nirgends unter.
Mit Sohn-Rethel[2] bin ich übermorgen bei Franzen und Frau[3], die
ich nun auch kennen gelernt habe und an der manches nicht unbe-
deutend sein dürfte, wie mir scheint. Mit Benjamin treibe ich heute
abend Gedankenaustausch; er zeigt mir seinen Sowjet-Goethe[4]
sowie ein neues Manuskript über Marseille.[5] Ich bringe das Mitgeschickte sowie ein längeres Rohmanuskript betr[eff] déjà vu und
Blonden Eckbert[6] mit. Vor acht Tagen geschah übrigens in Benjamins Kreis das Sonderbare, daß auch ich einmal Haschisch nahm,
der zu verschiebenden Merkwelt zuliebe.[7] Aber obgleich meine
Dosis etwas größer als die Benjaminsche war und dieser nach einer
halben Stunde sich mit Dante und Petrarca unterhielt, zeigte sich
bei mir keinerlei Wirkung. Den zwei Pharmakologen, die das Phan-
tastikum spenden, ruiniere ich dadurch leider einen Teil ihrer Arbeit.
»Von ihm selbst erzählt« – gut, aber der Name muß eben dann doch
heraus[8], wie auch recht ist. Die Gerüchte über »Krach« waren ganz
ephemer und zeigen sicher keine Verschwörung an.[9] Ich hatte sie
von Burschell, der nicht mehr hier ist, den ich also nicht mehr
danach fragen kann. Keineswegs habe ich den Weg nach Frankfurt
aufgegeben; ich muß nur noch wegen einiger Zusammenkünfte hier
bleiben, vierzehn Tage denke ich oder drei Wochen, es hängt nicht
von mir ab. Dann möchte ich in den Tessin fahren, in ein recht
verfallenes Häuschen, und das zweite Buch fertig machen.[10] Karola
ist, wie ich jetzt auf Umwegen erfahren habe, in Wien; es soll ihr
»gut« gehen. Ihre erste Trennung, von Kantorowicz, war trotzdem

nicht falsch[11]; und wir haben ein Unglück vermieden. Was an die Stelle trat, ist zwar gewiß kein angenehmes Leben, Fühlen, Wollen, Überdenken, ja eben die Einsamkeit nach sehr starker Liebe. Auf diese Erfahrung hätte ich gerne verzichtet, ich brauchte sie nicht, ich habe sie schon genug erfahren.

Leben Sie recht wohl, mein lieber Freund, ich danke Ihnen für die Güte, die aus Ihren Briefen kommt, Ihnen und Lili, deren Mitleben, wirkliches Dasein man selbst indirekt merkt. Indem Sie einfach nur ein Wort von ihr bestellen.

Seien Sie beide herzlich gegrüßt von Ihrem

Ernst

1 Es handelt sich, wie aus den folgenden Bemerkungen zu erschließen, um »Die Höhle des Tags«. Der Erstdruck dieses Aufsatzes in der *FZ* vom 17. 11. 1928 weicht erheblich von der in den *Spuren* unter dem Titel »Das Haus des Tags« publizierten Fassung ab (vgl. GA Bd. 1, S. 162-165). Der »scheinbar etwas ›christliche‹« Schlußabsatz fiel in der Veröffentlichung der *Spuren* ganz weg.

2 Der Soziologe und Ökonom Alfred Sohn-Rethel (geb. 1899), den E.B. in Positano kennengelernt hatte.

3 Erich Franzen (1892-1961), Sozialwissenschaftler, Schriftsteller und Literaturkritiker der *FZ*, lebte damals, wie Sohn-Rethel und später auch E.B., im sogenannten »Roten Block« am Laubenheimer Platz. Franzen war in erster Ehe mit der Psychologin Elisabeth Hellersberg (1893-1970) verheiratet.

4 Benjamins für die Große Sowjet-Enzyklopädie zwischen 1926 und 1928 entstandener Aufsatz »Goethe«, der am Ende abgelehnt und nur in Bruchstücken für den in der Enzyklopädie publizierten Goethe-Artikel verwendet wurde. Jetzt in: Benjamin, *Gesammelte Schriften II*, Frankfurt/M. 1977. S. 705-739.

5 Vgl. Benjamin, *Gesammelte Schriften IV*, Frankfurt/M. 1972, S. 359-364.

6 Vgl. E.B.s Aufsatz »Bilder des Déjà vu«, in: GA Bd. 9, S. 232-242; hier auch zu Ludwig Tiecks (1755-1853) Märchen »Der Blonde Eckbert«.

7 Über ein früheres gemeinsames Haschisch-Experiment haben E.B. und Benjamin ein Protokoll angefertigt: »Hauptzüge der Zweiten Haschisch-Impression«, in: Benjamin, *Über Haschisch*, Frankfurt/M. 1972, S. 69 ff. Auch in: *Ernst Blochs Wirkung*, Frankfurt/M. 1975, S. 177-187.

8 S.K.s Roman *Ginster* erschien in der Originalausgabe des Fischer-Verlags ohne Angabe des Verfassernamens mit dem Zusatz »Von ihm selbst geschrieben«.

9 Die »Gerüchte« – vermutlich über Streit in der Redaktion der *FZ* – sind nicht zu rekonstruieren.

10 Gemeint ist *Erbschaft dieser Zeit*.

11 Karola Piotrkowska hatte sich im Frühjahr 1927 von dem Schriftsteller Alfred Kantorowicz (1899-1979) getrennt, um mit E.B. eine Freundschaft zu beginnen. Von diesem trennte sie sich vorübergehend im Herbst 1928, um in Wien ihr Abitur

nachzuholen und ihr Architekturstudium aufzunehmen. Zu Kantorowicz vgl. auch
Anm. 1, Brief Nr. 18, an Peter Huchel.

Nr. 24   Berlin W, Landshuterstr. 25

                                                 14.2.[19]29
Lieber Krac!

gestern schickte ich Reifenberg mit einem Brief, anderes betreffend,
zwei Sachen. »Wissende Augen«[1] und »Traum von einer Sache«.[2]
Das erste ist »lustig« und wurde, glaube ich, noch nie gesagt. Das
zweite ist auch ganz nett und jedenfalls nachdenklich. Ich bitte Sie
um Lektüre; denke mir Sie übrigens oft, beim Schreiben, als höchsten Leser.
Hier nun noch eine kleine Sache, die ich eben geschrieben habe.[3] Sie
kommt vielleicht fürs Zweite Morgenblatt zurecht.
Geht der zweite Roman voran? Wann kommen Sie nach Berlin?
Ich komme, glaube ich, vorher zu Ihnen.
Die herzlichsten Grüße Ihnen und Lili!

                                                 Stets Ihr Ernst

P.S. die Rückseite des beiliegenden Manuskripts ist nicht sauber,
weil ich kein frisches Papier mehr hatte. Den Setzer wird es hoffentlich nicht genieren.

1 Vgl. GA Bd. 4, S. 26-27.
2 Zuerst in: *FZ* vom 9. 8. 1929; wieder in: GA Bd. 10, S. 163-169.
3 Nicht zu identifizieren.

Nr. 25   [Ludwigshafen]
                                                 30.4.[19]29

Lieber Krac! ich habe Ihre vorzügliche Anzeige des Mannheim-
Buchs[1] gelesen, mir daraufhin das Buch in Bonn, wo ich einige Tage
zu tun hatte, besorgt.
Mannheim habe ich selbst schon meine Meinung über manches
geschrieben. Ihnen möchte ich das gleiche wiederholen; es wird
Ihnen ja selbst aufgefallen sein. Mir scheint, hier ist ein Fall, wo
achtungswürdige Karrieresucher von dem Unseren schmarotzen,

nachdem sie es vorher (im Prospekt der Schriftenreihe) als »Aperçus von Dilettanten« beschimpft haben.

Schon das Wort Utopie im Buchsinn und als Gegensatz zur Ideologie ist nicht auf Mannheims Boden gewachsen. Utopie bedeutete bislang Staatsroman, hatte jedenfalls nicht den metaphysischen Sinn, den ihm Mannheim jetzt geben kann. »Seinstranszendente Vorstellungen, die die Welt verwandeln, auch sprengen« – gar: »die aus der Welt hinaustendierenden Spannungen werden zum Sprengstoff in der Welt« (S. 193 und ähnlich noch oft[2]): diese Definitionen, ja der ganze Terminus »utopisches Bewußtsein«[3] wären ohne mein Buch wohl kaum möglich. Dennoch erwähnt Mannheim den »Geist der Utopie« in seinem Buch, das Utopie in »seinem« Sinn auf dem Titel führt, nicht ein einziges Mal. Er erwähnt auch Lukács, von dem er doch wesentliche Teile der Betrachtung hat, nur ganz sporadisch und lange nicht so entscheidend wie die verschiedenen »Fachgelehrten«, die schon Professoren sind. (Er nennt allerdings Landauer[4], weil der schon tot ist).

In einer kleinen Fußnote gibt er dem »Münzer« einige Epitheta[5], die er im Text kaum mehr ernst nimmt. Er zitiert Holl[6], mit bestem Recht; aber wo er Stellen braucht, die bei Holl fehlen, die er dagegen meinem »Münzer« entnimmt, gibt er sie in der dortigen hochdeutschen Fassung, doch ohne jedes Zitat (etwa S. 196 f.[7]). Gleich darauf kommt wieder das allergründlichste Zitat aus Holl, bei einem viel unwesentlicheren Satz. – Grotesk ist gar der Schluß[8], wo M[ax] Weber in der zweiten Gruppe genannt wird, aber weder Lukács in der ersten noch Klages in der dritten noch »ich« in der vierten, obwohl ein ganzer Satz in diesem Abschnitt von mir stammt. Kurz und gut: ich bin nicht Rickert, der bei jedem großen R glaubt, das sei ein Plagiat. Aber ich habe Gründe anzunehmen, daß hier mit dem »Meinen« Karriere zu machen versucht wird, ohne es zu nennen. Mannheim wäre ein vorzüglicher Geodät unserer Arbeit; ein Abstecker der Felder, auf die wir gesät haben. Aber so geht das nicht, und ich fühle ein Recht dazu, mich zu wehren.

In Ihrer Kritik steht leider davon nichts. Für uns ist eben offene Tür, was für Privatdozenten noch benannte sein muß. Schade, daß Ihre Anzeige nicht darauf hinwies. Jedes beamtete Schlieferl wird in dem Buch genauestens zitiert, aber die eine Grundquelle zu vielem dezidiert verschwiegen. Ich wundere mich auch bei Mannheim dar-

über; hätte ihm das nicht zugetraut. Hätte ihm auch das Arschkrie-
chen nicht zugetraut in der Widmung des »utopischen Bewußtseins«
an Alfred Weber[9] »zum sechzigsten Geburtstag«.
Läßt sich hier noch etwas tun? Ich bitte Sie um Ihren Rat. Ich will
nicht auf einen grundsätzlichen Fall stilisieren, was bei mir nichts mit
Ärger aus Grundsätzen zu tun hat, sondern – sagen wir schonend:
mit gereizter Liebe zur eigenen Arbeit, die im Schweigen unterging
oder in Sekretierungen aufersteht, teilweise, sehr teilweise. Ich bitte
Sie um Ihren Rat und, wenn Sie einen Weg sehen, um Ihre Hilfe. –
Haben Sie meinen letzten Brief bekommen? Mit der Einlage des
Klages-Aufsatzes?[10] Wie ist Berlin? Wie geht die Arbeit? Es kommt
mir vor, als hätte ich schon endlos nichts von Ihnen gehört. Bitte,
wenn Sie mir schreiben, adressieren Sie den Brief *nicht* an mich,
sondern an Herrn Dr. Max Hirschler[11], Ludwigshafen a[m] Rh[ein]/
Rheinblock. Legen Sie den Brief bitte in das so adressierte Kuvert ein.
Ich habe nämlich bei der Post mit der Nachsendung eine Dummheit
gemacht. Nur unter Hirschlers Adresse bekomme ich den Brief
rechtzeitig.
Die herzlichsten Grüße und Wünsche

Ihres Ernst

Ich schreibe gleichzeitig Benjamin. Ich bat ihn um Saures zu den
Früchten, die Mannheim an dem »Geist der Utopie« geerntet hat.
Aber die Lit[erarische] Welt ist – wenn Benjamin überhaupt bereit ist
– kein Ort. Wäre das *Feuilleton* der F[rankfurter] Z[eitung] möglich?
Es ist ja ein andrer Ort wie das Literaturblatt.[12] Und alles käme auf die
Form an. Oder halten die »Fachgelehrten« besser zusammen wie die
»Dilettanten«? Ich ärgere mich und sehe Unrecht.

1 S. K.s Besprechung von Karl Mannheims Studie unter dem Titel »Ideologie und
Utopie« erschien in der *FZ* vom 28. 4. 1929, Literaturblatt Nr. 17.
2 Vgl. Karl Mannheim, *Ideologie und Utopie*, 6. Aufl., Frankfurt/M. 1969, S. 186;
die im Brief angegebenen Seitenzahlen beziehen sich auf die Erstausgabe (Bonn 1929).
3 Vgl. Mannheim, a. a. O., S. 169 ff.
4 Mannheim zitiert verschiedentlich den Anarchisten Gustav Landauer (1870-1919)
als Vertreter eines radikal utopischen Denkens, »der jeden Wert in die Revolution und
Utopie verlegt und in jeder Topie das Böse selbst sieht« (Mannheim, a. a. O.,
S. 173).
5 In dieser Anmerkung heißt es: »Zur Charakteristik des Chiliasmus vgl. ganz beson-

ders Bloch, E., Thomas Münzer als Theologe der Revolution (München 1921), der durch eine ihm eigene innere Affinität zum Dargestellten das Wesentliche am Phänomen des Chiliasmus am adäquatesten erfaßt« (Mannheim, a. a. O., S. 185).

6 K. Holls Studie *Luther und die Schwärmer* ist eine Hauptquelle für Mannheims Darstellung des »Orgiastischen Chiliasmus der Wiedertäufer«. Vgl. Mannheim, a. a. O., S. 185 ff.

7 Vgl. Mannheim, a. a. O., S. 188.

8 Die Erstausgabe von *Ideologie und Utopie* schließt mit einem Ausblick auf »Die gegenwärtige Konstellation« (von der 3. Aufl. an folgt hier als fünftes Kapitel noch ein Abschnitt über Wissenssoziologie), in der Mannheim für die »freischwebende Intelligenz« vier Möglichkeiten der »zukünftigen Gestaltung des Utopischen und Geistigen« sieht. Erstens: das Bündnis mit dem Proletariat; zweitens: der Rückzug von der Utopie und die Hinwendung zur skeptischen Wissenschaft; drittens: die Flucht in die Vergangenheit; und viertens schließlich: das aus jeder eindeutigen politischen Bindung herausgelöste Festhalten am »Chiliastisch-Ekstatischen«, an der »ursprünglichsten, radikalsten Form des vom Prozeß freigegebenen utopischen Kerns« (Mannheim, *Ideologie und Utopie*, a. a. O., S. 222 f.).

9 Der Ökonom und Soziologe Alfred Weber (1868-1958), der Bruder Max Webers, seit 1907 Professor in Heidelberg, war einer der Lehrer Mannheims. Dieser widmete ihm den Abschnitt »Das utopische Bewußtsein« aus *Ideologie und Utopie*.

10 Ludwig Klages (1872-1956), Philosoph und Psychologe (*Der Geist als Widersacher der Seele*, 3 Bde., 1929-1933). Der hier genannte »Klages-Aufsatz« ist vermutlich eine überarbeitete Fassung des bereits in Brief Nr. 20 erwähnten Aufsatzes »Die Felstaube und der wirkliche Mensch«. Unter dem Titel »Die Felstaube, das Neandertal und der wirkliche Mensch« in: GA Bd. 9, S. 462-470.

11 Der Arzt Max Hirschler, bei dem E. B. in Ludwigshafen oft wohnte, war seit der Schulzeit einer seiner engsten Freunde. Vgl. Anm. 1, Brief Nr. 6 an Adolph Lowe.

12 Im Literaturblatt war S. K.s Besprechung von *Ideologie und Utopie* erschienen. Soweit bisher bekannt, hat die *FZ* keine weitere Stellungnahme zu Mannheims Buch veröffentlicht.

Nr. 26   [Berlin,] Hindenburgstr. 89a
                                   [wahrscheinlich Sommer/Frühherbst 1929]

Lieber Krac!

hier das M[anu]skript.[1] Hätte es Ihnen gern selbst gegeben, lief am Samstag abend noch durch Hessler und Romanisches.[2] In der Sache sind wir wahrscheinlich einig. Unter dieser angenehmen Voraussetzung bitte ich, das M[anu]skript der F[rankfurter] Z[eitung] zu geben und dort mit Ihrer Macht drauf zu drängen, daß das *bald* gebracht wird. Das darf schon dem Stoff nach nicht

Wochen und Monate liegen wie gewöhnlich bei meinen Sachen.
(Eine liegt jetzt schon zwei Jahre). Das ist wichtiger wie der scheuß-
liche Kassner³; dessen arg feine Tiefe hört überhaupt nicht auf.
Benjamin, mit dem ich heute zwei Stunden zusammen war, ist wieder der alte Unmensch. Das Wetter war von kurzer Dauer. Ich
brachte ihn dahin, *seinen Brecht-Bann⁴ zu formulieren. Die immerhin doch auch privaten, höchst privaten Ursachen sind ihm völlig im
Dunkel.* Es geht vorüber wie anderer Bann, den ich gekannt habe,
und ist immerhin Brecht (früher war es Klee⁵).

Herzlich! Ihr Ernst

1 Nicht zu identifizieren.
2 Hessler und das Romanische Café waren zwei der bekanntesten Berliner Lokale,
in denen auch S. K. und E. B. sich häufig trafen.
3 Rudolf Kassner (1873-1959), österreichischer Philosoph und Schriftsteller, dessen
Arbeiten der Grundlegung eines »physiognomischen Weltbildes« gelten; Kassner
publizierte häufig in der *FZ*. Auf welche Veröffentlichung E. B. sich hier bezieht, ist
unbekannt.
4 Benjamin hatte Bertolt Brecht im Mai 1929 kennengelernt. Die Faszination, die
Brecht auf ihn ausübte, und der Einfluß, der dessen Werk für die eigene Produktion
der dreißiger Jahre hatte, dokumentiert sich in zahlreichen Briefen und Aufsätzen.
Vgl. Benjamin, *Gesammelte Schriften II*, a. a. O., S. 506-572 und S. 1363 ff.
5 Paul Klee (1879-1940), Maler und Graphiker. Benjamin besaß von Klee zwei Bilder, das Aquarell »Angelus Novus« und die »Vorführung des Wunders«. Das erste,
das Benjamin 1921 erwarb, blieb ihm während seines ganzen Lebens bedeutsam als
»Meditationsbild und als Memento einer geistigen Berufung«. Vgl. G. Scholem,
»Walter Benjamin und sein Engel«, in: *Zur Aktualität Walter Benjamins*, Frankfurt/
M. 1972, S. 87-138.

Nr. 27   Berlin W/ Landshuterstr. 9-10 III links
                                                                4. Okt[ober] [19]29

Lieber Krac!

so wie seit langem nicht freute ich mich über Ihre Zeilen. Ich hatte
nämlich das Gefühl, daß etwas nicht mehr stimmte. Keineswegs
besitze ich ein innerlich so reiches Leben, daß ich Mücken zu Ele-
fanten mache. Aber Sie schienen mir in eine gewisse Bitterkeit, eine
fast abstrakte Zweifelsucht, auch Verzweiflung der Negation geraten zu sein (auch nach konkret scheinenden Mitteilungen anderer),
die mich für Sie und natürlich auch für mich bekümmerte. Ihre

Menschlichkeit blieb mir klar, aber gerade aus ihr schien – durch dauernd erzwungene Gewohnheit der Nicht-Anwendung sozusagen – Kälte zu kommen. Desto wichtiger, wieder Krac zu sehen und unsere Freundschaft ganz unpathetisch gerettet. In der Tat, ich glaubte hier Gefahren zu sehen, und zwar abstrakte, denen nicht zu helfen ist.

Glückwunsch zur fertigen Arbeit.[1] Sollte sie nicht in der Zeitung erscheinen können, so wäre das freilich ein Skandal.[2] Dann bliebe wohl nichts übrig, als doch in den faulen Apfel zu beißen und die Sache der Neuen Rundschau zu geben. Irgendwann muß doch einmal in diese hinein gebissen werden; es ist fast das Ihre – bei Ihren Beziehungen zu Fischer und der Wichtigkeit, das einzige größere Organ zu gewinnen –, hier nichts anstehen zu lassen. Auf die Reformation an Haupt und Gliedern kann man nicht warten. Ein Radikalismus, der lieber gar nichts tut, wenn er nicht alles tun kann, ist nicht der unsere. Schließlich ist die F[rankfurter Z[eitung] ja auch nicht lauter »übergehendes« Bürgertum. (Wobei ich mich mit dem Zeug von Roth in der Weltbühne[3] nicht identifizieren möchte. Der hätte *nur* antworten sollen: ich bekomme M[ar]k 2000 monatlich. Oder es werden so viel private Schweinereien begangen, daß es die Luft reinigt, wenn eine öffentlich begangen wird. Das wäre moralfrei gehandelt; aber so ist er hochnäsig und formalistisch. Noch nicht einmal so formalistisch, daß er sagt: ich stehe der radikalen Presse, also auch dem Münchner Stahlhelm näher als der liberalen. Statt dessen – dies nebenbei.)

Alles Gute, mein lieber Krac. Aus meinen Lebensumständen ist zu erzählen, daß die Wohnung wieder aufgegeben ist.[4] Es ging nicht, ich kann das Pathos einer Wohnung nicht mehr ertragen. Konkret mußte ich das leider erst erfahren. Die alten Wege wollte ich wieder gehen, auf denen mir mit einer geliebten Frau nur Gutes begegnet war. (Denn das andere kam erst auf Reisen.) Umsonst: an den alten Wegen oder an der Reise liegt es nicht, sondern an mir. Da hat sich etwas geändert, und zwar in einer von der Frau ganz unabhängigen Weise: mein normaler Zustand ist völlig das Gegenteil von »Wohnen« geworden; ich kann keine »Abenteuer der Treue«[5] leisten, sondern konnte nur Treue leisten, völlig gerettete, oder ein *offenes* Leben, in dem das Gewesene Erinnerung, durchaus auch Halt bleibt. Ich würde Linda[6] in ein größeres Unglück bringen als jetzt.

Sie ist ein Kind, dem die Ehe ihre Mutter ist; ich war auch so, bin offenbar anders geworden. Wo das Neue ist, außer Abenteuer und Treue, weiß ich nicht; aber meine Natur muß es finden. Hier müßte mir, wenn nicht Konkretes alle Fragen vereinfacht, ein Gespräch mit Ihnen und Frau Lili viel helfen. Bis dahin Stille und Arbeit, in der man identisch sein kann.

Ziemlich oft bin ich mit Benjamin zusammen. Es geht ihm nicht gut, er kommt auf vieles, nie waren Wunderliches und Wunderbares äquivoker zusammen. Eine Sache über Green hat er jetzt geschrieben, die selbst bei ihm ihresgleichen sucht.[7] Schreiben Sie ihm doch, daß er sie ihnen schickt[8]; er hat da seltsame Vorbehalte, und fast fallen Sie etwas in seinen Angstkomplex. Das muß mit einem Abend im Englischen Hof[9] zusammen hängen, den er zwar mythisiert, der aber allerdings geladen gewesen sein muß. (Hing wohl mit Wiesengrund zusammen.)

Wie dem auch sei, ich bin glücklich, daß die böse Lust (der Unlust) zwischen uns und so manchem keinen Platz hat.

Von Herzen Ihnen und Lili, der guten, schönen,

Ihr Ernst

---

1 S. K.s soziologische Studie *Die Angestellten*; in: *Schriften 1*, a. a. O., S. 203-304.

2 Auszüge aus den *Angestellten* wurden dann doch im Feuilleton der *FZ* vorveröffentlicht. Das Buch erschien 1930 im hauseigenen Societäts-Verlag.

3 Der Schriftsteller Joseph Roth (1894-1939), seit 1923 ständiger Mitarbeiter der *FZ*, zeitweilig auch deren Pariser Korrespondent, hatte der Zeitung im Juli 1929 gekündigt und war zu den konservativ-nationalistischen *Münchner Neuesten Nachrichten* übergewechselt (kehrte freilich ein Jahr später zur *FZ* zurück). In der *Weltbühne* wurde ihm der Vorwurf gemacht, sein schriftstellerisches Talent für 2000 RM – das war das vertraglich vereinbarte monatliche Honorar – verkauft zu haben (vgl. Hans Bauer, »Ein Vorschlag und seine Erfüllung«, in: *Die Weltbühne*, 1929, 2. Hbj., S. 492-493). Roth verteidigte sich an gleicher Stelle, indem er behauptete, für die *Münchner Neuesten Nachrichten* unabhängiger schreiben zu können als für die *FZ* (vgl. »Joseph Roth antwortet«, in: *Die Weltbühne*, 1929, 2. Hbj., S. 493-494).

4 Die Wohnung in der Hindenburgstraße, in der E. B. im Sommer 1929 kurzzeitig noch einmal mit seiner zweiten Frau, der Malerin Linda Oppenheimer, gelebt hatte.

5 Ein Ausdruck, den S. K. einmal für die Ehe gebrauchte. Vgl. Brief Nr. 87.

6 Linda Oppenheimer, vgl. Anm. 4.

7 Die frühen Romane des französisch-amerikanischen Schriftstellers Julien Green (geb. 1900) machten auf Benjamin ebenso wie auf S. K. (siehe Briefe Nr. 29, 30, 32)

einen außerordentlichen Eindruck. Benjamin hat diese Romane rezensiert und einen größeren Essay über Green geschrieben. Dieser ist hier gemeint. Vgl. Benjamin, *Gesammelte Schriften II*, a. a. O., S. 328-334.
8 S. K. lehnte die Veröffentlichung von Benjamins Essay in der *FZ* ab (siehe Nr. 32); er erschien zuerst 1930 in der *Neuen Schweizer Rundschau*.
9 Hotel in Frankfurt/M.

Nr. 28   Berlin W 30/ Landshuterstr. 9-10
                                                          7. 11. [19]29

Liebster Krac,
hier eine kleine Sache, die möchte gern unter die Soldaten.[1] Hoffentlich können Sie sie brauchen. Bitte geben Sie mir Bescheid.
Wie steht es und wie steht es mit Ihrem Leben im Roman? Von dessen Fortgang zu hören ist mir wichtig, wie mir alles von Ihnen zu hören wichtig ist.
Mein Lauf, nach dem Sie fragen, ist nun so, daß ich die nächsten Tage nach Wien fahre. (Meine Adresse werde ich Ihnen gleich schreiben.) Karola werde ich wiedersehen. Nicht um mit ihr ins reine zu kommen (das ist längst geschehen), sondern um das Reine zu fixieren. Lukács werde ich wiedersehen, einmal mein nächster Freund gewesen und hoffentlich noch manches davon oder auch nur ein Neuer, Erneuerter. Davon werde ich Ihnen vor allem schreiben und ausführlich, wenn etwas ausführlich wird.
Vielleicht schreiben Sie mir nach Wien die Adresse von Soma Morgenstern[2], wenn es Ihnen recht scheint. Es ist spät und in [...][3] krähen schon die Hähne. Hoffentlich auch bald für uns.
Sehr herzlich Ihnen und Frau Lili!

                                                        Stets Ihr Ernst

1 Um welchen Aufsatz es sich handelt, war nicht zu ermitteln.
2 Soma Morgenstern (1890-1976), österreichischer Schriftsteller, Mitarbeiter, später Korrespondent des Wiener Büros der *FZ*.
3 Ein Wort unleserlich.

Nr. 29   Wien III, Marokkanergasse 1/10
                                                     6. 12. [19]29

Lieber Krac, es ist mir eine Freude und Ehre, Ihnen den Datterich
anzuzeigen.[1]
Das heißt: Ihr Brief und die neue Datterich-Ausgabe ist mir bisher
aus Berlin nicht nachgeschickt worden. Ich hörte nur in oratio obli-
qua davon. Ich bitte Sie also Titel und das weitere der neuen Datterich-Ausgabe meiner Anzeige in einer Fußnote hinzuzufügen.
Leider weiß ich auch nicht, ob Sie sich in dem Brief zu meinem
Zauberflöten-Aufsatz[2] geäußert haben. Er müßte nun doch wohl
eilig gebracht werden, wegen des Bezugs auf Dülberg-Klemperer.[3]
Ich bitte Sie sehr hierher um ein Wort darüber.
Seit drei Tagen bin ich in Wien. Habe Karola wiedergesehen; es
wäre mir unmöglich gewesen, ein so großes Erlebnis, wie sie und
ich es hatten, ins Leere oder wenigstens ganz Unbestimmte auslau-
fen zu sehen. Die Liebe ist vollkommen bei uns in Erinnerung
gebracht und geblieben; für unsere Beziehung werden wir – ich
hoffe es – eine neue Form finden.
Gestern habe ich mich mit Lukács getroffen; heute abend bin ich bei
ihm draußen. Seine formelle Starrheit ist etwas gesprungen. Er gab
zu, daß das, was Sie, Benjamin und ich machen, geschichtsphilosophisch fällig ist. (Vor allem das Aufsuchen bisher verdeckter oder
bisher abstrakt »zusammenhängender« Tendenzen und Objektin-
halte.) Er machte sogar selbst eine formelle Parallele (eigentlich
etwas ganz Unmarxistisches) zur hervorbrechenden Dämonenzeit
in der sich auflösenden antiken, zum Hexenglauben in der sich auflösenden Feudalwirtschaft. Alte Lichter fangen manchmal an zu
spielen. An sich freilich verschiebt er die Lichter bis [in] die
gelungene Kommunezeit: jetzt könne noch niemand sagen, ob da
etwas Konkretes sei. Ich erzählte ihm von den drei Kohlenhaufen
Greens[4] als einem Erlebnis, das mit Warenkategorien wahrscheinlich durchsetzt, aber jetzt schon nicht ganz damit umschreibbar ist.
Sondern wenigstens den positivsten Teil der »Krise« darstellt. – Wir
haben ausgemacht, daß wir uns, wenn möglich, täglich treffen. Da
wird wohl manches herauskommen.
Herzlichst Ihnen

                                                          Ihr Ernst

1 E.B.s Anzeige der 1929 neu herausgegebenen Dialektkomödie *Datterich* (1841) von Ernst Elias Niebergall (1815-1843) erschien unter dem Titel »Bittere Heimatkunst« in der *FZ* vom 29. 12. 1929. Wieder in: GA Bd. 9, S. 169-171.
2 »Die ›Zauberflöte‹ und Symbole von heute«, in: Programmheft der Staatsoper, 20. April 1930. Wieder in: GA Bd. 9, S. 289-294.
3 Aktueller Anlaß für den Aufsatz war Klemperers Inszenierung der »Zauberflöte«, die am 10. 11. 1929 an der Krolloper Premiere hatte. Ewald Dülberg war Regisseur und Bühnenbildner an der Krolloper. Die *FZ* hat E.B.s Aufsatz, soweit bisher zu ermitteln, nicht veröffentlicht.
4 Anspielung auf eine Szene in Julien Greens Roman *Léviathan* (1929). Auf der Flucht nach einem Mord macht die Hauptfigur dieses Romans, Guéret, nachts auf einem Hof Rast, auf dem drei regelmäßig gestapelte Kohlenhaufen sich befinden. Auf die Bedeutung dieser Kohlenstapel ist S.K. in seinen »Betrachtungen zu Greens: Léviathan« (*FZ* vom 1. 12. 1929 Literaturblatt Nr. 48) eingegangen: »Wie sie im Mondlicht aufsteigen, scheinen sie ihm [Guéret] drei schreckliche Götter zu sein, die einer Tragödie zuschauen, in der sich das Schicksal der Schöpfung selber entrollt.« Nach einer von Benjamin überlieferten Äußerung hat Green selbst »einen Haufen Kohle«, auf den er eines Tages gestoßen sei, als »den Ursprung« seines Romans bezeichnet (vgl. Benjamin, *Gesammelte Schriften II*, a. a. O., S. 332).

Nr. 30   Wien III, Marokkanergasse 1/10
                                      [Dezember 1929]

Lieber Krac, gerade im Augenblick kam Ihr Brief und der Datterich nachgeschickt.
Meine Anzeige werden Sie wohl schon erhalten haben. Sie kommt für die erste Dezemberhälfte noch gut zurecht. Wollen Sie die neue Ausgabe (als Anlaß) erwähnen, so trage ich sie nach: »Datterich« von E. E. Niebergall, mit vierzig Schattenrissen von Hermann Pfeiffer, Verlag Hohmann, Darmstadt 1929.
Ihr Brief enthält nichts über mein Manuskript: *Zauberflöte und heutige Symbole*. Es ist zu fürchten, daß Sie es gar nicht zu sehen bekamen. Dringend möchte ich nochmals darauf hinweisen. Es müßte jetzt gleich erscheinen, wenn es erscheint; oder ich hätte die Mühe, es umzuarbeiten und den sehr guten aktuellen Anlaß herauszunehmen. Bitte ersparen Sie mir die Mühe, wenn es Ihnen möglich ist, und drucken Sie die Sache gleich, wenn sie Ihnen recht scheint. Sonne über Cadix [sic!][1] auch hier und hier vielleicht aktueller, konkreter. Bitte geben Sie mir über das Zauberflöten-Schicksal gleich Nachricht.

Das vorabgedruckte Romankapitel habe ich gelesen[2], es »gefiel«
mir noch anders wie beim Hören. Übrigens sehr spannend; was
auch eine Unterscheidung zum Ginster ist.
Stets sehr herzlich Ihnen und Frau Lili

                                                                              Ihr Ernst

1 Die Anspielung konnte nicht aufgelöst werden.
2 Unter dem Titel »Gesellschaft 1920« war in der von Hermann Kesten herausgegebenen Anthologie *24 Neue deutsche Erzähler*, Berlin 1929, ein Vorabdruck aus dem
ersten Kapitel von S. K.s Roman *Georg* erschienen.

Nr. 31   Wien III, Marokkanergasse 1/10
                                                              11. Dez[ember] [19]29
Lieber Krac,
die Gespräche mit Lukács sind außerordentlich, und ich bedaure,
Sie nicht dabei zu haben. Bei so viel gebliebener Nähe (die wirklich
oft dem anderen das Wort aus dem Mund nehmen kann) sind die
Gegensätze gar nicht einmal die des Soldaten und des – nun, des
Zivilisten. Sondern es sind hauptsächlich Unterschiede einer bei
Lukács überwiegend kommunistischen, bei mir überwiegend anar-
chistischen Tendenz. Das hängt zwar auch etwas mit dem Unterschied der Arbeit zusammen, aber doch nicht ganz. »Bewegung« ist
ihm nur im Proletariat, und zwar eben eine straff um Ökonomie
zentrierte; am Bürgertum pointiert er nur das gewesen Feste,
wenigstens als fest Blühende, bis Hegel. Heute interessiert ihn als
wichtig (wegen des per definitionem nicht so reflexiven Kerns, eben
wegen der »Natur«) nur die spätbürgerliche Physik. Als ich ihm
Ihren Aufsatz über Green kenntlich machte und das mit den drei
Kohlenhaufen[1], als ich von den springenden Zusammenhängen
berichtete und dem Beitrag des übergehenden Bürgertums an eine
andere Welt: hörte er äußerst betroffen zu und sah das als
geschichtsphilosophisch fällig. Aber ganz davon abgesehen, daß er
in den verschiedenen Arten dieses disparaten »Staunens« zunächst
nur Unmittelbarkeit sieht und eine, in der zweifellos – trotz der
produktiven Dissoziation – noch Warenkategorien sind: sagt er,
über die Konkretheit dieser Dinge lasse sich heute noch nichts ausmachen. Keinesfalls behauptet er, wie früher, sie seien von vornher-

ein abstrakt. Aber erst eine spätere Stufe des sozialen Seins wird sie aufgreifen und wahrscheinlich nicht in direktem Zusammenhang. Ein anderes soziales Sein wird diese Inhalte setzen und dann eben sicher konkret. Kurz: Lukács denkt sozusagen nur in fest bewegten und zusammengeschlossenen Körpern; aus ihnen kommt ihm die Dialektik. Für alles sich Lockernde, geschichtsphilosophisch nicht gleichsam dicht Vermittelte fehlt ihm der »Sinn«.

Ich setzte ihm daher recht mit der »Totalität« zu. In ihr als einer jetzt proletarisch geschehenden ist nach seiner Lehre alles, was im falschen Bewußtsein der Vergangenheit oder mehreren (antiken, feudalen, kapitalistischen) Vergangenheiten *nicht* hundertprozentig falsches Bewußtsein war. Das sind vor allem die darin inadäquat bezeichneten »Inhalte«, vor allem solche der Natur. Andererseits gibt er zu, vielmehr pointiert er ja selbst, daß die konkrete Arbeit jetzt eng, vieles auslassend ist und sich vieles für später ersparen muß (jetzt erst tritt in Rußland, nach einem neuen Erlaß Stalins, Belletristik in den revolutionären Gesichtskreis).[2] Ich sagte Lukács, dies Nacheinander mache einen sehr arbeitsteiligen Eindruck, ja, es sei etwas Sozialdemokratisches daran, das zur Totalität schlecht stimme. Es müsse ihm aufzeigbar sein, daß in jedem Augenblick der Revolution (qua konkreter Tendenzerfassung und Tendenzleitung des »Weltgeistes« sive Materie) sämtliche Bezüge des nicht hundertprozentig falsch gewesenen Bewußtseins zur Stelle sind; wenn auch in noch so grenzhafter Form und schwacher Horizontbeleuchtung. Dies gab Lukács zu; unsere Gespräche stehen nun auf dem Punkt, daß ich solche Inhalte kenntlich zu machen versuche und er den proletarisch kategorialen Ort angibt, soweit diese Inhalte eben nicht nur hundertprozentige Mythologisierungen undurchschauter Klassenlage, also gar keine »Inhalte«, Probleminhalte der gegenwärtig erlangten Berichtigungsstufe sind. – Leider mußte gerade jetzt Lukács auf einige Tage verreisen. Es wäre sehr gut, wenn auch Sie in einen Briefwechsel mit Lukács, vielleicht gerade über das hier so unvollkommen wiedergegebene (natürlich viele Stunden lange, tägliche) Gespräch eintreten würden. Auch für uns wäre es gut. Alles in allem, was ich etwa gefürchtet hatte: daß nämlich Lukács den Wald vor lauter Bäumen nicht mehr recht sieht, ist natürlich nicht der Fall. Aber Vögel, Tiere, Luft zwischen den Bäumen, Lärm am Waldrand und dergleichen sieht die geballte Nähe seines

völlig unanarchistischen Blicks allerdings nicht recht. Auch der
»Formalismus« ist immer noch stark, wenn auch ein hinreichend
merkwürdiger.

Vielen Dank für den zugesendeten Green und den Anfang der
Angestellten, den ich schon kannte. Der Green sagte mir vieles,
aber – da ich offen zu reden habe – nicht mehr als der Benjaminsche
Aufsatz. Was ja keine Beleidigung ist; die Grundposition ist ähnlich, bis auf den Schluß, in dem allerdings sehr bedeutende, mir
noch bei unseren Gesprächen unbekannte, ja geheim gebliebene
Zusammenhänge erscheinen.[3] – Den Zauberflötenaufsatz habe ich
noch nicht erhalten. Ich kann mir etwa denken, was Ihr Einwand
dagegen ist: nämlich der, daß die Unterschiede zwischen französischer und proletarischer Revolution, zwischen Aufklärung und
dialektischem Materialismus, nicht genügend betont sind. Ich
wollte das erstens in dem Rahmen nicht, und zweitens glaube ich
allerdings, daß Antrieb und letzte Urfabel (wenn man so sagen
kann) von »Revolution« sich nicht in dem Maß jeweils unvergleich-
bar sind wie ihr Vollzug und die sich wirklich konkret jeweils in ihr
durchsetzenden Inhalte. Schon im Münzer habe ich, »über
Abgründe bedenkenlos dahinstürmend«[4], doch nicht so ganz
bedenkenlos den aufrechten Gang, den athenisch freien Stadtbür-
ger, den chiliastischen Bauernführer usw. nebeneinander genannt,
qua Gegensatz zum Zwang, Despotismus und seinen allerdings
sehr verschiedenen Erscheinungen. Das nie recht Gewordene der
»Freiheit« hat (deshalb) allerdings eine »Ähnlichkeit« in seiner Tendenz, die man ohne Leichtsinn pointieren darf. Kein Großkapitalist
hat etwas mit mittelalterlichen Feudalherrn, gar mit einem ägyptischen Großen gemein, wird sich auch nie auf ihn als einen Ahnen
berufen. Dagegen Spartakus: – die Unterschiede liegen auf der
Hand, die geschehene Verwandtschaft des Antriebs und der »Urfabel« (von Freiheit, menschlichem Dasein) nicht minder. – An
Herrn Reifenberg werde ich einige Worte wegen der Zauberflöten-
sache schreiben, vor allem habe ich auch eine Bitte an Herrn Holl[5],
die mir wohl Reifenberg übermittelt. (Nämlich wegen einiger musikalischer Bestimmungen; da lasse ich mich gern belehren und bitte
ihn darum.)

Nach diesem Strich sage ich ein Wort wegen der Gemeinheit im [Berliner] Tageblatt.[6] Ich habe sie durch Lachmann[7] erfahren, mit dem ich schon zusammen war (auch Morgenstern habe ich schon gesehen und freue mich, ihn näher kennen zu lernen). Von Berlin erhalte ich empörte Briefe über »dies Niveau Völkischer Beobachter von 1923«; im Schoß des Tageblatts selbst war man bestürzt. (Übrigens sonderbar, daß meine Zeitungsaffären nie abreißen.) Landry[8] will aus sehr freien Stücken eine große Affäre in der Literarischen Welt, und, wenn möglich, auch in der Voss[ischen Zeitung] daraus machen[9]; sozusagen ein Fällchen Dreyfus[10] en miniature. Ossietzky stellt sich ganz hinter mich[11], und da mag auch noch ein großer Krach gegen dies »anonyme Wegelagerertum« blühen. Mir selbst ist sogar der Krach darum nicht angenehm. Es sind Bemühungen im Gang (vertraulich gesagt), vorher im Tageblatt selbst einen Widerruf und eine Wiederherstellung meiner lädierten »Ehre« zu bringen.[12] »Ach so, der bekannte Plagiator Ernst Bloch« – so stehe ich jetzt da, das hat man davon nach langer und doch auch recht origineller Arbeit, das ist nun dem Babbit[13] und nicht nur ihm meine Beschäftigung. Wenigstens regt sich in Berlin etwas Ritterlichkeit auch. Über das »Plagiat« selbst schickte ich Ossietzky und gab ich H. E. Jakob[14], dem hiesigen Korrespondenten des B[erliner] T[ageblatts], genauen Bericht. Sie werden mir glauben, daß kein wahres Wort an der Anklage ist. Jakob hat eben daraufhin sofort die Gegenaktion eingeleitet. »Theodor Fanta« – wer ist Theodor Fanta[15], ich weiß es auch heute noch nicht; ich hielt den etwa 20zeiligen Bericht damals im [Berliner] Börsenkurier, über dem Strich[16], ganz beim Lokalen, für das Eingesandt eines Augenzeugen von einem Vorfall im damals gastierenden Zirkus Sarrasani. Der Rohstoff erregte ein Zentrum meiner Philosophie: vom Nichtwissen, wer wir sind, und von unserem bloßen Gewecktwerden durch Ohrfeigen, Wecker morgens usw.; das Bewußtsein ist dann auch danach. Diese philosophische Glosse (in der kein Element des Rohstoffs unverwandelt blieb) schickte ich *zwei* Tage nach dem Lokalbericht im Börsenkurier ans Tageblatt mit zwei anderen philosophischen Erzählungen, die dasselbe Thema anders in sich hatten. Mamlock[17] veröffentlichte nur die eine, eben die mit der Ohrfeige, und strich auch aus der noch Feinheiten heraus, die er nicht verstanden hatte. Zwei Tage, sage ich, nach dem Börsenkurier,

einer Berliner und doch nicht entlegenen Zeitung; dabei setzte ich
die Bekanntschaft mit dem factum brutum des Vorfalls sogar gern
voraus. Burschell wohnte damals bei mir als Gast; er hatte auch
keine Ahnung, daß das zu etwas führen könnte. Da kam eine
Anfrage vom Tageblatt; ich fuhr hin und erfuhr zu meinem größten
Erstaunen, daß das kein Eingesandt oder Lokalreportage war, sondern eine »Dichtung« von einem gewissen Fanta, der ein Dichter
ist. Mamlock wollte mir goldene Brücken bauen, wie so Leute
sagen, und erzählte etwas von Dichtern, die oft wirklich gleichzeitig gleiche Ideen hätten. Aber ich sagte kurz und klar, daß ich
erstens kein Dichter wäre, daß ich den Vorfall aus dem Börsenkurier kennte, wie andere Leute auch, daß ich keine Ahnung von dem
»Feuilletoncharakter« der Sache hätte haben können, daß meine
Glosse ja auch bei Gott den Rohstoff unkenntlich umgewandelt
hätte und daß er mir die »Bedeutung« der Sache durch Streichungen
und nur partiellen Abdruck zerstört hätte. Mamlock entschuldigte
sich darauf, Hildenbrandt[18] (bei Zeus auch kein Licht) gab Mamlock völlig preis, sagte, wenn er nicht verreist gewesen wäre, wäre
so etwas nie vorgekommen, bat mich, die Sache zu vergessen und
dem Tageblatt umgehend wieder etwas zu schicken. Das Letztere
habe ich nicht oft getan, immerhin sind seitdem mehrere Sachen von
mir erschienen, an der gleichen Stelle, wo jetzt die Gemeinheit
steht. Ja, das sind die rechten Plagiatoren (von allem anderen abgesehen), die *zwei* Tage, nachdem etwas im *Berliner* Börsenkurier
steht, es ans *Berliner* Tageblatt schicken. Wäre ich selbst ein Plagiator, so dumm wäre ich doch nicht. – Verzeihen Sie, nun habe ich
Ihnen die ganze Sache doch erzählt. Vielleicht brauche ich noch
Ihre und Reifenbergs Hilfe; ich denke, ich kann sie, wenn es nötig
werden sollte, haben. Aber lieber wäre mir natürlich der Widerruf
in dem Saustall selbst.

Eine Bitte habe ich schon jetzt. Drucken Sie bitte den »Datterich«
noch nicht. Es steht da etwas von einem »kleinen Raubwesen«[19]
drin; das habe ich vor Erscheinen der Tageblattnotiz geschrieben.
Und so meine ich die Prise Datterich in uns nicht. Der Datterich hat
ja wohl noch Zeit bis nach Neujahr. *Dagegen bitte ich Sie und
Herrn Reifenberg s e h r um gerade jetzt umgehenden Abdruck meiner Wachsfiguren-Sache.*[20] Gerade jetzt; es wäre eine Bekundung,
daß Sie auf meiner Seite stehen. Bitte tun Sie mir den Gefallen.

Und hoffentlich sehen wir uns bald. Ich habe das nötig. Alles Herzliche Ihnen und Frau Lili! – Ihr Ernst

Ossietzky weise ich auf den neuen Pickard[21] hin; ob ich ihn anzei-
gen kann, weiß ich nicht.
Lukács' Adresse ist: Wien XII, Isbarygasse 13.
Bitte antworten Sie mir auch bald. Wenn es Ihre Zeit zuläßt.

1 Vgl. Brief Nr. 29, Anm. 4.
2 Ein Literaturerlaß Stalins aus dieser Zeit ist nicht bekannt. Für die sowjetische
»Belletristik« galt offiziell nach wie vor die im Juni 1925 verabschiedete Resolution
»Über die Politik der Partei im Bereich der schönen Literatur«. Die Auseinandersetzungen zwischen den verschiedenen sowjetischen Schriftstellerorganisationen, insbesondere den proletarischen und nichtproletarischen Schriftstellern, die im Herbst/
Winter 1929 einen ersten Höhepunkt erreichten, führten im Ergebnis nicht zu einer
verstärkten Förderung der »schönen Literatur«, sondern zu einer Ausweitung der
Kontrolle der Schriftsteller durch die Partei und ihrer engeren Bindung an deren
tagespolitische und ideologische Zielsetzungen. Vgl. hierzu: *Dokumente zur sowjetischen Literaturpolitik 1917-1932*. Mit einer Analyse von Karl Eimermacher, Stuttgart, Berlin, Köln, Mainz 1972.
3 »Unbeirrbar«, so schreibt S. K. am Ende seiner Rezension, »als ob Green einem
fremden Auftrag gehorche, träumt er wie im Tiefschlaf dem Gang des elementaren
Waltens nach. Wer wollte so leicht den Sinn des Auftrags enträtseln? Gewiß ist:
keine menschliche Gesellschaft wird sein, die sich über ihre Ursprünge hinwegsetzen
dürfte. Nähme sie nicht die ganze unerlöste Schöpfung mit – die Flut der Leiden-
schaften stiege hoch, und der Léviathan verschlänge die Welt« (»Betrachtungen zu
Greens: Léviathan«, *FZ* vom 1. 12. 1929, Literaturblatt Nr. 48).
4 Ein Zitat aus S. K.s Kritik des *Thomas Münzer*. Siehe Brief Nr. 2.
5 Karl Holl, Musikredakteur der *FZ*.
6 1925 war im Hauptteil des *Berliner Börsenkuriers* ein pseudonym gezeichneter
Artikel »Exzentrik« erschienen, dessen Verfasser, wie sich später herausstellte,
Theodor Fanta war. E. B. hielt diesen Artikel für einen dokumentarischen Bericht
und ließ sich von ihm zu seinem Aufsatz »Ohrfeige und Gelächter« (in: *Berliner
Tageblatt*, 29. 9. 1925; unter dem Titel »Ein Inkognito vor sich selber«. Wieder in:
GA Bd. 1, S. 119-121) anregen. Vier Jahre später nun wurde er – als Reaktion auf
seine Kritik an einer Literaturbeilage des *Berliner Tageblatts* (vgl. »Bücherschau
einer großen berliner Zeitung«, in: *Die Weltbühne*, 1929, 2. Hbj., S. 854-856; unter
dem Titel »Eine übliche Bücherschau, weiter lehrreich«, wieder in: GA Bd. 9,
S. 15-18) – in derselben Zeitung, die seinerzeit »Ohrfeige und Gelächter« veröffentlicht hatte, des Plagiats beschuldigt.
7 Kurt Lachmann, Mitarbeiter der *FZ* in Wien.
8 Harald Landry, Schriftsteller und Kritiker.
9 Weder die *Vossische Zeitung* noch die *Literarische Welt* haben – soweit zu ermitteln war – zu den Vorgängen Stellung genommen.

10 Die Affäre um den jüdischen Generalstabsoffizier Alfred Dreyfus (1859-1935), der 1894 auf Betreiben militärischer, konservativer und antisemitischer Kreise wegen angeblichen Geheimnisverrats an Deutschland in einem rechtswidrigen Verfahren verurteilt wurde, löste die schwerste innenpolitische Krise im Frankreich der Dritten Republik aus.

11 Carl von Ossietzky (1889-1938), der Herausgeber der *Weltbühne*, veröffentlichte unter dem Titel »Plagiatgeschrei« (*Die Weltbühne*, 1930, 1. Hbj., S. 180-182) eine Verteidigung E.B.s und forderte für ihn »volle Genugtuung«.

12 Dies ist im *Berliner Tageblatt* nicht geschehen; die Zeitung lehnte es ab, E.B.s Stellungnahme zu den gegen ihn erhobenen Vorwürfen zu veröffentlichen.

13 Hauptfigur des gleichnamigen Romans (1922) des amerikanischen Schriftstellers Sinclair Lewis (1885-1951); der Name wurde zum Inbegriff des selbstgefällig-borniertenen, angepaßten Kleinbürgers.

14 Heinrich Eduard Jacob (1889-1967), Romancier und Sachbuchautor, vor 1933 Wiener Korrespondent des *Berliner Tageblatts*.

15 Theodor Fanta (geb. 1904) war Mitarbeiter am Feuilleton des *Berliner Börsenkuriers*; 1933 nach Frankreich emigriert, machte er sich im Exil einen Namen durch sein Drama *Die Kinder des unbekannten Soldaten* (1935). Vgl. Anm. 6.

16 Das heißt im Hauptteil der Zeitung, von dem das darunterstehende Feuilleton durch einen Querstrich abgetrennt war.

17 Gotthold Mamlock, Feuilletonredakteur des *Berliner Tageblatts*.

18 Fred Hildenbrandt (1892-1963), von 1921 bis 1932 Leiter des Feuilletons des *Berliner Tageblatts*.

19 Das Zitat blieb in der Erstveröffentlichung im Text. Vgl. auch GA Bd. 9, S. 170.

20 Die *FZ* kam dieser Bitte nach und veröffentlichte den Aufsatz »Leib und Wachsfigur« am 19. 12. 1929. Unter dem Titel »Mensch und Wachsfigur« wieder in: GA Bd. 1, S. 134-138.

21 Gemeint ist wohl der Schweizer Schriftsteller Max Picard (1888-1965), dessen Aufsatzsammlung *Das Menschengesicht* – nach Vorabdrucken in der *FZ* – 1929 im Verlag G. Kiepenheuer erschien. E.B. hat dieses Buch, von dem S.K. sehr angetan war, nicht rezensiert.

Nr. 32
Kracauer an Bloch

Berlin, den 13. Dezember 1929

Lieber Ernst,

ich bin froh, daß Sie eine ordentliche Campagne gegen die Schmutznotiz im »Berliner Tageblatt« eröffnen, und wir stehen Ihnen natürlich, wenn es sein muß, auch zur Verfügung. Das »Wachsfigurenkabinett«[1] werden wir bald veröffentlichen. Schade, daß wir nicht schon übermorgen im Literaturblatt den Datterich mitnehmen können.

Was meine Green-Besprechung betrifft, so irren Sie sich, wie ich glaube, diesmal sehr. Abgesehen von ein paar Dingen wie Leidenschaft und Schicksal, auf die jeder Mensch bei der Lektüre Greens stoßen muß, ist sie au fond anders wie Benjamins Aufsatz. Der Hauptunterschied besteht darin, daß sie realer ist. Benjamin sieht ja gar nicht ein Werk, das er interpretiert, sondern das Werk ist ihm nur der Anlaß zu einer mehr oder weniger glanzvollen Interpretation. So entschwindet ihm auch die Welt in ihrer Realität. Er hat keine Beziehung zu den Dingen. Ich dagegen habe das Werk ästhetisch betrachtet und seine Konstruktion einer Kritik unterzogen. Ich habe ferner das Phänomen der Provinz bei Green, das Benjamin unbeachtet läßt, aus der Tiefe geholt. Schließlich habe ich mich nicht wie Benjamin dabei beruhigt, in der einen Ecke des Bewußtseins Sowjetrußland zu glorifizieren und in der anderen Ecke die Mythologie Greens – beides auseinanderzuhalten wie Benjamin ist purer Ästhetizismus –, sondern ich habe versucht, diese zwei Phänomene in die ihnen zukommende reale Dialektik zu zwingen. Also Sie sehen: jeder Satz ist anders gemeint als bei Benjamin, und nicht ohne Grund habe ich damals dessen Aufsatz strikte abgelehnt.

Nun zu Lukács: Ihr Bericht von den Gesprächen mit ihm [hat][2] mich natürlich außerordentlich interessiert. Das, was Lukács sagt, hätte ich beinahe a priori aus dem, was ich von ihm kenne, deduzieren können. Nichts ist darin, was mich überrascht. Nur die Bestätigung, daß es noch immer so ist, bedeutet für mich eine Überraschung. Ich muß Ihnen gestehen, daß ich gehofft hatte, Lukács sei inzwischen weitergekommen. Er ist aber nach Ihrer sehr genauen Darstellung noch der gleiche invertierte Idealist wie vor etlichen Jahren. Reiner und schlechter Idealismus ist es, zu behaupten, daß erst in der nachrevolutionären Epoche alle Gehalte ihren Ort erhalten und echte Konkretionen sich verwirklichen könnten. Diesen Thesen gegenüber habe ich heute die gleiche Hemmung wie Sie. – Aber darüber müßten wir einmal mündlich sprechen. Im übrigen halte ich es mit Trotzki, der sich seiner Autobiographie[3] nach gar keine Skrupel darüber gemacht hat, literarische Produkte und Kunstwerke auch schon vor dem Ausbruch der Revolution anzuerkennen, der überhaupt kein so doktrinärer Marxist ist wie Lukács und einige andere traurige Theoretiker. Mein Realismus ist so abgrundtief, daß ich mit keiner Theorie etwas zu tun haben will, die so blind wie die von Lukács geradeausgeht. An ihn zu schreiben hätte darum von hier aus auch wenig Sinn, und er ist vermutlich unbelehrbar.

Ich habe rasend viel zu tun und glaube, daß das erst aufhören wird, wenn ich in Berlin sein werde.[4]

Herzlichst Ihr
Krac

1 »Leib und Wachsfigur«. Vgl. Brief Nr. 31, Anm. 20.
2 Korrektur des Originals: »haben«.
3 Leo Trotzkis (1879-1940) umfangreiche politische Autobiographie *Mein Leben* (deutsch 1930) entstand 1929 im ersten Jahr seines Exils in der Türkei.
4 Zu S. K.s Übersiedlung nach Berlin vgl. Brief Nr. 34, Anm. 3.

Nr. 33   [Postkarte]
Wien III, Marokkanergasse 1/10
[3. 1. 1930]

Lieber Krac, »Pläsierkasernen« – hurra. Alles heute großartig.[1] Auf das Buch bin ich sehr gespannt. Auch hier erregt die Folge wachsendes Aufsehen. Bei Geschäftsleitern und Intellektuellen, besonders wenn sie zusammenfallen. Die geistig Obdachlosen[2] lesen es leider nicht. Wichtige Frage, es in ihre Hände zu bringen. Es ist der wichtigste und aufschlußreichste Blick in unser Dasein seit langem.

Respekt und Liebe
Ihr Ernst

1 Als »Pläsierkasernen« bezeichnet S. K. in dem Kapitel »Asyl für Obdachlose« aus den *Angestellten* die Berliner Vergnügungspaläste im Stil des »Haus Vaterland« (vgl. S. K., *Schriften 1*, Frankfurt/M. a. a. O., S. 286). Ein Vorabdruck dieses Kapitels war am selben Tag in der *FZ* erschienen.
2 So charakterisiert S. K. die Schicht der Angestellten.

Nr. 34   Wien III/ Marokkanergasse 1/ 10

Mein lieber Krac,   4. 3. [19]30

so lang habe ich nichts von Ihnen gehört. Weiß nicht, wie es Ihnen
geht, wie dem Roman. Höchstens in den freundlich-kräftigen,
scharfkollegialischen Sätzen der F[rankfurter] Z[eitung] gegen den
Engel[1] glaubte ich auch Ihr Geschoß zu spüren. Ihnen und Reifenberg meinen Dank. (Die Voss[ische Zeitung] erklärte mir namens
der Feuilleton-Redaktion ihre Empörung über die Schmutznotiz
und ihre Solidarität mit mir, »prinzipiell«. Geschehen ist dort aber
nichts; auch hier merkt man Unterschiede der Unabhängigkeit.)
Hier komme ich wenig unter Leute, die letzte Zeit. Ich habe mir
nämlich, man solls nicht glauben, den Knöchel bei den törichten
Freuden des Wintersports, sozusagen, gebrochen und kann vierzehn Tage oder noch länger nicht gehen. Habe also auch Lachmann
länger nicht gesehen und weiß nicht einmal indirekt etwas von
Ihnen. Ausgerechnet von dem Büro der Voss (allerdings via den
grundanständigen Mühsam[2]) erfahre ich, daß man dort über Revirements bei Ihnen munkelt und anders als sie mir Lachmann vor
einiger Zeit sagte. Gehen Sie nach Paris? Was wird aus dem Feuilleton, wer hält die Linie des Literaturblatts? Wer hindert, daß auch
dort »die Zeitung sich täglich ihr Programm erst erarbeitet«? Bitte
schreiben Sie mir doch ein Wort über Ihre Pläne.[3] Und vor allem:
wann erscheinen die »Angestellten«?
Hier in Wien bleibe ich wohl noch länger. Ein Wiedersehn mit
Linda kann nach dem langen Versuch, den ich im Sommer machte,
so bald nicht mehr stattfinden.[4] Es wäre nicht ehrlich. Mir gefällt
die Stille Wiens, ich habe hier Ruhe zur Arbeit und möchte, eine
Zeitlang wenigstens, konfliktlos leben.
Hier schicke ich Ihnen eine kleine Sache mit[5], die in den »Spuren«
noch grade recht steht und dafür, für einen bestimmten Ort darin,
sozusagen, geschrieben wurde. (Die erste Korrektur des Buchs
habe ich gelesen; es verspricht ganz gut zu werden.) Ob Sie die
mitgeschickte Sache brauchen können, weiß ich nicht; sympathisch
wäre es mir schon. Bitte nehmen Sie sie.
Hauptsache aber: schreiben Sie mir bitte, wie es Ihnen geht, was Sie
vorhaben.
Ihnen und Frau Lili von Herzen stets

                                                        Ihr Ernst

1 E.B. spielt hier auf den Artikel »Plagiat-Psychose« (in: *FZ* vom 2. 2. 1930, Literaturblatt Nr. 5) an, in dem die Feuilleton-Redaktion der *FZ* ihn gegen den Vorwurf
des Plagiats (vgl. Brief Nr. 31, Anm. 6.) in Schutz nahm. Fritz Engel, Feuilletonredakteur des *Berliner Tageblatts*, hatte als Verfasser des gegen E.B. gerichteten Aufsatzes diesen Vorwurf formuliert.
2 Heinrich Mühsam, Feuilleton-Redakteur der *Vossischen Zeitung*.
3 Zur Jahreswende 1929/30 fanden bei der *FZ* größere personelle Umbesetzungen
statt, die organisatorische, aber auch wirtschaftliche Hintergründe hatten (ein Teil
der Zeitung war 1929 an die IG-Farben verkauft worden). Mit diesen Umbesetzungen verband sich ein allmählicher politischer Kurswechsel der Zeitung hin auf eine
konservative Position insbesondere in Fragen der Innen- und Wirtschaftspolitik.
Die wichtigste Änderung im Feuilleton war der Wechsel Benno Reifenbergs zum
Pariser Büro der Zeitung; sein Nachfolger als verantwortlicher Redakteur wurde der
Schweizer Friedrich Traugott Gubler. S.K. ging als Feuilletonkorrespondent und
kulturpolitischer Redakteur nach Berlin.
4 Vgl. Brief Nr. 27.
5 Wahrscheinlich »Einige Schemen linkerhand«, *FZ* vom 5. 4. 1930; wieder in: GA
Bd. 1, S. 142-148. Siehe auch Brief Nr. 35.

Nr. 35   Wien III/ Marokkanergasse 1/10
                                                                    13.3.[19]30
Mein lieber Krac!
Ihnen und Frau Lili erst meine schönsten Wünsche.[1] Ich sehe vor
dem sogenannten geistigen Auge, wie wir uns auf der Place de
l'Odéon zuerst getroffen haben. Wie Lili dazu kam und mich recht
mißtrauisch ansah, aber gleich etwas zu strömen begann, das nicht
aufhören kann. Das Standesamt wird Ihnen beiden leicht werden,
die Ehe war vor den bürgerlichen Formen und wird nach ihnen sein.
Wie bekannt, bin ich der größte Freund vom Ehestand; als Ihrer
beider Freund dazu wünsche ich Ihnen Glück und Segen.
Selbstverständlich bin ich 31. März in Wien. Ob ich nur schon mit
Ihnen herumgehen kann, im ausgepowerten Barock, ist fraglich.
Gestern bekam ich, weil die Sache doch vielleicht nicht so einfach
ist, einen Gipsverband, der ganz abscheulich ist, besonders nachts.
Herzklopfen wegen der Blutstauung und ähnlicher Dreck; ich bin
ziemlich wütend und auf den Leib gar nicht benjaminesk zu sprechen.[2] Die übliche Gesundheit, wenn man sie so rasch verliert, ist
keine materialistische Basis; sie sieht aus wie der Wirtschaftsfriede
der Gelben. Oder so leicht kann eine Basis nicht wackeln. Als der-
zeitiger Ischiasist werden Sie mir so oder so vielleicht recht geben.

Wie anders tragen uns die Geistesfreuden – freilich nur von Buch zu Buch, von Blatt zu Blatt; auch nebbich.

Von Lachmann hörte ich schon das Authentische übers Revirement. Sie werden in Berlin bald in dem starken Licht stehen, das Ihnen gehört. Freut mich übrigens sehr, daß Ihnen meine kleine Spuksache[3] nicht mißfällt. Mir gefällt vor allem der Schluß nicht, und ich bat Reifenberg (der mir wunderbar von Ihnen und dem schmerzlichen Abschied geschrieben hat), mir die Sache oder ihre Korrektur nochmal zuzuschicken. Wickenburg[4] ersuchte mich um einen Beitrag »Grenzen«[5] fürs Reiseblatt, anonym. Ich schickte ihm eine recht anmutige Schmockerei, so eine elegante Sache aus dem derzeitigen Krüppelzustand. Gleichzeitig schickte ich ein älteres, richtiges Manuskript, »Erfahrung der Grenze«[6], für möglichen Gebrauch im Feuilleton.

Lukács ist immer noch nicht zurück. Weiß niemand, wo er konspiriert. Seine Frau[7] kommt heute mittag her. Über Sie ist er durchaus im Bild oder vielmehr in dem Sektor des Bildes, den ihm seine buchmäßige Einstellung (ab ovo) zu allem Daseienden zuläßt. Aus dem Prämissen-Gefängnis kommt er nicht heraus; aber man kann ja hinein und hat davon vieles.

Guten Wind zum Roman!

Ihnen und Frau Lili stets von Herzen!

Ihr Ernst

---

1 S.K. und Elisabeth Ehrenreich hatten am 5. März 1930 geheiratet.

2 Zu Benjamins Begriff des »Leibes« bzw. des »Leibraumes« vgl. vor allem seinen Essay »Der Surrealismus«, in: W. Benjamin, *Gesammelte Schriften II*, a.a.O., S. 295-310.

3 Vgl. Brief Nr. 34, Anm. 4.

4 Erik Graf Wickenburg, seit 1928 Feuilletonredakteur der *FZ*.

5 Die Publikation dieses Aufsatzes konnte bisher nicht ermittelt werden.

6 Der Aufsatz erschien in der *FZ* vom 30. 4. 1930.

7 Gertrud Bortstieber-Lukács.

Nr. 36   z. Zt. Ludwigshafen am Rhein,
                                      Rheinblock, bei Dr. Hirschler
                                      21. Mai [19]30

Lieber Krac, immer noch nicht in Wien. Ärger und Freunde halten
mich fest, mit sehr verschiedenen Organen. In Frankfurt war ich
doch auf der Redaktion, sprach nur mit Wickenburg.
Wie geht es in Berlin weiter? Es ist mir eine Ewigkeit, daß ich Sie
und Lili nicht gesehen habe. Wie gern ginge ich mit Ihnen einmal in
Ludwigshafen herum, diesem Malakoff¹ von der andren Seite. Es ist
eine Art Zerfallsprodukt aus Utopie, Abfall der Zukunft. Wir
könnten uns beiden Schönes zeigen.
Hier schicke ich Ihnen aus der vorletzten Korrektur² (die letzte geht
ihnen insgesamt zu) einen Teil; Jugend-Erinnerungen sozusagen.³
Ich schicke sie zur Prüfung durch den Freund (Tips können noch
verwendet werden), schicke sie im gleichen Atemzug mit der
Anfrage, ob das in der Fr[ank]f[ur]t[e]r Z[ei]t[un]g erscheinen
kann.⁴ (Nicht als Vorabdruck, sondern bezahlt.) Reifenberg hatte
viel Sinn für solche Sachen; vielleicht marschiert da noch eine Tradi-
tionskompagnie, vom anderen abgesehen. Bitte geben Sie mir noch
Antwort hierher, lieber Krac. Ich bleibe bis Donnerstag oder Freitag nächster Woche. Dann einen Tag München, dann Sommer und
Herbst bei Wien. Wie Karola fertig ist, gehe ich mit ihr, die a. rus-
sisch kann, b. dort Fabriken bauen will, auf ein oder zwei Jahre
nach Rußland. Sie werden früher hinkommen, und das ist gut so:
niemand besser als Sie kann (und muß) das Kollektiv darstellen und
immanent kritisieren.⁵
Ich grüße Sie mit Frau Lili herzlich in alter Liebe und Freundschaft

                                                            Ihr Ernst

P. S. als alter Plagiator bemerke ich noch, daß das Sätzchen vom
einsamen Sterben (S. 95 Mitte)⁶ schon dastand, bevor ich dasselbe in
den »Angestellten« fand⁷; so wahr ist es.

---

1 Proletarischer Vorort von Paris. E. B. spielt hier auf S. K.s Stadtbild »La Ville de
Malakoff« (*FZ* vom 30. 1. 1927) an, das Malakoff als Ort der Hoffnungslosigkeit, als
topographische »Albdruckvision« vollständiger Vergessenheit darstellt – und inso-

fern eben als das gegenutopische Pendant zu Ludwigshafen, wie E. B. es erfuhr und
in dem Aufsatz »Mannheim-Ludwigshafen« porträtierte.
2 Die Korrektur der *Spuren* (GA Bd. 1), die 1930 bei Paul Cassirer erschienen.
3 Vgl. »Geist, der sich erst bildet«, in: GA Bd. 1, S. 61-72.
4 Auszüge aus »Geist, der sich erst bildet« erschienen in der *FZ* vom 15. 8. 1930.
5 Weder E. B. noch S. K. haben ihre Pläne bezüglich der Sowjetunion verwirklicht.
6 Vgl. GA Bd. 1, S. 64. Die im Text angegebene Seitenzahl bezieht sich auf die
Korrekturfahne.
7 Vgl. S. K., *Schriften 1*, a. a. O., S. 304.

Nr. 37   z. Zt. Ludwigshafen am Rhein,
                                                                   Rheinblock
                                                              25. 5. [19]30

Lieber Krac, in Eile habe ich noch für jemand ein gutes Wort einzulegen. Es gibt in Berlin ein armes, strebsames, ältliches Mädchen,
heißt Dr. Margot Riess[1], hat Kunstgeschichte studiert, hat bei
Ihnen schon geschrieben[2] (Reifenberg war davon angetan), war
Assistentin an der Kunsthalle in Karlsruhe. Diese Figur will gehört
haben, daß die F[rank]f[ur]t[e]r Z[ei]t[un]g in Berlin den Meyer-
Gräfe[3] [sic!] entlasten will, und möchte gern Kunstreferate unternehmen. Sie wendet sich durch ihre Schwester[4] an mich um Empfehlung. Vielleicht sehen Sie das gutschreibende und im Urteil nicht
unsichere Wesen freundlich an, wenn es sich an Sie wenden sollte,
und verschaffen ihr etwas Arbeit. Sie kann sowohl die Arbeit wie
das bißchen Geld brauchen.

                                                      Herzlich! Ihr Ernst

1 Margot Riess war die Schwägerin von Max Hirschler, bei dem E. B. in Ludwigshafen wohnte.
2 Vgl. z. B. »Die Frau als Künstlerin«, *FZ* vom 8. 9. 1929.
3 Julius Meier-Graefe (1867-1935), Kunstschriftsteller, Kritiker der *FZ*.
4 Lene Hirschler, die Frau von Max Hirschler.

Nr. 38   Vorderbrühl bei Mödling (Nieder-Österreich)
                                              Jägerhausgasse 5
                                                 14.6.[1930]

Mein lieber Krac, dies ist, wie gemeldet, meine neue Adresse. Ich
kann nicht sagen, daß sie gut wäre. Es ist schwer, in Österreich eine
kleine stille abgeschlossene Bleibe zu finden. Selbst das Land ist
über[be]setzt. So daß ich also Kämpfe mit der Wirtin habe und
Unterhaltungen wie Ginster mit der Frau Ulla.[1] Bloß daß ich sie
nicht damit beenden kann, daß ich etwas ganz anderes sage. Es sind
die Treppen. Geht der Roman »übrigens« gut weiter? Bitte schik-
ken Sie mir – nach unsrer guten alten treuen Gewohnheit – doch das
Kapitel, wenn Sie es fertig haben.
Heute versuche ich umzuziehen, aber es wird mir alles an die (hoffentlich neue) Adresse nachgeschickt. Das andre ist wahrscheinlich
auch nicht viel besser, aber anders schlecht. Wenn es so weiter geht,
werde ich Ruhe zur Arbeit in diesem Sommer nicht finden. Dabei
haben sich Karola und ich die Sache sehr schön gedacht. Sie kommt
oft abends heraus und bleibt bis zum letzten oder ersten Zug; ich
hätte mir das schön gedacht mit Karola, Wald und Arbeit und sonst
nichts diesen Sommer. Statt dessen lauter Ärger, Kindergebrüll,
Holzhacken, Teppichklopfen um mich. Die Landstille ist dafür die
beste Resonanz; man hört alles zehnmal so stark wie in der Stadt.
Lieber Krac, hier schicke ich Ihnen ein neues Manuskript.[2] Ich
schicke es nicht nach Frankfurt, weil es sonst Herrn Holl direkt
übergeben wird, wegen der »Musik«; und Holl hier autoritativ
spricht, wo es doch gar nicht um Musik, sondern um etwas anderes
geht, das unsere Sache ist. Ich hoffe, Sie können es über den Kopf
von Holl annehmen, wenn es Ihnen zusagt; oder die Sache Holl
wenigstens empfehlen. Es wäre doch eine Anomalie, wenn Ergän-
zungen zur »Philosophie der Musik«[3] nicht auch in der Fr[ank]-
f[ur]t[er] Z[ei]t[un]g erscheinen könnten. Noch eine Bitte um Rat.
Ich komme mit dem Geld nicht mehr aus. Es hängt zuviel an mir; im
einzelnen will ich das nicht aufzählen. Ich brauchte einen monat-
lichen Zuschuß von 300 M[ar]k. Den Kopf zerbrech ich mir, woher
das nehmen. Bei dem Tempo, in dem ich gedruckt werde, kann ich
auf sichere Eingänge nicht rechnen. Bei der Weltbühne liegt z.Zt.
ein Aufsatz über den Ruhm Hamsuns[4] über ein Jahr, ein anderer

über abstrakte und konkrete Verständlichkeit[5] dreiviertel Jahre, angenommen. Ossietzky redet sich auf die Fülle aktueller Stoffe heraus, die er hat. Bei der Fr[ank]f[ur]t[e]r Z[ei]t[un]g dauert auch alles ziemlich lange.

Ich überlegte mir nun etwas mit der Frankfurter Societätsdruckerei.[6] Wie wäre es, wenn ich ihr mein nächstes Buch anbieten würde und den umgearbeiteten Geist der Utopie. Mit letzterem, der ja noch nicht rezipiert ist, der dunkel dasteht wie Alban Berg[s] »Wozzeck«[7], der ebenso berühmt, sozusagen, wie völlig unbekannt ist, – wäre noch ein Geschäft zu machen. (Bei einem richtigen Verlag; Paul Cassirer ist ja keiner, obwohl Feilchenfeldt[8] ein reizender Mensch ist.) Ich weiß freilich noch nicht genau, ob Cassirer den »Geist der Utopie« hergibt, es knüpfen sich für Feilchenfeldt gewisse Irrationalitäten dran.

Leichter für mich wäre natürlich ein Fixum bei der Zeitung. Ein bestimmter Auftrag, den ich als Gegenleistung erfüllen könnte. Welcher Art der sein könnte, ist mir nur leider völlig unklar. Ihre eigene frühere Arbeit: die essayhafte Anzeige philosophischer Erscheinungen – scheint mir gegenstandslos geworden, bei der Geringfügigkeit dieser Erscheinungen. Grock[9] ist vielleicht doch philosophischer als Heidegger. –

Zur Zeit lese ich den Ginster wieder. Entdecke neue Schönheiten und Sonderbarkeiten. Vor allem überrascht mich: beim Wiederlesen springt ganz rein der Witz heraus. Z. B. auf S. 194 der Schornstein, der an eine Fabrik gemahnt hätte, wäre er nicht besonders religiös ausgebildet gewesen.[10] Ich habe in der Misere des Kinderlärms um mich und der bitterbösen Wirtin laut gelacht, heute morgen. Auch schlechte Briefe, die ich bekam, sahen anders aus. Welch sonderbare Quelle hat doch der echte Witz, zum Beispiel bei Ihnen. Leben Sie wohl, mein lieber Krac. Wie gern möchte ich wieder mit Ihnen sprechen. Wen haben Sie und Lili in Berlin? Wenn man eine solche Frau hat, läßt sichs doch auch in Berlin leben. Die Stadt ist schlecht, aber recht. Das haben Sie in erster Linie gelehrt.

Ihnen beiden von Herzen stets Euer Ernst

---

1 Vgl. S.K., *Schriften* 7 a. a. O., S. 15 ff.
2 Vielleicht der Aufsatz »Mangel an Opernstoffen«, der jedoch in der *FZ* nicht

publiziert wurde. Er erschien zuerst in der *Literarischen Welt*, Jg. 6, 1930, Nr. 31, S. 7f. Wieder in: GA Bd. 9, S. 161-165.
3 Anspielung auf das gleichnamige Kapitel im *Geist der Utopie*. Vgl. GA Bd. 3, S. 49-208.
4 E.B.s Aufsatz »Der Ruhm Hamsuns« erschien in der *Weltbühne* 1930, 2. Hbj., S. 946.
5 Nicht zu identifizieren.
6 Die Frankfurter Societäts-Druckerei GmbH verlegte die *FZ*; zu ihr gehörte auch der 1921 gegründete Buchverlag »Societäts-Verlag«.
7 Oper von Alban Berg (1885-1935), 1925 uraufgeführt.
8 Walter Feilchenfeldt, Lektor, Vorstandsmitglied und seit 1924 Mitinhaber des Paul Cassirer Verlags, führte diesen nach dem Tod Cassirers weiter.
9 Grock (eigentlich: Adrian Wettach) (1880-1959), weltberühmter Schweizer Musikclown.
10 Vgl. S.K., *Schriften 7*, a.a.O., S. 133; die im Text angegebene Seitenzahl bezieht sich auf die Erstausgabe des *Ginster*.

Nr. 39   Vorderbrühl bei Mödling,
                                              Jägerhausgasse 5
                                                18.6.[1930]

Lieber Krac, eine eilige Anfrage. Linda [Oppenheimer] ist, wie ich von ihr höre, nach Paris gefahren. Die Wohnung steht leer, die Miete muß ich weiter bezahlen. Sie hat dreieinhalb Zimmer und Küche, liegt schön und ruhig. Wenn noch einige Möbel auf dem Boden und die Wände wieder klar werden, kann etwas daraus gemacht werden. Ich gebe sie für den Mietpreis her = M[ar]k 200 monatlich einschließlich Heizung und Warmwasser. Auf ein Jahr. Wollen Sie und Lili sich die Sache einmal ansehen? Sie liegt Hindenburgstraße 89a IV rechts (etwas vor der Hildegardstraße (von wo auch der Eingang ist)), dicht an der Kaiserallee. Der Portier, der sie aufschließt, heißt Pett und wohnt rechts unten.
Dies in aller Eile. Vielleicht tun wir uns beide einen Gefallen. Bitte antworten Sie mir bald.

                                        Herzlichst stets Ihr Ernst

Anreize: Perserteppiche, Bücher, Antiquitäten, Steinway.

Nr. 40   Vorderbrühl bei Mödling (Nieder-Österreich)
                                                          Brühlerstr. 104
                                                  [Juni/Anfang Juli 1930]

Lieber Krac, es hat mich gereizt, Entrefilets zu probieren. Ich weiß
zwar nicht genau, was das ist, aber jedenfalls schob ich kleine Muni-
tion ins Schreibrohr. Zwei Stücke unterschrieb ich Kn., das größere
mit Karl Knerz.[1] Diesen Namen (er ist ein Kumpan des Datterich[2])
möchte ich für solche Dinge gern beibehalten. Gefallen Ihnen die
drei Sachen, so können sie – ein Hauptreiz – bei ihrem geringen
Format wohl bald gedruckt werden. Auf so etwas muß ich mich
einschreiben (es macht mir übrigens, wenigstens in der »Sommer-
frische«, Spaß). Die »kleine Kurmusik«[3] fällt hoffentlich nicht in
den Bereich von Herrn Holl.
Die herzlichsten Grüße Ihnen und Lili

                                                                Ihr Ernst

P. S. Benjamin schrieb mir einen fast verzweifelten Brief. Es muß
ihm sehr schlecht gehen. Einsamkeit und Geldmangel.

1 Von diesen drei Aufsätzen konnte bislang nur einer ermittelt werden: »Lärm auf
dem Land«, der am 7. 7. 1930 in der *FZ* erschien (»Kn« signiert).
2 Hauptfigur des gleichnamigen Dramas von Niebergall (vgl. Brief Nr. 29, Anm. 1).
3 Humoristische Anspielung auf »Lärm auf dem Land« (vgl. Anm. 1).

Nr. 41   Vorderbrühl bei Mödling,
                                                          Brühlerstr. 104
                                                        9. Juli [1930]

Mein lieber Krac! haben Sie vielen Dank für Ihre Zusendungen. Vor
allem das Arbeitsamt[1] machte mir großen Eindruck. So etwas wie
der Schutz der Bänke[2] kommt nur unter Ihrer Lupe heraus. Und das
fremde Licht, das aufs Objekt unter der Lupe fällt. Aus der »Biographie«[3] lernte ich viel; sie war mir wichtig, weil ich – nach so viel
Realien – etwas (sozusagen) Abstraktes von Ihnen sah, bevor es auf
Reales springt. Selbsttätig entdeckte ich die »Worte von der
Straße«[4]. (Seit kurzem bin [ich] auf die Zeitung abonniert, und lese

ich etwas von Ihnen, ist es mir – unter anderem – wie ein Brief.) Sehr wichtig darin, wie Sie den billigen Witz oder die billige Ironie umgehen, d. h. die Worte nicht pressen. (Nur der Schluß von »Zurückbleiben«[5], scheint mir, streift etwas diese in jedem Sinn des Wortes »naheliegende« Gefahr. Aber nur um sehen zu lassen, wie sie im Vorherigen vermieden, ja besiegt ist.) Hier ist viel zu tun, Sie sehen Worte wie Dinge, zum ersten Mal weder grammatisch noch gar ästhetisch. Sie sind aus der Schrift heraus getreten und stehen wie eine Zeichnung von Gross [sic!][6] da.

Auch ich sehne mich nach einem Gespräch mit Ihnen, es wäre viel zu sprechen. Kommt Karola abends heraus, so zeige ich ihr sofort, was von Ihnen erschienen ist, wir sprechen davon, als ob Sie dabei wären. Sie ist vom »Ginster«, den sie jetzt erst liest, höchst betroffen. Kann ich nicht bald ein Kapitel vom neuen Roman haben? Sie haben die seltsame Kunst, realistisch zu sein, ohne zu verdinglichen. Immer mehr möchte ich dasselbe tun, dem Nebel und den Sternchen gegenüber, die ich sehe. Eine auf Nebel scharf eingestellte Linse, die sieht, was sich darin bildet; möglichst einzeln.

Leben Sie herzlich wohl, lieber Krac, liebe Lili; erhalten Sie mir Ihre Liebe wie ich Ihnen bleibe Ihr treuer Ernst

1 Vgl. S. K., »Über Arbeitsnachweise«, *FZ* vom 17. 6. 1930; wieder in: S. K., *Straßen*, S. 69-78.
2 Vgl. a. a. O., S. 73 f.
3 »Die Biographie als neubürgerliche Kunstform«, *FZ vom* 29.6.1930; wieder in: S. K., *Ornament*, S. 75-80.
4 S. K.s gleichnamiger Aufsatz erschien in der *FZ* vom 7. 7. 1930.
5 Titel eines Abschnitts aus »Worte von der Straße«.
6 George Grosz (1893-1959), Maler und Graphiker, einer der radikalsten Vertreter des kritischen Realismus der zwanziger Jahre.

Nr. 42   Vorderbrühl bei Mödling (Österreich)
Brühlerstr. 104
15.7.[1930]

Lieber Krac! ob man das Mitgeschickte[1] brauchen kann, weiß ich nicht. Ich sende es zur Ansicht (vielleicht fürs Literaturblatt) und glaube, daß wir da nicht so verschiedener Meinung sind. Wenigstens was die Prämissen angeht. Ihre Fremdheit zum Trabrennen[2] kommt mit daher, weil wir nie ein Rennbuch gelesen haben, sondern »nur« solche mit Verfolgungen. Wenn Rih[3] rast, ist das etwas anderes. Ihren Conan-Doyle-Nachruf[4] habe ich in das »Zeichen der Vier«[5], das ich grade wieder lese, vorn eingeklebt. Er ist so schön, daß ich ihn gleich zur Hand haben möchte, und schmeckt mir nach mehr.

Ihnen und Frau Lili
von Herzen Ihr Ernst

1 Um welche Arbeit es sich handelt, war nicht zu ermitteln.
2 Anspielung auf S.K.s Aufsatz »Trabrennen in Mariendorf. Kein Sportbericht«, *FZ* vom 10. 7. 1930.
3 Name von Kara Ben Nemsis Pferd in Karl Mays Arabienromanen.
4 S.K.s Nachruf auf den englischen Detektivroman-Autor Sir Arthur Conan Doyle (1859-1930) war in der *FZ* vom 8. 7. 1930 erschienen.
5 Deutscher Titel von *The Sign of the Four*, einem Roman Conan Doyles.

Nr. 43   Vorderbrühl bei Mödling,
                                                    Brühlerstr. 104
                                                    25. Juli [1930]

Lieber Krac, die zwei Aufsätze hintereinander haben es in sich. Der über Tessenow usw.[1], der über den russischen Erd-Film[2].
Der erste berührte mich wieder etwas wie Ihre Buber-Kritik. Sie sind hier in vielem mein Gewissen; wenn ich selbst an die Grenze stoße und sie gewiß, im jugendlichen Ansturm, täuschendem Rausch (vielleicht sogar Schreibrausch), zuweilen transzendiert habe. Durch nichts als durch Meinen und Hoffnungen oder Hoffenwollen gedeckt. Haben Sie Dank, auch wo Sie »untertreiben«. Ganz unheimlich »der leere Raum« als legitimes Denkmal. Darin sind ja die einzig möglichen Symbole; nämlich die spukenden und die, welche sich auf Geringes, auch Unerwartetes niederschlagen.
Ihre Sätze zum Russenfilm machen auch dahin den Weg frei. Diese Entzauberung ist bloß antikirchlich, nicht auch antiheidnisch. Hat man bloß die Popen abgeschafft, so kommen die Schamanen wieder, mindestens die hellenischen Wandervögel und Sonnenknaben.

Die Theologie der Bolschewiken kommt langsam bei Klages an. Die heidnische Entzauberung scheint heute so wichtig wie die christliche, ja, es ist in der »Erde« mehr Mythologie als im »Himmel«. Das haben Sie sehr schön, höchst entschieden gezeigt. Ohne Erdhaß (so wie die Erde ist) macht man noch weniger Revolution als ohne Himmelhaß. – Das Politische der Fr[ank]f[ur]t[er] Z[ei]t[un]g scheint mir seit der Diktatur unter aller Kanone. Ich verstehe, daß es die Demokraten schwer haben, mit Dietrich[3] im Kabinett. Aber deshalb § 48[4] verteidigen, Brüning[5] nach seinem Weg »fragen« (als wäre der nicht klar), den Hindenburg mitfeiern. (Diese »Befreiungs«-Berichte! Das können die übelsten Provinzblätter auch nicht schlechter. Es ist beinahe wie im Krieg. Und was für eine »Ehrfurcht«.) Kann man da nichts machen? Sie schreiben für Tessenow, und vorn werden Balladen gesungen. Nicht einmal das. Material aus den Kaisergeburtstagsreden der neunziger Jahre.

Gubler[6] habe ich direkt ein kleines Entrefilet geschickt: »Dionysos und die Trambahn«[7]. Ich hoffe, es ist Ihnen recht, ich wollte Ihnen die Arbeit abnehmen.

Herzlichst Ihnen beiden stets

Ihr Ernst

Lieber Krac, ist meine kleine Anzeige der »Angestellten« in der Neuen Rundschau immer noch nicht erschienen?[8] Ich mahnte vor langem Kayser; wie es scheint, umsonst.

Haben Sie das neue Buch von Unger gesehen? »Erkenntnis und Mythos« oder so ähnlich.[9] Vielleicht lassen Sie es mir von der Redaktion zuweisen. Ich möchte es wahrscheinlich fürs Literaturblatt besprechen.

---

1 Heinrich Tessenow (1876-1950), Architekt, seit 1926 Professor an der Technischen Hochschule Berlin. E. B. bezieht sich auf S. K.s Aufsatz »Tessenow baut das Berliner Ehrenmal« (FZ vom 22. 7. 1930).
2 Der Film Erde (1930) des sowjetischen Regisseurs Alexander Dowshenko (1894 bis 1956). Vgl. S. K.s Aufsatz »Die Filmprüfstelle gegen einen Russenfilm«, FZ vom 23. 7. 1930; wieder in: S. K., Kino, S. 92-95.
3 Hermann Dietrich (1879-1954), Mitbegründer und Abgeordneter der von der FZ unterstützten Deutschen Demokratischen Partei; in der Regierung Brüning Finanz- bzw. Wirtschaftsminister und Vizekanzler.
4 Der § 48 der Weimarer Verfassung gab dem Reichspräsidenten die Möglichkeit,

im Fall gewaltsamer Unruhen die »öffentliche Sicherheit und Ordnung« unter Ausschaltung des Parlaments durch präsidiale Notverordnungen wiederherzustellen. Hindenburg benutzte bzw. mißbrauchte diesen Paragraphen erstmals im Juni 1930 zur Durchsetzung von Brünings Wirtschaftsprogramm.

5 Heinrich Brüning (1885-1970), Zentrumspolitiker; von 1930 bis 1932 Kanzler einer quasi diktatorischen, aufgrund von Notverordnungen vom Parlament faktisch unabhängigen Präsidialregierung.

6 Friedrich Traugott Gubler; vgl. Brief Nr. 34, Anm. 3.

7 In: *FZ* vom 2. 8. 1930 (mit dem Pseudonym »Knerz« signiert).

8 E.B.s Anzeige »Künstliche Mitte. Zu Siegfried Kracauer: ›Die Angestellten‹« erschien im Dezember 1930 in der *Neuen Rundschau*. Wieder in: GA Bd. 4, S. 33-35.

9 Erich Unger, *Wirklichkeit, Mythos, Erkenntnis*, München 1930. E.B. hat dieses Buch nicht rezensiert.

Nr. 44   Vorderbrühl bei Mödling (Österreich)
                                                            Brühlerstr. 104
                                                     4. Sept[ember] [19]30

Mein Lieber Krac!

drei Wochen war ich am Wörthersee, Karola und ich, wir haben dort geschwommen. Leider haben wir lange nichts von einander gehört, auch war in letzter Zeit wenig von Ihnen zu lesen. Ich schätze und hoffe, daß die Zeit dem Roman zugute gekommen ist. Kann ich das neue Kapitel bald sehen? Ende September komme ich wahrscheinlich nach Berlin.

Wahrscheinlich habe ich es Ihnen zu danken, daß ein Vorabdruck aus den Spuren im Literaturblatt erschienen ist.[1] Haben Sie die Aushängebogen bekommen? Der Verlag sperrte sich aus einfältigen Gründen (nach Schema F), sie früher aus der Hand zu geben. Vielleicht schreiben Sie mir ein Wort, wie Ihnen die schwimmenden Inseln in dem Buch nun insgesamt erschienen sind.

Wegen etwas anderem möchte ich Sie interpellieren. Meinen kurzen Bericht »Melonen in Ungarn«[2] werden Sie gelesen haben. Herr Gubler schrieb mir sein Kompliment und daß das auch anderen gefallen habe. »Solche Art politischer Durchsichtigkeit tut unserem Blatt gut. Vivant sequentes.« Vor einigen Tagen schickte mir nun Gubler zwei Briefe zu, die wegen dieses Artikels eingegangen sind. Der eine von einem ungarischen Junker, er versichert die F[rankfurter] Z[eitung] seiner Verachtung und stinkt vor antisemitischer Gemeinheit. Der andere von einer Frankfurterin namens Moldenhauer; dieser Brief ist kuhdumm. Also wäre kein Wort über die beiden zu verlieren. Aber: – mit Blaustift ist in dem Kuhbrief von der Redaktion unterstrichen: »ich war entsetzt über derart häßliche Verdrehungen und Ungerechtigkeiten.« In dem Brief steht weiter: »haltlose Verleumdungen«, »geringe Gesinnung«, »niedrige Hetze« usw. Und: am Schluß des Briefes steht weiter mit redaktioneller Blauschrift: »*Ich finde, die Zuschrift hat leider Recht. J.*« – Selbstverständlich stammt das nicht von Gubler. Wie hätte er mir sonst den Brief geschickt; von allem anderen abgesehen. Die Blauschrift stammt von der gleichen Hand, die oben blau »Feuilleton« geschrieben hat, also den Brief ans Feuilleton weitergeleitet hat. Sie stammt also aus dem Schoß der Redaktion.

Ich bat Gubler um Aufklärung. Ich hoffe, schrieb ich ihm, daß von Mahraun[3] bis Horthy[4] immer noch mehr als ein Schritt gesehen wird. »Von vornherein: ich stehe der K.P.D. näher als der Deutschen Staatspartei« – mit diesem schloß ich den Brief.

Was ist Ihre Meinung über den erstaunlichen Fall? Es ist traurig, daß sich die Fr[ankfurter] Z[eitung] – ganz anders wie das Berl[iner] Tageblatt – ohneweiteres Herrn Mahraun angeschlossen hat. Es steckt eine latente Lust in der Zeitung, sich nach rechts anzubiedern. »Juden raus«, schreit Mahraun unter seinesgleichen; schadet nichts, den Juden nichts, den Demokraten nichts. Sie liefern dem widerlichsten Zweckverband[5] zur Rettung fauler Mandate und gesunder Geldbeutel Gassenhauer. Was sagt Reifenberg dazu? Er sitzt fern vom Schuß, aber ist jetzt doch in der politischen Redaktion.[6] Ich kann mir nicht denken, daß Sie mit Ihren sehr eindeutigen Aufsätzen nicht ebenfalls solche Erfahrungen machen. Sie sind doch noch ganz anders wie mein harmloser Artikel. Der behandelte fast musisch das Problem kaschierter Reaktion, und das weit hinten in der Türkei.

Bitte schreiben Sie mir bald, lieber Krac. Man sollte sich bei so etwas nicht beruhigen.

Herzlichst Ihnen und Frau Lili

stets Ihr Ernst

P.S. Ich habe noch ein Anliegen. Karola und ich möchten gern in das neu eröffnete Varieté Ronacher. Darüber oder besser: dazu läßt sich vielleicht ein Entrefilet schreiben. Mir fehlt ein Ausweis. Wäre es möglich, ihn mir von der Fr[ank]f[ur]t[e]r Z[ei]t[un]g, Berliner

Redaktion möglichst dekorativ zu verschaffen? Dem Berichterstatter der Fr[ank]f[ur]t[e]r. Z[ei]t[un]g. (Das klingt etwas mehr nach
Freikarten als »Dem Mitarbeiter«. Und Berichterstatter ist man ja
immer.) Bitte, wenn es geht, *recht bald.* Ich werde das so stolz bei
mir tragen wie als Junge die Radfahrkarte.

1 »Rafael ohne Hände«, *FZ* vom 31. 8. 1930, Literaturblatt Nr. 35. Vgl. auch Brief
Nr. 14.
2 In: *FZ* vom 9. 8. 1930.
3 Arthur Mahraun (1890-1950), Gründer des »Jungdeutschen Ordens«, hatte 1930
die »Volksnationale Reichsvereinigung« ins Leben gerufen, die mit der Mehrheit der
Demokratischen Partei zur Deutschen Staatspartei fusionierte; diese wurde von der
FZ, wie zuvor die Demokratische Partei, unterstützt.
4 Miklós Horthy (1868-1957), ungarischer Politiker, wurde 1920, nach der Nieder-
schlagung der Räterepublik durch die Nationalarmee, deren Oberbefehlshaber er
war, Reichsverweser Ungarns.
5 Die »Volksnationale Reichsvereinigung« und die Demokratische Partei erhofften
sich von ihrem Zusammenschluß eine Mobilisierung der bürgerlichen Wähler für die
Reichstagswahlen am 14. September 1930; nach der Wahlniederlage wurde der
»Zweckverband« bereits im Oktober wieder aufgelöst.
6 Reifenberg hatte Anfang 1930 den Posten des Pariser Korrespondenten der *FZ*
übernommen. Vgl. auch Brief Nr. 34, Anm. 3.

Nr. 45   [Postkarte]
                                                          Vorderbrühl bei Mödling
                                                                Brühlerstr. 104
                                                       [Poststempel:] 8. 9. 1930

Lieber Krac,
gerade vorgestern habe ich Ihnen einen Brief nach Berlin geschrieben. Noch schöne Tage wünsche ich Ihnen und Lili in unserem
Paris. Eben lese ich in der *Weltbühne eine Polemik,* sozusagen, *zwischen Zarek und Heinz Liepmann.*[1] *Letzterer* rekurriert auf Ihrem
großartigen Anti-Jarek, Anti-Zweig[2], kurz auf die Anti-Schweine-
rei im Literaturblatt der F[rankfurter] Z[eitung]. Leider nur kurz.
Das war eine erfrischende Sache; saubere, scharfe Luft wie auf
einem hohen Berg, auch die ganze Rubrik[3] ist gut (nur B.v.B.[4] als
Philosophierichter paßt nicht ganz hinein).[5] Ende September sehen
wir uns. Darauf freut sich herzlich Ihr Ernst

Von Karola Ihnen beiden schönste Grüße.

1 Der Schriftsteller Heinz Liepmann (1905-1966) hatte in der *Weltbühne* an Otto Zareks (1898-1958) zeitgenössisch sehr populären Roman *Begierde*. *Roman einer Weltstadtjugend* (1930) das »Ende der jungen Generation« diagnostiziert (vgl. *Die Weltbühne*, 1930, 2. Hbj., S. 171-173). Zarek verteidigte sich, indem er zum Gegenangriff gegen Liepmanns Methode der Kritik überging (»Der Romancier als Kritiker«, in: *Die Weltbühne*, 1930, 2. Hbj., S. 275-278). Eine abschließende Stellungnahme Liepmanns beendete die Polemik (»Clique oder Claque?«, in: *Die Weltbühne*, 1930, 2. Hbj., S. 357-359).
2 E.B. bezieht sich auf S.K.s Aufsatz »Weltstadtjugend? Brünstiger Zauber! – Nebst einer Anmerkung über Literaturkritik« (*FZ* vom 17. 8. 1930, Literaturblatt Nr. 33). Der Hauptteil dieses Aufsatzes gilt der Analyse und Kritik von Zareks *Begierde*. In einer Schlußbemerkung wendet sich S. K. scharf gegen den Schriftsteller Stefan Zweig, der den Roman in der Ausgabe des Zsolnay-Verlags mit rühmenden Worten einführte.
3 Der Aufsatz »Weltstadtjugend« erschien im Rahmen der vom Literaturblatt der *FZ* veranstalteten Serie »Wie sieht unsere Zeitliteratur aus?«.
4 Bernhard von Brentano, vgl. Anm. 17, Brief Nr. 13 an Klaus Mann.
5 Brentano beteiligte sich an der Serie »Wie erklären sich große Bucherfolge?« mit einem Aufsatz über die neugegründete philosophische Zeitschrift *Forum Philosophicum* (vgl. *FZ* vom 31. 8. 1930, Literaturblatt Nr. 35).

Nr. 46   Vorderbrühl bei Mödling (Öster-
                                             reich), Brühlerstr. 104
                                             [18.9.1930]

Lieber Krac, das Büchlein[1] ist heute erschienen. Die Aushängebogen werden Sie längst haben, das Buch jetzt auch. An dem falschen Waschzettel bin ich unschuldig. Lesen Sie das Büchlein mit Freundschaft und Geduld (übrigens: Geduld – ist Ihr Arm wieder gut geworden?).

Hier bleibe ich nicht mehr lange, komme Anfang Oktober nach Berlin. Auf der Stelle dann zu Ihnen. Der Benjamin heute[2] ist wieder merkwürdig, aber offenbar ein wenig zu subjektiv. Aus diesem hohen Grad der Erfahrenheit (die Sache mit den zwei Möwenschwärmen[3]) müßte man das Subjekt entfernen können. Wie ist übrigens die Geschichte mit Gubler ausgegangen? Zu selbstverständlich, wie wichtig mir eine Anzeige von Ihnen ist.[4]

Bitte schreiben Sie mir bald ein Wort, lieber Krac. 6,5 Millionen radikalisiertes Kleinbürgertum[5]; gottlob hat auch die Gemeinheit ihre Dialektik.

Herzlichste Grüße Ihnen und Frau Lili

                                             stets Ihr Ernst

Adresse vorerst: Wien III, Belvederegasse 8 (bei Samek), p. Adr. Karola Piotrkowska

1 Die *Spuren* (GA Bd. 1).
2 Benjamins Prosatext »Nordische See« war am selben Tag in der *FZ* erschienen. Wieder in: Benjamin, *Gesammelte Schriften* Bd. IV, Frankfurt/M. 1972, S. 383-387.
3 Vgl. a. a. O., S. 386.
4 E. B. hoffte, daß S. K. die *Spuren* besprechen würde; siehe hierzu die Briefe Nr. 47 und Nr. 48.
5 Bei den Reichstagswahlen am 14. September hatten 6,4 Millionen Wähler für die Nationalsozialisten gestimmt.

Nr. 47   Berlin W / Motzstraße 8
                                              [Oktober/November 1930]

Mein lieber Krac,
gar nichts Besondres, daß ich schreibe. Nur: es ist leichter, schriftlich zu bitten als mündlich.
Nämlich, es gab gestern einen großen Krach mit meinem Verleger. Er tut für die »Spuren« gar nichts. Redet sich aber darauf hinaus, daß noch keine Rezensionen da sind.
Eine angenehm idolische Rolle spielen dabei Sie. Feilchenfeldt sagte, Sie seien hier sehr bekannt geworden. Man hört hier auf die neue Stimme und den ungewohnten Ton. Als ich sagte, daß Sie eine Anzeige in der Weltbühne schreiben wollen, schmolz das Eis, und der Krach wurde bedeutend musikalischer. Da wurde ein grade entscheidendes Gewicht auf Ihre Anzeige (und zwar in der Weltbühne besonders) gelegt.[1]
So bitte ich Sie um die Anzeige, lieber Krac. Sie wollten sie ja früher oder später doch schreiben. Vielleicht schreiben Sie sie jetzt bald. Nicht als »Glosse«, sondern als Artikel. Über dies unterhaltende und belehrende Büchlein (um das sich kein Aas kümmert). Worin so viel erzählt wird und das es doch in sich hat.
Ich bitte Sie darum, bevor es zu spät ist.

Stets von Herzen Ihr Ernst

1 S. K. hatte in der Tat die Absicht gehabt, die *Spuren* in der *Weltbühne* anzuzeigen. Die *FZ* erhob jedoch Einwände und verlangte, daß er das Buch für sie bespreche.

Nachdem dann Reifenbergs Rezension der *Spuren* erschienen war (*FZ* vom 23. 11. 1930, Literaturblatt Nr. 47; wieder in: *Ernst Blochs Wirkung*. Frankfurt/M. 1975, S. 39-45), trat die *Weltbühne* noch einmal an S. K. mit der Bitte um eine Anzeige heran. Dies scheiterte am erneuten Einspruch der *FZ*. So hat S. K. schließlich überhaupt keine Rezension der *Spuren* geschrieben, sondern nur in einem kurzen, »Ernst Bloch« überschriebenen Artikel (*FZ* vom 17. 5. 1931, Literaturblatt Nr. 20; unter dem Titel »Spuren« wieder in: *Ernst Blochs Wirkung*, S. 44-45) an das Buch erinnert.

Nr. 48   Ludwigshafen am Rhein, Rheinblock
                                                                        bei Dr. Hirschler
                                                                        10. 1. [19]31
Teurer Krac!

Ihnen und Lili ein gutes neues Jahr.

Möge der Riviera-Expreß bald Ihr galonierter Diener sein[1] und einer, den man dann entläßt. Um in der Sonne seinen Roman zu schreiben.

Hier komme ich selbst zu nichts, habe aber einiges zu berichten. Nicht etwa, daß Benjamin an Silvester hier war (ich holte ihn ab und zeigte ihm die Stadt. Er benahm sich nicht ganz wie Winnetou in Dresden[2]). Sondern ich war vier Tage in Frankfurt. Herzliche Grüße allerseits; war auch bei Gublers zu Abend und trank öfter um 11.00 Uhr vormittags den Kaffee mit ihm.

Ein offenbar ebenso unruhiger wie seßhafter Geist ist er, daß man ihm wenig recht machen kann. Aber er sprach ebenso hochachtungsvoll wie mehr verlangend von Ihren Berliner Beiträgen, kritisierte offen, daß man vielleicht etwas mehr vom Objekt durchmerken müßte. Daß es Ihre Natur wäre, sie überallhin mitzunehmen; so daß der jeweilige Ort (als beschriebener) eben nicht durchdringend zu erkennen sei. Gubler beklagte sich auch darüber, daß Sie keine Mitarbeiter, Talente usw. in Berlin engagieren. – Es war nicht leicht, mit ihm nützlich über Obiges zu reden. Was man an richtig Rückendem sagte, gab er sofort zu, ja kam ihm superlativisch zuvor, um dafür ungestört auch anderes zu wünschen.

Ein saures Amt, gewiß nicht ohne Gefahren. Auch sprach Gubler davon, uns beide nach Frankfurt zu bitten wegen einer ständigen Rubrik soziologischer Zeitkritik (Mode, Tonfilm, Bücher, kurz: Erscheinungen aller Art). Der Plan ging erst von Holl aus (Schlagertexte; ich wies auf die Autorität Wiesengrund hin, mit Erfolg).

Dann dehnte er sich aber so aus. Gubler bittet von mir ein Exposé zu diesem, es soll eine Kollektivsache werden, mit möglichst viel Mitarbeitern von Rang. Dieses Exposé möchte ich nicht gerne schreiben, ohne Sie gesprochen zu haben, und überhaupt kann man das schwer, ohne à la Mannheim[3] zu werden. (Zweitens möchte Gubler jeden Donnerstag oder Samstag im Abendblatt einen Artikel von mir haben. Über Vorgänge und vor allem Dinge, z. B. Beschreibung einer Wiese. So lockend dies Fixe ist, so werde ich doch absagen müssen: a. weil ich kein Schriftsteller bin, leider, sondern nur etwas sagen kann, wo ein Stoff zu sagen ist. Es kommt mir nichts aus der Sprache selber, wie etwa Josef Roth. b. würde die Fr[ank]f[ur]t[e]r Z[ei]t[un]g aus einem Ort der Gastfreundschaft ein Arbeitsgeber, der kritisiert, ob die gelieferte Ware auch das Geld wert ist (und das noch nach halb unbekannten Massen kritisiert). Also werde ich auf Gublers sehr freundliches Angebot verzichten müssen. Meinen Sie nicht auch?)[4] Sonst habe ich in Frankfurt alle gesehen: Teddy, Leo[5], Mannheim, Horkheimer, Tillich, auch den sehr sympathischen Herrn [...][6], mit dem ich lange über die »Angestellten« und die [(keimenden)?] »Universitäten« gesprochen habe. Gubler behauptet, die Sache mit der Weltbühne wäre nun vollständig aus[7]; der Galiläer hat gesiegt. Krac, dieser Mann gehört durchaus nicht zu uns. – In acht bis vierzehn Tagen bin ich wieder in Berlin.

Ihnen und Lili von Herzen

stets Ihr Ernst

1 Anspielung auf S. K.s in der *FZ* vom 5. 1. 1931 erschienenen Artikel »Riviera-Napoli-Expreß«.

2 »Winnetou in Dresden« ist ein Kapitel aus Karl Mays Reiseerzählung *Satan und Ischariot* (vgl. Karl May, *Gesammelte Werke*, Dresden o. J., Bd. 21, S. 206-233), die in neueren Ausgaben auch unter dem Titel *Krüger Bei* erscheint.

3 Vgl. Brief Nr. 25.

4 Zu E. B.s Reaktion auf Gublers Vorschläge siehe Brief Nr. 51.

5 Theodor W. Adorno und Leo Löwenthal (geb. 1900), Soziologe, seit 1926 Assistent am Frankfurter Institut für Sozialforschung.

6 Der Name unleserlich.

7 Vgl. Brief Nr. 47, Anm. 1.

Nr. 49
Kracauer an Bloch

[Berlin,] 12. Januar [19]31

Lieber Ernst,

ich danke Ihnen sehr herzlich für Ihren lieben Brief; besonders für die Mitteilungen über Ihr Gespräch mit Gubler. Mir sind Ihre Informationen sehr wichtig. Am allerwichtigsten aber ist mir, daß Sie Lili und mir ein guter Freund sind. Was den Wunsch Gublers nach einem Exposé von Ihnen betrifft, so würde ich Ihnen in der Tat raten, diese Niederschrift erst nach einer *mündlichen Rücksprache* mit mir zu machen. Und zwar unter anderem auch darum, weil sich seit Ihrer Abwesenheit manches geändert hat. Ihre Abneigung, auf den Vorschlag regelmäßiger Abendblattartikel einzugehen, ist begründet. Ich an Ihrer Stelle würde mich ebenfalls hierzu nicht verpflichten. Aber verschieben Sie auch diesen Punkt bis zu unserem Gespräch.

Es wäre mir sehr erwünscht, wenn Sie mir gestatteten, mit Gubler *direkt* über die ihnen gemachten Eröffnungen zu korrespondieren. Bitte teilen Sie mir gleich Ihre Einverständnis mit. Diese Dinge gehen uns ja sowieso alle an.

Wir hatten hier großen Ärger mit der Zeitung.[1] Alles Nähere darüber mündlich. Wir wünschten beide, Sie wären schon wieder hier. Lassen Sie es sich inzwischen recht gut ergehen. Ich arbeite alle Tage an meinem Roman.

Auf baldiges Wiedersehen!

Alles Herzliche von Lili und mir

Ihr Krac

NB. Das mit der »Weltbühne« stimmt. Auch darüber mündlich.

---

1 S. K.s erstes Jahr in Berlin war gekennzeichnet von zunehmenden politischen Differenzen mit dem Leiter des Berliner Büros der Zeitung, Rudolf Kircher (1885 bis 1954), aber auch mit der Redaktion in Frankfurt, die den Einfluß des ihr politisch unbequemen Redakteurs durch Beschneidung seiner Publikationsmöglichkeiten und Reduktion seiner Bezüge einzudämmen suchte. In diesem Brief ist vielleicht die Auseinandersetzung um Max Horkheimers Arbeit über die »Anfänge der bürgerlichen Geschichtsphilosophie« (1930) gemeint, die die Zeitung, entgegen S. K.s ausdrücklichem Wunsch, weder ihm noch Adorno zur Besprechung gab. Wahrscheinlicher aber bezieht sich S. K.s »Ärger« auf eine Gehaltskürzung im Januar 1931.

Nr. 50   Ludwigshafen a[m] Rh[ein]/Rheinblock

[Januar 1931]

Lieber Krac,
ich bitte Sie, Gubler noch nicht zu schreiben. Auch hier wollen wir
uns erst unterhalten. Denke, man soll die Spannung nicht künstlich
vermehren; sie ist durch die Person Gublers, vor allem auch durch
die neuen oder sich jetzt auswirkenden Verhältnisse gesetzt[1], die in
Gublers Person allerdings einen guten Exponenten haben. Teddy
hat zum Abgang Feilers[2] einen guten Satz gesagt: die Schiffe verlassen die sinkende Ratte. – So wollen wir es freilich noch nicht halten,
sondern grade den Gublers gegenüber damit drohen. Selbstverständlich zu 100% bei Ihnen.

Herzlichst Ihr Ernst

1 Vgl. Brief Nr. 34, Anm. 3.
2 Arthur Feiler (1879-1942), Wirtschaftsexperte und ›Linksaußen‹ in der politischen
Redaktion der *FZ*, schied 1931 als ein weiteres Opfer der Revirements aus der Zeitung aus.

Nr. 51   Berlin-Halensee/Joachim-Friedrichstr. 4

28.1.1931

Lieber Krac, Duplikat eines Briefs an Gubler.

Stets Ihr Ernst[1]

Lieber Herr Gubler!
so spät komme ich leider erst dazu, Ihnen und Ihrer Frau nochmal
für die schönen Tage zu danken.
Erst seit kurzem bin ich wieder hier, habe Krac erst einmal und das
nicht allein gesehen. So konnten wir uns über das Exposé und die
Maße einer kritisch-fortlaufenden Zeitrevue (bei der er naturgemäß
die Leitung haben müßte) noch nicht recht verständigen.
Was den andren Antrag angeht, wöchentlich einen Bericht zu
schreiben, so wiederhole ich, wie sehr mich dies Zeichen einer persönlichen Beziehung erfreut und geehrt hat. Aber die Form ist mir
fragwürdiger als je. Man darf in einer Zeit, wo das Trustkapital
immer deutlicher antidemokratisch wird (im »Rahmen der Verfassung«), wo die Dreieinigkeit: Arbeiterentlassung, Lohnreduzie-

rung, Faszismus mit Händen zu greifen wird, – in dieser Zeit darf man nicht harmlos sein. Ich wenigstens würde es aber, weil ich nicht die Übung habe, den seit alters idyllischen, idyllisch eingefahrenen Charakter wöchentlich behandelter Stoffe unterm Strich zu durchbrechen. (Scharfe Funde macht man nicht alle Woche.) Über dem Strich oder bei so halbpolitischen Sachen wie Wärmehallen, Funkhaus usw.[2] ist das etwas andres. Doch sind diese Partien ja bereits vorzüglich besetzt.

Über kurz oder lang hoffe ich Ihnen bald eine kleine Revue gegenwärtiger Philosophen und ihres ideologischen Charakters einsenden zu können. Mehr als je bin ich mit meinem Buch beschäftigt: Übergehendes Bürgertum.[3] – Burschell habe ich, wie Sie wünschen, kräftig zur Mitarbeit aufgefordert. Er wird Ihnen schreiben. – Die »Spuren« ließ ich Ihnen vom Verlag zugehen, hoffentlich haben Sie sie bekommen. Ich höre noch die freundlichen Worte, die Sie darüber sagten. Wollen wir stärkere »Flugzeugmutterschiffe« bauen.

Alles Schöne und Gute. Empfehlen Sie mich bitte Ihrer verehrten Frau.

Ihr ergebener

1 Der Brief an Gubler, der Aufschluß gibt über E.B.s Verhältnis zur *FZ*, wird im folgenden vollständig wiedergegeben.
2 Anspielung auf S.K.s Aufsätze »Wärmehallen« (*FZ* vom 18. 1. 1931; wieder in: S.K., *Straßen*, S. 79-84) und »Sendestation. [Teil 1:] Das Haus« (*FZ* vom 23. 1. 1931).
3 Gemeint ist *Erbschaft dieser Zeit* (GA Bd. 4).

Nr. 52
Kracauer an Bloch

[Berlin,] Lietzenburgerstr. 7,
II. St. bei Wolff
5. Februar [19]31

Lieber Ernst,
ich muß Ihnen eine Zeile schreiben, da ich einer dienstlichen Verhinderung wegen zu der für Ihren morgigen Anruf verabredeten Zeit nicht zu Hause sein kann. Sie erreichen mich aber zwischen ½5 und ½7 in meiner Wohnung.

Bei dieser Gelegenheit möchte ich Ihnen gleich sagen, was ich mir

eigentlich für die mündliche Unterredung aufgespart hatte: daß mich Ihr Brief an Lili[1] außerordentlich befremdet hat.
Herzlich wie immer

Ihr

1 Dieser Brief ist nicht erhalten.

Nr. 53   [Berlin,] Joachim-Friedrichstraße 44
29.4.[19]31

Mein lieber Krac,
ich bin doch froh, daß wir miteinander gesprochen haben. Aber nun ist das bereinigt, und wir wollen uns die Nutzanwendung überlassen.[1]
Der feste Grund, vor dem das alles geschah, ist Liebe und Verehrung. Grade deshalb schmerzte es mich zu sehen, wie Ihre Reaktionen nicht mehr unter demselben Zeichen wie früher geschahen. Unter dem Zeichen, das uns zusammen gebracht hat.
Karola fragte, ob Sie sich noch als derselbe wie vor zwei Jahren schienen. Sie bejahten in der vollkommensten subjektiven Überzeugung. Aber es ist Ihren Freunden und nun gar mir leicht zu sehen, daß sich da doch etwas geändert hat. Der Mann, der die Kultur gegen die Barbaren verteidigen will, der Griechenland als Vergleich für dieses Westeuropa nimmt, ist nicht mehr ganz der Liebhaber des zerfressensten Marseille, des Film (gegen das Theater), der Improvisation. (Damals hätten Sie sich z. B. für die bühnenzerstörenden, improvisierenden Versuche Brechts rein technisch sehr interessiert.)[2] Der Mann, der noch in den Angestellten die »Flucht vor der Revolution«[3] sah, ist nicht mehr ganz derselbe, der heute am liebsten ohne Revolution auskommen möchte. Der Mann, der Marx grade philosophisch durchforscht hat und mir viele grundlegende Exzerpte daraus vorlas, ist nicht ganz derselbe, der heute nur noch so ein bißchen Vergesellschaftung der Produktionsmittel darin sieht und »den Menschen« als ewige Erscheinung betrachtet, an der sowieso nichts geändert wird.
Auch Ihr gänzliches Desinteressement an Philosophie hat seitdem zugenommen. Es verträgt sich schlecht mit der Lobpreisung der Kultur, aber leider noch schlechter mit dem Marxismus. (Kein

Zufall, [daß] die Revisionisten zuerst die Philosophie aus Marx aus-
treiben wollten.) Auch kommt auf diese Weise in den Gesichtspunkt Ihrer Glossen, Betrachtungen und selbst (vorzüglichen)
Analysen ein gewisser Stillstand. Derart, daß Sie sich von der Theorie, die zur Zeit der Angestellten richtig war, vielleicht nicht genügend, in veränderter Zeit, degagieren, das heißt, Sie pflegen die
Theorie nicht mehr so wie früher. Ohne diese gibt es eben keine
Konkretheit, grade diese nicht; sondern Deduktion, eine solche,
die der kluge Leser schließlich selbst vollziehen kann und auch vollzieht. Steigt neues Wasser, wie etwa in der vorzüglichen Buchana-
lyse der Zwei Menschen[4], so legen Sie keinen Wert darauf, halten
die Begegnung mit der Fastnachtsgestalt in der Untergrund[5] für
wichtiger, auch schriftstellerisch für besser, was ein Irrtum ist.
Lieber Krac, liebe Lili, ich meine nichts von meinen Worten »persönlich«. Ich meine es zwar höchst freundschaftlich und habe die
(nicht grade behagliche) »Pflicht« (hier hat das Wort noch einen
Sinn), Ihnen offen zu sagen, was alle unsre gemeinsamen Bekannten
– ausnahmslos und kopfschüttelnd – denken. Als wir nachhause
gingen, wollte Karola darauf wetten, daß sie Ihr Nachtgespräch
kennt. Nämlich: wenn Bloch eine Ahnung davon hätte, wie er sich
den Ast absägt, auf dem er sitzt. D. h., wie würde es ihm, als einem
problematischen Einspänner und Philosophen (der vielleicht nicht
einmal Begabung dazu hat und jedenfalls, zum Unterschied von
Ihnen, gar keine Beziehung zur »Realität«), unter Tretjakow ergehen.[6] Ich antwortete, das ist erstens kein erlaubter Gesichtspunkt,
zweitens ein Irrtum, und drittens spreche ich nicht für Tretjakow,
wenn ich gegen diese Kritik spreche. »Persönlich« bin ich im Willen, mich auch bei Krac mit dem subjektiv reinsten Gewissen nicht
zufrieden zu geben, sondern die Seinsgrundlagen zu reflektieren,
aus denen er diesen Angriff auf Rußland, diese Verteidigung unsrer
heiligsten Güter, diesen Haß gegen das »Kollektiv« unternimmt.
Genau so, wie ich meine Seinsgrundlagen reflektieren will, aus
denen mein Bewußtsein kommt, und jedem dankbar sein werde,
der mir in diesem Vorgang kritisch hilft. Klassenlose Intelligenz
gibt es nicht; wir sind übergehende Bürger und wollen, soweit möglich, mehr übergehend als Bürger sein. Wir zwei haben uns unter
dem Zeichen der Aufrichtigkeit gefunden, d. h. der ehrlich aufgenommenen und reflektierten Standorts-Gebundenheit; von hierher

habe ich Ihre Buberkritik verstanden, ja, Ihre Münzerkritik, und keinen Groll mehr gehabt, im Gegenteil. Ist der Standort gar nicht mehr der des vorgeschrittensten Bewußtseins, wehrt sich etwas gegen die Weltgeschichte, weil sie in Häuser und Kartenhäuser bläst, so muß man auf den Standort rekurrieren und Krac sagen, daß er Güter verteidigt, die ihm nur persönlich und zufällig solche sind oder geworden sind. Mindestens muß man auf die Instinkte achten, die wir alle aus einer andren Welt in uns haben, sie spielen eine klein- oder großbürgerliche Haltung oft unverwandelt nach. Insofern bin ich »persönlich« (hoffentlich auf eine unverletzende, gänzlich mich mitbetreffende Weise) und bitte Sie, es in gleicher Art gegen mich zu sein. Nur auf diese Weise, wenn von Selbstverteidigung, gar von Liebhabereien gar nichts mehr mitspricht, wenn ein weltgeschichtlicher Gang durch uns durchgeht und wir ihn nach Maßgabe unsrer Kräfte mitfärben und mitformen, – hat auch Kritik an den Bolschewiken Gewicht. Die F[rankfurter] Z[eitung] ist auch dann nicht der rechte Ort dafür. Eher ein Buch; doch auch darin muß man die rein innermarxistische Haltung erkennen, an der alle Privatpositionen im Dienst stehen.

So ungefähr einigte ich mich mit Karola, die Ihnen sachlich (was Rußland angeht) viel näher steht als ich. Aber wie vielmehr wollen wir uns doch nahe bleiben. Es schmerzt mich aufs Tiefste, wenn ich Sie und Lily zu Hause bleiben sehe. Statt auf freiem Feld, wo so viel Geringere sind, aber eben sind.

Ich grüße Sie beide herzlich in alter, hoffentlich neu bewährter Freundschaft

Ihr Ernst

1 Der folgende Brief ist das erste schriftliche Zeugnis ernsthafter politischer und theoretischer Differenzen zwischen E. B. und S. K., die sich in den folgenden Jahren verschärften und die Entfremdung des Pariser Exils vorbereiteten.
2 Zu S. K.s Desinteresse an bzw. Ablehnung von Brecht vgl. die Briefe Nr. 56, 57 und 58. An dieser Stelle spielt E. B. möglicherweise speziell auf die Auseinandersetzung um Benjamins Aufsatz »Was ist das epische Theater?« (in: Walter Benjamin, *Gesammelte Schriften* Bd. II, a. a. O., S. 519-531) an, gegen dessen Publikation in der FZ S. K. gestimmt hatte (vgl. Brief Nr. 57).
3 S. K., *Schriften 1*, a. a. O., S. 289.
4 Unterhaltungsroman von Richard Voß (1851-1918), dessen enormen Verkaufserfolg S. K. in seinem Essay »Richard Voß: ›Zwei Menschen‹« (FZ vom 1. 3. 1931) analysierte.

5 Vgl. S.K.s Aufsatz »Begegnung mit hilflosen Figuren. Der Fasching. Die
Stimme« (*FZ* vom 17. 2. 1931). Unter dem Titel »Berliner Figuren« wieder in: S.K.,
Straßen, S. 147-150.
6 Die Auseinandersetzung zwischen E.B. und S.K., wie sie in diesem Brief sich
spiegelt, entzündete sich an S.K.s äußerst kritischem Bericht über einen Vortrag,
den der sowjetische Schriftsteller Sergej Tretjakov (1892-1939) in Berlin zum Thema
des »neuen Typus des Schriftstellers« und der Arbeiter- und Bauernkorrespon-
dentenbewegung in der Sowjetunion gehalten hatte (vgl. »Instruktionsstunde in
Literatur«, *FZ* vom 25. 4. 1931). S.K. hielt Tretjakov entgegen, in »sturstem Dog-
matismus« das Kollektiv zu fetischisieren und die Bedeutung schriftstellerischer
Individualität zu verkennen. In den Publikationen der Korrespondentenbewegung
sah er eine »Gesinnungsstreberei« und »brave Beflissenheit« am Werk, die »die Erinnerung an gewisse Feldpostbriefe und fatale Frontschilderungen unserer Kriegsbe-
richterstatter« heraufbeschwören.

Nr. 54   [Postkarte]
Venedig-Lido, Capelli's Hotel
[Poststempel:] 7.9.1931

Lieber Krac, liebe Lili, man kann Ihnen, wie ich hoffe, schon zur
neuen Wohnung gratulieren.[1] Waren Sie noch in Frankreich?[2]
Hörte, daß Sie zuletzt in Blankenese lebten und wohl auf Ausreise
warteten. – Bei mir ging es leider nicht nach Spanien, aber wenigstens in den Tessin und durch viele unbekannte Städtchen Oberita-
liens vorläufig hierher ins elegante Wasser. – Bitte schreiben Sie mir
bald ein Wort.

Herzlichst!
Ihr Ernst

1 Sybelstraße 35, Berlin-Charlottenburg.
2 S.K. hatte im August eine Erholungsreise durch Norddeutschland gemacht; in
Frankreich war er wahrscheinlich nicht.

Nr. 55   [Postkarte]
[Brescia]
[Poststempel:] 6.4.1932

Lieber Krac und liebe Lili, so sieht hier ein Kino aus.[1] Sind von
Gardone, wo es uns sehr gut geht, einen Tag hierher gefahren. Bres-

cia vermehrt, als selteneres Stück, meine Sammlung italienischer Stadtbekanntschaften. Unsere Adresse: Maderno (Lago di Garda), ferma in posta.

Herzlich Ihnen
Ihr Ernst
Besten Gruß, liebe Kracks!
Karola

1 Auf der Vorderseite der Postkarte abgebildet.

Nr. 56   Berlin-Steglitz, Florastr. 10
                                              25. Mai [19]32

Lieber Krac,
bald werden Sie wieder zurück kommen.[1] Wünsche Ihnen beiden noch gute Tage.
Daß es mir nicht ganz leicht war, Sie jetzt zu sehen, stimmt. Die Form, in der Sie das erfahren haben, stimmt selbstverständlich nicht; ich bedaure sie.[2] Sie ist ohne mein Willen und Wissen zustande gekommen.
Ein sachlicher Krach bei unserem Wiedersehen wäre unvermeidlich gewesen. Ich wollte ihn vermeiden, vielmehr: auf einem ruhigeren Wasser als dem des Anfangs austragen. Der Anlaß ist bekannt: Die Kritik an dem verbotenen Brecht-Film.[3] Kein Wort für den mir unbekannten Film; ob er gut oder schlecht ist, steht nicht zur Diskussion. Aber daß Sie einem blinden, häßlichen Haß gegen Brecht überhaupt *bei diesem Anlaß*, Arm in Arm mit der Zensur, in der immer deutlicher antimarxistischen Zeitung Ausdruck gaben, war bei Ihrer *Vergangenheit* und bei *unserer Freundschaft schwer erträglich*. Ich weiß und ehre hoch die reine Seele. Aber grade daß sie sich wenig reflektiert, daß sie *Privatgefühle* und deren *Ideologien* so bewußtlos in die Sache mischt: das macht ein *Verlassen unserer gemeinsamen Sache*.
Ich bitte Sie, nach Ihrer Rückkehr mit Ihnen darüber sprechen zu können. Unsere Freundschaft verträgt offene Worte. Dem steht nicht entgegen, daß unser kleiner Kreis *bewährtere Solidarität nötig hat*.

Herzlichst Ihnen und Lili
wieder Ihr Ernst

1 S.K. war am 19. Mai (vgl. Brief Nr. 57) von einem Urlaub in den Bergen nach
Berlin zurückgekehrt.
2 E.B. hatte S.K. aus Verärgerung über dessen Brecht-Aufsatz (siehe unten) seine
Rückkehr nach Berlin verschwiegen. S.K. erfuhr davon zuerst vermutlich durch
einen Brief Franziska Herzfelds vom 13. Mai 1932 (Brief im Kracauer-Nachlaß).
3 Slatan Dudows (1906-1963) Film *Kuhle Wampe* (1932), zu dem Brecht und Ernst
Ottwalt (1901-1943) das Drehbuch schrieben. S.K. hatte in seinem Aufsatz »Kuhle
Wampe verboten!« (*FZ* vom 5. 4. 1931; wieder in: S.K., *Schriften 4*, Frankfurt/M.
1979, S. 536-541) gegen das Verbot des Films protestiert, diesen selbst aber zugleich
einer scharfen Kritik unterzogen.

Nr. 57
Kracauer an Bloch

                                                          Berlin, 29. Mai [19]32
Lieber Ernst,
ich habe Ihren Brief gestern erhalten. Wir sind seit dem 19. Mai
wieder zurück.
In der Tat ist mir bekannt, was Sie, noch über Ihren Brief hinaus,
gegen mich einzuwenden haben. Fränze Herzfeld, mit der wir
zusammen waren, hat mir davon berichtet. Ich meinerseits habe ihr
nicht vorenthalten, mit welchen Argumenten ich Ihren Einwänden
begegnen würde. Vielleicht lassen Sie sich bei Gelegenheit von ihr
darüber erzählen.
Auf Ihren Brief will ich Ihnen gleich brieflich antworten. Allerdings
muß ich Ihnen von vornherein erklären, daß Sie bei Ihrem Angriff
gegen meinen Artikel über den Brecht-Film Unterstellungen
machen, die Sie, gerade Sie, nicht hätten machen dürfen.
Sie behaupten, daß ich in jenem Artikel Arm in Arm mit der Zensur
gegangen sei. Worauf sich diese Behauptung stützt, ist mir uner-
findlich. Im Gegenteil, mein Protest gegen das Verbot des Films ist
ausführlich, scharf und inhaltlich präziser als der aller anderen Pro-
teste gewesen, und ich habe einigen Grund zur Annahme, daß
gerade mein exakt motivierter Protest zur Aufhebung des Verbots[1]
nicht unwesentlich beigetragen hat.
Aber die Kritik des Films selber, die ich mit meinem von Ihnen
offenbar nicht beachteten und dennoch recht wirksamen Protest
gegen die Zensur verbunden habe – diese Kritik hätte ich nach
Ihrem Dafürhalten nicht üben sollen. Sie leiten sie aus einem »blin-

den häßlichen Haß gegen Brecht überhaupt« ab, Sie meinen, es
handle sich bei ihr nicht um eine sachliche Angelegenheit, sondern
um die Vermengung der Sache mit Privatgefühlen und deren Ideologien. Ich weigere mich, derart ungerechtfertigte Anschuldigungen von Ihnen entgegenzunehmen; Anschuldigungen, die nur einer
ausstoßen könnte, der meine wieder und wieder bewährte Haltung
nicht kennt. Schon einmal – am Anfang jenes Gesprächs, das wir
mit Benjamin in der Mampestube führten –, haben Sie eine von mir
getroffene Entscheidung (die damalige galt Benjamins Brecht-Aufsatz[2]) auf eine Art von Privathaß gegen Brecht zurückzuführen
gesucht; und schon einmal habe ich Ihnen zu bedenken geben müssen, daß diese Insinuation gerade bei mir unmöglich sei. Sie sollten
es nachgerade wissen, daß ich von meinen Privatgefühlen zu abstra-
hieren vermag und daß ich eine sachliche Leistung doppelt gern
anerkenne, wenn sie von einem Menschen herrührt, gegen den ich
vielleicht eine Abneigung empfinde; Sie sollten mit einem Wort
wissen, daß ich sogar auf Kosten eigener Interessen sachlich urteile.
Erst jüngst im Falle Tretjakow habe ich meine Sachlichkeit ziemlich
deutlich bewiesen. Das heißt, ich habe ihn abgelehnt, als er ein
Schädling war, und habe ihn, unbeschadet des wenig günstigen Ein-
drucks, den ich von ihm hatte, später dort anerkannt, wo er sich als
gut und nützlich erwies.[3] Beinahe schäme ich mich, Ihnen noch
ausdrücklich erklären zu müssen, daß ich es ebenso mit Brecht
hielte, wenn er etwas Taugliches produzierte. Daß ich im übrigen
naiv genug sei, um irgendein privates Gefühl in sachliche Äußerungen hineinzuprojizieren, werden Sie im Ernst selber nicht
glauben.
Dann werfen Sie mir vor, daß ich die Kritik des verbotenen Films
nicht in der Frankfurter Zeitung hätte bringen dürfen. Ich halte diesen Einwand für verkehrt. Er ist es aber darum, weil mein Name in
der deutschen Öffentlichkeit so bekannt ist, daß die Äußerungen,
die ich mache, nicht als Äußerungen der Frankfurter Zeitung, sondern eben als meine Äußerungen angesehen werden. Ich stelle
damit keine vage Behauptung auf, sondern eine, die ich begründen
kann. Wenn ich also den Brecht-Film mit meinem Namen in der
Frankfurter Zeitung angreife, so ist dieser Film nicht von einem
antimarxistischen Blatt angegriffen worden, sondern von mir; d. h.
von einem Mann, von dem die maßgebende Öffentlichkeit ganz

genau weiß, wo er steht. Daß ich der bürgerlichen als Feind gelte,
bedarf keiner Beweise. Natürlich könnte sich nicht jeder diese Freiheit des Wortes erlauben; aber ich kann es. Dank meines Renom-
més und dank der Tatsache, daß meine Position im öffentlichen
Bewußtsein fixiert ist.

Zum Aufsatz selber noch: die Verbindung der Kritik mit dem Protest war aus den verschiedensten Gründen notwendig und legitim.
Ihre Diskussion würde aber den Brief zu sehr in die Länge ziehen.
Nur gerade andeuten will ich, daß die von Ihnen so schwer verdäch-
tigte Kritik im Interesse der wirklichen, greifbaren Realisierung –
nicht in dem der phraseologische Vertretung – der Sache erfolgte,
die uns gemeinsam ist; derselben Sache, um deretwillen ich damals
auch Tretjakow kritisierte. Mit dieser Sache bin ich freilich solida-
risch; nicht im geringsten aber mit einer Clique, deren Tun und
Treiben mir aus sachlichen Gründen fragwürdig dünkt. Und wie
sich die Richtigkeit meiner an Tretjakow geübten Kritik bereits
durch die politischen Ereignisse[4] bestätigt hat – auch mehrere par-
teikommunistische Intellektuelle haben sie übrigens bereitwillig
eingeräumt[5] –, so wird sich nicht minder die Richtigkeit und Uner-
läßlichkeit meiner am Brechtfilm geübten Kritik bestätigen. Das
aber ist entscheidend; ob dagegen ein Aufsatz von mir einen Cli-
quenwert hat oder keinen, danach frage ich nicht und danach habe
ich nie gefragt. Zuletzt ist sogar im taktischen Interesse mein Vorgehen berechtigt. Wenn ich, der ich unbekümmert um die Person eine
Sache angreife, später eine Sache derselben Person lobe, so wird
dieses Lob mehr Gewicht haben als jede Äußerung, die einem Verhalten entspringt, das sich mehr von dem angeblichen Ort einer
Person als von der Sache bestimmen läßt.

Ich habe nicht übersehen, daß Sie meinen Artikel auch mit Rücksicht auf meine Vergangenheit und auf unsere Freundschaft als
sträflich bezeichnen. Auf meine Vergangenheit: was heißt das?
Wollen Sie damit ausdrücken, daß der Kampf für die Veränderung
der heutigen Gesellschaft zu meiner Vergangenheit gehöre? Ich
hoffe es nicht. Ich habe mich sichtbar genug und mehr als andere für
den Marxismus exponiert und exponiere mich weiter; auf eine
Weise, die meinen Gaben und meiner Kraft entspricht und von
wachsendem Einfluß auf die Gesamtentwicklung ist. Wenn Sie sich
anzuerkennen sträuben, was jeder an der Sache teilnehmende

Mensch, von ein paar Böswilligen abgesehen, heute in Deutschland
weiß, so wüßte ich nicht, warum Sie verbunden mit mir gewesen
wären. Ja, ich sage Ihnen offen: die Berufung auf unsere Freundschaft ist mir im Zusammenhang mit Ihrer an meinem Artikel geübten Kritik unerklärlich. Denn diese Ihre Kritik geht nicht aus
Freundschaft hervor, sondern aus einer Verkennung meines
Wesens und der Kontinuität und des Sinnes meiner Leistungen. Als
mein Freund dürften Sie nie und nimmer die Kritik üben, die Sie
faktisch geübt haben. Sie müßten sich vielmehr sagen, daß ein
Mann, zu dem Sie seit Jahren ein objektiv fundiertes Vertrauen
haben konnten, seine guten Gründe haben wird, wenn er einmal
eine Sache schreibt, die nicht gleich einsichtig ist, da sie etwa von
irgendeiner sanktionierten Parole abweicht. Und Sie müßten soviel
Achtung vor ihm haben, daß Sie sich auf der Basis ungebrochenen
Vertrauens mit ihm auseinandersetzten. Stattdessen . . .
Ich habe Ihnen so ausführlich geschrieben, um Ihnen die Schwere
und die Unrechtmäßigkeit Ihrer Beschuldigungen nach bestem
Vermögen bewußt zu machen. Nichts wäre mir lieber, als wenn Sie
durch meinen Brief erkennten, daß diese Beschuldigungen nicht
stichhaltig sind. Denn legten Sie sie weiterhin unserer Beziehung
zugrunde, so könnte ich mir auch von einer mündlichen Diskussion
keine Klärung versprechen. – Daß ich sie wünschte, brauche ich
wohl nicht zu sagen; würde ich doch nur mit Kummer auf das
Glück unseres wechselseitigen Vertrauens verzichten.

Herzlichst
Ihr Krac

1 Nach zweimaligem Verbot wurde *Kuhle Wampe* – mit erheblichen Schnitten – von
der Zensur freigegeben. Die Uraufführung des Films fand am 30. 5. 1932 statt.
2 Vgl. Brief Nr. 53, Anm. 2.
3 Nach einer ersten, sehr kritischen Reaktion (vgl. Brief Nr. 53, Anm. 6) hatte sich
S. K. in zwei nachfolgenden Aufsätzen sachlich und anerkennend mit Trejakovs Pro-
duktionskunst und seinem dokumentarischen Stil auseinandergesetzt. Vgl. »Der
operierende Schriftsteller« (*FZ* vom 17. 2. 1932) und »Ein Bio-Interview« (*FZ* vom
17. 4. 1932).
4 S. K. spielt hier vielleicht auf die Auflösung der proletarischen Schriftstellerorganisationen in der Sowjetunion und die Formulierung von verbindlichen Prinzipien
des »sozialistischen Realismus« im April 1932 an.

5 S. K. scheint sich nicht darüber im klaren zu sein, daß Tretjakov tatsächlich bereits seit Ende der zwanziger Jahre in zunehmendem Gegensatz zur Literaturpolitik der Partei geraten war. So wurde ihm auch in der *Linkskurve* – dem Organ des »Bundes proletarischer Schriftsteller« in Deutschland – unter anderem von Johannes Becher und Lukács vorgeworfen, mit einem »überspannten Avantgardistentum« zur »Liquidierung« der wahren proletarischen Literatur beizutragen.

Nr. 58   Berlin-Steglitz/ Florastrasse 10
                                               1. Juni [19]32
Lieber Krac,
Freud hat uns gelehrt, daß das, was wir von uns glauben, nicht immer oder ganz das ist, was wir sind. Marx hat genauer gelehrt, daß unsre Klassenlage, unser ökonomisch-sozialer Habitus Ideologien schafft, die oft nur schwer zu durchschauen sind; und wenn man seinen Ort nicht beständig genau fixiert, am wenigsten. Niemand weiß das besser als Sie, wenige haben – an Buchanalysen – besseren Gebrauch von diesem Wissen gemacht. Aber nun gibt es außer modernen Weisheiten noch antike: Sophokles zeigt an Oedipus, daß der weiseste Mensch, obwohl er das Rätsel der Sphinx gelöst hat, sein eignes bedeutend einfacheres Rätsel nicht erkennt. Später erkennt als Jokaste, ja als alle Thebaner.
Es läßt sich vorerst darum wenig auf Ihren Brief antworten. Ich zweifelte ja nie an Ihrer subjektiven Reinheit, auch in meinem ersten Brief nicht, vor einem Jahr.[1] Wohl aber glaube ich – und darin liegt keine persönliche Beleidigung –, daß Sie naiv genug sind, private Gefühle, vor allem private Ruhebedürfnisse in sachliche Äußerungen hinein zu projizieren; also genau das, was Sie so entrüstet ablehnen. Ihre Entrüstung wäre gerechtfertigt, wenn ich Ihnen dabei Bewußtsein, gar bösen Willen unterstellt hätte. Wie gesagt, das sei ferne, ich denke nicht im Traum daran, aber fast wäre es bei dem äußerst undankbaren Amt, das ich mit diesen Briefen grade als Ihr Freund übernehme und um des Kanonischen willen, das Sie mir hundertprozentig waren: ich sage, fast wäre mir um des Ohres willen, das Sie dann für meine Einwände hätten, eine geringe Spur dieses Bewußtseins lieber. So aber verteidigen Sie sich nicht nur mit einer Dichte und Absolutheit, die mit dem ihren nicht zufriedener sein kann, sondern verlangen vor mir einen ebenso absoluten Rückzug. Wie vortrefflich haben Sie an Wiesengrund einmal ein Vertei-

digungssystem prophezeit, das Vauban[2] beschämen könnte; es ist jetzt in Ihrem Brief selber. Lieber Krac, unsre Meinungsverschiedenheit ist ja nicht von heute. Auch der Tretjakoff [sic!], den Sie mehrmals anführen, gab zu ihr ja nur äußeren Anlaß. Glauben Sie mir doch, ich sage das mit höchstem Ernst, es schwankt seit einem Jahr ungefähr in fast allem, was Sie schreiben, der Ort; es hat sich etwas in der *objektiven* Zuverlässigkeit gewandelt. Dieses mein Urteil könnte ja selber aus eigner Wandlung kommen: es liegt mir das Richterliche von oben herab gar nicht, konkreten Einwänden bin ich durchaus offen. Aber bis ich diese eigne Wandlung sehe, darf ich mich an mein Urteil halten, desto sicherer als es nicht nur meines ist, sondern das mehrerer und darunter solcher von recht verschiedner Art. Die »maßgebende Öffentlichkeit« weiß eben nicht mehr »ganz genau«, wo Sie stehen. Durch die kleinen Sachen, die Sie leider schreiben müssen, kommt oft ein Geplauder, ein provinziell lauschiger oder launiger Ton, dem man gottlob seine Gequältheit ansieht, der aber Ihrer nicht würdig ist. Hauptsache: Ihre Bitterkeit und die Zeitkritik, die ihr entstammt, scheint nicht mehr von der gleichen Art wie früher. Sie war heimatlos, verzweifelt, unerbittlich, ja hatte dämonische Züge und vor allem Sprengkraft. Jetzt ist da – von »Ressentiment« abgesehen (der Ausdruck ist nicht von mir, auch nicht aus der »Clique«, sondern von Lesern in Ludwigshafen, Mannheim und München) – öfter ein verärgerter Lehrer, der die Klasse ausschimpft. Mit keiner Petroleumkanne, sondern einer Kaffeekanne im Hintergrund. Damit hängt auch jener Marxismus zusammen, der nur höchst unwillig und lieber nicht auf Revolution zugeht, sondern Planwirtschaft ins Zentrum setzt; am liebsten solche, die sich heute schon, unter der sogenannten Decke, durchsetzt. Da wäre man bei einem friedlichen Hineinwachsen in den Sozialismus; wäre nicht Ihre Abneigung gegen die »S.P.D.-Kultur« (aus früheren Zeiten), so könnte man von Sozialdemokratie sprechen. Das verbindet sich auch leicht mit einem wachsenden Rationalismus von nicht sehr »beladener« (ein Zitat von früher), sicher wachsend unphilosophischer Beschaffenheit; so daß es mir und nicht nur mir manchmal schwer wird zu sehen, wie Sie das mit Ihrer Freundschaft mit mir verbinden. Ich bin auch von der Ratio, aber setze doch gewisse dunkle Substanzen, denen ich sie zuwende; Substanzen, die Sie per-

horreszieren, mindestens auszulassen wünschen. Auf diese Weise
senken Sie das Niveau des Marxismus; Ihre Abneigung gegen Hegel
(die Revisionisten hatten sie zuerst) gehört ebenfalls hierher.
Wie in weiter Ferne ziehen die Bedeutungen Ihres Romans, höchstens
gehen sie in die Bewahrung gewisser bürgerlicher Güter oder Bindungen, die so unreflektiert nicht sein dürften. Intelligenz-Mission
treibt man, bei der recht irrationalen Intelligenz, die wir heute
haben, mit dem achtzehnten Jahrhundert wahrscheinlich nicht. Auf
»Planwirtschaft« wird die K.P. – nach einer Revolution – schon
selber gehen. Unser Amt scheint mir, andre Etagen der Vernunft
bewohnbar zu machen, nach Maßgabe der überschaubaren Tendenz. Es ist nicht nur der Entdecker der »internationalen Bahnhofshaftigkeit«[3], an den ich dabei denke (noch hatte die Musik, der die
Nietnägel zuhören, diesen Ort), sondern der Mann der Märchen,
der Kierkegaard-Probleme (auf jetziger Stufe)[4], der Avantgarde,
der Green-Kritik. Kurz, der nicht wasserklare Krac und ohne das
Kompliment zum Wasser[5]: ohne Angestellten-Dumpfheit, die er an
andern so scharf durchschaut.
Lieber Krac, wer Ihnen so schreibt, dem fällt es nicht leicht. Ich
würde es nicht getan haben, wenn ich nach dem großen summierten
Ärger und den Enttäuschungen der letzten Zeit meine Gefühle für
Sie nicht wiedergefunden hätte. Weil sie so lädiert waren, habe ich
diesen Brief bisher nicht geschrieben; obwohl er schon vor
Wochen, nach einer Aussprache mit Fränze Herzfeld, geplant war.
Er wäre damals eine Unverschämtheit gewesen, obzwar eine versuchte Wahrheit; heute möchte er ein offenes Wort von einem
Freund zum Freund sein, das ihn um Selbstkritik, um Aufgabe des
Verteidigungssystems bittet. (Ein Verteidigungssystem, so lücken-
los, ist ohnehin falsch.) Und ich kann den Brief nicht abschicken,
ohne Sie zu bitten, mit mir, wenn es Ihnen recht scheint, ebenfalls
kein Federlesen zu machen. Ich habe persönlich nicht die Spur
Böses von Ihnen mehr erfahren; es liegt nicht die geringste Ähnlichkeit mit meiner Kontroverse Benjamin vor, dessen kalte und
unverschämte Sprache ich nicht länger dulden wollte. Alle meine
Trübung ist sachlich; desto klarer, als mich mit Brecht ja keine persönliche Beziehung verbindet. (Desto betroffener und objektiver
allerdings eine sachliche, aus der nicht ausgesprungen werden
sollte.) Kritisieren darf nur einer, der sich selbst zur Kritik stellt:

das gilt diesmal für mich. Sofern ich den größten Teil meines Gelds verloren habe[6], wird übrigens auch unsre äußere Lage in nächster Zeit ähnlich sein. Und im Überdenken und dialektischen Mobilisieren der »Restbestände« wäre sie ähnlicher als je: wenn nicht –.

Ich grüße Sie mit Lilly herzlich!

1 Vgl. Brief Nr. 53.
2 Sébastien de Vauban (1633-1707), Festungsbaumeister unter Ludwig XIV.
3 Vgl. Brief Nr. 10.
4 S. K.s Auseinandersetzung mit der Philosophie Kierkegaards dokumentiert sich vor allem in seiner zwischen 1922 und 1925 entstandenen Studie *Der Detektiv-Roman* (Erstveröffentlichung in: S. K., *Schriften 1*, a. a. O., S. 103-204), in Spuren auch im *Ginster*. E. B. spielt hier allerdings wohl auf Gespräche, vielleicht auch auf S. K.s existenzialistisch gefärbte Kritik an einigen zentralen Begriffen des Marxismus, etwa dem Begriff des Kollektivs (vgl. etwa S. K., *Schriften 1*, a. a. O., S. 303 f.) an.
5 Anspielung auf eine Passage der *Angestellten*. Vgl. S. K., *Schriften 1*, a. a. O., S. 290 f.
6 Über eine Verschlechterung der Vermögensverhältnisse E. B.s zu diesem Zeitpunkt ist nichts bekannt.

Nr. 59
Kracauer an Bloch

Berlin, 4. Juni [19]32

Lieber Ernst,

Sie überschätzen meine Verteidigungslust; auf systematische Komplettheit ist sie schon gar nicht aus. Verteidigt, restlos verteidigt habe ich mich nur gegen die Insinuation, daß ich im Falle des Brecht-Artikels private Gefühle in die Sache hineinprojiziert hätte. Das geht gegen meine Essenz, gegen meine Natur, deren Leidenschaft die Sache ist. Sie sollten so viel doch von mir wissen, daß ich mir in dieser Hinsicht nichts vormache. Ebenso unbedingt habe ich mich gegen die Zumutung einer Solidarität gewehrt, die ich nicht anerkenne, die ich aus meiner Essenz heraus verwerfe. Ich meine jene Solidarität, die zur Beschattung von Erkenntnissen führt. Fränze Herzfeld wird Ihnen bestätigen, wie gleichgültig es mir von Anfang an war und noch ist, daß Sie bei Burschell gegen mich losbrausten. Wenn Sie überzeugt sind, daß mein Verhalten angreifbar sei, so können Sie es überall angreifen, ohne mich damit zu berühren. Im Gegenteil, mich bedrückt nur eine Clique à tout prix, denn sie schädigt das Hervorbrechen der Erkenntnis. Wie ich selber aber im Zentralen keine Solidarität beanspruche, so beweise ich sie auch nicht anderen gegenüber, die das Zentrale verletzen. Mir liegt durchaus und allein am Zentralen selber. (Daß in den Vorhöfen Solidarität geübt werden muß, hat damit nichts zu tun.) Jetzt aber bin ich schon mit der Verteidigung zu Ende. Sie bezieht sich auf Ihren zweiten Brief auch nur insoweit, als Sie an seinem Anfang noch einmal das im ersten Gesagte wiederholen. Dann explizieren Sie Ihre Einwände, die das Ergebnis eines summarischen Blicks auf mich sind. Das heißt zweier summarischer Blicke. Denn Sie greifen mich faktisch von zwei Positionen aus an, die Sie selber in einer außerordentlich glücklichen Personalunion miteinander verbinden. Einmal von chiliastischen Motiven her. Von hier, dem utopischen Ort aus betrachtet, ist der Galgenvogel – Sie gebrauchten diesen Ausdruck Fränze Herzfeld gegenüber – ein metaphysisch belasteter Idealfall, die Revolution nicht ein zum Aufbau des Sozialismus verhelfendes Ereignis, sondern ein Akt, der in die Transzendenz durchbricht oder doch ein Signal dieses Durchbruchs ist, und der ganze Marxismus mitsamt der Planwirtschaft eine ziemlich plane Angelegenheit. Natürlich erscheint, aus dieser Perspektive gesehen, meine kritische Arbeit in der Zeitung als profan-aufklärerisch, ja, die marxistische Aufklärung (die natürlich die Revolution als politisches Ereignis einschließt und auf sie hinweist) und die gemeine, flache, unrevolutionäre der Sozialdemokratie scheinen Ihnen zu verschmelzen. Das andere Mal schwingen Sie sich vom utopischen Ort zum praktizierten Marxismus hinüber und werfen mir vor, daß ich nicht radikal genug sei, am falschen Ort schreibe usw. So bedrängen Sie mich von zwei Seiten und manövrieren mich in eine Situation hinein, die ausweglos ist. Ich will wenigstens versuchen, Ihnen anzudeuten, wie ich die Sache von mir aus auffasse. Wenn Sie im Geist der Utopie reden, lieber Ernst, dann müssen Sie zum mindesten wissen, daß sie gewissermaßen nur par hasard (eben [durch?] die mir so liebe Personalunion) in die Nähe des wirklichen Kommunismus geraten. Die Revolution, die Sie in diesem Fall meinen, ist nicht die von Marx gemeinte, sondern die überall und nirgends verifizierbare, und was gar hinterher folgt:

der Fünfjahresplan usw., kann dem Galgenvogel erst recht nicht entsprechen. Wenn Marx Sie gekannt hätte, wäre er vermutlich sehr ausfällig gegen Sie geworden. Das sage ich nicht, um Sie herabzusetzen, sondern um auszudrücken, daß die von Ihnen hergestellte Verbindung zwischen dem Aufbruch in die Transzendenz usw. und dem revolutionären Marxismus eine personale, eine objektiv nicht gegründete ist. Sie behaupten diese Verbindung, und würden Sie doch, eben weil sie zwei heterogene Sphären undurchdrungen vermengt, nie bewähren können. Ich dagegen – und hier komme ich zur Selbsterklärung, nicht etwa zur Verteidigung – bin genau wie Sie getroffen und geblendet vom überall und nirgends Verifizierbaren Utopischen und genau so engagiert wie Sie beim revolutionären Marxismus und bei der Herbeiführung der Veränderungen, die der Marxismus wünscht und erzielen kann. Nur mit dem wichtigen Unterschied: daß ich die von Ihnen unbewußt dargestellte (nicht vollzogene) Mischung der miteinander unversöhnlichen oder jedenfalls sich windschief zu einander verhaltenden Elemente des auf den Durchbruch ausgerichteten (zuletzt statischen) und des marxistischen (dynamischen) Denkens bewußt in eine reale Dialektik zu verwickeln trachte. Alle meine Schwierigkeiten rühren von diesem Versuch her, der einen Menschen buchstäblich zerfetzen kann. Sie aber haben es darauf angelegt, nur meine von Ihnen gewaltsam perspektivisch verkürzte Erscheinung zu sehen; nicht aber die Dialektik, die zwischen den lauschenden Nietnägeln und der von mir unter Selbstentäußerung geleisteten Aufklärungsarbeit besteht, in der es wahrhaftig an »Hohlräumen« nicht fehlt. Und wenn ich jetzt, weil es durch die Zeit gefordert ist, in steigendem Maße und gar nicht unbeschwerten Sinnes marxistisch-rationell arbeite – eine Arbeit, die mir innerhalb meines Gebietes leider noch keiner abgenommen hat –, so wäre doch diese Art von Leistung zusammenzunehmen mit der anderen, die ich in großem Maßstab in meinem Roman zu bewältigen suche. Daß im Roman alles abgebrannt wird, was an Bindungen da ist (um des Utopischen willen, das, um es noch einmal zu sagen, sich äußerst vertrackt zum eigentlichen revolutionären Marxismus verhält), daran scheinen Sie erst neuerdings zweifeln zu wollen. Vielleicht wird Ihnen meine Position durch diese Andeutungen doch einleuchtender. Sie könnte von der Ihren aus erblickt werden, ja, meine Mühen könnten Ihnen eine Hilfe bedeuten.

Bis dahin kann ich mich erklären (was natürlich nicht gleichbedeutend damit ist, daß ich mich in Schutz nähme). Völlig machtlos dagegen bin ich gegen die Ludwigshafener, Mannheimer und Münchner Urteile, gegen die Voraussetzung von Ruhebedürfnissen bei mir, gegen Ihre Meinung, daß ich zur S.P.D. neige, und gegen Ihre Überzeugung, daß ich wie ein verärgerter Lehrer schriebe. Ich kann solche Eindrücke nicht berichtigen, sondern nur prüfen, ob sie sachlich berechtigt sind. Sie scheinen mir, subjektiv gesehen, darum subjektiv zu sein, weil ich mich bei der ständigen Dialektik zwischen transzendenten und marxistischen Motiven nicht nur geistig, sondern auch körperlich aufbrauche. Aber, wie gesagt: Eindrücke sind zuletzt unwiderleglich. Und ich bin wirklich der letzte, der Ihnen zumutete, diese doch offenbar aus der Summe meiner Leistungen empfangenen Eindrücke nun auf Grund der jetzigen Aussagen und Erklärungen zu revidieren. Es kommt mir tatsächlich nur auf die Sache an. Sollte die Sache Sie dahin bringen, daß Sie die betreffenden Eindrücke einmal von sich aus annullieren, so wüßte ich mir kaum etwas Schöneres zu wünschen.

Herzlichst

Ihr

[Am Rand hinzugefügt:] Dieser Brief ist [meine ?] Antwort auf Ihren Fr[anziska Herzfeld] übergebenen.[1]

1 Vgl. Brief Nr. 58. Offenbar hatte E.B. diesen Brief auch Franziska Herzfeld gegeben oder durch sie an S.K. weitergeleitet.

Nr. 60   [Berlin,] Florastr. 10

9. Juni [19]32

Mein lieber Krac,

ich möchte Sie auf jeden Fall meiner großen Freude über die »Guckkasten-Bilder«[1] versichern. Die sind so etwas, was man sich für die Zukunft zurücklegt wie der Bauer das Geld im Strumpf. Grade der »Traum« wird darin eine ökonomische Potenz; ich habe grade tiefen Frieden in ihm (dem wunderbaren des Jungen, dem durchaus mystischen des letzten Abschnitts und vor allem des letzten Satzes)[2] selten so sprengend gesehen.

So kommen wir auch wieder zu uns nach Hause, und was mich

angeht: ich kann bewundern. Wie gern tue ich das, ich drücke Ihnen die Hand, lieber Krac, wie gern tue ich das und bin in Liebe und Verehrung.

Ihr Ernst

1 S. K.s Bericht von der Messeausstellung »Sonne, Luft, Haus«: »Guckkastenbilder. Besuch in einer Wochenendausstellung« (*FZ* vom 8. 6. 1932).
2 Im letzten Abschnitt von S. K.s Bericht heißt es: »Herrlich ist ein Hallenteil, in dem sich folgendes beieinander findet: ein richtiges Flugzeug; das große Modell einer D-Zug-Lokomotive; ein Stück Zoo in Lebensgröße mit Palmen und einer echten Antiolope. Raum- und Zeitzusammenhänge sind in diesem Abschnitt gleichnishaft aufgehoben, Weltelemente aus der Kruste gerissen und kurzerhand ineinander verschränkt. Geld spielt hier keine Rolle mehr, und die Entfernung ist nichtig. Man fährt nach Taugenichtsart auf der Lokomotive mit, die über unsichtbare Schienenstränge hinrollt, oder besteigt das Flugzeug und ist schon am Ziel: dicht bei der Antilope, die ohne Furcht grast.«

Nr. 61   [Postkarte]
[Berlin-]Cladow, bei Architekt Rettig
[Poststempel:] 13. 7. 1932

Lieber Krac und Lili, wollen Sie nicht einmal heraus kommen? Auch hier heiß, aber man denkt, man wäre auf dem Land. Lese soeben an einem dieser leeren Tische Ihren vorzüglichen Gestern-Grenz-Bericht[1], den ich mit Blaustrichen übersäe, zum Behalten und Pointieren. Kommen Sie doch bald einmal. Herzlichst

Ihr Ernst

1 »An der Grenze des Gestern. Zur Berliner Film- und Photoschau« (*FZ* vom 12. 7. 1932).

Nr. 62   Cladow-Berlin
24. Sept[ember] [19]32
Mein lieber Krac,
nur noch ein paar Worte zu unserem kurzen Telefongespräch. Ich sagte Ihnen meine Bedenken wegen des »Arbeitslagers«.[1] Und zwar vor allem wegen der »Menschlichkeit«, wegen des »Kennen-

lernens« und anderer ausgezeichneter Dinge. Bei Ihnen sind sie ausgezeichnet und post revolutionem, ja schon in ihr erst recht. Aber in
der Fr[ank]f[ur]t[e]r Z[ei]t[un]g müssen sie im Sinn eines aufgeho-
benen Klassenkampfs erscheinen; als eine Art liberaler Ersatz für
das Vaterland oder Deutschtum. Der Ort des Abdrucks verwandelt
Ihre sämtlichen Intentionen. Es scheint unmöglich, in dieser Zeitung Politik in unserem Sinn zu treiben; nicht bloß, weil Han-
delsteil und die Riesenpartien über dem Strich alles desavouieren.
Sondern vor allem: weil seit einem Jahr, seit der Faschisierung des
Bürgertums keine Anfälligkeit mehr besteht. Keine Möglichkeit,
ihm den Widerspruch seiner Verhältnisse zu zeigen; die Auskunft
der *Gewalt* hat diesen Weg eine Zeitlang von oben her verbaut.
Dazu kommt ein anderes. Es ist ausgeschlossen, daß die Untersuchungen, denen Sie sich zuwenden, vom Ort des Abdrucks in ihrer
Anlage unberührt bleiben. Ich sage: in ihrer Anlage, nicht in ihrer
Intention. Der Verwendungsort berührt nicht nur den »Stil«, sondern mit ihm (der bei uns immer inhaltlich bestimmt ist und nicht
angefügt) die Behandlung des Themas, die Beleuchtung der Stoffe,
die Unterbetonung von Wichtigkeiten, die Unbefangenheit und
Gradheit. Das kann dem Schreibenden unbewußt bleiben, aber
dem Leser nicht und die Sache ist ja, was *Untersuchungen* angeht,
evident. Anders wäre es bei ausdrücklich getarnter Propaganda
gewonnener Erkenntnisse und Losungen; dort also, wo der Akzent
nicht auf der Untersuchung, sondern wirklich auf dem »Stil« liegt,
womit »fertige« Erkenntnisse arrangiert und eingewickelt werden.
Ich weiß von den Arbeitslagern nicht viel, von Ihrer vorgenomme-
nen Arbeit fast nichts; aber die erste Reaktion eines Mannes, der
Kommunisten »kennt«, ist die: wie kann man hier eingreifen, bestehen hier Mittel der Propaganda und so fort. Er denkt nicht ans
schöne menschliche Zusammen, besonders wenn er von Kracauer
gelernt hat, wie die Kollektivs innerhalb der heutigen Gesellschaft
aussehen und aussehen müssen.
Als Sie mir von Ihrem Vorhaben erzählten, tunlichst große untersu-
chende Arbeiten zu schreiben, war ich sehr erfreut. Ich habe ja die
schönste und fruchtbarste Erinnerung an Ihre früheren philosophischen Aufsätze und andere. Aber jetzt kamen mir die freundschaft-
lichen und sachlichen Bedenken; Sie nehmen mir nicht übel, wenn
ich sie Ihnen mitteile und zwar absichtlich, *bevor* ich Ihre konkre-

ten Ausführungen kenne. Ich meine: bei der Struktur der Zeitung wäre [es] richtiger, ja einzig richtig, wenn die Mitarbeit sich deutlich auf kleine Beiträge von entschieden minderem Ernst beschränkten. (Das hat noch den Nebenvorteil, daß Sie sich hier keinen Konflikten wirtschaftlich aussetzen; die Grete Francesco[2] erzählte mir, daß auch Ihre Stellung durchaus nicht gefestigt sei.[3] Sie wissen das wahrscheinlich besser; ich habe jedenfalls keinen Grund zur Diskretion.) *Aber*: es wäre zugleich die Sache selber, wenn Sie die geplanten Untersuchungen *nicht* für die Zeitung schrieben, von vornherein nicht für diesen Rahmen. Sondern als eigenes Buch in einem Verlag, der zu finden sein dürfte und – für Ihren Namen und das Thema – sicher auch zahlt. Ich glaube, daß dann manches von vornherein klarer und aktiver konzipiert wird als im »Rahmen« der Zeitung, wenn auch im gesprengten.

Darf ich von mir etwas schreiben, so gebe ich dieser Zeitung absichtlich Stoffe, die nicht aktivierbar sind. In der Bourgeoisie ist für Themen, die nicht auf den Nägeln brennen, immer noch ein »freier« Raum; mindestens einer, nach dem man sich nicht zu richten braucht. Es sind metaphysische Stoffe, und ich vertraue nicht nur meiner »Natur«, daß sie keine fahnenflüchtigen und kontemplativen bleiben, sondern ich weiß: im Buch, wohin sie kommen[4], tritt das Ungemütliche und Nicht-Musische ans Licht. Wie Reifenbergs Brief zeigt, ist auch hier das Mißverständnis nicht zu vermeiden[5] (sogar eines, das Wasser auf antimarxistische Mühlen leitet); aber unmittelbar bleibt ja alles aus der Reibung (an *diesem* Ort), präpariert viel »spätere« Gebiete. Ich nehme das Mißverständnis Reifenbergs durchaus nicht leicht; es wäre aber viel unangenehmer, wenn es sich auf Dinge des unmittelbaren Kampfs bezöge. Und eben: mit der »Menschlichkeit«, die Sie ohne Anführungstriche sind und meinen, machen Reifenberg und bald schon Welter[6] klassenkampffeindliche Geschäfte. Die Zeitung hat das Stichwort von Ihnen aufgenommen und versteht darunter Papens[7] Kultiviertheit (gegen Nazi[s], aber auch Proleten), Schleichers[8] verbindliche Manieren.

Nehmen Sie mir diesen Brief nicht übel, lieber Krac. Er ist ja keine Einmischung, sondern exakte Kollegialität. ([Die ?] Buchstaben sind schwer zu lesen, weil meine Maschine kaputt ist.) Und seien Sie mit Lili herzlichst gegrüßt

von Ihrem Ernst

1 S. K. hatte einen kritischen Bericht über die Arbeitslager des Freiwilligen Arbeits-
dienstes geschrieben, der am 1. 10. 1932 in der *FZ* erschien.

2 Die Schriftstellerin Margherita de Francesco, Mitarbeiterin der *FZ*, eine gute
Bekannte von S. K. und E. B.

3 S. K.s Konflikte mit der *FZ* hatten sich Ende 1931/Anfang 1932 noch einmal zuge-
spitzt. Die Zeitung teilte ihm mit, daß sie ihn nicht mehr voll beanspruchen könne
und er sich nach einem festen Nebeneinkommen umsehen solle.

4 Gemeint ist *Erbschaft dieser Zeit* (GA Bd. 4).

5 Da Reifenbergs Briefe an E. B. verloren sind, lassen sich Gegenstand und Inhalt
dieses »Mißverständnisses« nicht mehr aufklären.

6 Erich Welter (1900-1982), Handelsredakteur der *FZ*.

7 Franz von Papen (1879-1969), Mitglied des reaktionären »Deutschen Herren-
klubs«, von Hindenburg im Juli 1932 zum Reichskanzler ernannt.

8 Kurt Schleicher (1882-1934), Reichswehrminister in der Regierung Papen, dann
kurzfristig selbst Reichskanzler. Die *FZ* vertrat, durchaus im Einklang mit der Politik Papens und Schleichers, das Konzept einer »Zähmung« der Nazis durch ihre
Einbindung in eine reaktionäre Regierungskoalition.

Nr. 63   [Postkarte]
                        [Poststempel: München, 1. 3. 1933]

Liebe Lili und Krac, grade bin ich hier. Nicht leicht, jetzt ein Buch
unterzubringen.[1] Ihr Garbo-Aufsatz[2] hat mich beeindruckt. Es ist
[eine?] neue Linie. Denke oft an Sie, daß Sie jetzt in dieser Stadt
sind.[3] Gestern, an diesem Dienstag[4], waren die Schutzleute hier mit
Confetti bestreut. Welcher Kontrast.

                        Ihnen beiden herzlichst Ihr Ernst

1 E. B. hatte inzwischen *Erbschaft dieser Zeit* fertiggestellt; er versuchte, das Buch
zu veröffentlichen – wofür zu diesem Zeitpunkt ein deutscher Verleger allerdings
kaum noch in Frage kam.

2 »Greta Garbo. Eine Studie« (*FZ* vom 25. 2. 1933).

3 E. B. vermutete S. K. noch in Berlin, doch hatte dieser die Stadt noch in der Nacht
des Reichstagsbrands verlassen und fuhr über Frankfurt nach Paris.

4 Am 28. Februar 1933 (einem Dienstag), einen Tag nach dem Reichstagsbrand,
setzte die erste große Welle des Terrors und der Verfolgung von Kommunisten,
Sozialdemokraten, Gewerkschaftlern ein. Notverordnungen hoben Grundrechte
der Verfassung auf.

Nr. 64 Zürich, Hotel St. Peter

29.3.[19]33

Lieber Krac und Lili,

Gubler danke ich Ihre Adresse.[1] Vielleicht haben Sie noch einen Brief erhalten, den ich Ihnen kurz nach dem 9. von München in die Sybelstraße schrieb.[2] Waren Sie schon fort, so haben die Ereignisse ja nicht bloß diesen Brief überholt, vielmehr: unterholt. Von Fränze [Herzfeld], die ich nach Ihrem Aufenthalt, ebenso nach dem von Benjamin fragte, kam bis jetzt keine Antwort, ganz wider ihre Gewohnheit; so daß ich nun etwas in Sorge über die ungeübte Conspiratrice bin. Auch einer der Briefe an Karola, die ich an ihre Deckadresse schrieb, kam nicht an. Bitte schreiben Sie mir auch, wenn Sie etwas von Fränze wissen.

Durch Jedlicka[3] hatte ich hier schon gehört, daß Sie, daß Benjamin und Burschell in Paris sind. Gubler glaubte, daß Sie Ihren Berliner Posten mit dem gleichen in Paris vertauschen könnten. Ist dem so?[4] Ich glaube allerdings, wir beide müßten uns eine Zeitlang ein Pseudonym beilegen; es heißt nicht jeder Heinz, dritter Reichsgraf von Simon.[5] – Der Aufenthalt in Paris mag ja ein gewisser Trost sein, positiver Art, nicht nur negatives Emigrantentum. Ich selbst war zunächst in mein altes Interlaken[6] rückgekehrt, traf mich dann mit Gubler in Graubünden, in einem stillen Nest, bin jetzt hier und erwarte Karola, die hier zu Ende studieren wird. So sind Sie und ich nun getrennt, zu einer Zeit, da man mehr als je zusammengehört; und wer weiß, wie lange.

Schreiben Sie mir bitte recht bald und seien Sie beide herzlichst gegrüßt von Ihrem Ernst

1 F. T. Gubler war im Februar 1933 aus der Redaktion der *FZ* ausgeschieden und in die Schweiz zurückgekehrt. S. K. wohnte in den ersten Wochen seines französischen Exils im »Hotel du Navigateur«, Quai des G^des Augustins.
2 Dieser Brief ist nicht erhalten.
3 Gotthard Jedlicka (geb. 1899), Schweizer Kunsthistoriker; war 1933 Mitarbeiter der *FZ*.
4 Die *FZ* hatte S. K. mit dem offiziellen Auftrag, das dortige Büro zu unterstützen, nach Paris geschickt und ihm eine feste Anstellung als Feuilletonkorrespondent in Aussicht gestellt. Sie hat diese Verabredung jedoch nicht eingehalten. Nach einer drastischen Reduktion seiner Bezüge in den ersten Wochen in Paris wurde S. K. im August 1933 – unter dem Vorwand seiner Mitarbeit am *Neuen Tage-Buch* – gekündigt.

5 Heinrich Simon (vgl. Brief Nr. 2). Simon blieb bis zum Mai 1934 bei der *FZ*. Dann mußte auch er die Redaktion verlassen, seine Verlagsanteile wurden verkauft. Simon ging ins Exil nach Palästina.
6 E. B. hatte schon während des Ersten Weltkriegs als Emigrant in Interlaken gelebt. Vgl. die Briefe an Johann Wilhelm Muehlon in diesem Band.

Nr. 65   Küsnacht bei Zürich/Schiedhaldensteig 12
                                                        16. 5. [19]33

Lieber Krac,
wie ist es nun geworden? Besonders schlimm, daß grade Sie durch wirkliche Not durch müssen. In buchstäblicher Angst vorm nächsten Tag half Else[1] und mir manchmal der abstrakte Unsinn: Unmöglich, daß wir verhungern. Bitter, Ihnen auch nicht mehr als diesen Unsinn sagen zu können. Gubler zeigte mir den Brief Korrodis an Sie.[2] Kein schwaches Stück, dazu mit Klassen- und Rassenhaß offenbar legiert. Ich habe noch nicht das Vergnügen, Korrodi zu kennen, wird erst die nächsten Wochen der Fall sein. Kenne nur Welti[3], einen braven, hitlerfeindlichen Mann, der ein Manuskript von mir (»Die Kunst, Schiller zu sprechen«)[4] zwei Tage nach Eingang gebracht hat. Weltis Ressort ist allerdings nur Theater, dem entsprechende Literaturgeschichte, dann Schmonzette und Untergeordnetes. Ich würde Ihnen raten (falls Sie nichts Besseres gefunden haben) an Welti (trotz dieses Herrn Korrodi) einen Film-, wo nicht gar Theaterbericht aus Paris zu schicken, aufs Geratewohl. Oder besser noch fürs Erste einen literarhistorischen und doch aktuellen Theateraufsatz; das sieht »vornehmer« aus und unterstreicht diesen Leuten mehr den emigrierten Ecrivain (und nicht den journalistischen »Kollegen«). Gubler hat sich übrigens sogleich nach Ihrem Brief mit Korrodi zusammen begeben und wollte diesem, der auch Kafka nicht kennt[5], den Star stechen. Mit Erfolg? ich habe Gubler seitdem nicht mehr gesehen. Mein lieber Krac, wenn ich Ihnen da nur etwas raten könnte oder besser helfen. Druckt denn die Zeitung von Hellfried[6] nichts mehr? Mir hat Benno[7] zwei »unpolitische Manuskripte« zurückgeschickt, und ein lang gesetztes kam nur unter größter Mühe, mit den fernsten Initialen ins Reiseblatt.[8] Man hat den Eindruck, daß da ein Übriges zum Antisemitismus hinzugetan wird.

Wogegen Diebold[9] seine jüdische Mutter mit Jo[h]st-Schlageter ja
gut verheiratet hat.[10]
Was gibt es Neues aus Paris? Können Sie sich der Emigranten
erwehren oder kommt gar aus dem Kreis etwas heraus? Ich las die
lächerliche Notiz von einer Zeitschrift »Freiheit«[11]. Offenbar doch
das alte Dreipfeile-Zeug[12], das immer noch nicht weiß, wie weit es
es gebracht hat, und daß die Stunde, wo es kleinere Übel tolerieren
kann, schwerlich mehr kommt. Es schiene mir auch ein Präventiv-
krieg rebus sic stantibus ein Unglück; er unterbräche den Prozeß
des ungeheuren Kreditschwindels und brächte dem verschwinden-
den Hitler, dem Hitler, der sein »Werk« noch nicht getan hat, die
Gloriole Baldurs[13], statt des Galgens. Der ihm sicher ist, wenn der
Zahltag für die Versprechungen kommt. Hinter Hitler ist der Bolschewismus und sonst nichts; es scheint mir also die schreckliche
Notwendigkeit, daß die deutsche Innenpolitik »ungestört« zum
Ende mit Schrecken treibt. An gefolterten Proleten hat sie ja schon
das Ihre getan; hier kann kaum noch Schlimmeres kommen, im
Gegenteil, man wird mit Zuckerbrot für diese sich selber durchzu-
füttern versuchen. Auch die K.P. ist im jetzigen Zeitpunkt gegen
Intervention. Dieser Standpunkt steht uns im sicheren Ausland
sozusagen schlecht an, er läßt sehr wohlfeil andere weiter leiden:
aber er bleibt objektiv der einzige.
Vielleicht können wir uns die nächste Zeit in Paris sehen. Karola
und ich dachten schon an Pfingsten in Paris, es ist indes fraglich
geworden, ob das Geld reicht. Schreiben Sie mir auf alle Fälle bald,
lieber Krac. Wie findet sich der Roman mit den veränderten Verhältnissen ab? Seine Figuren jedenfalls leben; welche so wie durch
Sie zum behaltenen Leben gebracht wurden, ertragen den Unter-
gang in der Zeitgeschichte.
Herzlichst stets Ihnen und Lili

                                                          Ihr Ernst

Viele gute Wünsche und herzliche Grüße Ihnen und Lilli Ihre Karola

---

1 Else von Stritzky, E.B.s erste Frau. Vgl. die Briefe an Georg Lukács in diesem
Band.
2 Eduard Korrodi (1885-1955), Leiter des Feuilletons der *Neuen Zürcher Zeitung*.

Vgl. auch Brief Nr. 3 an Klaus Mann. Korrodi hatte es im März 1933 abgelehnt, literaturkritische Aufsätze S. K.s zu publizieren.

3 Jakob Rudolf Welti, Theater- und Kunstkritiker der *Neuen Zürcher Zeitung.*

4 *Neue Zürcher Zeitung* vom 2. 4. 1933. Wieder in: GA Bd. 9, S. 91-96.

5 Vielleicht gehörte zu den von der *Neuen Zürcher Zeitung* abgelehnten Aufsätzen auch S. K.s schließlich in französischer Übersetzung veröffentlichter Essay »L'univers de Franz Kafka«, in: *1934,* Jg. 2, 1934, Nr. 17, S. 9.

6 Ein Pseudonym, unter dem S. K. in den ersten Wochen des Exils in der *FZ* publiziert hatte.

7 Benno Reifenberg war 1932 aus Paris zurückgekehrt und seitdem als politischer Redakteur der *FZ* tätig.

8 Noch nicht ermittelt.

9 Bernhard Diebold (1886-1945), Theaterkritiker der *FZ.*

10 Diebold hatte in der *FZ* vom 23. 4. 1933 das Drama *Schlageter* (nach dem Freikorpskämpfer Albert Schlageter) des Nazi-Schriftstellers Hanns Johst (1890-1978) anerkennend besprochen. Diebold schied im übrigen noch 1933 aus der Redaktion der *FZ* aus und kehrte in sein Heimatland, die Schweiz, zurück.

11 Die Zeitschrift *Freiheit! Kampforgan gegen die Nazidiktatur* erschien von Mai bis August 1933 in Paris.

12 Die Drei Pfeile waren das Emblem der antifaschistischen »Eisernen Front«, die 1931 unter Beteiligung vor allem von Sozialdemokraten und Gewerkschaften gegründet worden war.

13 Gott des Lichts und der Fruchtbarkeit in der nordischen Mythologie; mit seinem Tod beginnt die Götterdämmerung.

Nr. 66   Küsnacht-Zürich
                                            Schiedhaldensteig 12
                                            23. 11. [19]33
Mein lieber Krac,

mit Rührung sah ich den alten Kummer gesund werden und sterben.[1]

Um aber dem Roman zu anderem Ritt zu verhelfen, habe ich Herzfelde[2] angefragt. Wie es sonst mit den Verlags-Perspektiven steht, weiß ich leider nicht, da wir – erst recht leider – die Intermittenz dort haben, wo sie nicht hingehört, nämlich in unseren Briefen.

Ich selbst habe mitnichten einen Verlag. Herzfelde wie Querido[3] »prüfen«. Seit Anfang Oktober; günstigstenfalls könnte das Buch Frühjahr erscheinen. Wer weiß, ob überhaupt.

Wenn das jetzige fertig ist, der »Marxismus und Bilder«[4], habe ich ein schönes vor, ein Landschaftsbuch, eine Art philosophischer und sehr anschaulicher Geographie.[5] Darin werden Wiesen, Steppen,

Wälder, Seen, Wüsten, Oasen, Nordsee, Vulkane, Gletscher, Hochgebirge, Wasserfälle, Wolken, Gewitterhimmel, Landschaften nach einem Erdbeben, orientalische Großstädte und andere »Ansichten der Natur«, ebenso aber auch »erträumte Landschaften«, in Holzschnitten und die Landschaft des jüngsten Gerichts in den »Räubern« und anderswo »beschrieben«. Lese dazu lauter Reisebücher und hoffe, in bescheidener Nachfolge, so wenig notwendig zu haben, am Geysir gewesen zu sein wie Karl May bei den Haddedihns.[6] Ich freue mich schon sehr auf den furchtbaren Schneesturm in der Wüste Gobi. Zugleich hoffe ich einzelnes daraus in Reiseblättern und Speisewagenzeitschriften vorher unterzubringen. Das nur als vorläufiges Lebenszeichen, meine lieben Freunde. Wovon lebt Ihr und wie jetzt? Ich denke oft an Euch.

Herzlichst Euer Ernst

1 Anspielung auf eine Szene und Figur in S. K.s Roman *Georg*. Vgl. S. K., *Schriften* 7, a. a. O., S. 391-393.

2 Der Schriftsteller und Verleger Wieland Herzfelde (geb. 1896) emigrierte 1933 mit dem von ihm gegründeten Malik-Verlag nach Prag. E. B. bemühte sich hier vergeblich um eine Publikation des *Georg*.

3 Der holländische Querido-Verlag hatte 1933 eine deutsche Abteilung gegründet, die gezielt Werke des Exils herausbrachte. E. B. versuchte hier, *Erbschaft dieser Zeit* unterzubringen. Vgl. auch Brief Nr. 1 an Klaus Mann.

4 Es gibt von E. B. weder eine Publikation noch ein Manuskript dieses Titels. Denkbar ist, daß es sich um Vorarbeiten zu dem im amerikanischen Exil entstandenen Manuskript »Gleichnis, Allegorie, Symbol« (Bloch-Archiv, Universitätsbibliothek Tübingen, Mappe 6/ Md. 1085) handelt.

5 Die »Geographica«, die nicht als eigenständiges Buch erschienen, sind gesammelt in: GA Bd. 9, S. 401-548.

6 Stamm in den Arabienromanen Karl Mays.

Nr. 67
Kracauer an Bloch

Paris, 29. Dezember [19]33

Lieber Ernst,

wir haben immer darauf gewartet, daß dem »vorläufigen Lebenszeichen« Ihres Novemberbriefes ein ausführlicheres folgen werde. Allerdings war uns auch sonst nicht zum Schreiben zumute.

Immerhin soll das alte Jahr nicht verstreichen, ohne daß Sie etwas von uns hören. Zunächst möchte ich Ihnen sagen, daß uns Ihr Plan eines Landschaftsbuches als sehr schön erscheint. Einmal sind Sie – wir haben es erfahren – für diese, eigentlich von Ihnen kreierte Literaturgattung prädestiniert; zum andern empfiehlt sich das Projekt auch aus praktischen Gründen durch seine scheinbare Neutralität und durch die Art, in der es, wiederum scheinbar, den Instinkten der Gegner entgegenkommt. Sie schleichen sich auf dem Weideplatz ein, und wenn Sie, in Ihren Pelz vermummt, die Wüste Gobi im Schneesturm durchwandern, werden Sie viele für einen neuen Sven Hedin[1] halten zu dürfen glauben. Als Gefahr wäre eigentlich nur die Monotonie zu betrachten, die sich beim Lesen von Schilderungen einzustellen pflegt. Doch es wird Ihnen zweifellos dank einer passenden Disposition gelingen, die nötige Spannung zu erzeugen… Ist inzwischen das Buch: »Marxismus und Bilder« endgültig zu Ende gebracht? Vielleicht käme dafür auch der Schweizer Verlag Oprecht & Helbling[2] in Betracht?

Was uns betrifft, so versuchen wir uns schlecht und recht durchzuläppern. Wie lange das noch fortgehen kann, wissen wir nicht. Es war sehr lieb von Ihnen, meines Romans wegen mit Herzfelde zu korrespondieren, aber in finanzieller Hinsicht kann dieser, wie er mir schrieb, nichts tun, da er selber nur schwer existiere. Das ist auch zu verstehen. Wir sind durch die Aufregungen dieses Jahres, den Mangel einer Erholung usw. mit den Nerven ziemlich herunter; woher es auch rührt, daß ich noch eine Zeitlang an meinem Roman zu arbeiten haben werde. Allerdings zählten die Monate bis September nicht, da sie fast ganz mit Abwicklungen unangenehmster Art ausgefüllt waren. Die Hauptsache ist aber, daß ich mit der Arbeit zufrieden bin und sie bis zum letzten Ende in der alten Höhe durchzuhalten gedenke.

Benjamin, der schon seit Wochen, ja Monaten hier ist, sehe ich in großen Abständen. Er war an einer Malaria erkrankt gewesen und hat einige neue Stücke zu seinen Kindheitserinnerungen[3] dazugeschrieben. Seine Stimmung scheint niedergedrückt zu sein.

Wie es im Neuen Jahr aussehen wird? Eine hiesige Hellseherin eröffnete dieser Tage recht tröstliche Aussichten. Unter anderem die, daß es so bald keinen Krieg geben werde.

Alles Liebe und Gute für Sie und Carola von uns beiden. Und
schreiben Sie bald wieder von sich.

Ihr alter

1 Schwedischer Wissenschaftler und Entdecker (1865-1952), Verfasser zahlreicher
populärer Reise- und Expeditionsberichte.
2 Hier wurde *Erbschaft dieser Zeit* verlegt.
3 Vgl. »Berliner Kindheit um Neunzehnhundert«, in: Walter Benjamin, *Gesammelte Schriften*, Bd. IV, a. a. O., S. 235-304.

Nr. 68   Zürich 8, Zollikerstr. 257
                                                         30. 4. [19]34
Mein lieber Krac,
weiß nicht mehr, wer dem anderen zuletzt geschrieben hat. Solang
ist das schon her. Eine Schande; die elende Zeit macht Briefe
stumm.
Sagen Sie mir doch bitte, ob es besser geht, ob Sie etwas gefunden
haben. Die Kommunisten, die ich kenne, sind in Paris voller Tätigkeit. Und wenn es auch, großenteils wohl, eine Scheintätigkeit ist,
so hält sie sie doch wirtschaftlich ein wenig über Wasser. Kann ich
in diesen Kreisen und Zusammenhängen etwas für Sie tun?
Wie geht es dem Roman? Haben Sie auch eine andere, theoretische,
Arbeit begonnen? Freude an Verlegern hat man heutzutage auch
nicht grade. Ich schwebe (sozusagen) immer noch in Verhandlungen mit Querido. Es wird zwar etwas daraus[1], das Buch kann
Herbst hoffentlich erscheinen (anderthalb Jahre nach seiner Fertigstellung). Doch Landshoff[2] hat im ersten Jahr so wahllos herausgegeben, daß es ihm, wie er sagt, an allen Ecken (auch Enden) hapert.
Ich glaube, es ist jetzt die Zeit, sogar die Notwendigkeit, wieder in
deutschen Blättern zu schreiben. Vor allem in der F[rankfurter]
Z[eitung] wird, wie mir erfahrene Besucher aus Deutschland sagen,
dauernd zwischen den Zeilen gelesen, und es wird auch etwas
gefunden, wenn gar nichts zwischen ihnen steht. Immerhin sollte
man wohl das Reich zwischen den Zeilen beliefern. Eine Mitarbeit,
die sich bis vor kurzem verboten hat, ist jetzt wohl nicht unrichtig.[3]
Ich bitte mir darüber Ihre Meinung zu schreiben. Allerdings ist
phantastisch, wie die F[rankfurter] Z[eitung] an Ihnen gehandelt

hat[4]; Gubler erzählte mir die genauen Einzelheiten. (Gubler geht es jetzt auch nicht zum besten. Er hat sich – immatrikuliert und studiert, als krasses Füchslein, Jus. Man kann sich sein sonderbares Bewußtsein und die hämische Freude der Korrodi usw. vorstellen). Leben Sie wohl, lieber Krac, seien Sie mit Lili in alter Freundschaft gegrüßt und geküßt von

Ihrem Ernst

1 Entgegen dieser Ankündigung erschien *Erbschaft dieser Zeit* nicht bei Querido, sondern am 27. 10. 1934 bei Emil Oprecht in Zürich. Vgl. Brief Nr. 5 im Briefwechsel E. B. – Joachim Schumacher.
2 Fritz Landshoff (geb. 1901) ehemals Lektor bei Kiepenheuer, leitete die Abteilung für deutsche Exilliteratur bei Querido.
3 E. B. hat in dieser Zeit zumindest einen Aufsatz für die *FZ* geschrieben, nämlich »Zur Extravaganz des Unwirklichen«, in: GA Bd. 11, S. 93-96.
4 Vgl. Brief Nr. 64, Anm. 4.

Nr. 69
Kracauer an Bloch

Paris (6ᵉ)
Madison-Hotel
143, Boulevard Saint-Germain
5. Juli 1934

Mein lieber Ernst,
ich sehe auf das Datum Ihres Briefes: 30. 4. Eine lange Pause! Wahrhaftig nicht, um mich zu entlasten, möchte ich bei dieser Gelegenheit einschalten, daß tatsächlich Sie es gewesen waren, der uns eine Antwort geschuldet hatte, und, erinnere ich mich recht, waren Sie mir in der Kunst der Pausen noch überlegen gewesen. Aber im Ernst gesprochen: inzwischen hat sich bei uns ein furchtbares Ereignis zugetragen, das Ihnen mein Schweigen vielleicht doch erklärlich macht: die in Frankfurt lebende Schwester Lilis ist plötzlich gestorben. Sie war das einzige Glied, das Lili noch mit ihrer Kindheit verbunden hat, und Lili und sie hingen innig zusammen. Sie, der Sie Lili kennen, werden ermessen können, wie sehr Lili unter diesem Verlust leidet und welch eine Qual es ihr bedeutet, daß sie infolge der politischen Umstände die Schwester nicht mehr hat sehen können.

Widrigkeiten aller Art und eine komplette nervöse Erschöpfung
haben mich daran gehindert, meinen Roman völlig fertigzustellen.
Er wird aber unter allen Umständen bis Ende August unter Dach
und Fach sein. Zur Zeit arbeitet man schon an der französischen
Übersetzung.[1] Ich glaube zwar, daß das Buch auf jeden Fall ein
wichtiges (und vielleicht bleibendes) Dokument sein wird, verspre-
che mir aber vorerst nicht viel materiellen Gewinn davon. Um
Ihnen einen Begriff zu geben, wie nahe ich dem Ende bin: 250
Schreibmaschinenseiten sind auf die letzte Fassung gebracht. Mit
einer deutschen Ausgabe rechne ich zunächst nur ganz schwach, da
ja die holländischen Verlage nicht dafür in Betracht kommen.[2] Das
Fehlende werde ich in der Abgeschlossenheit irgendeines kleinen
Ort[s] im Gebirge oder am Meer schreiben, wohin wir uns gegen
Ende Juli bis Anfang September zurückziehen wollen. Nach der
Rückkunft will – und muß – ich mich sofort mit Berserkerwut in
eine neue Arbeit stürzen, die mit einiger Materialsammlung ver-
knüpft ist.[3] Wenn ich erst festen Fuß auf diesem Neuland gefaßt
haben werde, teile ich Ihnen darüber Näheres mit. Ich bin genötigt,
diese in Aussicht genommene Sache rasend schnell anzupacken,
weil gegen Jahresende unsere knappen Mittel bis auf den letzten
Rest zusammengeschmolzen sein werden.
Ihre Frage, ob Sie in der F[rankfurter] Z[eitung] mitarbeiten sollen
oder nicht, ist durch die jüngsten Ereignisse[4] überholt bzw. wieder
aktuell geworden. Ich hätte Ihnen seinerzeit meine tiefen Bedenken
nicht vorenthalten und mich höchstens – wenn auch nicht unbedingt – dem einzig wirklichen Gegenargument gebeugt, daß Sie
eben materiell auf solche Mitarbeiterhonorare angewiesen seien.
Streng genommen stehe ich auch heute noch auf ablehnendem
Standpunkt. Hier wäre jetzt der richtige Ort für eine genaue Analyse der nun in Deutschland zur Herrschaft gelangten Reaktion und
der Katastrophen, denen das Regime nach dem Zusammenbruch
seiner Mythologie entgegengehen muß (vorausgesetzt, daß die
Weltwirtschaftskrise nicht behoben wird, wozu ich einstweilen
keine nennenswerten Möglichkeiten sehe). Aber ich müßte dann
schon den Brief zu einer Abhandlung verlängern ... Schade, zu
schade, daß wir uns nicht wie einst bei Hessler fortlaufend verständigen können.
Benjamin erzählte mir von seiner Korrespondenz mit Ihnen.[5] Er ist

nach Dänemark abgereist zu seinem Gott, und Hamlet hätte die Gelegenheit, manche Bemerkungen über die beiden anzubringen.[6] Überhaupt: es gibt jetzt auch einen Verlag für Sexualpolitik in Kopenhagen.[7] Vielleicht hat er Ihnen inzwischen seinen Essai über Kafka[8] zugänglich gemacht, auf den er sehr stolz ist. Die Abhandlung ist auch wirklich tief und schön, natürlich wieder von jener extremen Verschrobenheit, die Sie kennen. Kafka wäre sicher erstaunt, wenn er erführe, daß er so enge nachbarliche Beziehungen zu Brecht und zum Kommunismus unterhielt. Dies ganz entre nous!

Stimmt es, daß Carola ihr Diplomexamen gemacht hat?[9] Man hört so mancherlei und möchte es gern ganz genau wissen. Sollte das mit dem Examen seine Richtigkeit haben, so beglückwünschen wir sie von Herzen. Und wie steht es mit Ihnen? Lili und ich wünschten sehr, auf dem laufenden zu sein. Ist Ihr Landschaftsbuch weit gediehen? Oder arbeiten Sie an einem anderen Buch? Grüßen Sie die liebe Carola sehr, sehr herzlich von uns.

Wir gedenken Ihrer in Treue und umarmen Sie.

Ihr alter

1 Diese Übersetzung des *Georg*, die in der französischen Ausgabe des *Ginster* schon angekündigt wird, ist nie erschienen.
2 S. K. ging davon aus, daß die holländischen Verlage Allert de Lange und Querido – nach den literaturkritischen Fehden, die er mit einigen ihrer führenden Mitarbeiter in den zwanziger Jahre ausgetragen hatte – den Roman nicht annehmen würden.
3 Ende 1934 begann S. K. mit den Vorarbeiten zu *Jacques Offenbach und das Paris seiner Zeit*. Das Buch erschien 1937. Vgl. S. K., *Schriften 8*, Frankfurt/M. 1976.
4 Anspielung auf den Terror des 30. Juni 1934, an dem Hitler die Führung der SA und zahlreiche innenpolitische Gegner durch die Gestapo und die SS ermorden ließ.
5 Vgl. die Briefe an Walter Benjamin in diesem Band.
6 Walter Benjamin hielt sich im Sommer 1934 für einige Monate bei Brecht auf, der in Skovbostrand bei Svendborg lebte. Vgl. auch den Brief Nr. 2 an Benjamin.
7 Der Verlag für Sexualpolitik wurde von dem österreichischen Psychoanalytiker Wilhelm Reich (1897-1957) geleitet, der nach Dänemark emigriert war. S. K. spielt hier auf vermutete persönlich-psychologische Gründe der Freundschaft zwischen Benjamin und Brecht an.
8 »Franz Kafka. Zur zehnten Wiederkehr seines Todestages«, in: Walter Benjamin, *Gesammelte Schriften*, Bd. II, a. a. O., S. 409-438.
9 Karola schloß ihr Architekturstudium an der Technischen Universität Zürich im Laufe des Juli mit dem Diplomexamen ab.

Nr. 70   [Postkarte]
                                        Menaggio (Lago di Como)
                                          Albergo Corona / Italia
                                              4. Okt[ober] 1934

Meine lieben Kracs, bin immer noch unterwegs nach Paris.[1] Denn
es ist unsicher, ob Karola (zur Zeit in Lodz) ein Visum nach Frankreich bekommt. Sie ist froh, wenn [eines?] für Österreich gelingt.
Oktober bleibe ich von der öster[reichischen] Grenze nicht zu weit
entfernt, um Kar[ola] dann abholen und die Dummheit zu zweit
korrigieren zu können. – Italien ist nach der Schweiz ein Labsal; so
weit hat es die »älteste Demokratie der Welt« gebracht. – Also in 8-
14 Tagen, herzlichst!
                                                     Euer Ernst

1 E.B. war im September 1934 aus der Schweiz ausgewiesen worden. Er ging mit
Karola – auf Umwegen über Italien bzw. Polen – zunächst nach Wien, von dort aus
dann im Sommer 1935 nach Paris. Vgl. auch die Briefe Nr. 71 und Nr. 76.

Nr. 71   Wien I, Herrengasse 6-8,
                                               Stiege 1, Tür 39
                                                 29. 1. [1935][1]
Mein lieber Krac,
es ist ein Schlag geschehen, der unser Wiedersehen vorläufig verei-
telt. Karola und ich bekommen kein Visum nach Frankreich. Der
hiesige Konsul wäre – nach den vielen »Beziehungen«, die es in
Wien gibt – dazu bereit, trotz Saar[2], Emigranten-Phobie und dergleichen. Aber er war zur Anfrage beim französischen Konsul in
Berlin verpflichtet, und dieser lehnte ab. Eine Ausnahme bzw. ein
Widerruf der Ablehnung wäre in Berlin nur möglich, wenn ich –
etwa – wegen der Übersetzung eines Buchs in Paris geschäftlich zu
tun hätte. Auch dann erlangten wir nur ein Visum auf 14 Tage, doch
es ließe sich an Ort und Stelle weitersehen.
Ich brauchte zum Nachweis dieser Geschäftsreise Unterlagen, also
Briefe von einem Verlag. Könnten Sie mir diese pro forma beschaffen? Für »Spuren« oder, am einleuchtendsten, für »Erbschaft dieser
Zeit«? (Sollte aus dem pro forma eine Realität entspringen, so wäre,

von einem höheren Gesichtspunkt, auch nichts dagegen einzuwenden.)
Ich schreibe Ihnen jedenfalls gleich, wie es steht. Wir sind etwas vor
den Kopf geschlagen. Da hier schon alles abgebrochen, die Bude
aufgegeben, der Koffer gepackt war, gehen wir nach Prag.[3] Von
dort schreibe ich Ihnen gleich die Adresse.
Ihnen und Lili stets herzlichst
Ihr Ernst

1 Das Original trägt die Jahresangabe »1934«. Die Korrektur ergibt sich aus dem
Zusammenhang der Briefe wie auch aus der Tatsache, daß E. B. nunmehr in Wien ist.
2 Die Rückgabe des Saargebiets an Deutschland, die im Januar 1935 nach einer
Volksabstimmung erfolgte, stärkte auch die Position der Nationalsozialisten in
Österreich.
3 Entgegen dieser Ankündigung blieb E. B. zunächst in Wien.

Nr. 72
Kracauer an Bloch   Paris (6ᵉ)
                                                    Madison-Hotel,
                                          143, Bd. Saint-Germain
                                                   7. Februar 1935
Lieber Ernst,
wir hatten die ganze Zeit Ihre Prager Adresse erwartet, und erst
dieser Tage durch Frau De Francesco erfahren, daß Carola in letzter
Minute Arbeit in Wien gefunden habe und Sie nun voraussichtlich
noch ein paar Monate in Wien bleiben würden. So kann ich Ihnen
wenigstens auch schreiben, ohne neue direkte Nachricht von Ihnen
zu haben. Da ich nicht weiß, ob Sie noch in der Herrengasse wohnen, leite ich den Brief über Frau De Francesco, die sicherlich Ihre
Adresse kennt.
Lieber Ernst, Sie haben Lili und mir dadurch, daß Sie wiederholt
Ihr Kommen ankündigten und dann immer doch ausblieben, eine
grausame Enttäuschung bereitet. Wir hatten uns schon so darauf
gefreut, ausführlich mit Ihnen über Ihr Buch[1] zu reden; nicht minder natürlich auf Ihre Lektüre des meinen. Manchmal, wenn wir
abends spät nach Hause kamen, hatten wir auf dem Heimweg die
Halluzination, Sie säßen in der Halle des Hotels und warteten dort
auf uns. Aber die Halle lag stets im Schatten, den große Ereignisse

sonst vorauswerfen; nur, daß diese selber nicht eintraten. Wären wir nicht so fest von Ihrer Ankunft – heute, morgen, spätestens übermorgen – überzeugt gewesen, ich hätte Ihnen längst über Ihr Buch geschrieben. Und selbstverständlich hätte ich Ihnen auch meinen Roman geschickt; obwohl ich derart um den Genuß gekommen wäre, Sie als Leser vor Augen zu haben.

Um den wichtigsten praktischen Punkt gleich zu erledigen, möchte ich Ihnen sagen, daß wir Ihrer Schwierigkeiten sicher Herr werden. Da meine persönlichen Beziehungen zu hiesigen Verlagen nicht intim genug sind – so ist über die französische Ausgabe meines Romans immer noch nicht entschieden –, setzte ich mich nach Empfang Ihres letzten Briefes sofort mit Joachim[2] in Verbindung, Kantor[3] und er unterhalten zu einem ihnen nahestehenden anerkannten Verlag hier Beziehungen, die, wie er mir versicherte, von einer Art sind, daß er Ihnen die nötige Unterlage wird verschaffen können. Auf die Nachricht Frau De Francescos hin, daß Sie vorerst in Wien blieben, haben wir natürlich noch keinen Schritt unternommen. Aber Sie brauchen nur zu schreiben, daß Sie kommen wollen, und wir besorgen Ihnen gleich den Brief. Lockt Sie das nicht doch ein bißchen?

Marcuses[4] Adresse erfuhr ich erst kürzlich. Ich habe ihm nun geschrieben.

Ihr Buch, lieber Ernst . . . zunächst möchte ich Ihnen sagen, daß Lili und ich uns mit einer wahren Leidenschaft darauf gestürzt haben; wie Ausgehungerte, der letzte Knochen wird abgenagt. Wenn ich Ihnen nicht ausführlich darüber schreibe, so nur deshalb, weil ich dazu Tage gebrauchte und die Misere mit Ruten hinter uns herhetzt; so daß es eben ein Ausruhen, ein Betrachten nicht gibt. Ich begnüge mich damit, Ihnen zu sagen, daß Ihr Buch eine ganz große Sache ist, und daß es mit einem hinreißenden Elan geschrieben ist. Es wäre schon viel, wenn Sie das längst fällige Problem der ungleichzeitigen Dialektik hier dargestellt hätten. Aber Sie tun mehr als das: Sie rücken nicht nur zum ersten Mal die Fakten der Ungleichzeitigkeit und die Art ihrer Behandlung ins rechte Licht, Sie zeigen auch durch die ganze Sprachführung, durch die Methode des Angriffs usw., wie der Menschentypus beschaffen sein muß, auf den es in dem von uns gemeinten Kampf überhaupt ankommt. Daß man bisher in den in Betracht kommenden Kreisen die von Ihnen visierten Gehalte weder gesehen noch gar einkalkuliert hat, rührt ja eben von dem eindimensionalen Menschenmaterial her, das sich dort herumtreibt. Durch Ihr Buch, das, wie ich mir nicht anders denken kann, bei den Angeredeten vor allem die größte Sensation machen wird, müßten Sie diese von Rechts wegen völlig umkrempeln. (Allerdings bin ich hierin wohl zu optimistisch.) Doch gleichviel: das Buch gehört jedenfalls zu jenen, denen unbedingt eine eingreifende Wirkung [ ][5]. Lassen Sie mich hier von den Einwänden schweigen, die sich natürlich auch aufdrängen. Sie sind nicht derart, daß sie die Größe des Buch[s] irgendwie mindern könnten.

Sie schreiben mir in Ihrem ersten Brief aus Wien[6], daß Sie Beziehungen zum Hause Zsolnay[7] angebahnt hätten und dort auch vielleicht etwas für meinen Roman tun könnten. Darf ich Sie heute noch beim Wort nehmen? Ich will Ihnen nicht die bisherigen Schicksale meines Manuskripts vorerzählen, sondern Ihnen nur gerade andeuten, daß ich nach mancherlei freiwilligen Verzichten, erfolglosen Schritten usw. mich dazu entschlossen habe, mich an Zsolnay zu wenden, für dessen Züricher »Bibliothek zeitgenössischer Autoren« sich der Roman vielleicht eignet. Wären wir nicht immer des Glaubens gewesen, daß Sie hierherkommen, hätte ich Sie natürlich schon lange ins Bild gesetzt. So schickte ich das Manuskript bis jetzt nur an Alban Berg[8], der mir begeistert darüber schrieb. Da Sie nun in Wien sind und bleiben, wäre es wunderbar, wenn Sie in der Sache vermittelten. Ich habe vor kurzem eine Anfrage an Zsolnay gerichtet, ob er Interesse für das Manuskript hat; die Anfrage ist bisher noch unbeantwortet geblieben. Wenn ich von Ihnen einen definitiven Bescheid erhielte, daß Sie zunächst nicht von Wien abreisen, würde ich Ihnen selbstverständlich das Manuskript schicken; damit Sie es endlich einmal selber in Händen haben und lesen und es ev[entuell] zur Weitergabe an Zsolnay verwenden können.
Dies für heute. Schreiben Sie bald. Lili und ich grüßen Sie und die liebe Carola sehr herzlich.

Ihr

1 *Erbschaft dieser Zeit* war inzwischen bei Emil Oprecht in Zürich erschienen.
2 Der Literaturwissenschaftler und Schriftsteller Hans-Arno Joachim (1902-1943), ein enger Freund von Alfred Kantorowicz.

3 Alfred Kantorowicz. Vgl. Brief Nr. 23, Anm. 11.
4 Der Kritiker und Philosoph Ludwig Marcuse (1894-1971); zu ihm vgl. Brief
Nr. 7, Anm. 3, an Walter Benjamin; in einem nicht erhaltenen Brief aus Wien hatte
E. B. S. K. offenbar darum gebeten, sich mit Marcuse wegen einer Rezension von
Erbschaft dieser Zeit in Verbindung zu setzen. Vgl. auch Brief Nr. 75, Anm. 8.
5 Zu ergänzen etwa: gebührt.
6 Dies ist der in Anm. 4 erwähnte, verlorene Brief.
7 Der Wiener Verleger Paul Zsolnay (1885-1961), bei dem sich S. K. vergeblich um
eine Publikation des *Georg* bemühte. Vgl. auch die Briefe Nr. 73-75.
8 Der Komponist Alban Berg war ein enthusiastischer Leser des *Ginster* gewesen; er
war deshalb der erste, dem S. K. das Manuskript seines neuen Romans zuschickte.

Nr. 73
Kracauer an Bloch

Paris (6ᵉ)
Madison-Hotel,
143, Boulevard Saint-Germain
17. Februar 1935

Lieber Ernst,
vielen herzlichen Dank für Ihre so liebe Karte[1] und die darin mitge-
teilten Schritte. Wenn ich mein Manuskript noch nicht abgeschickt
habe, so darum, weil ich Sie zunächst den Widerspruch aufzuklären
bitte, der zwischen der von Ihnen eröffneten Möglichkeit und
einem (in der Kopie beigefügten) Absagebrief Zsolnays obwaltet,
den ich ganz kurz nach der Absendung meines Briefes an Sie erhielt.
Zur Geschichte dieses Absagebriefs: er stellt die Antwort auf ein
Schreiben dar, das ich an Zsolnay richtete, bevor mir bekannt war,
daß Sie noch in Wien bleiben würden. Ich hatte in dem betreffenden
Schreiben angefragt, ob ich mein Manuskript einsenden solle, und
mich dabei auf die Zustimmung von Thomas Mann[2] und Alban
Berg berufen. Sie sehen, mein lieber Ernst, daß durch den Absagebrief die Chance konterkariert wird, die sich dank Ihres Eingreifens
zu bieten scheint. Der Widerspruch müßte zunächst aufgehoben
werden. Das geschähe am zweckmäßigsten und sichersten derart,
daß Zsolnay mir noch einmal *direkt* schriebe und jenen Absagebrief
dadurch zurücknähme, daß er nunmehr das Manuskript von mir
verlangte. Alban Berg möchte ich deshalb nicht beanspruchen, weil

er mir kürzlich auf einer sehr lieben Karte geschrieben hatte, daß er eben an »chronischem Zeitmangel« litte. Es wäre daher undelikat von mir, ihn zu bemühen. Wie es auch kommt, lieber Ernst, wir wissen Ihnen Dank für Ihre aktive Teilnahme. Schreiben Sie uns sehr bald! Und sagen Sie uns auch, wie es mit Ihrer Absicht steht, nach Frankreich zu kommen. Lili und ich grüßen Sie und die liebe Carola von Herzen.

Ihr alter

1 Diese Karte – vermutlich die Antwort auf S. K.s Brief vom 7. Februar (Nr. 73) – ist nicht erhalten.

2 Über Julius Meier-Graefe (vgl. Brief Nr. 37) hatte sich S. K. Ende 1934 an Thomas Mann gewendet, von dem er sich Unterstützung bei seiner Suche nach einem Verlag für *Georg* erhoffte. Th. Mann versprach, sich bei einem der schweizerischen oder – was S. K. aber nicht wollte – holländischen Verlage für den Roman einzusetzen. Vgl. Th. Mann, *Briefe 1889-1936*, Frankfurt/M. 1961, S. 381.

Nr.74   Wien I, Herrengasse 6-8
                                       Stiege 1, Tür 39
                                       20. 2. [1935][1]
Mein lieber Krac,
habe sogleich Anny Zsolnay[2] angerufen, sie unterdes auch gesprochen. Der Brief des Verlags vom 8. II. ging an Sie *vor* meinem letzten Gespräch mit ihr und *vor* der darauf erfolgten Zusicherung Zsolnays ab, Ihr Manuskript mit besonderer »Verve« zu lesen. Den Brief Zsolnays an Sie, den Sie wünschen, wird »Paul«, wie mir seine Frau sagte, aus Faulheit nicht schreiben. Also ist und bleibt es richtig, daß Sie das Manuskript *umgehend* an Berg schicken. *Dieser* Gang der Handlung ist jetzt vorbereitet, und er ist als guter wahrscheinlich. Die Wege sind geebnet: Berg gibt das Manuskript an Zsolnay (seine Empfehlung hat übrigens kein literarisches Gewicht), und Zsolnay steht unter dem jetzt gewachsenen Einfluß seiner Frau als der drohenden ci-devant[3]-Frau. Diese Frau wiederum gehört ganz zu uns und ist meine Freundin. Aller Pessimismus in Ehren, doch wir wollen es ihm nicht leicht machen. Auch Bergs »chronischer Zeitmangel« (an den ich nicht recht glaube, denn Berg ist bei jeder Gesellschaft dabei) liegt bereits vor unserer Aktion. Im übrigen gibt er nur das Manuskript weiter und ist, wie mir Anny sagte, völlig im Bild.

Dies für heute. Ich halte die Daumen. In einem bis zwei Monaten
sehen wir uns. Herzlichst stets, von uns Ihnen beiden

                                                          Ihr Ernst

1 Für die Datierung dieses Briefs gilt das zu Brief Nr. 71 Angemerkte.
2 Die damalige Frau des Verlegers Paul Zsolnay, eine Tochter von Gustav Mahler.
3 Franz.: ehemalig.

Nr. 75
Kracauer an Bloch

                                                   Paris, 5. März 1935

Lieber Ernst,
da ich die letzte Zeit an einer starken Erkältung laborierte, konnte
ich Ihnen leider nicht früher für Ihren lieben Brief danken. Ich habe
mir inzwischen die Sache mit Zsolnay via Anny Z[solnay] genau
überlegt und bin zu dem Entschluß gekommen, diesen Weg nicht
zu gehen. Ich weiß, wie gut Ihr Vorschlag gemeint ist und bin Ihnen
wahrhaftig dankbar dafür. Aber ich möchte mich, nachdem die
offizielle Absage Zsolnays vorgelegen hat, nicht noch einmal auf
Hintertreppen einschleichen. Das liegt mir nicht und paßt auch
weder zu meiner schriftstellerischen Vergangenheit noch zu diesem
Werk.
Was Sie in Ihrem letzten Brief an Fränze H[erzfeld] über die Angelegenheit schrieben[1], hat mich in diesem Entschluß bestärkt. –
Übrigens fallen Sie in dem Brief einem Mißverständnis zum Opfer,
das ich gleichzeitig aufklären möchte. Sie schrieben an Fränze in
einem Sinne, als hätte ich Alban Berg mein Manuskript zu dem
Zwecke geschickt, es an Zsolnay weiterzuleiten. Das stimmt nicht.
Berg, der mir seinerzeit, ohne mich noch persönlich zu kennen,
über meinen »Ginster« begeistert geschrieben hatte, stellt für mich
einen interessierten Leser und Künstler hohen Grades dar, und rein
zu seiner privaten Lektüre sandte ich ihm den Roman. Eine Ver-
lagsvermittlung kam in unserer Beziehung überhaupt nicht in
Frage. Hätten Sie selber nicht mit jeder neuen Nachricht Ihr Kommen angekündigt, so daß ich von Woche zu Woche auf Sie wartete,
so wären Sie natürlich der erste gewesen, der das Manuskript erhalten hätte, das hier für Sie bereit lag.

In Ihrem Brief an Fränze gedenken Sie auch meiner Beziehung zu Malraux[2]. Leider muß ich Sie darin enttäuschen. Um meine Beziehung zu Malraux steht es so, daß ich ihn seit gut einem Jahr nicht gesehen und gesprochen habe. Offenbar haben wir uns auseinandergelebt. Damit hängt es wohl auch zusammen, daß ich für mein eigenes Buch die N.R.F. (Gallimard)[3] schon erst gar nicht in Betracht gezogen habe. Glauben Sie mir im übrigen, lieber Ernst, daß ich im Interesse Ihres Buchs bereits alles tat, was in meiner bescheidenen Macht stand. Bald nach seinem Erscheinen sprach ich z.B. mit einem Mann aus dem Kreis der N.R.F. (Groethuysen)[4] ausführlich und enthusiasmiert darüber und fand auch bei ihm starkes Echo. Ich könnte mir denken, daß die Mitteilung Ihres Verlags über das Interesse der N.R.F.[5] hierin ihre letzte Wurzel hätte. Der Betreffende ist für lange Zeit verreist und scheint vermutlich nichts Entscheidendes tun zu können. Warten ist ja hier in Frankreich die Hauptbeschäftigung.

Noch eines, mein Lieber. Wir waren sehr gerührt über das liebe finanzielle Angebot, das Sie uns via Fränze machten und das uns mit Dank erfüllt.[6] Fränze hat, einem wunderbaren Impuls folgend, uns helfen wollen. Leider hat sie uns nicht vorher von ihrem Schritt unterrichtet. So schrieb sie Ihnen, ohne zu wissen, daß wir hier mittlerweile vorübergehend Hilfe gefunden haben.[7] Es war uns natürlich nicht recht, daß sie Sie unnötig beunruhigt hat. Wir haben auch sofort, nachdem uns Fränze von ihrer Aktion berichtete und uns außerdem mitteilte, daß Sie, lieber Ernst, unseretwegen an Gubler geschrieben hätten, diesen über unsere wirkliche Situation aufgeklärt.

Damit ichs nicht vergesse: Marcuse hat mir inzwischen geschrieben, daß er Ihr Buch gleich nach Erscheinen beim »[Neuen] Tage-Buch« angefordert, aber nicht zur Besprechung bekommen hätte. Es wurde ihm der Bescheid gegeben, das Buch sei bereits einem anderen Rezensenten anvertraut. Da wir (aus begreiflichen materiellen Gründen) das »Tage-Buch« nicht halten können, war es uns nicht möglich zu kontrollieren, ob schon eine Besprechung drin stand ...[8]

Mit freundschaftlichem Händedruck und den allerherzlichsten Grüßen für Sie und die liebe Carola

Krac

1 Eine Teilabschrift dieses Briefes, der vom 26. 2. 1935 stammt, hat sich in S. K.s Nachlaß erhalten. E. B. bittet Franziska Herzfeld, sich in Paris für *Erbschaft dieser Zeit* einzusetzen, und schildert kurz den Stand seiner Verhandlungen mit Paul Zolnay wegen S. K.s *Georg.*

2 S. K.s zeitweilig recht gute Beziehungen zu dem französischen Schriftsteller und Politiker André Malraux (1901-1977) gehen auf die Zeit vor dem Pariser Exil zurück. Er hatte in der *FZ* einige Bücher Malraux' rezensiert, seine Frau übersetzte zwei Erzählungen ins Deutsche. Umgekehrt besorgte Clara Malraux 1933 die französische Übersetzung des *Ginster (Genêt, 1933).*

3 Die *Nouvelle Revue Française (NRF)* des Pariser Verlagshauses Gallimard, die bedeutendste französische Literaturzeitschrift der zwanziger und dreißiger Jahre. Gallimard hatte die französische Ausgabe des *Ginster* herausgebracht.

4 Bernhard Groethuysen (1880-1946), Philosoph, wichtiger Vermittler deutscher Literatur in Frankreich, Mitarbeiter und Berater von Gallimard. Vgl. auch Anm. 4, Brief Nr. 14 an Georg Lukács.

5 Von diesem Interesse berichtet E. B. in seinem Brief an Frau Herzfeld (vgl. Anm. 1). Er überlegte sich daraufhin, einzelne Abschnitte aus *Erbschaft dieser Zeit* in einer französischen Zeitschrift – der *NRF* oder auch den *Cahiers du Sud* – zu veröffentlichen, und erwähnt gegenüber Frau Herzfeld in diesem Zusammenhang das »Strawinsky-Kapitel«, die »Romane der Wunderlichkeit«, die »Romantik des Diluvium« sowie das »Imago-Kapitel«.

6 Einzelheiten dieser Aktion sind nicht bekannt.

7 S. K. fand zunächst wahrscheinlich von privater Seite Unterstützung, bis er im Sommer 1935 von seinem Verleger Grasset einen ersten Vorschuß auf sein Buch *Jacques Offenbach und das Paris seiner Zeit* bekam.

8 Vgl. Brief Nr. 72, Anm. 4. Wie aus einem Brief Ludwig Marcuses an S. K. vom 13. 6. 1935 (Kracauer-Nachlaß) hervorgeht, wollte ursprünglich Hans Sahl *Erbschaft dieser Zeit* für das *Neue Tagebuch* besprechen. Das Buch war ihm aber zu schwierig, und so gab er es an Marcuse weiter, dessen Rezension im Dezemberheft erschien (vgl. *Das Neue Tagebuch*, Jg. 3, 1935, S. 1196-1197).

Nr. 76   [Postkarte]
                                            Wien I, Herrengasse 6-8
                                                    Stiege 1, Tür 39
                                                     3. April [19]35

Lieber Krac, wir möchten schon in zwei bis drei Wochen nach Paris.[1] Aber dringend brauchen wir dazu einen Auftrag zur Übersetzung. Daher bitte ich Sie, mir in den vorbereitenden Handlungen weiter freundlich beizustehen. Erstens bitte ich um die Adresse Malraux', damit ich ihm direkt schreiben kann. Zweitens wäre ich Ihnen sehr dankbar, wollten Sie Alfred Kantorowicz, Paris 6, Hotel

Helvetia, 23, rue de Tournon anrufen und ihn anfragen, wie es mit seinen Bemühungen steht.[2] Denn direkt bekomme ich von ihm leider keine Antwort.

Also hoffentlich auf bald. Und vielen Dank.

Herzlichst Ihnen beiden Ihr Ernst

(P. S. will Fränze noch über Wien kommen?)[3]

1 Die Reise verzögerte sich dann noch einmal, so daß E. B. erst im Juni in Paris eintraf.
2 Vgl. Brief Nr. 72.
3 Franziska Herzfeld verließ Frankreich im Mai 1935 und ging – wohl kaum »über Wien« – nach Palästina. Sie kehrte 1937 nach Frankreich zurück, wo sie sich einige Jahre später das Leben nahm.

Nr. 77   [Marseille]
                                        [Sommer 1935]

Liebe Kracs, aus der beliebten Stadt freundliche Grüße

Ihr Ernst
Beste Grüße! Karola

Nr. 78   Wilhelm-Wildstr. 8
                                        Leipzig W 31
                                      12. 9. [19]59

Lieber Krac,

ich lese in Ihrem Buch »Von Caligari bis Hitler«[1] und sage Ihnen guten Tag. Viele Erinnerungen tauchten auf, und gewiß nicht nur filmgeschichtliche. Ihr äußerer Lebenslauf ist mir nie unbekannt geblieben, die Jahre hindurch; doch das bedeutet nicht viel. Gewundert hat mich, daß unter den Aufzählungen Ihrer Schriften der »Ginster« fehlt. Freilich fehlt auch, wie ich mich vor wenigen Wochen überzeugen konnte, auf der Place de l'Odéon das kleine Café, wo ich Sie [...][2], einen gar sehr erheblichen Krach beendend, mit Lili wieder begrüßte. Vielleicht ist das Café doch noch vorhanden, in der gleichen Stadt, wo wir uns unausgesprochen, doch schweigend getrennt haben.

Jedenfalls gebe ich Ihnen ein Lebenszeichen und grüße Sie und Lili

Ernst

1 Die (stark gekürzte) erste deutsche Ausgabe dieses Buchs war 1958 in der Reihe »rowohlts deutsche enzyklopädie« erschienen. Jetzt mit dem korrekten Titel *Von Caligari zu Hitler* in: S.K., *Schriften 2*, Frankfurt/M. 1979.
2 Ein Wort (vielleicht durchgestrichen) unleserlich.

Nr. 79
Kracauer an Bloch   498 Westend Avenue
                                                       New York 24, N.Y.
Lieber Ernst: October 12, 1959
Ihr Lebenszeichen, das uns erst vor ein paar Tagen erreichte, hat uns innigst gefreut und sehr bewegt. Gerade kurz vor seinem Eintreffen hatten wir noch untereinander gesagt, wie schön es doch wäre, wenn wir wieder einmal von Ihnen hören könnten. Es war wie eine Art von Telepathie. (Übrigens, die deutsche Ausgabe meines »Von Caligari bis Hitler« ist arg verstümmelt; gerade die wesentlichen Analysen fehlen darin.) Auch zu uns ist manchmal einiges von Ihren äußeren Umständen gedrungen. Und auch wir sind die alten Wege in Paris wieder gewandelt und haben unsrer ersten Begegnung und letzten Trennung gedacht. Wir waren vor drei Jahren und vor einem je an die drei Monate in Europa gewesen. Das erste Mal war reich an Wiederbegegnungen. Die seltsamste war vielleicht das Wiedersehen mit unsrer Berliner Wohnung aus den Jahren vor Hitler. Das Haus steht noch, und die Wohnung selber dient jetzt als eine Pension. Die Inhaberin erlaubte uns, durch die Zimmer zu gehen, und wir fühlten uns blind von Raum zu Raum. Da war noch derselbe Riß im Holz der Eingangstür; und der alte wacklige Aufzug führte immer noch an den farbigen Treppenfenstern vorbei. Es war, als hätte die Zeit aufgehört, dieser entsetzliche Regen, der plätschert und plätschert. Wenn alles glatt geht, wollen wir nächstes Jahre wieder für einige Zeit in Europa sein, so zwischen Mitte Juli und Mitte Oktober. Und sonst? Abgesehen von einer schlimmen virus pneumonia, die ich anfangs dieses Jahres hatte, ist alles soweit gut verlaufen; das heißt, wir sind gesund und

arbeiten viel . . . Genug, wenn dieser Bericht, der viel zu inhaltsarm ist, um einer zu sein, Ihnen sagt, wieviel uns das Wort von Ihnen bedeutete.

Mit guten Gedanken,
Ihre Kracs

P.S. Daß mein »Ginster« in der Bibliographie der deutschen Ausgabe des Caligari-Buchs nicht erwähnt ist, gehört zu den vielen Versäumnissen, dessen sich der Verlag schuldig machte. Es war keine Zeit mehr für mich, etwas dagegen zu tun, und wir waren traurig darüber.

Nr. 80
Kracauer an Bloch

498 Westend Avenue
New York 24, N.Y.
23. Mai, 1962

Lieber Ernst:

Als Sie uns vor nun über zweieinhalb Jahren aus Leipzig schrieben, eine Brücke schlagend über lange Jahre des Dazwischens, antwortete ich Ihnen gleich voller Freude – glücklich in der Gewißheit, daß gutgesponnene Fäden eben doch nicht zerreißen können. In meinem Brief von damals erwähnte ich, in der Hoffnung auf ein Wiedersehen, daß wir im Sommer 1960 länger in Europa sein würden. Aber wir hörten nichts mehr von Ihnen, obwohl Sie, wie wir wußten, immer einmal wieder im Westen gewesen waren. So schwieg ich auch, mit der alten Willigkeit zum Warten.[1] Wir haben natürlich verfolgt, was inzwischen geschehen ist[2]; und wir empfinden große Befriedigung über die Anerkennung, die Ihnen jetzt zuströmt – ein Zeichen, daß manchmal Echtes doch noch zeitig genug nach oben und außen dringt. Wir kommen bald wieder nach Europa; genau gesagt, wir fliegen am 6. Juli nach London. Dann werden wir, zum Beispiel, vom 21. bis 25. Juli in München sein und im August in der Schweiz; von Paris kehren wir bestimmt nicht vor Ende September zurück. Ich möchte Sie heute nur gerade das wissen lassen und Sie fragen, ob eine Möglichkeit des sich Sehens besteht.

Alles Herzliche Ihnen und Carola

von Ihren Kracs

P.S. Für alle Fälle: unsere Adresse in München ist: Hotel Bayrischer Hof, Promenadeplatz.

1 S.K. spielt hier auf eine geistige Haltung an, die er erstmals in seinem 1922 veröffentlichten Essay »Die Wartenden« skizzierte. Vgl. S.K., *Ornament*, S. 106-119.
2 Während einer Reise in Westdeutschland im Sommer 1961 hatte sich E.B., als er vom Mauerbau erfuhr, entschlossen, nicht nach Leipzig zurückzukehren. Er nahm die ihm angebotene Gastprofessur in Tübingen an.

Nr. 81   Tübingen, Im Schwanzer 35
                                                          31.V.[19]62
Meine lieben Krac und Lili,
aber diesmal muß es unbedingt klappen. Am schönsten wäre es, wenn Ihr uns Ende Juli, wo Ihr in München seid, hier besuchen könntet. Tübingen ist übrigens ein schönes altes Städtchen und ein besserer Ort zum Wiedersehen als das laute, auto-überfüllte München zur Sommerszeit. Auch abseits von Stift und Hölderlinturm werden wir uns in die Arme fallen.
Herzlichst hat es mich gefreut zu hören, daß Deine Schriften, lieber Krac, jetzt in Frankfurt herauskommen. Und Frau Lorenz, die Deine unvergeßlichen Aufsätze zum Druck vorbereitet, ist eine meine[r] früheren Studentinnen. Und Teddy soll sich, wider Erwarten, ganz freundlich-eifrig benehmen.[1]
Mir ist die neue publicity selbstverständlich nicht nur nicht zu Kopf gestiegen, sondern ganz im Gegenteil. Es geht wenig über die bescheidene Stille des öffentlichen Ungekanntseins und die unbescheidene Arbeit, die darin gedeiht. Darin (wenigstens was meine Natur angeht) am besten gedeiht. In einem kleinen Kreis, der es in sich hat. Dieser allerdings scheint sich ebenfalls zu bilden, ohne daß ich ein »Zentrum« zu sein hätte.
Karola grüßt Euch mit mir herzlich. Auf Wiedersehen, mein Lieber, meine Liebe

                                                          Euer Ernst

1 Hier liegt ein Mißverständnis oder eine Verwechslung vor. Erika Lorenz schrieb 1962 bei Adorno in Frankfurt eine Diplomarbeit über *Siegfried Kracauer als Soziologe*. Dagegen hat sie weder die Auswahlbände mit frühen Aufsätzen S. K.s, die 1963 und 1964 erschienen, noch die Edition seiner Schriften, die erst seit 1971 veröffentlicht wird, vorbereitet. Vgl. auch Brief Nr. 82.

Nr. 82
Kracauer an Bloch

498 Westend Avenue
New York 24, N.Y.
June 10, 1962

Lieber Ernst:
Zunächst: Lili und ich freuten uns innigst, von Euch beiden zu hören. Und gar dies – daß Ihr wie wir auf ein Wiedersehen ausgerichtet seid.
Ja, es muß unbedingt klappen. Aber wie? Verlockend wie Tübingen mit dem heimlich-unheimlichen Hölderlinturm und Euch inmitten all der Theologie wäre, ich kann es einfach nicht machen. Das erklärt sich daraus, daß ich – aus Gründen, die brieflich zu langweilig zu erörtern sind – eine Reihe von Verabredungen unterwegs wahrzunehmen habe und danach unsere Reise habe einrichten müssen. So ist alles mehr festgelegt als uns lieb ist. (Wo sind die schönen Zeiten, in denen man eine Reise noch improvisieren konnte? Heute ist man wie ein Paket.)
Natürlich hatten wir, im Einklang mit dem Prinzip Hoffnung, ein Wiedersehen immer im Sinn. Und wir dachten an München, weil es Euch vertraut ist und verhältnismäßig nahebei liegt. Ich habe zwar dort auch einiges zu tun, aber das bedeutet kein Hindernis für uns. Was die Überfüllung betrifft, so werden wir uns dagegen zu schützen wissen. (Taten wir es nicht in Paris? Voriges Jahr im wirklich überfüllten Rom hatten wir wunderbar ruhige Zeiten mit den Silones.[1]) Zum Glück scheint München immerhin für Euch in Betracht zu kommen. Bitte, macht es möglich. Wir treffen dort, nach zwei Tagen Frankfurt, am Samstag, den 21. Juli, nachmittags ein (Adresse: Hotel Bayrischer Hof) und fahren – hélas, fliegen – am 25. Juli weiter nach Zürich, für ca. 3 Tage, von denen ich einen wahrscheinlich nach Basel muß.

Laßt uns für alle Fälle noch ein bißchen darüber hinaus denken. Wo werdet Ihr im August sein? Wir sind in den Bergen in der Schweiz, wo wir uns endlich einmal ausruhen können, erholungsbedürftig wie wir sind. (Ich will dort auch an den Vorbereitungen für ein neues Buch[2] arbeiten; doch darüber mündlich.) Ende August, beziehungsweise Anfang September nochmals Zürich, jedenfalls ist das sehr möglich. Und es bleibt Paris von ca. 10. September bis ganz Ende des Monats. Ach, der erste Abend in Paris, im Café an der Place de l'Odéon, dann Flambaum, dann Weber, und kein Ende. Those were the days[3], würden sie hier sagen. Aber wir hoffen auf München, das ist sicher, greifbar, und gut.

Frau Lorenz korrespondierte mit mir, der Diplomarbeit wegen, die sie bei Teddie über meine soziologischen Schriften macht. Ich schickte ihr ein paar Sachen und gab ihr alle gewünschten Auskünfte. Es war aber immer nur von ihrer Diplomarbeit die Rede, nicht davon, daß sie meine Aufsätze zum Druck vorbereitet. Sollte das nicht ein Mißverständnis sein?[4]

Und doch ist das jetzige Prestige Deines Namens erfreulich und, so möchte ich hinzufügen, trostreich. Bescheidene Stille und ein kleiner wissender Kreis gewinnen noch, scheint mir, wenn es von draußen manchmal ein wenig hereinrumort.

Auf Wiedersehen; und möchte es München sein.

Inzwischen viele gute Gedanken und alles Herzliche von uns beiden für Euch beide,

Eure,

Kracs[5]

1 Der italienische Schriftsteller Ignazio Silone (1900-1978) und seine Frau, die S.K. im französischen Exil kennengelernt hatte.

2 Die geschichtsphilosophische Arbeit *History. The Last Things Before Last*, die S.K. nach Fertigstellung der Filmtheorie in Angriff nahm. Er hat diese Arbeit nicht mehr beenden können. Die englische Erstausgabe erschien posthum 1969. Deutsche Übersetzung: *Geschichte – Vor den letzten Dingen*, in: S.K., *Schriften 4*, Frankfurt/M. 1971.

3 Engl.: das waren die Tage.

4 Vgl. Brief Nr. 81, Anm. 1.

5 Nach diesem Austausch von Briefen trafen sich E.B. und S.K. im Juli 1962 in München. Obwohl S.K. in den folgenden Jahren häufiger in Europa war und ein erneutes Zusammentreffen immer wieder geplant wurde, blieb dies ihr einziges Wiedersehen.

Nr. 83
Kracauer an Bloch

498 Westend Avenue
New York 24, N. Y.
June 17, 1963

Lieber Ernst:

Da sind wir wieder einmal nach langen Monaten. Wir haben uns innigst gefreut, Dich auf voller Fahrt zu wissen – ich meine die Tübinger Einleitung I[1]. Ich selber habe das Bändchen – Dank dafür – sofort verschlungen, und mit Genuß. Das über die Einfühlung[2] ist schön, um nur eine Kleinigkeit zu nennen; die Gedankenordnung ist originell und gerade deutlich genug; und ich dachte an unsere guten Münchener Gespräche, als ich über Fortschritt und Zeit las. Du bist meines Wissens der einzige, der das Zeitproblem sieht. Und was Du dazu sagst, berührt sich stark mit meinen eigenen Ideen über die Antinomie im Innern des chronologischen Zeitbegriffs, die ich kürzlich in einem Essay[3], allerdings ohne Hinweise auf den Riemannschen Raum[4], entwickelte. Hoffentlich kann ich Dir im September einen Separatabdruck dieses Artikels schicken. Da er erweitert in mein Geschichtsbuch[5] eingeht, ist er auf Englisch geschrieben; doch das macht ja nichts. (Daß ich mit Hegel, trotz Deines großartigen Faust-Vergleichs[6], auf keinen grünen Zweig komme, ist meine eigene Schuld, aber Gott helfe mir usw.)

Ich wünschte ich könnte sagen, bald mehr darüber und anderes mündlich. Wir fliegen am 5. Juli nach Amsterdam und bleiben bis Ende September in Europa, wie voriges Jahr. Das Problem ist, was tut Ihr beide all die Zeit und wo seid Ihr. Wenn alles gut geht, werden wir selber die längste Zeit – vom 25. Juli bis 2. September – in Interlaken (Adresse: Grand-Hotel Beau-Rivage) sein. Dann muß ich nach Zürich, vom 3. September ab für 8-10 Tage (Adresse: Hotel Neues Schloß, Stockerstraße 17). Weißt Du übrigens, daß es in Zürich ein »Haus Zur Hoffnung« gibt, auf einem schönen Kirchplatz? Lili und ich entdeckten es dort voriges Jahr. Wir möchten es Euch so gerne zeigen. Frankfurt steht noch nicht fest. Ich bin leider in meinen Bewegungen nicht ganz frei, sondern muß allerhand Leute sehen, jobwise, und mich danach einrichten. Am Ende wird es wieder Paris sein. In Interlaken will ich konzentriert

an meinem geschichtsphilosophischen Buch arbeiten (was zur Begleitung muntrer Reden gut vonstatten ginge).
Bei uns ging alles ganz ordentlich. Hätte Lili sich nicht den rechten Arm gebrochen – gleich nach Weihnachten, und nicht durch eigene Schuld –, wäre alles noch besser gegangen. Sie war über einen Monat ganz immobilisiert; aber jetzt ist schon länger alles wieder, als wäre es nicht gewesen.
Wenn Du bis zum 27. Juni schreibst (Luftpost), trifft mich Deine Nachricht noch hier. Viele gute herzliche Gedanken und Grüße von uns beiden für Dich und die liebe Carola

Eure,

Kracs

1 *Tübinger Einleitung in die Philosophie* (I und II). Jetzt in: GA Bd. 13.
2 Vgl. ebd., S. 33-35: »Einfühlung, noch ohne die Schärfe von Ich und Nicht-Ich«.
3 »Time and History«, in: *Zeugnisse. Theodor W. Adorno zum sechzigsten Geburtstag*, Frankfurt/M. 1963.
4 Vgl. den Abschnitt »Frage nach einem ›elastischen‹ Zeitbegriff, in Analogie des Riemannschen Raumes« aus der *Tübinger Einleitung* (I) (in: GA Bd. 13, S. 129-138). Der Riemannsche Raum – nach dem deutschen Mathematiker Bernhard Riemann (1826-1866) – ist ein n-dimensionaler Raum, in dem sich die Maßverhältnisse von Ort zu Ort ändern. Einen entsprechend »elastischen«, vielschichtigen Zeitbegriff fordert E.B. angesichts der Verschiedenheit der »Verteilung« und der »Zielinhalte« der historischen Materie.
5 Vgl. S.K., *Geschichte – Vor den letzten Dingen*, in: *Schriften 4*, a.a.O., Kap. V: »Ahasver oder das Rätsel der Zeit«.
6 S.K. bezieht sich hier auf die entsprechenden Abschnitte aus der *Tübingen Einleitung* (I). Vgl. GA Bd. 13, S. 49-84.

Nr. 84
Kracauer an Bloch

[1965]

Lieber Ernst:[1]
Dein Geburtstag ist mir ein Anlaß, mich auf Verbindendes und Trennendes in unserem Denken zu besinnen. Des Trennenden ist viel, und es ist Dir von altersher bekannt. Du kennst mein ängstliches Mißtrauen gegen große Träume, die nicht an den Rand geschrieben sind, sondern sich überall einmischen und dabei das Nächste, mit dem wir es zu tun haben, so überaus transparent

machen, daß wir kaum noch sehen, was und wie es ist. Und Du
kennst meinen Zug zur Nüchternheit – »bunte Nüchternheit«
nanntest Du sie vor vielen Jahren[2] –, der mich immer wieder dazu
bestimmt, mich im Verkehr mit den umliegenden Dingen und Verhältnissen zu verzögern und sie nicht gleich alle auf ein letztes Ende
hin zu interpretieren. Dazwischen liegt so viel; und die Dinge selber
sind so zäh und vielgestaltig. Kurz, meine Einstellung ist der jener
Figur nicht unähnlich, die Kafka als Sancho Pansa identifizierte.[3]
Daher meine Überzeugung, daß einer, der nicht verstrickt ins Hier
ist, niemals in ein Dort gelangen könne. Aber indem ich dies sage,
bemerke ich, daß ich damit ziemlich genau den Ort bezeichne, den
Du selber einnimmst. Das Verbindende zwischen uns besteht nicht
zuletzt, wenn auch nicht nur, in dem, was ich die nicht-utopische
Seite Deiner Existenz zu nennen versucht bin. Wenn mich mein
Gedächtnis nicht täuscht, sprachst Du einmal vom »wohlbestell-
ten« Haus eines Freundes in einem Ton, der, so blasphemisch es
klingt, eine Art von Behagen verriet. Und erinnerst Du Dich unserer Streifzüge, in frühen Tagen, durch die *foire*[4] beim *Lion de Bel-
fort*? Gewiß, die Glücks- und Schießbuden waren zum Abbau und
Aufbruch bereit, aber mitsamt den Riesendamen, Wahrsagerinnen
und Zuckerstangen entzückten sie Dich doch in all ihrer Vorläufig-
keit. Du fühlst Dich, scheint mir, zu den Phänomenen des undeutli-
chen Lebens um uns her so hingezogen, daß Du stets geneigt bist,
auf ihr oft wunderliches Wesen oder auch Unwesen zärtlich einzugehen. Der Zirkus kann Dir noch ein Zirkus sein, ehe Du ihn als
industrielles Unternehmen registrierst. Von diesem Zuhausesein im
unheimlich Gegebenen zeugt Deine Willigkeit, den widerspensti-
gen Fakten ins Auge zu sehen, die Deine theoretischen Konzeptio-
nen in Frage zu stellen drohen. Du mißt der den Fortschrittsbegriff
gefährdenden Mannigfaltigkeit der Geschichtszeiten ebensoviel
Gewicht bei wie der Tatsache, daß es Ideen oder Ideologien gibt,
die den ökonomischen Unterbau nicht so sehr bestätigen als bedin-
gen. (Daß Du dann wieder die Unstimmigkeiten in die Dir gemäßen
Zusammenhänge zurückzunehmen suchst, liegt auf einem anderen
Gebiet.) Deutlicher noch zeigt sich Deine nicht-utopische Ansäs-
sigkeit im Hier in der Lust am Erzählen. Niemand, der nicht bis tief
in die Nacht mit Dir zusammen gesessen hat, wird je wissen, was
Erzählen heißt. Wer erzählt, der verweilt; er umfährt liebend auch

das, was nur ist und verändert werden soll. So erfahren wir es. Ich er-
kläre mir die Besonderheiten Deiner philosophischen Sprache, deren
Wendungen und Prägungen mich mitunter an die sichtbaren Wurzelverschlingungen alter Bäume denken lassen, aus Deinem Verlangen danach, nicht einfach das Nötige zu sagen, sondern das Unsag-
bare, das nötig wäre, auf Erzählerweise derart zu bannen, daß es, wie
immer ungenügend, erfahren werden kann. Selbst Deine abstrakte-
sten Darlegungen sind voll von Welt und kuriosen Sachen. Du
bewahrst etwas vom Zauber der Dinge, die Du entzauberst.
Diese Deine relative, gar nicht utopische Verstricktheit ins Hier –
ist Dir nicht manchmal beinahe wohl darin zumute? – verleiht Deinem utopischen Denken seinen unverwechselbaren Charakter. Ich
möchte Deine Utopie eine bewahrende nennen. (Vielleicht ist es
dieser konservierende Zug an Hegel, der Dich bei ihm so anspricht,
denn von seiner Dialektik hast Du zum Glück wenig geerbt.) Du
gibst die Welt nicht preis, wenn Du ihr den Prozeß machst. Im
Gegenteil, es liegt Dir sehr am Herzen, alles in ihr Gewollte,
Gedachte und Geschaffene einzusammeln wie in einer Arche Noah
und es durch Interpretationen sozusagen reisefertig zu machen fürs
große Abenteuer. Du willst die Dinge heimholen von den Plätzen,
wo sie ihre provisorische Heimat haben, und sie neu einpflanzen im
Dort – oft vielleicht in kaum veränderter Gestalt. Daß Du sie mitnehmen willst, ist mir ein Zeichen für die Legitimität Deiner utopischen An- und Absichten. Eben seine erzählerische Inhaltlichkeit,
die es mit Benjamin teilt, zeichnet Dein Denken vor anderen zeitgenössischen Denkversuchen aus, die zwar ebenfalls die Utopie meinen, aber gewissermaßen nur mit dem Begriff von ihr operieren.
Zum Unterschied von ihnen siehst Du wohl tatsächlich das Land
Orplid ferne leuchten.
Nun ist es wahr, Du stürmst dorthin. Und Dein Stürmen ver-
schlüge dem Sancho Pansa in mir zuweilen den Atem, wäre es nicht
von eigener Art: es vereinigt auf wunderbare Weise utopische
Ungeduld mit dem Verweilen-Können des deutenden Erzählers.
Obwohl Du die Hoffnung zum Prinzip erhebst, eilst Du nicht
immer gleich weg vom Bestehenden zum Erhofften, sondern treibst
Dich gern in den Vorräumen herum, alle jene befragend, für die
gehofft werden muß. Die Hoffnung ist schwer befrachtet, und der
Sturm nicht nur ein Bedrängen des Endes. Dazwischen mengt sich

viel Nachdenkliches ein, die Problematik des Vorletzten betreffend, das unaufschließbar ist und dennoch erschlossen zu werden verlangt. Einer Deiner Hauptdietriche, der Marxismus, hat es Dir ermöglicht, Entschlüsselungen vorzunehmen, die ins Helle, Nüchterne, Aufgeklärte weisen. Die Utopie, die Dich erfüllt, ist frei, wo nicht von Mythen, so doch von ihrer Beschwörungsgewalt. Und dabei hätte das Magische gerade Dir, dem es zu Gebote steht wie wenigen, zur Versuchung werden können. *En passant*, es ist ein recht Blochscher Marxismus, dessen Du Dich als Instruments weißer Magie bedienst.

Wirst Du es einem, der auf seinem Esel hinterher trottet, verargen, daß er Dir nicht in alle Fernen und Tiefen zu folgen vermag? Bewundernd und nicht ohne Zagen sehe ich von weitem zu, wie Du mit spekulativem Wagemut die Natur ins Spiel mischt, so daß das ganze Universum in Bewegung gerät und sich mit allem, was Mensch heißt, auf die Fahrt begibt. Welch ein Schauspiel, dieses Experiment der Welt! Es ist um so erregender, als Du stets von neuem Deine allgemeinen, auf die Totalität der Welt bezogenen Einsichten zur Dechiffrierung des Besonderen und Konkreten benutzt. Von noch unbewohnten Höhen geht es so unvermittelt in Räume hinein, in denen ein Kaminfeuer Wärme verbreitet, die Wurzelverschlingungen, die sich in die Erde erstrecken, sind mit einem Mal märchenhafte Arabesken, und schreckliche Abgründe tun sich auf, während uns schon die Nachricht von einem Dort erreicht, wo das Haus wirklich »wohlbestellt« ist und das Dogma seine Kraft verliert. Angesichts dieser ständigen und vehementen Veränderung der Distanzen, Perspektiven und Prospekte ergreift mich manchmal ein Schwindelgefühl, das dadurch hervorgerufen oder jedenfalls verstärkt wird, daß mir selber das Problem der Beziehung des Allgemeinen zum Besonderen viel zu schaffen macht. In solchen Momenten frage ich mich dann, ob Du Dich nicht auf etwas Unmögliches einläßt. Und das führt mich dazu, über den möglichen Grund meiner Frage zu reflektieren.

Eines bedarf kaum der Erwähnung: Deine Philosophie ist kein System, das losgelöst von Dir existierte. Eher erscheint sie mir als eine einzige, immerwährende Anstrengung, eine Vision zu objektivieren – die einer Mensch und Kosmos erfassenden Bewegung zum Utopischen hin. Du hast in der Folge Deiner Schriften diese Dir eingeborene Konzeption durchs Material der Welt hindurchgetrieben und sie so philosophisch auf eine Weise dargestellt, die ihr Gültigkeit verleiht – als Vision. Indem ich Deine Philosophie als solche bezeichne, will ich ausdrücken, daß sie nicht nur Philosophie im üblichen Wortverstand ist, sondern noch etwas anderes, etwas schlechterdings Inkommensurables. Sie gehört auch in die Ahnenreihe der historischen Utopien; sie ist auch ein revolutionäres Manifest. (Sagst Du nicht einmal, daß der »Fortschrittsbegriff ... uns einer der teuersten und wichtigsten«[5] ist?) Eines der entscheidendsten Motive Deiner Philosophie, oder vielmehr des Visionären an ihr, besteht meines Erachtens darin, daß Du die elementare Natur in den utopischen Prozeß hineinreißt. Diesem Motiv gegenüber versagt jedes Argumentieren. Man mag das hier Gesehene nicht wahrnehmen, aber man kann mit ihm ebenso wenig rechten wie mit gewissen anderen Zügen Deines Denkverfahrens: dem Barocken darin oder dem gelegentlich in wörtlichem Sinne Vonoben-her-Verfügen – etwa in Deiner Interpretation von Kunst als einem »Vor-Schein« des Utopischen. All dies ist unabtrennbar von der mit Dir gesetzten Vision. Damit komme ich zu einem sehr wichtigen Punkt. Während viele Denker so ganz in ihrem Werk verschwinden, daß man nichts von ihnen zu wissen brauchte, um sie hinreichend zu kommentieren, weist das von Dir Gedachte durchweg auf seinen Urheber zurück. Deine Vision läßt einen keinen Augenblick die Person vergessen, die sich in ihr vergegenständlicht. Du als Person erscheinst *in* ihr; und zwar sieht man Dich durch sie hindurch als eine wirkende Naturkraft – ein Stück noch jener Natur, die Du auf den Weg schickst, den Du unter Zwang und in Freiheit begehst. Hiersein und Dortsein finden sich in Dir auf eine Art zusammen, an der sich die Fantasie entzündet. Und ich kann mir nicht anders denken, als daß Deine einmalige Figur jedem, der Dich liest, aus den Texten leibhaftig entgegentritt und zum denkwürdigen Bürgen des von Dir Gemeinten wird.

Da ich zu Deinem Geburtstag nicht mit leeren Händen kommen will, füge ich meinem Brief ein paar ungedruckte, vor wenigen Jahren geschriebene Seiten von mir bei. Sie handeln von *Erasmus*.[6] Ich wünschte mir, daß diese utopische Exkursion Dir das Verbindende zwischen uns nahebrächte.

Dein Krac

1 Dieser Brief zu E.B.s 80. Geburtstag am 8. Juli 1965 stellt den ersten Teil des Aufsatzes »Zwei Deutungen in zwei Sprachen« dar, den S.K. in dem Band *Ernst Bloch zu ehren*, a.a.O., S. 145-155, veröffentlichte. Die Kursivierungen im Text folgen dieser Vorlage.
2 Vgl. GA Bd. 4, S. 33. E.B. spricht hier allerdings nicht von »bunter Nüchternheit«, sondern von einer »gewissen nüchternen Buntheit«.
3 Vgl. Franz Kafkas Prosatext »Die Wahrheit über Sancho Pansa« (1917), in: Franz Kafka, *Gesammelte Werke*, herausgegeben von M. Brod, Bd. 6, Frankfurt/M. 1976, S. 57.
4 Franz.: Jahrmarkt, Messe.
5 GA Bd. 13, S. 146.
6 Vgl. *Ernst Bloch zu ehren*, a.a.O., S. 150-155. S.K. hat diese Erasmus-Interpretation später in die Einführung zu seinem Geschichtsbuch aufgenommen. Vgl. S.K., *Schriften 4*, a.a.O., S. 20-25.

Nr. 85   Asolo (Treviso)
                                           Albergo Bella Vista
                                           11.9.[19]65

Liebe Kracs, hier nun die Daten. Völlig abgetrieben durch Arbeit und was damit zusammenhängt (oder auch nicht), bleiben wir hier in Asolo, einem schönen, ganz fremdenfreien Ort, bis Ende September. Was sind Eure Pläne?
Deinen Aufsatz (den deutschen) in dem Suhrkampbuch[1], lieber Krac, habe ich mit lebhafter Erinnerung und Betroffenheit gelesen und danke Dir sehr dafür. Mit der Hinzufügung, daß ja *gerade* das Kleine so dichte wie transparente utopische Bestände enthalten kann und das Große, wenn es eines ist und nicht dicker Wilhelm, genau zum Unscheinbaren, vice versa, Bogen schlägt.
Und: Sancho Pansa, vor dem ich den Hut ziehe, kommt, bei Cervantes, nicht ohne Don Quixote vor (nicht einmal, wenn Sancho Statthalter wird). Sancho allein wäre nie darauf gekommen, den Ginster zu schreiben, in my opinion[2].
Laßt baldigst von Euch hören und seid herzlich gegrüßt

                                           von Eurem Ernst

Hier ist es wunderschön – wir möchten öfters hierher kommen. Die Landschaft hat die Grandezza und zugleich Lieblichkeit der Toscana. Die Bauten wunderschön in die Täler und auf die Hügel gesetzt. Es wäre schön, Euch hier wiederzusehen. Viele herzliche Grüße von Karola.

1 Vgl. Brief Nr. 84, Anm. 1.   2 Engl.: meiner Meinung nach.

Nr. 86
Kracauer an Bloch

Florence, Grand Hotel Minerva
Sept[ember] 15, 1965

Lieber Ernst und liebe Karola:
Wir waren beglückt, und gerührt, lieber Ernst, einen Brief von Dir in eigener Handschrift zu erhalten.[1] Und aus Deinen Worten fühlten wir ganz Deine Nähe. Leider, leider wird es nun doch nicht die leibhafte sein. Morgen gehen wir über Mailand nach Paris – ein unaufschiebbarer Termin, weil ich dort noch einige berufliche Verpflichtungen habe. Und spätestens am 4. Oktober muß ich wieder zurück in New York sein. Wir sind recht unglücklich über dieses Aneinandervorbeifahren. Es wäre so gut gewesen, Euch beide wiederzusehen, um so viel zu reden – nicht zuletzt über die Dinge, die Du in Deinem Brief berührst. Daß Du meinen Aufsatz wohl aufgenommen hast, freut mich von Herzen. Er war mit Liebe geschrieben, und mehr will ich nicht dazu sagen. Nur dies noch: das schwierige Verhältnis zwischen dem Kleinen und Großen wird eine wichtige Rolle in meinem Geschichtsbuch spielen. Desgleichen Kafkas Sancho-Pansa-Figur, der ich eine neue Deutung gebe.[2] Du hast natürlich recht, Sancho Pansa kann nicht ohne Don Quichote sein; daher auch fügte ich meinen Worten über Dich die Erasmus-Interpretation bei, die Sancho Pansas utopischem Drängen entspringt.
Erholt Euch gut in Asolo, das sehr schön und passend zu sein scheint. Und nächstes Jahr muß das Wiedersehen unter allen Umständen zustandekommen. Wir wollen, beide Teile, dafür sorgen.
Mit guten Gedanken und den innigsten Wünschen und Grüßen,

Eure Kracs

P.S. Unsere Pariser Adresse bis bestimmt 2. Oktober ist: Grand

Hotel du Louvre, Place du Theâtre Français, Paris (Ier). – Dann wieder New York.

1 Vgl. Brief Nr. 85.
2 Vgl. SK., *Schriften 2*, a.a.O., S. 200f.

Nr. 87
Bloch an Elisabeth Kracauer

Tübingen, Im Schwanzer 35
8. 12. [19]66

Liebe Lili,

ein so überaus trauriger Anlaß zum Schreiben.[1] Ich drücke Dir die Hand. Zusammen mit Dir taucht mir meine erste richtige Begegnung mit Krac an dem kleinen Café-Tisch auf, Place de l'Odéon. Wie wurde diese Begegnung dann fruchtbar. »Abenteuer der Treue«[2] nannte Krac die Ehe; mit anderem Maß gibt es auch so etwas in der Freundschaft, und wir haben es bestanden. Auch wenn es nicht immer im gleichen Engagement sich kenntlich machte. Einmal sagte mir mein Freund, es war in dem großen Kaffeehaus am Zoo, wo wir drei uns so oft am Abend trafen, er finde die Abkürzung Krac schon onomatopoetisch für sich selber, sein Knackendes im Gebälk, sein trocken-reichhaltiges understatement vollkommen richtig. Und was hat seine Güte dazu alles mit diesem Kritischen, Unbestechlichen angefangen. Genau dies einmalige Wesen wird bleiben.

Dir in Erinnerung nahe,

Dein Ernst

1 S. K. war am 26. 11. 1966 in New York gestorben. Vgl. auch die Nr. 46 im Briefwechsel Adolph Lowe – E. B.
2 E. B. hat diesen Ausdruck in die überarbeitete Fassung der 2. Auflage von *Geist der Utopie* übernommen (vgl. GA Bd. 3, S. 262).

Gesamtinhaltsverzeichnis